Uni-Taschenbücher 2000

Eine Arbeitsgemeinschaft der Verlage

Wilhelm Fink Verlag München
Gustav Fischer Verlag Jena und Stuttgart
Francke Verlag Tübingen und Basel
Paul Haupt Verlag Bern · Stuttgart · Wien
Hüthig Verlagsgemeinschaft
Decker & Müller GmbH Heidelberg
Leske Verlag + Budrich GmbH Opladen
J. C. B. Mohr (Paul Siebeck) Tübingen
Quelle & Meyer Heidelberg · Wiesbaden
Ernst Reinhardt Verlag München und Basel
Schäffer-Poeschel Verlag Stuttgart
Ferdinand Schöningh Verlag Paderborn · München · Wien · Zürich
Eugen Ulmer Verlag Stuttgart
Vandenhoeck & Ruprecht in Göttingen und Zürich

Andere Werke von Karl Popper in deutscher Sprache oder ins Deutsche übersetzt

Bei J.C.B. Mohr (Paul Siebeck) Tübingen

Logik der Forschung (Wien 1935 [1934]), ^{10}1994
Die offene Gesellschaft und ihre Feinde
  Band I: *Der Zauber Platons* (Bern 1957), ^{7}1992 (auch UTB 1724)
  Band II: *Falsche Propheten: Hegel, Marx und die Folgen* (Bern 1958), ^{7}1992 (auch UTB 1725)
Das Elend des Historizismus (1965), ^{6}1987
Die beiden Grundprobleme der Erkenntnistheorie, hg. von T. E. Hansen (1979), ^{2}1994
Vermutungen und Widerlegungen
  Teilband I: *Vermutungen* (Kapitel *1* bis *10*), (1994)

In Vorbereitung

Vermutungen und Widerlegungen
  Teilband II: *Widerlegungen* (Kapitel *11* bis *20*, Anhang und Register)
Eine Welt der Propensitäten
Postskript zur Logik der Forschung
  Band I: *Der Realismus und das Ziel der Wissenschaft*
  Band II: *Das offene Universum*
  Band III: *Die Quantentheorie und das Schisma der Physik*
Der Mythos des Rahmenwerks
Das Wissen und das Leib-Seele-Problem

Bei Hoffmann und Campe, Hamburg

Objektive Erkenntnis. Ein evolutionärer Entwurf (1973), ^{4}1984
Ausgangspunkte. Meine intellektuelle Entwicklung (1979), ^{3}1994

Bei R. Piper Verlag, München

Das Ich und sein Gehirn, mit John C. Eccles (1982), ^{8}1989 (SP 1096)
Offene Gesellschaft – offenes Universum. Ein Gespräch über das Lebenswerk des Philosophen [mit Franz Kreuzer] (Wien 1982), ^{4}1986 (SP 476)
Auf der Suche nach einer besseren Welt. Vorträge und Aufsätze aus dreißig Jahren (1984), ^{8}1995 (SP 699)
Die Zukunft ist offen. Das Altenberger Gespräch, mit Konrad Lorenz (1985), ^{6}1994 (SP 340)
Alles Leben ist Problemlösen (1994)

Karl R. Popper

Lesebuch

Ausgewählte Texte zu Erkenntnistheorie,
Philosophie der Naturwissenschaften,
Metaphysik, Sozialphilosophie

Herausgegeben von
David Miller

J.C.B. Mohr (Paul Siebeck) Tübingen

Karl R. Popper – Geboren 1902 in Wien. 1928 Dr.phil. (Wien); 1948 D.Litt. an der Universität London. 1937–1945 Senior Lecturer am Canterbury College, Christchurch, New Zealand; 1945–1949 Reader, 1949–1969 Professor of Logic and Scientific Method an der London School of Economics and Political Science, 1969 Emeritierung. Sir Karl Popper war mehrfacher Ehrendoktor und Träger hoher Auszeichnungen, zuletzt der Otto-Hahn-Friedensmedaille der Vereinten Nationen (Dezember 1993). Karl Popper starb 1994 in London.

David Miller – Geboren 1942 in Watford, Herts., Studium in Cambridge, an der London School of Economics, wo er auch Forschungsassistent von Karl Popper war, sowie an der Stanford University; Reader in Philosophy an der University of Warwick in England, wo er seit 1969 arbeitet; 1991 und 1992 Gastprofessor am Institut for Advanced Studies an der Universität von São Paulo; Veröffentlichungen: *Critical Rationalism: A Restatement and Defence,* Chicago and La Salle, Illinois 1994: Open Court, zahlreiche Artikel über Logik und Wissenschaftstheorie.

Die Deutsche Bibliothek – CIP-Einheitsaufnahme

Popper, Karl R.:
Lesebuch : ausgewählte Texte zu Erkenntnistheorie, Philosophie der Naturwissenschaften, Metaphysik, Sozialphilosophie /
Karl R. Popper. Hrsg. von David Miller. – Tübingen : Mohr, 1995
(UTB für Wissenschaft : Uni-Taschenbücher ; 2000)
ISBN 3-8252-2000-1 (UTB)
ISBN 3-16-146419-2 (Mohr)
NE: Miller, David [Hrsg.]; Popper, Karl R.: [Sammlung]; UTB für Wissenschaft / Uni-Taschenbücher

Das Buch wurde von Computersatz Staiger in Pfäffingen aus der Garamond Antiqua gesetzt. Druck und Bindung von Presse-Druck in Augsburg. Umschlagentwurf von Alfred Krugmann in Stuttgart.

ISBN 3-8252-2000-1 UTB Bestellnummer

Inhalt

Teil *IV.* Sozialphilosophie

Einleitung des Herausgebers

Wir machen alle Fehler; irren ist jedoch nicht ausgesprochen menschlich. Viele andere Lebewesen, wie Tiere und sogar Pflanzen, sind teilweise imstande, ihre Fehler vorauszusehen, sie zu erkennen und sogar aus ihnen zu lernen; aber nur die Menschen, so scheint es, betätigen sich aktiv in dieser Richtung. Statt darauf zu warten, daß unsere Fehler sich zeigen, vielleicht mit katastrophalen Konsequenzen, suchen wir sie bewußt und absichtlich: wir prüfen unsere Ideen und Erfindungen, wir untersuchen kritisch, wir verwerfen, was wir als falsch entdecken, und versuchen es von neuem. Wir haben nicht nur diese kritische Einstellung, sondern auch eine ausgesprochen menschliche Schwäche: das Gefühl, daß wir uns unserer Fehler schämen sollten, daß wir sie bereuen sollten, weil sie nur das Ergebnis unserer Inkompetenz oder unseres Mangels an reifer Einsicht sein können. Aber solche Bedenken sind fehl am Platze und müssen entschlossen unterdrückt werden, denn es gibt keinen bekannten Weg, wie wir den Irrtum systematisch vermeiden können; besonders nicht dann, wenn wir uns der Erforschung des Unbekannten zuwenden. Die Scheu vor möglichen Fehlern degeneriert leicht zu einem Mißtrauen gegenüber neuen Ideen, zu einem Widerwillen gegen jede Art kühner Initiative. Wenn es uns ernst damit ist, die Welt zu entdecken, müssen wir bereit sein, Fehler zu korrigieren; aber wenn wir sie korrigieren sollen, müssen wir bereit sein, sie erst einmal zu machen.

Nicht alle Fehler sollten uns stören, sondern nur solche, die wir nicht korrigieren können. Vorschläge, die wir nicht kritisieren und daher nicht korrigieren können, dürfen wir zu Recht von unserer ernsthaften Erwägung ausschließen. Denn wenn wir uns auf das Abenteuer einlassen, die Welt und unseren Platz in ihr zu erforschen, dürfen wir nicht davor zurückschrecken, alle Wege genau zu prüfen und jene aufzugeben, die sich als falsch erweisen. Das funktioniert nur, wenn wir von Anfang an Ideen zurückweisen, die nicht korrigiert werden können, wenn sie falsch sind. Dem Auftreten von Fehlern gegenüber können wir nachsichtig sein; wir müssen es sogar sein, denn wir werden nicht allen ausweichen können, was immer wir tun. Wir können es uns aber nicht leisten, unkorrigierbare, unwiderrufliche oder unkontrollierbare Fehler zu machen. An Fehlern festzuhalten, behindert unser Verstehen; an ihnen festzuhalten, nicht sie zu begehen, müssen wir mit aller Kraft zu vermeiden suchen.

Im Hinblick auf Fehler ist wiedergutmachen wichtiger als vorbeugen; das ist der Kern der Philosophie der menschlichen Erkenntnis, die als Kritischer Rationalismus bekannt ist. Diese Philosophie, obgleich in einigen Punkten von früheren Philosophen vorweggenommen, zum Beispiel von Hume, Kant, Whewell und Peirce, wurde im letzten halben Jahrhundert fast ausschließlich von Karl Popper und einer kleinen Zahl seiner Studenten und Schüler entwickelt. Anders als frühere Philosophien betont sie, daß das Wachstum der menschlichen Erkenntnis auf Vermutungen aufgebaut ist, die der Kritik unterworfen werden. Popper selber schreibt darüber, daß die Erkenntnis sich durch eine Folge von Vermutungen und Widerlegungen entwickelt, von vorläufigen Problemlösungen, die durch kompromißlose und gründliche Prüfungen kontrolliert werden. Im Kritischen Rationalimus gibt es wenig Raum für die ständig im Vordergrund stehenden Sorgen der traditionellen Philosophie: Ruht unsere Erkenntnis auf einer sicheren Grundlage? Und wenn ja, auf welcher? Das ist nicht nur deshalb so, weil in den Augen des Kritischen Rationalismus unser Wissen niemals sicher begründet, sondern frei geäußert statt fest verankert ist; sondern es ist auch deshalb so, weil mit der festen Verankerung um nichts auf der Welt etwas gewonnen wäre. Für einen Kritischen Rationalisten ist wichtig, ob die zur Diskussion stehenden Vermutungen richtig sind, und nicht, ob es Gründe gibt anzunehmen, daß sie richtig sind. Wenn eine Vermutung alle Einwände übersteht, die wir gegen sie erheben, dann haben wir auch keinen Grund anzunehmen, daß sie nicht richtig ist. Ebensowenig, sagt der Kritische Rationalist, gibt es Gründe, nicht anzunehmen, daß sie richtig ist: wir können annehmen, was wir wollen, solange es keinen Grund gibt anzunehmen, daß es falsch ist. In diesem Sinne recht zu haben genügt vollkommen, wie Popper das vielleicht als erster ganz deutlich gesehen hat; es genügt für die abstrakte Spekulation über das Universum, das wir bewohnen, und auch für das praktische Leben in diesem Universum. Nur höchst selten wissen wir, daß wir recht haben; aber selbst dann brauchen wir das garnicht zu wissen.

Argumente sind für den Kritischen Rationalismus immer negativ; es sind immer kritische Argumente, die dazu dienen, früher angestellte Vermutungen zu verwerfen. Aus dieser Überlegung folgen verschiedene weitere Sätze, die das Zentrum der Philosophie Poppers bilden. Ein bereits erwähnter lautet: unsere Vermutungen müssen kritisierbar sein, wenn sie überhaupt in Erwägung gezogen werden sollen; denn die kritische Argumentation ist die einzige Kontrolle, die wir über unser Nachdenken und unsere Träume haben. Ein anderer lautet: wenn die kritische Argumentation von empirischen Tatsachen abhängt, müssen wir unsere Vermutungen noch weiter auf solche einschränken, die empirisch falsifizierbar sind: auf jene, die mit Erfahrungstatsachen überhaupt in Konflikt geraten können. Das ist Poppers Abgrenzungskriterium der empirischen Wissenschaft von der Metaphysik (und von der Scheinwissenschaft). Von unseren wissenschaftlichen Vermutungen sagen die meisten nichts über die persönliche Erfahrung aus, aber sie sind für unsere gemeinsame Erfahrung von Bedeutung. Sie können mit den Tatsachen in Konflikt geraten, deshalb können diese Tatsachen kaum unsere persönlichen Erfindungen sein. So einfach ist Poppers Realismus des Alltagsverstandes – eine Lehre, so könnte man hinzufügen, gegen die sich noch kein Argument als vernünftig erwiesen hat. Die Tatsachen befinden sich nicht in unserem Bewußtsein. Ebensowenig können sich unsere Vermutungen zur Gänze dort befinden, wenn wir sie irgendeiner Kritik unterziehen sollen: denn wir können nicht kauen, was wir schon geschluckt haben, oder in Frage stellen, was wir uns schon zu eigen gemacht haben. Offensichtlich entstehen Ideen in unserem Bewußtsein, aber ihre sprachliche Formulierung liefert sie einer größeren und ihnen feindlichen Welt aus. Das heißt: unsere wissenschaftliche Erkenntnis ist nicht eine Art von Überzeugung, ein dispositionaler Zustand des menschlichen Organismus, sie gleicht vielmehr einem selbständigen menschlichen Organ, das sich unter dem Druck unerbittlicher Kritik weiterentwickelt. Nicht alle menschliche Erkenntnis ist von dieser Art, denn wir sind sowohl Tiere als auch Menschen. Der Kritische Rationalismus setzt also voraus, daß wir uns irgendwie von einigen unserer unausgesprochenen Vorurteile distanzieren können. Er wird es nur dann weit bringen, besonders auf dem Gebiet der Wissenschaft, wenn wir eine beträchtliche Fähigkeit besitzen, uns wirkungsvoll in das Funktionieren der Welt einzumischen: wir müssen physische Körper willentlich manipulieren können, damit wir imstande sind, jene Experimente auszuführen, mit denen wir unsere Vermutungen herausfordern möchten. Der Indeterminismus ist also, ebenso wie der Realismus und der Objektivismus, eine notwendige Voraussetzung für das richtige Funktionieren der kritischen Methode.

Von besonderer Bedeutung ist das Prinzip des Kritischen Rationalismus, unwiderrufliche und unkontrollierbare Fehler gar nicht erst zu riskieren, auf dem Gebiet der Politik. Es verlangt, daß demokratische politische Institutionen in erster Linie die Freiheit erhalten sollen, besonders die Freiheit, die Freiheit zu erhalten, und folglich nicht zu beseitigende Tyrannei verhindern müssen. Es verlangt auch, daß unsere Sozialpolitik sich auf die Behebung von identifizierbaren sozialen Mißständen konzentriert; und zwar so, daß sie eine möglichst geringe Gefahr läuft, diese Mißstände durch Ungerechtigkeiten zu ersetzen, die weniger leicht zu beseitigen sind. Eine stückweise Technik der Sozialreform ist also die direkte Anwendung des Kritischen Rationalismus auf die Mißstände des sozialen Lebens. Poppers Konzept für die Wissenschaft ist revolutionäres Denken, denn seine Produkte, phantasievolle neue Theorien, können leicht aufgegeben werden, wenn sie falsch sind. Aus dem gleichen Grunde verbietet er revolutionäre Aktivität in der Gesellschaft; denn ihre selten vorhersehbaren Konsequenzen können fast nie rückgängig gemacht werden.

Diese einfachen und schönen Ideen, zusammen mit vielen anderen, werden in dreißig ausgewählten Texten aus Poppers Schriften diskutiert, entwickelt und verteidigt. Bei der Auswahl war ich bestrebt, ihre Einheitlichkeit zu zeigen; hier möchte ich dem Eindruck vorbeugen, daß sie alle in einem Augenblick ausgedacht, ganz zu schweigen von durchdacht, wurden. Popper übte sich zuerst an dem Abgrenzungsproblem, dem Problem der Unterscheidung zwischen den Leistungen der Physik und den anderen Naturwissenschaften einerseits, und dem bloßen Anspruch auf einen wissenschaftlichen Status andererseits, wie er für die Psychoanalyse, den Marxismus und die Astrologie typisch ist. Er erkannte, daß es die Falsifizierbarkeit wissenschaftlicher Hypothesen ist, auf die es ankommt, und mehr noch darauf, daß Wissenschaftler es sich zur Aufgabe machen, ihre Hypothesen dem Risiko der Falsifizierung auszusetzen. So erkannte Popper die entscheidende Rolle negativer Argumente in der Wissenschaft, wie auch die Entbehrlichkeit von Argumenten und Experimenten, die zur Stütze von Hypothesen dienen sollen. Dabei löste er das Humesche Induktionsproblem, eines der lästigsten Rätsel der modernen Philosophie und eines der wenigen, so meine ich, das nunmehr endgültig geklärt ist. Die Probleme der Induktion und der Abgrenzung lieferten das Thema für Poppers erstes Buch, *Die beiden Grundprobleme der Erkenntnistheorie*, geschrieben in den Jahren 1930 bis 1932 und erst im Jahre 1979 veröffentlicht. »Aber zu jener Zeit«, wie er zugibt, »setzte ich fälschlich die Grenzen der Wissenschaft mit den Grenzen der Diskutierbarkeit gleich« (Anm. 4 zu Text *17*). Es sollten einige Jahre vergehen, bis er diese eher bescheidene Einschätzung der Souveränität rationaler Argumentation zu einer Fürsprache der kritischen Methode im allgemeinen verstärken und festigen konnte.

Poppers Enthusiasmus für den Realismus und für den Objektivismus zeigt sich schon in der im Jahre 1934 erschienenen *Logik der Forschung*, jedoch hat er sich mit diesen Lehren, besonders mit der letzteren, erst seit Mitte der sechziger Jahre intensiver auseinandergesetzt. Seine Entdeckungen auf dem Gebiet der wissenschaftlichen Methode konnten natürlich prompt für die Analyse sozialer Phänomene benutzt werden, man denke nur an seine frühe Demaskierung der pseudowissenschaftlichen Angeberei von vielen Marxistischen Reden. Eine gründliche Untersuchung, die in der Veröffentlichung von *Das Elend des Historizismus* und *Die offene Gesellschaft und ihre Feinde* am Ende des Krieges gipfelte, wurde erst durch die Invasion Österreichs im Jahre 1938 ausgelöst. In diesen Büchern entwikkelte Popper eine Reihe durchschlagender Argumente gegen den Determinismus, gegen den Materialismus und gegen alle ähnlichen Versuche, die Fähigkeit der Menschen herabzusetzen, ihre Position in der Welt zu verbessern. Es ist einer der überragendsten Aspekte der Philosophie Poppers, daß sie, trotz der rigorosen Anwendung von logischen Prinzipien, von einem tiefen Verständnis für die menschliche Unvollkommenheit geprägt ist. Er besteht darauf, daß die Antwort auf unsere Unwissenheit und unsere Fehlbarkeit nicht darin liegt, daß wir so tun, als wüßten wir mehr als wirklich der Fall ist, oder als wüßten wir es mit größerer Sicherheit; vielmehr liegt sie in unserem entschlossenen Bemühen, die Dinge zu verbessern. So gelingt es Popper, den Menschen einen Teil der Würde und des Selbstrespekts wiederzugeben, die ihnen die moderne Philosophie oft allzu bereitwillig zu nehmen scheint.

Ein anschaulicher Bericht des Weges, den Poppers Denken von seiner frühen Jugend bis ungefähr 1970 nahm, findet sich in seiner intellektuellen Autobiographie unter dem Titel *Ausgangspunkte*. Popper wurde im Jahre 1902 in eine wohlhabende und kultivierte Familie in Wien geboren: sein Vater war ein erfolgreicher und gelehrter Rechtsanwalt, seine Mutter eine begabte Musikerin; und die Musik blieb für ihn von bestimmendem Einfluß während seines ganzen Lebens. Nach dem Ersten Weltkrieg war er fast zehn Jahre lang Student an der Universität von Wien, wo er Mathematik und Physik, Psychologie und Philosophie studierte; er promovierte im Jahre 1928, und im folgenden Jahr qualifizierte er sich für das Lehramt in Mathematik und Physik und trat wenig später seine erste Stelle als Hauptschullehrer an. Die Veröffentlichung der *Logik der Forschung* im Jahre 1934 war der Anfang von Poppers Karriere als Philosoph. Im Dezember 1936 nahm er einen Lehrauftrag am Canterbury College an, in Christchurch, New Zealand, und im Januar verließen er und seine Frau Österreich, um auf die andere Seite des Erdballs zu reisen. Dort blieben sie während des Zweiten Weltkrieges und kehrten nach England zurück, nachdem Popper im Jahre 1945 eine außerordentliche Professur an der London School of Economics and Political Science erhalten hatte. In den folgenden dreiundzwanzig Jahren, die er dort als Professor für Logik und Wissenschaftliche Methode verbrachte, machte er auf ganze Generationen von Studenten einen unvergeßlichen Eindruck; sie wurden in seinen Vorlesungen und Seminaren dazu aufgefordert, seine eigene Faszination vom offenen Universum und von der Erschließung seiner Geheimnisse zu teilen. Popper wurde im Jahre 1969 emeritiert; und obschon er mit vielen Auszeichnungen geehrt wurde, lebten er und seine Frau weiterhin bescheiden und unprätentiös, wie immer hart arbeitend, in Fallowfield, ihrer neuen Heimat in Buckinghamshire. »Ich glaube nicht«, schreibt Popper in *Ausgangspunkte* (S. 180), »daß ich als Philosoph eine unglückliche Stunde verbracht habe, seit wir nach England zurückgekehrt sind.« Für wenige Philosophen ist der Durst nach Erkenntnis auf so erfrischende Art ungelöscht geblieben.

Der Inhalt des vorliegenden Buches ist nicht historisch angeordnet. Vielmehr ist das Buch thematisch in vier Teile unterteilt, die ausgewählte Texte aus Poppers Schriften enthalten über die Erkenntnistheorie, die Wissenschaftstheorie, die Metaphysik, sowie die Sozialphilosophie; dabei liegt die Betonung überall auf der kritischen Methode und der zentralen Rolle, die diese bei der Verbesserung unseres Wissens von der Welt spielt. Das Buch beginnt also mit den Anfängen und endet mit einer drastischen Anwendung dieser Methode.

Text *1* geht zu den frühesten Philosophen zurück, zur Ionischen Schule des Thales, Anaximander und Anaximenes, und zu deren rationaler Einstellung, die Popper so überaus schätzt, während Text *2* eine kritische Form des Rationalismus von einem logischen wie auch einem moralischen Standpunkt aus verteidigt. In diesem Text anerkennt Popper »eine gewisse Priorität des Irrationalismus« (S. 15) in der Wahl der rationalistischen Position, jedoch scheint das, im Lichte seines späteren Werks betrachtet, eine unnötig großzügige Konzession zu sein. In unserer Wahl der kritischen Methode ordnen wir uns sicher nicht bloß dem Diktat der Vernunft unter; aber wir verstoßen auch nicht dagegen, und das ist, was wirklich zählt. Der Kritische Rationalismus selbst ist, wie W. W. Bartley ausgeführt hat, durchaus der Kritik zugänglich. Er ist daher eine in sich vollkommen widerspruchsfreie Position, die wir ihren eigenen Maßstäben gemäß rational übernehmen können.

In Text *3* greift Popper das empiristische Vorurteil an, daß jeder Gegenstand unserer Erkenntnis auf die sinnliche Erfahrung einer Person zurückzuführen sei. Diese Annahme ist ganz und gar verkehrt, denn fast alle Erkenntnis, die wir erlangen, erlangen wir durch Vermutungen, und was wir aus der Erfahrung lernen, ist nur, wie abwegig viele unserer Vermutungen leider sind. Hier wird ganz klar festgestellt, daß das, worauf es ankommt, unser Umgang mit einer Hypothese ist, nachdem sie formuliert wurde; was sie veranlaßte, oder was ihr Stammbaum ist, ist nicht von Belang für die Frage, ob es sich lohnt, mit ihr weiterzuarbeiten. Dieser Punkt wird in den folgenden zwei Texten weiterverfolgt, wo unsere Erkenntnis und ihre Entwicklung in einen biologischen Zusammenhang gebracht werden.

In Text *4* konzentriert sich Popper auf die von der Person losgelöste Stellung von den Teilen unserer Erkenntnis, die sprachlichen Ausdruck erreicht haben; vieles von dem, was wir wissen, ist nicht mehr Teil von uns; darüber hinaus ist es in eine Welt abgewandert, neutral Welt 3 genannt, die ihre eigenen Probleme und Geheimnisse besitzt.

In Text *5* wird diese Welt 3 der objektiven Erkenntnis nach den Vorstellungen von Darwin behandelt; sie wird nicht mit dem Bild einer Population von Organismen verglichen, sondern mit einem sich erstaunlich rasch entwickelnden menschlichen Organ; und unsere objektive Erkenntnis wird verglichen mit der vielleicht viel umfangreicheren restlichen Erkenntnis, die auf genetischer Ebene und auf der Ebene des Verhaltens in uns steckt. Neue Hypothesen werden zum Beispiel als verwandt mit chromosomalen Varianten verstanden und ihre Kritik als eine unnatürlich brutale Variation der Darwinischen natürlichen Selektion.

In Text *6* geht es um ein ganz anderes Thema: nämlich um die Funktion, wenn es sie gibt, von Definitionen in der Organisation unserer Erkenntnis.

Hier attackiert Popper direkt das weitverbreitete Dogma, Definitionen und die von ihnen herrührende vermeintliche Präzision seien für jede logische Artikulation unserer Gedanken entscheidend, sogar für einfaches und klares Denken. Hier nähert er sich erneut dem Kernpunkt des Kritischen Rationalismus: es gibt nicht einen einzig korrekten Ausgangspunkt für die Erforschung der Welt. Weder sensualistische Beobachtungen, noch essentialistische Definitionen liefern eine zuverlässige Basis, von der aus eine Expedition mit Zuversicht starten kann.

Die zwei letzten Texte von Teil *I* sind den Problemen der Induktion und der Abgrenzung gewidmet. Während ich bei anderen Themen auf Poppers frühere Schriften zurückgriff, habe ich in diesen zwei Fällen Ausschnitte eines relativ neuen Werkes genommen, wo Popper viele der Einwände, die gegen seine Lösungen dieser Probleme vorgebracht wurden, ausführlich untersucht und beantwortet. Die Probleme selber werden in diesen zwei Texten mit solch elementarer Klarheit erklärt, daß ihre weitere Erläuterung hier unnötig ist.

Teil *II* des Buches befaßt sich mit einer Anzahl von Themen, hauptsächlich über die wissenschaftliche Erkenntnis sowie mit einigen speziellen Fragen, die Wahrheit, die Wahrheitsähnlichkeit, den Gehalt und die Wahrscheinlichkeit betreffend.

Die Texte *9* bis *11* sind aus Poppers klassischem Werk *Logik der Forschung*; hier werden einige der methodologischen Prinzipien des Falsifikationismus näher ausgeführt und Fragen dazu besprochen. So wird zum Beispiel die Frage gestellt, ob der Falsifikationismus selber empirisch falsifizierbar ist; oder ob er leer ist (einer drohenden Falsifizierung kann ja immer ausgewichen werden); und ob das Prüfungsverfahren, das er vorschlägt – sofern es überhaupt erfüllbar ist – auf Prüfsätze zurückfallen muß, die ihrerseits unanfechtbar sind. Die Antwort, die Popper auf jede dieser Fragen gibt, ist negativ. Er stellt die wissenschaftliche Methode als einen Speicher von methodologischen Regeln vor, die wir befolgen im Interesse der Wissenschaft, also nicht als eine Sammlung von Thesen, die auf ihre wissenschaftliche Gültigkeit untersucht und geprüft werden müssen. Obwohl wir Falsifizierungen immer ausweichen können, entscheiden wir im voraus, solche Manöver zu unterlassen; und zu den Regeln der Methode gehören Regeln für das Akzeptieren von Prüfsätzen, das heißt für die kalkulierte, jedoch reversible Entscheidung, nicht weiter zu prüfen.

In den Texten *12* und *13* wird das Ziel der Wissenschaft so dargestellt, daß sie immer tiefergreifende und umfassendere theoretische Erklärungen liefert, immer angemessenere Lösungen zu den Problemen, die die Wissenschaft selber hervorbringt. Popper zeigt, daß die Forderungen nach Tiefe und nach Gehalt in krassem Gegensatz stehen zu der Suche nach Gewißheit oder Wahrscheinlichkeit für unsere Theorien und daß sie nur durch etwas wie das Falsifikationsprogramm realisiert werden können.

In Text *14* wird die Wahrheit zunächst ganz wie nebenbei als ein weiterer Bestandteil dessen dargelegt, was wir von der Wissenschaft wollen; hier weist Popper darauf hin, daß wir uns bestenfalls erhoffen dürfen, der Wahrheit über eine Kette immer besserer Annäherungen gradweise näher zu kommen. Auch Tarskis Theorie der Wahrheit und Poppers eigener erfolgloser Versuch, zu definieren, wie man sich ihr annähern kann, werden kurz skizziert. Jeder, der nur schwer versteht, warum das nun so einfach erscheinende Problem der Wahrheit einmal so verwirrend war, sollte sich zumindest Poppers Anmerkungen zu Text *2* über das Paradoxon des Lügners und andere ansehen; jeder, der sich eine ebenso souveräne Lösung für das Problem der Annäherung an die Wahrheit erhofft, sollte die in Anmerkung 11 zu Text *14* angegebenen Schriften Poppers konsultieren.

Text *15*, der letzte von Teil *II*, ist ein kurzer und ziemlich kurzgefaßter Bericht über Poppers berühmte Propensitätsinterpretation der singulären Wahrscheinlichkeiten, die in modernen physikalischen Theorien entstehen, besonders in der Quantenmechanik. Gewöhnlich werden diese Wahrscheinlichkeiten subjektivistisch im Sinne eines Maßes unserer Unwissenheit gedeutet; Popper dagegen versteht sie als ganz objektive Bestandteile der physischen Welt. Der Text endet mit einer ungeschminkt metaphysischen Hypothese über diese Propensitäten und ihr Wirken überall in der natürlichen Ordnung.

Teil *III* des Buches legt dem Leser eine Auswahl metaphysischer Spekulationen vor und versucht dann zu zeigen, wie solche abstrusen Hypothesen kritisch bewertet werden können. Die Bedeutung der Kritisierbarkeit analysiert Popper in Text *16*; bei seinem Gang durch Beispiele philosophischer Theorien, die durch verantwortliche Kritik erledigt werden, führt er uns einige besonders verdrießliche Ergebnisse metaphysischer Ausschweifungen vor. Im folgenden behandelt er metaphysische Lehren, die eher etwas seriöser sind. Zuerst ist da der Realismus in Text *17*, eine Anschauung, die so eng mit dem Alltagsverstand verwoben ist, daß sie vielleicht ein minimales philosophisches Kriterium für geistige Gesundheit darstellt. Darauf folgt in Text *18* ein historischer Essay über die Beschäftigung der frühen griechischen Kosmologen mit dem Problem der Veränderung: dem Problem, wie ein Ding sich verändern und zugleich das Ding bleiben kann, das sich verändert hat. Hier ist vielleicht die folgende Bemerkung angebracht. Die Existenz alltäglicher Gegenstände gehört zum Realismus des Alltagsverstandes, dem Popper sich anschließt; aber diesen oder irgendwelchen anderen Gegenständen braucht keinerlei Dauer zugeschrieben zu werden. Ich sage das, weil Lösungen zu dem Problem der Veränderung fast von Anfang an darauf abzielten, zwischen der Erscheinung, das heißt, dem, was sich verändert, und der Realität, das heißt, dem, was gleich bleibt, zu unterscheiden. Eine solche Unterscheidung läuft auf eine Fälschung hinaus, denn Illusionen, wie illusionär sie auch sein mögen, sind deshalb nicht unwirklich. Die Erscheinung ist ein Teil der Realität, nicht abseits von ihr.

Text *19* stellt die Frage, ob Darwins Hypothese der natürlichen Selektion, des Überlebens des Stärkeren, wirklich zur Wissenschaft gehört, oder ob sie – da fast tautologisch – ein Teil der Metaphysik ist, wenn auch ein Teil, der den Kern eines wissenschaftlichen Forschungsprogrammes bildet, wie Popper selbst einmal behauptete. Popper gibt hier zu, daß er der Hypothese über die natürliche Selektion früher zu unfreundlich gegenübergestanden ist, er modifiziert daher seine Auffassung. Weder die Hypothese, noch die Evolutionstheorie selber soll verwechselt werden mit etwas, das offensichtlich ohne empirischen Gehalt ist, nämlich mit der evolutionären Philosophie des Fortschrittsgesetzes, die in Text *23* kritisiert wird.

In Text *20* kritisiert Popper die verschiedenen Spielarten des Determinismus. Dabei geht er besonders der Frage nach, wie für die menschliche Freiheit zwischen dem Extrem der vollkommenen Prädestination und dem des reinen Zufalls noch Raum gefunden werden kann. In diesem Aufsatz formuliert er zum ersten Mal das Problem, das er großzügig nach A. H. Compton benennt. Wie können abstrakte Gebilde der ›Welt 3‹ einen physischen Einfluß auf die physische Welt haben, ohne physikalische Gesetze zu verletzen? Offensichtlich wirken sich unsere Theorien irgendwie auf die Natur aus: Eisenbahnen und Kühlschränke, oder Bücher wie *Vermutungen und Widerlegungen* gibt es auf der Welt; es ist unvorstellbar und unsinnig anzunehmen, sie seien unabhängig von den ihnen zugrundeliegenden wissenschaftlichen und philosophischen Hypothesen dahin gekommen. In dieser kausalen Wirksamkeit der Bewohner von Welt 3, einer durch menschliches Denken vermittelten Wirksamkeit, sieht Popper einen Lösungsansatz zum Problem der Beziehung zwischen Geist und Körper und zu dem der Einheit des Ich. Das Ich, schlägt er vorsichtig vor, entsteht durch die Wechselwirkung zwischen dem menschlichen Tier und der menschlichen Sprache, und es wird während seiner Existenz erhalten durch jene Gebilde der Welt 3, mit denen es in intellektuellem Kontakt zu bleiben vermag. Popper geht in den Texten *21* und *22* auf diese schwierigen Fragen ein, ohne den Anspruch zu erheben, vollständige oder vollkommen befriedigende Antworten zu liefern.

Teil *IV*, der letzte Teil des Buches, ist ganz den Problemen der Gesellschaftsphilosophie gewidmet, insbesondere den Problemen, die sich aus der Beziehung des Individuums zum Staat ergeben. Popper steht dabei eindeutig auf der Seite der individuellen Staatsbürger und ermuntert sie, sich nicht einschüchtern, unterordnen oder gar unterwerfen zu lassen; aber er tritt dabei der Vorstellung entgegen, daß sie aus dem Abbau des Staates einen Gewinn ziehen würden. Im Gegenteil: möglicherweise kann sie nur der Staat vor der Tyrannei ihrer Nachbarn schützen, einer Tyrannei, die vielleicht ebenso schrecklich ist, wie die Einschüchterung des Staates. Das zeigt, wie wichtig es ist, daß der Staat von denen, für die er eingerichtet wurde, in der Hand behalten und geführt wird. Das heißt: die Existenz des Staates ist nur gerechtfertigt im Interesse seiner Bürger. Von noch tieferer Bedeutung aber ist die Wirklichkeit der menschlichen Gesellschaft, wie bereits Marx erkannte; wir wären keine Menschen, wenn die soziale Orchestrierung unseres Lebens zum Schweigen gebracht würde. Wenn, wie in Text *22* vorgeschlagen, unser Ich durch das Medium der Sprache zum Leben erweckt wird, werden die sozialen Ursprünge unserer Individualität und unserer Menschlichkeit ganz deutlich; denn die Sprache ist ganz offensichtlich ein soziales Phänomen. Selbst wenn wir aus dem menschlichen Dasein alle politischen Institutionen verbannen könnten, ohne soziale Institutionen kämen wir ganz sicher nicht aus. Aber das soll nicht anders verstanden werden, als daß sie ihre Entstehung und Funktion individuellen Menschen verdanken. Wie die Gebilde der Welt 3 haben sie die Fähigkeit, in der Welt vermittelnd zu wirken; aber die Verwirklichung dieser Fähigkeit hängt von uns ab: wir sind es, die unsere Institutionen leiten. Bedauerlicherweise geschieht das oft recht ungeschickt; wenn wir klug sind, werden wir deshalb ständig mit unvorhergesehenen Fallgruben rechnen. Eine der Binsenwahrheiten der Popperschen Sozialphilosophie lautet kurz: mit unseren Plänen geht buchstäblich immer etwas schief, und zwar nicht wegen einer satanischen Einmischung, sondern einfach, weil wir selten viel, geschweige denn genug, darüber wissen, wie die Dinge sich entwickeln werden.

Teil *IV* beginnt mit einer ausführlichen Darstellung und Kritik der methodologischen Doktrin, die Popper ›Historizismus‹ tauft. Nach dieser Doktrin ist es die Aufgabe der Sozialwissenschaften, die Gesellschaft nach historischen Richtlinien zu untersuchen wie ein einheitlich Ganzes, das sich mit der Zeit entfaltet; über sie sei in ihrer Gesamtheit nachzudenken und ihr Schicksal vorauszusagen. Historizisten vergleichen die Gesellschaft oft mit einem Organismus oder mit einer biologischen Spezies und ihre Entwicklung mit einem evolutionären Prozeß; aber wie Text *23* einsichtig macht, gibt es nicht einmal in der Biologie ein Gesetz der evolutionären Entfaltung; auch Darwins Hypothese der natürlichen Selektion darf nicht als ein solches Gesetz mißverstanden werden.

In Text *24* widerlegt Popper darüber hinaus einige praktische Konsequenzen des historizistischen Mythos, insbesondere den holistischen Trugschluß, daß wir die Gesellschaft nur im großen Stile gestalten können; daß wir die ganze Gesellschaft auf einmal verändern müssen. Dagegen schlägt er vor, daß es die Hauptaufgabe der Sozialtechnik sein muß, bestimmte Quellen des Elends zu beseitigen. Sie sind relativ leicht und genau zu lokalisieren; vor allem aber können die Schritte zu ihrer Beseitigung meist recht gut kontrolliert werden.

Text *25* geht der Frage nach, die Platon als grundlegend für die politische Theorie erklärte: Wer soll regieren? Popper zeigt, daß sie unvermeidlich zu paradoxen Antworten führt; sie muß daher ignoriert und durch die Frage ersetzt werden, wie man Tyrannen wieder los wird, bevor sie zu viel Schaden anrichten und besonders, bevor sie es unmöglich machen, sie ohne Gewalt wieder loszuwerden. Die Betonung liegt auch hier darauf, die Dinge zu korrigieren und nicht darauf, Fehler von vornherein zu vermeiden. Wenn es nämlich eine Lektion aus der Geschichte gibt, die wir nie vergessen dürfen, so ist es diejenige, daß nur wenige Herrscher der Versuchung widerstehen, die Macht zu mißbrauchen, die wir ihnen anvertrauen. Trotzdem scheint es möglich zu sein, politische Institutionen zu errichten, die einigen Schutz vor der Unterdrückung bieten; ›Demokratie‹ ist für Popper nur ein Etikett für solche Institutionen.

In Text *26*, wo er Marxens abfällige Bemerkungen über die Wirksamkeit der politischen Macht auf der Bühne wirtschaftlicher Kräfte bekämpft, macht er klar, daß unsere einzige Hoffnung in der Gründung und Pflege demokratischer Institutionen liegt, selbst wenn sie die individuelle Freiheit einschränken um der individuellen Freiheit willen. Hier muß noch einmal festgehalten werden, daß der Staat und seine Institutionen um der individuellen Freiheit willen existieren; und unsere Regierenden sind Treuhänder unserer individuellen Freiheit, auch wenn sie im Einzelfall unser Vertrauen mißbrauchen. Die entgegengesetzte Meinung Platons, daß die Individuen sich ganz dem Gemeinwohl opfern müssen und seine Behauptung, das sei der wahre Altruismus oder die wahre Selbstlosigkeit, werden in Text *27* zerpflückt. Die Vermengung von Individualismus und Egoismus, mit der Platon operiert, hat seit der Antike jede Art von totalitärem Denken beflügelt.

In den letzten drei Texten wird der unauflösliche Zusammenhang zwischen Individuum und Gesellschaft weiter diskutiert. Text *28* pflichtet dem Urteil von Marx bei, daß das Individuum immer von sozialen Gesetzen eingeschränkt wird und daß soziale Handlungen nicht auf die Gesetze der individuellen Psychologie reduziert werden können. Obwohl es ein einzelnes Individuum ist, das handelt, ist es eine Mehrzahl von Individuen, die interagieren. Die Gesetze, denen diese Interaktionen unterliegen, können nicht nur psychologisch erfaßt werden, ebensowenig, wie die Gesetze der Anziehungskraft durch innewohnende oder wesentliche Eigenschaften der Newtonischen Teilchen erklärt werden können (siehe Anm. 3 zu Text *12*). Popper schlägt vor, daß soziale und historische Erklärungen auf das zurückgreifen müssen, was er die Situationslogik nennt. Dieses Thema wird in Text *29* fortgesetzt. Er vertritt dort die Ansicht, daß das Prinzip zwar falsch ist, nach dem wir der Situation gemäß handeln, wie wir sie sehen, daß aber jede soziale Erklärung diesem Prinzip Rechnung tragen muß.

In Text *30* kommen wir schließlich zu den gesellschaftlichen Aspekten der Wissenschaft. Die Objektivität der Wissenschaft, meint Popper, und selbst ihre Rationalität, liegen in den Händen von individuellen Wissenschaftlern; die sind aber Mitglieder einer wissenschaftlichen Gemeinschaft. Besonders die Kritik hat unvermeidlich einen gesellschaftlichen

Aspekt, denn wir sind meist ebenso blind für unsere eigenen Fehler wie wir aufmerksam für die der anderen sind. Gesellschaftliche Interaktion ist daher ebenso entscheidend für das Funktionieren des Kritischen Rationalismus wie die individuellen Tugenden: Vorstellungskraft, Einfallsreichtum, Mut, Entschlossenheit, schließlich die Bereitschaft, stets dazuzulernen. Der große Erfolg der westlichen Kosmologie, Philosophie und Wissenschaft, wie er sich bereits in Text *1* abzeichnet, ist unmittelbar der Erschaffung ihrer kritischen Tradition zu verdanken.

Es versteht sich von selbst, daß in den Texten dieses Buches mehr zu finden ist, als ich hier erwähnen konnte; und es ist weit mehr in Poppers Schriften zu finden, als in ein kleines Lesebuch paßt. Hier nicht vertreten sind reichhaltige historische Kommentare, beispielsweise zu Platon, zu Marx, und zum Leib-Seele-Problem; außerdem spezielle Beiträge zur Logik, zur Wahrscheinlichkeitstheorie und Quantentheorie, die hier nur angedeutet werden; und schließlich eine große Anzahl von Variationen und Erläuterungen zu den wichtigsten hier vorgestellten Themen und zu damit zusammenhängenden Aspekten der Erkenntnistheorie, der Wissenschaftstheorie, der Metaphysik und der Sozialphilosophie. Ich möchte daher diese Einleitung zu Poppers Denken damit beschließen, daß ich ausdrücklich auf seine in der Bibliographie auf den Seiten 448 bis 449 aufgeführten Hauptveröffentlichungen aufmerksam mache, sowie auf andere Bücher, in denen seine Ideen erläutert und geprüft werden; ich kann nur ihre weitere Lektüre empfehlen, und der Hoffnung auf ihre Kritik und Klärung Ausdruck verleihen. Vielleicht hat der Kritische Rationalismus nicht ganz recht; aber vielleicht hat er auch nicht ganz unrecht. Es wäre schön, auch darüber mehr zu wissen.

Zum Abschluß freue ich mich, folgenden Personen meinen Dank auszudrücken: Bill Bartley, Jack Birner, Larry Briskman, Roger James, Bryan Magee, Anthony O'Hear und Tom Settle; sie haben frühere Entwürfe zu diesem Buch schonungslos kritisiert, machten Vorschläge zu dem, was ich vernünftigerweise nicht weglassen konnte, und sorgten auf andere Weise dafür, daß das Buch viel besser ist, als es sonst vielleicht gewesen wäre. Für das Resultat bin ich aber alleine verantwortlich. Larry Briskman bin ich dabei besonders verpflichtet; er liest seit Jahren Entwürfe von fast allem, was ich schreibe und bleibt unerschütterlich in seiner Bereitschaft, mich eingehend und sachlich zu kritisieren. Aber am meisten bin ich Karl und Hennie Popper zu Dank verpflichtet; sie haben mir in verschiedener Weise geholfen, die redaktionelle Arbeit zu erleichtern, und sie haben mich bei diesem Versuch ermutigt, einer größeren Öffentlichkeit eine Auswahl vorzulegen. Schließlich hat Popper das alles geschrieben, und dafür kann ich ihm gar nicht genug danken.

Coventry, 22. September 1982 DAVID MILLER

Erste These: Wir wissen eine ganze Menge – und nicht nur Einzelheiten von zweifelhaftem intellektuellem Interesse, sondern vor allem auch Dinge, die nicht nur von größter praktischer Bedeutung sind, sondern die uns auch tiefe theoretische Einsicht und ein erstaunliches Verständnis der Welt vermitteln können.

Zweite These. Unsere Unwissenheit ist grenzenlos und ernüchternd. Ja, es ist gerade der überwältigende Fortschritt der Naturwissenschaften (auf den meine erste These anspielt), der uns immer von neuem die Augen öffnet für unsere Unwissenheit, gerade auch auf dem Gebiet der Naturwissenschaften selbst. Damit hat aber die Sokratische Idee des Nichtwissens eine völlig neue Wendung genommen. Mit jedem Schritt, den wir vorwärts machen, mit jedem Problem, das wir lösen, entdecken wir nicht nur neue und ungelöste Probleme, sondern wir entdecken auch, daß dort, wo wir auf festem und sicherem Boden zu stehen glaubten, in Wahrheit alles unsicher und im Schwanken begriffen ist.

KARL R. POPPER

Teil *I*

Erkenntnistheorie

Text *1*

Die Anfänge des Rationalismus (1958)

I. Zurück zu den Vorsokratikern

Zurück zu Methusalem war Bernard Shaws Traum von einer radikalen Verlängerung des Lebens. Es war ein Thema, das damals in der Luft lag, und ein Traum, der seither Wirklichkeit geworden ist (wenn auch in engeren Grenzen als die, von denen Shaw träumte). Mein heutiger Aufruf an Sie ist ›Zurück zu Thales!‹ und ›Zurück zu Anaximander!‹, und das liegt leider heute nicht in der Luft – und schon gar nicht in dem Sinn, in dem ich diese Rückkehr für so dringend notwendig halte. Denn das, wozu ich zurückkehren will, womöglich mit Ihnen und anderen ähnlich Gesinnten, das ist die einfache, klare *Rationalität* der Vorsokratiker. Aber worin besteht wohl diese schon so oft diskutierte ›Rationalität‹ der Vorsokratiker? Zum Teil besteht sie in der Einfachheit und Kühnheit ihrer Fragen. Das Entscheidende aber ist ihre *kritische Einstellung*, behaupte ich. Es ist meine These, daß diese in der Ionischen Schule zum ersten Mal entwickelt wurde.

Die Fragen, die die Vorsokratiker zu beantworten suchten, waren in erster Linie kosmologische Fragen, aber auch Fragen der Erkenntnistheorie. Und nach meiner Überzeugung muß die Philosophie zu diesen beiden Themen zurückkehren: zur Kosmologie und zu einer einfachen Erkenntnistheorie. Es gibt zumindest ein philosophisches Problem, an dem alle denkenden Menschen interessiert sind: die Welt zu verstehen, in der wir leben, und damit auch uns selbst (da wir ja ein Teil dieser Welt sind) und unser Wissen von der Welt. Die Naturwissenschaften sind, zumindest für mich, Beiträge zur Kosmologie; und für mich steht im Mittelpunkt meines Interesses an der Philosophie wie auch an den Naturwissenschaften ihre unverzagte Suche nach neuem Wissen über die Welt, nach einer neuen Theorie der Welt und unseres Wissens von der Welt. Ich interessiere mich zum Beispiel für Wittgenstein, aber nicht wegen seiner Sprachphilosophie, sondern weil sein *Tractatus* eine (etwas rudimentäre) kosmologische Abhandlung ist und weil seine Erkenntnistheorie eng zusammenhängt mit seiner Kosmologie.

Für mich verliert also die Philosophie und auch die Naturwissenschaft ihre Anziehungskraft, wenn sie diese Suche aufgeben – wenn sie Fächer für Spezialitäten und für Spezialisten werden und die Rätsel unserer Welt nicht mehr sehen und nicht mehr über sie staunen können. Für den Naturwissenschaftler ist die Spezialisierung eine Versuchung; für den Philosophen ist sie eine Todsünde.

II. Die Tradition der kritischen Diskussion

Die Geschichte der Griechischen Philosophie von Thales bis zu Platon ist großartig. Sie ist fast zu schön, um wahr zu sein. In jeder Generation finden wir eine neue Philosophie, eine neue Kosmologie von atemberaubender Originalität und Tiefe. Wie war das möglich? Es gibt natürlich keine Erklärung für Originalität und Tiefe. Aber man kann versuchen, vielleicht etwas Licht auf diese Entwicklung zu werfen. Was war das Geheimnis der Alten? Ich vermute, es war eine neuentstandene *Tradition – die Tradition der kritischen Diskussion.*

Ich will versuchen, das Problem etwas schärfer zu fassen. In allen Zivilisationen – oder in fast allen – finden wir so etwas wie religiöse und kosmologische Lehren, und in vielen Gesellschaften finden wir Schulen. Nun haben Schulen, vor allem primitive Schulen, anscheinend eine charakteristische Struktur und Funktion. Weit davon entfernt, Stätten kritischer Diskussion zu sein, machen sie es sich zur Aufgabe, eine bestimmte Lehre zu vertreten und sie zu bewahren, rein und unverändert. Aufgabe einer solchen Schule ist es, die Tradition, die Lehre ihres Begründers, ihres Meisters, der nächsten Generation weiterzugeben; und zu diesem Zweck ist es das Wichtigste, daß die Lehre unangetastet bleibt. Eine solche Schule läßt niemals eine neue Idee zu. Neue Ideen sind Ketzereien, sie führen zu Spaltungen oder Schismen: sollte ein Jünger einer solchen Schule versuchen, die Lehre zu ändern, so wird er als Ketzer verstoßen. Dagegen nimmt der Ketzer typischerweise für sich in Anspruch, daß er die wahre Lehre des Gründers vertritt und bewahrt. So gibt nicht einmal der Erfinder selbst zu, daß er eine Erfindung gemacht hat; er glaubt vielmehr, daß er zurückkehrt zum wahren, zum rechten Glauben, der pervertiert worden war.

Auf diese Art sind alle Änderungen der Lehre – sofern es überhaupt welche gibt – verborgene Änderungen. Sie werden vorgeführt als die wiederhergestellten wahren Worte des Meisters, als seine eigenen Worte, seine eigenen Intentionen, seine eigenen Ziele und Zwecke.

Es ist klar, daß wir in einer solchen Schule keine Ideengeschichte finden werden, ja nicht einmal das Material für eine solche Geschichte. Den neuen Ideen ist es nicht erlaubt, neu zu sein. Alles wird dem Meister zugeschrieben. So wird alles, was wir rekonstruieren können, zu einer Geschichte der Schismen und vielleicht zu einer Geschichte der Verteidigung gewisser Lehren gegen die Ketzer.

Natürlich kann es in einer solchen Schule keine rationale Diskussion geben. Es mag Argumente gegen Abweichler und Ketzer geben, mitunter auch gegen konkurrierende Schulen. Doch Behauptungen, Dogmen und Verdammungsurteile sind die hauptsächlichen Verteidigungsmittel für die Lehre.

Das bekannteste Beispiel für eine solche Schule unter den griechischen Philosophen-Schulen ist die von Pythagoras begründete Italienische Schule. Im Gegensatz zu den Ionischen und Eleatischen Schulen war sie wie ein religiöser Orden mit einer bestimmten Lebensweise und einer Geheimlehre. Ein Mitglied, Hippasos von Metapontum, wurde sogar getötet, weil er das Geheimnis gelüftet hatte, daß gewisse Quadratwurzeln ($\sqrt{2}$, $\sqrt{5}$) irrationale Zahlen sind; so berichtet eine Überlieferung, die für den Ruf der Pythagoreischen Schule bezeichnend ist, ob sie nun wahr ist oder nicht.

Aber unter den griechischen Philosophen-Schulen waren die frühen Pythagoreer eben eine Ausnahme. Und wenn wir sie ausnehmen, können wir sagen, daß die griechische Philosophie und ihre Schulen sich von dem geschilderten dogmatischen Schultyp deutlich unterscheiden. Ich habe das oben [in Text *18*] an dem Beispiel des Problems der Bewegung und Änderung gezeigt: *Es ist die Geschichte einer kritischen Debatte, einer rationalen Diskussion.* Neue Ideen kommen zur Sprache, und sie verdanken ihren Ursprung der offenen Kritik. Verborgene Änderungen von Dogmen gibt es, wenn überhaupt, nur wenige. Und statt Anonymität finden wir eine Geschichte der Ideen und ihrer Urheber.

Das ist ein Phänomen, das es verdient, als völlig neu hervorgehoben zu werden – als bis dahin einzigartig in der Geschichte. Und es hängt eng zusammen mit der erstaunlichen Freiheit und Kreativität der griechischen Philosophie. Wie können wir dieses Phänomen erklären? *Was wir erklären müssen, ist die Entstehung einer Tradition.* Es ist eine Tradition, die kritische Diskussionen zwischen verschiedenen Schulen – ja noch erstaunlicher: innerhalb ein und derselben Schule – erlaubt oder anregt. Denn nirgends außerhalb der Pythagoreischen Schule finden wir eine Schule, die ihre Aufgabe in der Bewahrung einer Lehre sieht. Statt dessen finden wir Veränderungen, neue Ideen, Anpassungen und sogar unverhohlene Kritik am Meister.

(Bei Parmenides finden wir sogar schon sehr früh etwas höchst Bemerkenswertes: einen Philosophen, der *zwei* Lehren vorlegt, eine, die er wahr nennt, und eine, die er selbst als falsch bezeichnet. Und dabei macht er die falsche Lehre nicht einfach zu einem Objekt seiner Verdammung oder Kritik; vielmehr stellt er sie dar als den bestmöglichen Überblick über die fehlerhaften Kenntnisse der fehlbaren Sterblichen und über die Welt des bloßen Scheins – den besten Überblick, den Sterbliche erwerben können.)

Wie und wo wurde diese kritische Tradition begründet? Das ist ein Problem, das ernsthaftes Nachdenken verdient. So viel ist sicher: Xenophanes, der die Ionische Tradition nach Elea brachte, war sich voll bewußt, daß seine Lehren reine Vermutungen waren, und daß andere kommen würden, die es besser wissen. Ich werde darauf im Abschnitt *III*, unten zurückkommen.

Auf der Suche nach den ersten Anzeichen dieser neuen kritischen Einstellung, dieser neuen Freiheit des Denkens, geraten wir zurück bis zu Anaximanders Kritik an Thales. Dort stoßen wir auf eine äußerst erstaunliche Begebenheit: Anaximander kritisiert seinen Lehrer und Sippenoberen, einen der Sieben Weisen, den Begründer der Ionischen Schule. Der Überlieferung nach war er nur vierzehn Jahre jünger als Thales, er muß also seine Kritik und seine neuen Ideen entwickelt haben, als sein Lehrer noch am Leben war. (Sie sind wohl nur wenige Jahre nacheinander gestorben.) In der Überlieferung gibt es aber nicht die Spur einer Dissonanz, eines Streits oder eines Schismas.

Das deutet meiner Meinung nach darauf hin, daß es Thales war, der die neue Tradition der Freiheit begründete. Sein neues Verhältnis zwischen Lehrer und Schüler war die Grundlage für einen neuen Schultyp, deutlich verschieden von der Pythagoreischen Schule. Für ihn scheint Kritik erträglich gewesen zu sein. Und was noch wichtiger ist: er scheint die Tradition begründet zu haben, daß man Kritik ertragen muß.

Er hat, so möchte ich glauben, sogar noch mehr getan. Ich kann mir kaum ein Verhältnis zwischen Lehrer und Schüler vorstellen, in dem der Lehrer Kritik lediglich duldet, ohne sie ausdrücklich angeregt zu haben. Es scheint mir unmöglich, daß ein Schüler, der in der dogmatischen Tradition erzogen ist, es jemals wagen würde, das Dogma zu kritisieren (noch dazu das eines berühmten Weisen) und seine Kritik offen auszusprechen. Eine näherliegende und einfachere Erklärung scheint mir daher zu sein, daß der Lehrer eine solche kritische Einstellung aktiv ermutigt hat – vielleicht nicht von Anfang an, aber nachdem er einsah, daß die Fragen, die seine Schüler an ihn stellten vielleicht ganz ohne jegliche kritische Absicht geschehen berechtigt waren.

Was immer auch damals geschehen ist, so würde meine Vermutung, daß Thales die Kritik seiner Schüler ermutigt hat, die Tatsache erklären, daß die kritische Einstellung gegenüber der Lehre des Meisters zu einem Teil der Tradition der Ionischen Schule wurde. Also bin ich geneigt zu denken, daß Thales der erste Lehrer war, der zu seinen Schülern sagte: ›So sehe ich die Dinge – das ist meine Theorie über sie. Versucht nun, meine Lehre zu verbessern.‹ (Alle diejenigen, die glauben, es sei ›unhistorisch‹, wenn ich Thales eine solche undogmatische Einstellung zuschreibe, möchte ich noch einmal an die Tatsache erinnern, daß wir nur zwei Generationen später eine ähnliche Einstellung finden, bewußt und klar formuliert in den Fragmenten des Xenophanes.) Jedenfalls bleibt es eine historische Tatsache, daß die Ionische Schule die erste war, in der die Schüler ihre Lehrer kritisierten, und zwar über Generationen hinweg. Es kann also kaum einen Zweifel geben, daß die griechische Tradition der philosophischen Kritik ihren Ursprung in erster Linie in Ionien hat.

Es war eine Innovation mit umwälzenden Folgen. Sie bedeutete einen Bruch mit der dogmatischen Tradition, in der nur *eine* verbindliche Lehre der Schule erlaubt war; und sie führte an ihrer Stelle eine Tradition ein, die eine *Pluralität* von Lehren zuläßt, deren Ziel es ist, der Wahrheit durch kritische Diskussion näherzukommen.

Das führt dann fast zwangsläufig zu der Einsicht, daß unsere Versuche, die Wahrheit zu sehen und zu finden, nie endgültig sind, sondern ständig der Verbesserung fähig; daß unser Wissen, unsere Lehre, aus Vermutungen besteht; daß es zusammengesetzt ist aus Spekulationen, aus Hypothesen, und nicht aus endgültigen und sicheren Wahrheiten; und daß Kritik und kritische Diskussion die einzigen Mittel sind, die uns der Wahrheit näherbringen. Das führt uns dann zu der Tradition des kühnen Vermutens und des freien Kritisierens, der Tradition, die die rationale oder wissenschaftliche Methode hervorgebracht hat, und mit ihr die Zivilisation des Westens, die einzige

Zivilisation, die auf Wissenschaft begründet ist (natürlich nicht allein auf Wissenschaft).

In dieser rationalistischen Tradition sind kühne Änderungen der Lehre nicht verboten. Im Gegenteil, Innovation wird ermutigt und als ein Erfolg angesehen, als eine Verbesserung, zumal wenn sie aus einer kritischen Diskussion ihrer Vorgänger hervorgeht. Die schiere Kühnheit einer Innovation wird bewundert; denn in Schranken halten kann man sie ja immer noch durch eine besonders ernsthafte kritische Prüfung. Darum werden Änderungen der Lehre alles andere als geheim vorgenommen, sondern der Tradition entsprechend zusammen mit den Namen ihrer Erfinder und mit den alten Lehren weitergegeben. So werden die Daten einer Ideengeschichte zu einem Teil der Schultradition.

Soviel ich weiß, wurde die kritische oder rationalistische Tradition nur einmal erfunden. Sie ging zwei oder drei Jahrhunderte später verloren, womöglich durch das Aufkommen der Aristotelischen Lehre von der *epistēmē*, vom sicheren und beweisbaren Wissen (einer Weiterentwicklung der Eleatischen und Heraklitischen Unterscheidung zwischen sicherer Wahrheit und bloßer Spekulation). In der Renaissance wurde sie dann wiedergefunden und bewußt wiederbelebt, besonders von Galileo Galilei.

III. Der kritische Rationalismus

Ich komme nun zum wichtigsten Punkt meiner Argumentation. Es ist der folgende. Die rationalistische Tradition, die Tradition der kritischen Diskussion, ist die einzig praktikable Methode, unser Wissen zu erweitern – natürlich nur unser Vermutungs- oder Hypothesenwissen. Es gibt keine andere Methode. Insbesondere gibt es keine Methode, die von Beobachtungen oder Experimenten ausgeht. Bei der Entwicklung der Wissenschaft spielen Beobachtungen und Experimente nur die Rolle von kritischen Argumenten. Und sie spielen diese Rolle neben anderen, nicht-experimentellen Argumenten. Das ist eine wichtige Rolle; doch die Bedeutung von Beobachtungen und Experimenten hängt *gänzlich* von der Frage ab, ob sie dazu benutzt werden dürfen, *um bestehende Theorien zu kritisieren.*

Nach der hier umrissenen Theorie der Erkenntnis kann man die Überlegenheit einer Theorie gegenüber einer anderen hauptsächlich nach folgenden Gesichtspunkten beurteilen: ob sie mehr erklärt; ob sie gründlicher überprüft ist, das heißt, ob man über sie ernsthafter und kritischer diskutiert hat im Lichte von all dem, was wir wissen, von allen möglichen Einwänden, und insbesondere auch von allen Beobachtungen und experimentellen Untersuchungen, die wir entwerfen konnten mit dem Plan, die Theorie zu kritisieren und sie, wenn möglich, zu widerlegen.

Unsere Versuche, Wissen über unsere Welt zu erlangen, enthalten nur ein einziges rationales Element: die kritische Prüfung unserer Theorien. Die Theorien selbst sind Versuche, die Lösung eines Problems zu erraten: bestenfalls eine Vermutung. Wir wissen nicht, sondern wir raten. Wenn mich jemand fragt: ›Woher weißt Du?‹, so antworte ich: ›Ich weiß nicht, ich rate nur. Und wenn Du an meinem Problem interessiert bist, bitte kritisiere meine Vermutung; und wenn Du einen Gegenvorschlag machst, dann laß mich versuchen, ihn meinerseits zu kritisieren.‹

Das ist, glaube ich, die wahre Theorie der Erkenntnis (die ich Ihnen hiermit zur Kritik vorlege): die wahre Beschreibung eines Erkenntnisverfahrens, das in Ionien entstand, und das ein Bestandteil der modernen Naturwissenschaft wurde (obwohl immer noch viele Naturwissenschaftler an Bacons Mythos der Induktion glauben). Unsere Theorie sagt: der Fortschritt des Wissens besteht aus *Vermutungen und Widerlegungen.*

Zwei der bedeutendsten Wissenschaftler, die erkannten, daß es kein induktives Erkenntnisverfahren gibt, und das, was ich als die wahre Theorie der Erkenntnis ansehe, klar verstanden, waren Galileo und Einstein. Doch schon die Alten wußten es. Es klingt zwar unglaublich, aber wir finden diese Theorie der rationalen Erkenntnis, klar erfaßt und formuliert, fast unmittelbar nach der Erfindung der kritischen Diskussion und ihrer Institutionalisierung durch eine neue Schultradition. Wohl die ältesten überlieferten Fragmente auf diesem Gebiet stammen von Xenophanes. Ich zitiere hier fünf von ihnen, und sie legen in dieser Anordnung nahe, daß er, kühn von schwerwiegenden Problemen ausgehend, zur Einsicht kam, daß all unser Wissen nur Raten ist – nur Vermutungen, aber daß wir dennoch, durch ständige Suche nach einem besseren Wissen, »im Laufe der Zeit, ... suchend, das Bess're« auch finden können. Hier sind nun die fünf Fragmente aus den Schriften des Xenophanes (D-K, B 16 und 15; B 18; B 35 und 34).[1]

Stumpfe Nasen und schwarz: so sind Äthiopias Götter.
Blauäugig aber und blond: so sehn ihre Götter die Thraker.
Aber die Rinder und Rosse und Löwen, hätten sie Hände,
Hände wie Menschen, zum Zeichnen, zum Malen, ein Bildwerk zu formen,
Dann würden Rosse die Götter gleich Rossen, die Rinder gleich Rindern
Malen, und deren Gestalten, die Formen der göttlichen Körper,
Nach ihrem eigenen Bilde erschaffen: ein jedes nach seinem.

Nicht vom Beginn an enthüllten die Götter uns Sterblichen alles;
Aber im Laufe der Zeit finden wir, suchend, das Bess're.

Diese Vermutung ist wohl, ich denke, der Wahrheit recht ähnlich.
Sichere Wahrheit erkannte kein Mensch und wird keiner erkennen
Über die Götter und alle die Dinge, von denen ich spreche.
Selbst wenn es einem einst glückt, die vollkommenste Wahrheit zu künden,
Wissen kann er sie nie: es ist alles durchwebt von Vermutung.

Um zu zeigen, daß Xenophanes nicht allein war, möchte ich hier noch einmal zwei der Sinnsprüche von Heraklit wiederholen, die ich vorhin in einem anderen Zusammenhang zitiert habe (D-K, B 78 und B 18). Beide betonen den Vermutungscharakter des menschlichen Wissens, und der zweite verweist auf seine Verwegenheit, ja seine Notwendigkeit, kühne Annahmen zu machen über das, war wir gar nicht wissen.

Es liegt nicht in der Natur oder im Charakter des Menschen, wahres Wissen zu besitzen; aber es liegt in der göttlichen Natur ... Wer das Unerwartete nicht erwartet, wird es nicht finden: für ihn wird es unaufspürbar sein und unzugänglich.

Mein letztes Zitat ist ein sehr berühmtes, es stammt von Demokrit (D-K, B 117):

Aber nichts wissen wir vom Sehen; denn in der Tiefe verborgen ist die Wahrheit.

Mit Gedanken wie diesen hat die kritische Einstellung der Vorsokratiker den ethischen Rationalismus eines Sokrates vorgezeichnet und vorbereitet: seine Überzeugung, daß die Suche nach Wahrheit durch kritische Diskussion eine Einstellung zum Leben war – die beste, die er sich vorstellen konnte.

Text 2

Die Verteidigung des Rationalismus (1945)

I

Die Auseinandersetzung zwischen dem Rationalismus und dem Irrationalismus währt bereits sehr lange. Obgleich die griechische Philosophie zweifellos als ein rationalistisches Unternehmen begann, gab es sogar in ihren ersten Anfängen schon mystizistische Unterströmungen. Es ist das Verlangen nach der verlorenen Einheit und nach dem verlorenen Schutz des Stammeslebens, das sich in diesen mystischen Elementen eines im Grunde rationalen Unternehmens ausdrückt.[1] Ein offener Konflikt zwischen dem Rationalismus und dem Irrationalismus brach zum erstenmal im Mittelalter aus, und zwar in Form des Gegensatzes zwischen dem Scholastizismus und dem Mystizismus. Im siebzehnten, achtzehnten und neunzehnten Jahrhundert, als sich der Rationalismus, der Intellektualismus und der ›Materialismus‹ immer mächtiger erhoben, waren die Irrationalisten gezwungen, diese Bewegungen zu beachten und gegen sie zu argumentieren; und einige dieser Kritiker, insbesondere Burke, die die unbescheidenen Ansprüche und die Gefahren des Pseudorationalismus aufdeckten (den sie nicht vom Rationalismus in unserem Sinn unterschieden) und seine Schranken aufwiesen, haben sich damit den Dank aller wahren Rationalisten verdient. Aber die Zeiten haben sich geändert, und »tiefbedeutende Winke ... und Allegorien« (wie sie Kant nennt) sind die Mode des Tages geworden. Ein orakelnder Irrationalismus hat (insbesondere mit Bergson und der Mehrzahl der deutschen Philosophen und Intellektuellen) dazu geführt, daß man die Existenz eines so untergeordneten Wesens wie des Rationalisten ignoriert oder bestenfalls beklagt. Für jene Philosophen sind die Rationalisten – oder die ›Materialisten‹, wie sie oft genannt werden – und insbesondere die rationalistischen Wissenschaftler – arm im Geiste, mit der Ausführung seelenloser und zum Großteil mechanischer Tätigkeiten beschäftigt und völlig unfähig, die tieferen Probleme des menschlichen Geschicks und seiner Philosophie zu erfassen. Und die Rationalisten revanchieren sich gewöhnlich, indem sie den Irrationalismus als reinen Unsinn abtun. Nie zuvor war der Bruch so vollständig. Und was dieser Abbruch der diplomatischen Beziehungen zwischen den Philosophen bedeutete, das zeigte sich, als ihm der Abbruch der diplomatischen Beziehungen zwischen den Staaten folgte.

In dieser Auseinandersetzung stehe ich voll und ganz auf der Seite des Rationalismus. Dies ist so sehr der Fall, daß ich sogar dort mit dem Rationalismus sympathisiere, wo ich glaube, daß er zu weit gegangen ist; denn ich bin der Ansicht, daß ein Zuviel an Rationalismus (solange wir nur die intellektuelle Überheblichkeit des platonischen Pseudorationalismus ausschließen) harmlos ist im Vergleich zu einem Exzeß in der Richtung des Irrationalismus. Der einzige Schaden, den ein übertriebener Rationalismus meiner Meinung nach anrichten kann, besteht darin, daß er die eigene Position untergräbt und auf diese Weise der irrationalistischen Reaktion in die Hände arbeitet. Einzig diese Gefahr veranlaßt mich, die Ansprüche eines übertriebenen Rationalismus näher zu untersuchen, und sie ist auch der Grund, warum ich für einen bescheidenen und selbstkritischen Rationalismus eintrete, der gewisse Beschränkungen anerkennt. Ich werde daher im folgenden zwischen zwei rationalistischen Positionen unterscheiden, die ich den ›kritischen Rationalismus‹ und den ›unkritischen‹ oder ›umfassenden Rationalismus‹ nenne.

Der unkritische oder umfassende Rationalismus läßt sich beschreiben als die Einstellung einer Person, die etwa sagt: »Ich bin nicht bereit, eine Idee, eine Annahme, eine Theorie zu akzeptieren, die sich nicht durch Argumente oder durch die Erfahrung verteidigen läßt.« Wir können dies auch in Form des Prinzips ausdrücken, daß jede Annahme zu verwerfen ist, die sich weder durch ein Argument noch durch die Erfahrung stützen läßt[2]. Man sieht nun sofort, daß dieses Prinzip des unkritischen Rationalismus einen Widerspruch enthält; denn da es sich seinerseits weder durch Argumente noch durch die Erfahrung stützen läßt, so folgt aus ihm, daß es selbst verworfen werden muß. (Es ist analog zum Paradoxon vom Lügner[3], d.h. zu einem Satz, der seine eigene Falschheit behauptet.) Der unkritische Rationalismus ist also logisch unhaltbar; und da dies auf rein logische Weise gezeigt wurde, so folgt, daß der unkritische Rationalismus mit den von ihm selbst gewählten Waffen geschlagen werden kann, nämlich durch Argumente.

Diese Kritik läßt sich verallgemeinern. Da jede Argumentation von Annahmen ausgehen muß, so kann man offenkundig nicht verlangen, daß sich alle Annahmen auf eine Argumentation stützen. Die Forderung vieler Philosophen, man solle ohne jede Annahme beginnen und nichts über ›zureichende Gründe‹ voraussetzen, und selbst die schwächere Forderung, zu Beginn nur sehr wenig Annahmen (›Kategorien‹) zu verwenden, diese beiden Forderungen widersprechen sich selbst. Denn sie beruhen ihrerseits auf der wahrhaft phantastischen Annahme, daß es möglich ist, ohne jede Annahme oder mit Hilfe von nur wenigen Annahmen zu Resultaten zu kommen, die der Rede wert sind. (Dieses Prinzip des Vermeidens aller Annahmen ist also nicht, wie man denken möchte, eine ideale Forderung, das heißt eine Forderung, deren Erfüllung wünschenswert, wenn auch sehr schwierig ist; es ist einfach eine Form des Lügnerparadoxons[4].)

Dies ist nun alles ein wenig abstrakt; aber wir können unsere Darlegungen in Verbindung mit dem Problem des Rationalismus in einer weniger formalen Weise wiederholen. Die rationalistische Einstellung ist dadurch charakterisiert, daß dem Argument und der Erfahrung große Bedeutung zugemessen wird. Aber weder ein logisches Argument noch die Erfahrung reichen aus zur Begründung der rationalistischen Einstellung; denn nur Menschen, die bereit sind, Argumente oder Erfahrungen in Betracht zu ziehen (und die daher bereits die rationalistische Einstellung angenommen haben), werden von ihnen beeindruckt werden. Das heißt, daß man zuerst eine rationalistische Einstellung annehmen muß und daß erst dann Argumente oder Erfahrungen Beachtung finden werden; woraus folgt, daß jene Einstellung nicht selbst auf Argumente und Erfahrungen gegründet werden kann. (Und diese Überlegung ist ganz unabhängig von der Frage, ob es überzeugende rationale Argumente gibt, die die Annahme der rationalistischen Einstellung begünstigen.) Es zeigt sich also, daß die rationalistische Einstellung keinesfalls auf Argumente oder auf Erfahrungen gegründet werden kann und daß ein umfassender Rationalismus unhaltbar ist.

Aber das bedeutet, daß ein Mensch, der die rationalistische Einstellung annimmt, so handelt, weil er, ohne rationale Überlegung, einen Vorschlag, einen Entschluß, einen Glauben oder ein Verhalten akzeptiert hat, das daher seinerseits ›irrational‹ genannt werden muß. Was immer es auch sein mag – wir können es einen irrationalen *Glauben an die Vernunft* nennen. Der Rationalismus ist mit Notwendigkeit weit davon entfernt, umfassend oder selbstgenügsam zu sein. Dies wurde von den Rationalisten häufig übersehen, die so in ihrem eigenen Gebiet und mit ihrer eigenen Lieblingswaffe aufs Haupt geschlagen werden konnten, sobald sich nur ein Irrationalist die Mühe nahm, diese Waffe gegen sie zu kehren. Und es entging nicht der Aufmerksamkeit einiger Feinde des Rationalismus, daß man die Annahme von Argumenten immer verweigern kann, und zwar die Annahme entweder aller Argumente oder die Annahme von Argumenten einer bestimmten Art; und daß sich eine solche Einstellung widerspruchslos durchführen läßt. So kamen sie zur Einsicht, daß der unkritische Rationalist, der den Rationalismus für selbstgenügsam und durch Argumente begründbar hält, nicht recht haben kann. Der Irrationalismus ist dem unkritischen Rationalismus logisch überlegen.

Warum also nicht den Irrationalismus akzeptieren? Viele ehemalige Rationalisten, die durch die Entdeckung ernüchtert wurden, daß sich ein umfassender Rationalismus selbst aufhebt, haben dann wirklich vor dem Irrationalismus kapituliert. (Das trifft auf Whitehead[5] zu, wenn ich mich nicht irre.) Aber ein derart kopfloses Verhalten ist völlig unangebracht. Ein unkritischer und umfassender Rationalismus ist logisch unhaltbar, ein umfassender Irrationalismus ist logisch haltbar; aber das ist kein Grund, den letzten anzunehmen. Denn es gibt andere haltbare Positionen, insbesondere die Position des kritischen Rationalismus, die den Umstand anerkennt, daß die rationalistische Einstellung auf einem irrationalen Entschluß oder auf dem Glauben an die Vernunft beruht. Unsere Wahl ist also offen. Es steht uns frei, eine Form des Irrationalismus zu wählen, sogar eine radikale oder umfassende. Aber es steht uns in gleicher Weise frei, eine kritische Form des Rationalismus zu wählen, eine Form, die offen ihre Grenzen zugibt, die zugibt, daß sie auf einer irrationalen Entscheidung beruht (und die in diesem Ausmaß auch eine gewisse Priorität des Irrationalismus anerkennt).

II

Die Wahl, vor der wir stehen, ist nicht einfach eine intellektuelle Angelegenheit oder eine Geschmacksfrage. Sie ist eine moralische Entscheidung[6]. Denn die Frage, ob wir eine mehr oder weniger radikale Form des Irrationalismus akzeptieren oder ob wir jenes minimale Zugeständnis an den Irrationalismus akzeptieren, das ich den ›kritischen Rationalismus‹ genannt habe, diese Frage wird unsere ganze Einstellung zu anderen Menschen und zu den Problemen des sozialen Lebens zutiefst beeinflussen. Es ist bereits gesagt worden, daß der Rationalismus eng verbunden ist mit dem Glauben an die Einheit der Menschheit. Der Irrationalismus, den keine Regeln binden, läßt sich mit jedem Glauben, also auch mit einem Glauben an die Brüderlichkeit der Menschen kombinieren; aber die Tatsache, daß er sehr leicht mit einem ganz anderen Glauben verbunden werden kann, und insbesondere die Tatsache, daß er sich leicht zur Unterstützung eines romantischen Glaubens an die Existenz einer auserwählten Schar, an die Teilung der Menschen in natürliche Herren und natürliche Sklaven verwenden läßt, diese Tatsache zeigt klar genug, daß die Wahl zwischen dem Irrationalismus und einem kritischen Rationalismus eine moralische Entscheidung einschließt.

Wie wir früher (in Kapitel 5 von *Die offene Gesellschaft und ihre Feinde*) und nun wieder, anläßlich unserer Analyse der unkritischen Fassung des Rationalismus, gesehen haben, können Argumente eine derart fundamentale moralische Entscheidung nicht *bestimmen.* Aber daraus folgt nicht, daß es keine Argumente gibt; die uns bei unserer Wahl *behilflich* sein können. Im Gegenteil: Angesichts einer mehr abstrakten sittlichen Entscheidung ist es immer nützlich, wenn man sorgfältig die Folgen analysiert, die wahrscheinlich aus den möglichen Alternativen hervorgehen werden. Denn nur wenn wir uns diese Folgen in einer konkreten und praktischen Weise vor Augen führen können, nur dann wissen wir wirklich, wofür wir uns entscheiden; andernfalls entscheiden wir blind. Um diesen Punkt zu illustrieren, möchte ich eine Stelle aus B. Shaws *Heiliger Johanna* zitieren. Der Sprecher ist der Kaplan; er hat hartnäckig den Tod Johannas verlangt. Aber als er sie auf dem Scheiterhaufen sieht, bricht er zusammen: »Ich wollte nichts Böses. Ich wußte nicht, wie es aussehen würde, ... ich wußte nicht, was ich tat ... Hätte ich es gewußt, so hätte ich sie aus ihren Händen gerissen. Ihr wißt nichts. Ihr habt nicht gesehen: Es ist so leicht reden, wenn man nichts weiß. Ihr betäubt euch mit Worten ... Aber wenn die Stunde der Abrechnung kommt; wenn ihr seht, was ihr getan habt, wenn eure Tat eure Augen blendet, euren Atem hemmt, eure Herzen zerreißt, dann – dann –, oh Gott, nimm diesen Anblick von mir!« Es gab natürlich in Shaws Stück auch andere Gestalten, die genau wußten, was sie taten, und die doch ihre Entschlüsse durchführten, und die hinterher keine Reue empfanden. Es gibt Menschen, die nicht zusehen können, wenn man ihre Mitmenschen auf dem Scheiterhaufen verbrennt, und es gibt Menschen, die ein solcher Anblick kalt läßt. Diese Tatsache (die von vielen viktorianischen und anderen Optimisten vernachlässigt worden ist) ist wichtig, denn sie zeigt, daß eine rationale Analyse der Konsequenzen einer Entscheidung diese Entscheidung selbst noch nicht rational macht; die Konsequenzen bestimmen unsere Entscheidung nicht; wir selbst sind es, die den Entschluß fassen. Aber eine Analyse der konkreten Konsequenzen und das klare Erfassen dieser Konsequenzen mit Hilfe unserer ›Vorstellungskraft‹ – das bestimmt den Unterschied zwischen einer blinden Entscheidung und einer Entscheidung, die mit offenen Augen getroffen wird; und da wir unsere ›Vorstellungskraft‹ nur sehr selten gebrauchen[7], so entscheiden wir nur zu oft blind. Das ist besonders dann der Fall, wenn uns eine orakelnde Philosophie berauscht hat – denn eine solche Philosophie ist eines der mächtigsten Mittel, uns ›mit Worten zu betäuben‹, wie sich Shaw ausdrückt.

Die Analyse der Folgen einer Gewissensentscheidung durch Vernunft und Phantasie zeigt eine gewisse Analogie zu der Methode der Wissenschaft. Denn auch in der Wissenschaft nehmen wir eine abstrakte Theorie nicht deshalb an, weil sie an und für sich überzeugend ist. Wir entschließen uns vielmehr, sie anzunehmen oder abzulehnen, nachdem wir jene konkreten und praktischen Folgen untersucht haben, die durch ein Experiment direkt geprüft werden können. Aber es besteht ein grundlegender Unterschied. Im Falle einer wissenschaftlichen Theorie hängt unsere Entscheidung von den Ergebnissen der Experimente ab. Wenn diese Experimente die Theorie bestätigen, so nehmen wir sie an, bis wir eine bessere gefunden haben. Wenn die Experimente der Theorie widersprechen, dann verwerfen wir sie. Aber die Folgen einer Gewissensentscheidung können wir nur mit unserem Gewissen konfrontieren. Und während die Entscheidung der Experimente nicht von uns abhängt, hängt die Entscheidung des Gewissens von uns selbst ab.

Ich hoffe, ich habe verständlich gemacht, in welchem Sinne eine Analyse von Konsequenzen unsere Entscheidung zu beeinflussen vermag, ohne sie zu bestimmen. Und wenn ich nun die Konsequenzen der beiden Alternativen darlege, zwischen denen wir uns entscheiden müssen, die Konsequenzen des Rationalismus und des Irrationalismus, so muß ich den Leser warnen, daß ich parteiisch sein werde. Bei der Darlegung der beiden Alternativen der moralischen Entscheidung, die vor uns liegt – sie ist in vieler Hinsicht die grundlegendste Entscheidung auf ethischem Gebiet –, habe ich bisher versucht, jede Parteinahme zu vermeiden, wenn ich meine Sympathien auch nicht verborgen habe. Aber jetzt gehe ich daran, jene Konsequenzen der beiden Alternativen vorzuführen, die mir am wichtigsten zu sein scheinen und die mich selbst bewogen haben, den Irrationalismus zu verwerfen und den Glauben an die Vernunft anzunehmen.

Untersuchen wir zuerst die Konsequenzen des Irrationalismus. Der Irrationalist behauptet, daß Gefühle und Leidenschaften, aber nicht die Vernunft, die wichtigsten Triebkräfte der menschlichen Handlungen sind. Der Antwort des Rationalisten, daß wir dennoch mit aller Kraft versuchen sollten, diese Situation zu verbessern, und daß wir versuchen sollten, dem Verstand eine möglichst große Rolle zuzuteilen, wird der Irrationalist (wenn er sich zu einer Diskussion herabläßt) entgegenhalten, daß eine solche Einstellung hoffnungslos unrealistisch ist. Denn sie zieht nicht die Schwachheit der ›menschlichen Natur‹ in Betracht, die schwache intellektuelle Ausrüstung der meisten Menschen und die Tatsache, daß die meisten Menschen ganz offenkundig von Gefühlen und Leidenschaften abhängen.

Es ist meine feste Überzeugung, daß dieses irrationale Hervorheben von Gefühlen und Leidenschaften schließlich zu etwas führen muß, das man nur als ein Verbrechen bezeichnen kann. Diese Überzeugung läßt sich begründen durch den Hinweis, daß eine solche Einstellung (die bestenfalls bedeutet, daß man angesichts der irrationalen Natur menschlicher Wesen resigniert, im schlechtesten Fall aber, daß man die menschliche Vernunft verachtet) zu einem Appell an die Gewalt und an gemeine Kraftanwendung als den letzten Richter in jeder Auseinandersetzung führen muß. Denn die Tatsache, daß ein Disput entstanden ist, bedeutet, daß positive Gefühle und Leidenschaften, wie die Verehrung, die Liebe, die Ergebenheit einer gemeinsamen Sache gegenüber, die im Prinzip zu seiner Überwindung beitragen könnten, sich unfähig gezeigt haben, das Problem zu lösen. Aber wenn das der Fall ist – was bleibt da dem Irrationalisten anderes übrig, als an andere und weniger konstruktive Gefühle und Leidenschaften zu appellieren – an die Furcht, den Haß, den Neid und schließlich an die Gewalt? Diese Tendenz wird durch eine andere und vielleicht noch wichtigere Einstellung verstärkt, die gleichfalls mit dem Irrationalismus verbunden ist, nämlich durch den Nachdruck, den er auf die Ungleichheit der Menschen legt.

Man kann natürlich nicht leugnen, daß die menschlichen Individuen, wie alle anderen Dinge in unserer Welt, in vielfacher Hinsicht sehr ungleich sind. Noch besteht ein Zweifel darüber, daß diese Ungleichheit sehr wichtig und oft sogar höchst wünschenswert ist[8]. (Die Furcht, daß die Entwicklung der Massenproduktion und die Kollektivisierung die Ungleichheit und die Individualität der Menschen zerstören könnte, ist einer der Alpträume[9] unserer Zeit.) Aber all das hat mit der Frage überhaupt nichts zu tun, ob wir uns entschließen sollten, die Menschen insbesondere in politischen Dingen als gleichwertig oder doch wenigstens als annähernd gleichwertig zu betrachten; das heißt, es berührt nicht die Frage, ob wir zugeben sollen, daß die Menschen gleiche Rechte und gleichen Anspruch auf gleiche Behandlung besitzen; und auch die Frage, ob wir die politischen Institutionen dementsprechend einrichten sollten, steht damit in keinem Zusammenhang. Die ›Gleichheit vor dem Gesetz‹ ist *keine Tatsache – sondern eine politische Forderung*[10], *die auf einer moralischen Entscheidung beruht;* und sie ist ganz unabhängig von der – wahrscheinlich falschen – Theorie, daß ›alle Menschen gleich geboren sind‹. Ich will nun keinesfalls sagen, daß wir diese humanitäre Haltung der Unparteilichkeit als eine direkte Folge einer Entscheidung zugunsten des Rationalismus einnehmen. Aber eine Tendenz zur Unparteilichkeit ist mit dem Rationalismus eng verbunden und läßt sich schwer aus dem rationalistischen Bekenntnis ausschließen. Ich behaupte auch nicht, daß ein Irrationalist ein Eintreten für die Gleichheit oder eine unparteiische Haltung ablehnen müßte; denn selbst wenn dies mit seiner Ansicht unvereinbar wäre, wäre der Irrationalist doch nicht zu einer widerspruchsfreien Haltung gezwungen. Aber ich lege Wert auf die Feststellung, daß der Irrationalismus es kaum vermeiden kann, in eine Haltung verstrickt zu werden, die der Anerkennung der Gleichberechtigung aller Menschen zuwiderläuft. Dies hängt eng damit zusammen, daß er den Gefühlen und Leidenschaften eine so große Rolle zuschreibt; denn wir können nicht jedem Menschen gegenüber dieselben Gefühle empfinden. Gefühlsmäßig sind die Menschen eingeteilt in Individuen, die uns nahestehen, und Individuen, die uns fernstehen. Die Einteilung der Menschheit in Freund und Feind leuchtet allen gefühlsmäßig sofort ein; sie wird sogar im christlichen Gebot ›Liebe deine Feinde‹ anerkannt. Auch der beste Christ, der wirklich diesem Gebot entsprechend lebt (und es gibt deren nicht viele, das zeigt die Einstellung des guten Durchschnittschristen zu den ›Materialisten‹ und den ›Atheisten‹), kann nicht gleiche Liebe für alle Menschen empfinden. Wir können nicht wirklich *›in abstracto‹* lieben; wir können nur jene Menschen lieben, die wir kennen. Daher kann auch der Appell an unsere besten Gefühle, der Appell an die Liebe und an das Mitleid, nur zu einer Aufteilung der Menschheit in verschiedene Kategorien führen. Und das ist in noch weit höherem Maße der Fall, wenn die niedrigen Gefühle und Leidenschaften aufgerufen werden. Unsere ›natürliche‹ Reaktion wird darin bestehen, daß wir die Menschheit in Freund und Feind teilen; in jene Menschen, die unserem Stamme, unserer emotionalen Gemeinschaft angehören, und in jene Menschen, die außerhalb dieser Gemeinschaft stehen; in Gläubige und Ungläubige; in Mitbürger und Fremde; in Klassengenossen und Klassenfeinde; und in Führer und Geführte.

Ich habe vorhin erwähnt, daß die Theorie, daß unsere Gedanken und Meinungen von unserer Klassensituation oder von unserem nationalen Interesse abhängen, zum Irrationalismus führen muß. Ich möchte nunmehr zeigen, daß auch das Umgekehrte der Fall ist. Die Abschaffung der rationalistischen Einstellung, des Respekts vor Vernunft, Argument und der Meinung des anderen, das Hervorheben der ›tieferen‹ Schichten der menschlichen Natur, all das muß zur Ansicht führen, daß das Denken nur eine etwas oberflächliche Manifestation von etwas ist, das in jenen irrationalen Tiefen verborgen liegt. Es muß fast immer eine Einstellung hervorbringen, die die Person des Denkers und nicht seine Gedanken in Betracht zieht. Es muß zum Glauben führen, daß ›wir mit unserem Blute denken‹ oder ›mit unserem nationalen Gut‹ oder ›mit unserer Klasse‹. Diese Ansicht kann sich in einer materialistischen wie auch in einer sehr spirituellen Form manifestieren; in diesem Fall wird die Idee, daß wir ›mit unserer Rasse denken‹, ersetzt etwa durch die Idee der auserwählten oder erleuchteten Seelen, die ›aus Gottes Gnade‹ denken. Ich lehne es aus moralischen Gründen ab, mich von solchen Unterschieden beeindrucken zu lassen; denn all diese intellektuell unbescheidenen Ansichten sind sich darin in entscheidender Weise ähnlich, daß sie einen Gedanken nicht nach seinem eigenen Verdienst beurteilen. Indem sie so die Vernunft abschaffen, spalten sie die Menschen in Freund und Feind; in die wenigen, die an Vernunft den Göttern gleich sind, und in die vielen, die es nicht sind (wie Platon sagt); in die wenigen, die uns nahestehen, und die vielen, die uns fernestehen; in diejenigen, die die unübersetzbare Sprache unserer eigenen Gefühle und Leidenschaften sprechen, und in die übrigen, deren Sprache nicht die unsere ist. Und wenn das einmal geschehen ist, dann ist die politische Gleichberechtigung praktisch unmöglich geworden.

Es ist diese Einstellung – die Ablehnung der Idee der Gleichberechtigung im politischen Leben, das heißt im Gebiet jener Probleme, die die Gewalt von Menschen über andere Menschen betreffen – die ich verbrecherisch nenne. Denn eine solche Einstellung liefert eine Rechtfertigung für die Idee, daß Menschen verschiedener Kategorie verschiedene Rechte besitzen; daß der Herr das Recht hat, den Sklaven in Ketten zu legen; daß einige Menschen das Recht haben, andere als ihr Werkzeug zu verwenden. Schließlich dient sie, wie bei Platon[11], zur Rechtfertigung des Mordes.

Ich übersehe nicht, daß es Irrationalisten gibt, die die Menschen lieben, und daß der Irrationalismus nicht in allen seinen Formen eine verbrecherische Einstellung erzeugt. Aber ich behaupte, daß die Lehre, daß nicht die Vernunft, sondern die Liebe herrschen solle, denen Tür und Tor öffnet, die durch Haß regieren. (Sokrates scheint eine Einsicht in diesen Zusammenhang besessen zu haben, als er erklärte[12], daß das Mißtrauen und die Abneigung gegen verständiges Argumentieren verbunden sei mit einem Mißtrauen und einer Abneigung gegen die Menschen.) Wer diese Verbindung nicht sogleich sieht, wer an eine direkte Herrschaft der Liebe glaubt, der sollte bedenken, daß die Liebe als solche die Unparteilichkeit sicher nicht fördert. Und sie vermag auch nicht Konflikte zu beseitigen. Daß die Liebe als solche unfähig sein kann, einen Konflikt aus der Welt zu schaffen, das zeigt die Betrachtung eines harmlosen Beispiels, das als der Repräsentant wichtigerer Fälle dienen möge. Tom liebt das Theater, und Dick liebt den Tanz. Tom besteht voll Sympathie darauf, zu einem Tanz zu geben, während Dick um Toms willen das Theater besuchen will. Dieser Konflikt läßt sich durch Liebe nicht lösen; im Gegenteil: Je stärker die Liebe, desto stärker wird der Konflikt sein. Es gibt nur zwei Lösungen; die eine ist die Verwendung von Gefühlen und schließlich von Gewalt, die andere ist die Anwendung von Vernunft, Unparteilichkeit und vernünftigen Kompromissen. Das soll nicht heißen, daß ich den Unterschied zwischen Liebe und Haß nicht zu schätzen weiß oder daß ich ein Leben ohne Liebe für lebenswert halte. (Ich bin auch völlig bereit, zuzugeben, daß die christliche Idee der Liebe nicht rein gefühlsmäßig gedacht ist.) Aber ich behaupte, daß kein Gefühl, nicht einmal die Liebe, die Herrschaft von Institutionen ersetzen kann, die von der Vernunft kontrolliert werden.

Das ist natürlich nicht das einzige Argument gegen die Idee einer Herrschaft der Liebe. Einen Menschen lieben bedeutet, daß man ihn glücklich machen will. (So hat übrigens Thomas von Aquin die Liebe definiert.) Aber von allen politischen Idealen ist der Wunsch, die Menschen glücklich zu machen, vielleicht der gefährlichste. Ein solcher Wunsch führt unvermeidlich zu dem Versuch, anderen Menschen unsere Ordnung ›höherer‹ Werte aufzuzwingen, um ihnen so die Einsicht in Dinge zu verschaffen, die uns für ihr Glück am wichtigsten zu sein scheinen; also gleichsam zu dem Versuch, ihre Seelen zu retten. Dieser Wunsch führt zu Utopismus und Romantizismus.

Wir alle haben das sichere Gefühl, daß jedermann in der schönen, der vollkommenen Gemeinschaft unserer Träume glücklich sein würde. Und zweifellos wäre eine Welt, in der wir uns alle lieben, der Himmel auf Erden. Aber der Versuch, den Himmel auf Erden einzurichten, erzeugt stets die Hölle [siehe Text *24* unten]. Dieser Versuch führt zu Intoleranz, zu religiösen Kriegen und zur Rettung der Seelen durch die Inquisition. Und er beruht meiner Ansicht nach auf einem völligen Mißverstehen unserer sittlichen Pflichten. Es ist unsere Pflicht, denen zu helfen, die unsere Hilfe brauchen; aber es kann nicht unsere Pflicht sein, andere glücklich zu machen, denn dies hängt nicht von uns ab und bedeutet außerdem nur zu oft einen Einbruch in die private Sphäre jener Menschen, gegen die wir so freundliche Absichten hegen. Die politische Forderung nach schrittweise aufbauenden Methoden (im Gegensatz zu utopischen) entspricht der Entscheidung, daß der Kampf gegen das Leiden Pflicht ist, während das Recht, sich um das Glück anderer zu sorgen, als ein Privileg betrachtet werden muß, das auf den engen Kreis ihrer Freunde beschränkt bleibt: Wir haben vielleicht ein gewisses Recht, wenn wir versuchen, unsere Wertordnung – etwa unsere Bewertungen in der Musik – auf unsere Freunde zu übertragen (und vielleicht empfinden wir es sogar als unsere Pflicht, ihnen eine Welt von Werten zu eröffnen, von denen wir überzeugt sind, daß wir sie damit glücklich machen). Aber wir haben dieses Recht nur dann, wenn sie diese unsere Bemühungen zurückweisen können. Schlimmstenfalls kann man ja eine Freundschaft beenden. Der Einsatz politischer Mittel mit dem Zweck, anderen Menschen unsere Wertordnung aufzuzwingen, ist jedoch eine ganz andere Sache. Schmerz, Leiden, Ungerechtigkeit und ihre Verhütung – das sind die ewigen Probleme der öffentlichen Moral, die ›agenda‹ der öffentlichen Politik (wie Bentham gesagt haben würde). Die ›höheren‹ Werte sollten im großen und ganzen als ›non agenda‹ betrachtet und dem *Laissez-faire* überlassen werden. Somit können wir sagen: Helft euren Feinden; steht denen bei, die sich in Not befinden, auch wenn sie euch hassen; aber liebt nur eure Freunde!

Dies ist nur ein Teil meiner Bedenken gegen den Irrationalismus und seine Konsequenzen, die mich veranlassen, sein Gegenteil, das heißt einen kritischen Rationalismus anzunehmen. Diese Einstellung mit ihrem Nachdruck auf Argument und Erfahrung, mit ihrem Wahlspruch »ich kann mich irren, du magst recht haben, aber gemeinsam werden wir vielleicht der Wahrheit auf die Spur kommen«, ist, wie ich schon erwähnt habe, der wissenschaftlichen Einstellung nahe verwandt. Sie ist mit der Idee verbunden, daß niemand vor Fehlern gefeit ist. Aber die Fehler können von ihm selbst oder von anderen, oder von ihm mit Hilfe der Kritik der anderen gefunden werden. Sie legt daher die Idee nahe, daß niemand sein eigener Richter sein soll, und sie legt auch die Idee der Unparteilichkeit nahe. (Diese Idee der Unparteilichkeit ist nahe verwandt mit der Idee der ›wissenschaftlichen Objektivität‹, die wir in Text *30* analysieren werden.) Ihr Glaube an die Vernunft ist nicht nur ein Glaube an unsere eigene Vernunft, sondern noch mehr ein Glaube an die Vernunft der anderen. Daher wird ein Rationalist, auch wenn er glaubt, daß er den anderen intellektuell überlegen ist, alle Autoritätsansprüche[13] ablehnen. Er weiß, daß diese Überlegenheit nur insoferne besteht, als er fähig ist, von der Kritik sowie auch von den Fehlern zu lernen, die er und andere begehen, und daß er nur dann daraus lernen kann, wenn er die anderen und ihre Argumente ernst nimmt. Der Rationalismus ist also mit der Idee verbunden, daß der andere das Recht hat, gehört zu werden und seine Argumente zu verteidigen. Das bedeutet, daß der Rationalismus auch die Forderung nach Toleranz[14] enthält, zumindest für alle jene, die nicht selbst intolerant sind. Man tötet keinen Menschen, wenn man gewöhnt ist, zuerst seine Argumente anzuhören. (Kant hatte recht, als er die ›goldene Regel‹ auf die Idee der Vernunft gründete. Es ist zwar sicher unmöglich, die Richtigkeit irgendeines ethischen Prinzips zu beweisen oder zu seinen Gunsten so zu argumentieren, wie wir es im Falle einer wissenschaftlichen Behauptung tun. Die Ethik ist keine Wissenschaft. Aber obgleich es keine rationale wissenschaftliche Basis für die Ethik gibt, gibt es doch eine ethische Basis für die Wissenschaft und für den Rationalismus.) Auch führt die Idee der Unparteilichkeit zur Idee der Verantwortlichkeit; wir haben nicht nur die Pflicht, Argumente anzuhören, sondern wir haben auch die Pflicht, zu antworten, zu reagieren, sobald andere durch unsere Handlungen beeinflußt werden. Schließlich ist der Rationalismus auf diese Weise mit der Erkenntnis verbunden, daß soziale Institutionen notwendig sind, die die Freiheit der Kritik, die Freiheit des Denkens und damit die Freiheit des Menschen schützen. Und er begründet eine sittliche Verpflichtung zur Unterstützung dieser Institutionen. Das ist der Grund, warum der Rationalismus eng mit der politischen Forderung nach praktischer Sozialtechnik – natürlich einer Technik der kleinen Schritte – im humanitären Sinn zusammenhängt, mit der Forderung nach der Rationalisierung der Gesellschaft[15], nach dem Planen für die Freiheit und nach ihrer Kontrolle durch die Vernunft; nicht durch die

›Wissenschaft‹, nicht durch eine platonische, eine pseudorationale Autorität, sondern durch jene sokratische Vernunft, die ihre Grenzen kennt und die daher den anderen Menschen respektiert und nicht so vermessen ist, ihn zu zwingen – nicht einmal zum Glück. Das Bekenntnis zum Rationalismus bedeutet für uns darüber hinaus, daß es ein gemeinsames Medium der Verständigung gibt, eine gemeinsame Sprache der Vernunft. Es begründet seine sittliche Verpflichtung dieser Sprache gegenüber, ihre Klarheit[16] und Eindeutigkeit zu bewahren und sie so zu verwenden, daß sie ihre Funktion als das Instrument des Argumentierens beibehalten kann; das heißt, dieses Bekenntnis begründet die Verpflichtung, die Sprache einfach und klar zu verwenden, als ein Instrument rationaler Kommunikation, wichtiger Information und nicht als ein Mittel zum ›Selbstausdruck‹, wie es im üblen romantischen Jargon der meisten unserer Erzieher heißt. (Es ist charakteristisch für die moderne romantische Hysterie, daß sie einen Hegelschen Kollektivismus in bezug auf die ›Vernunft‹ mit einem exzessiven Individualismus in bezug auf die ›Gefühle‹ vereinigt; daher auch der Nachdruck, mit dem man darauf beharrt, daß die Sprache ein Mittel zum Selbstausdruck und nicht ein Mittel zur Kommunikation sei. Beide Einstellungen sind natürlich ein Teil des Aufstandes gegen die Vernunft.) Und schließlich folgt aus der Anerkennung des Rationalismus die Anerkennung der Tatsache, daß die Menschheit vereinigt ist durch die wechselseitige Übersetzbarkeit der verschiedenen Muttersprachen, soweit sie rational sind. Sie anerkennt die Einheit der menschlichen Vernunft.

Es seien noch einige Bemerkungen hinzugefügt, die die rationalistische Haltung zum Gebrauch der sogenannten ›Phantasie‹ betreffen. Es wird oft angenommen, daß die Phantasie eine enge Beziehung zum Gefühl und daher zum Irrationalismus habe, und daß der Rationalismus eher zu einem phantasielosen, trockenen Scholastizismus neigt. Ich weiß nicht, ob eine solche Ansicht eine psychologische Grundlage hat, und ich möchte das eher bezweifeln. Aber meine Interessen sind institutionell und nicht psychologisch; und von einem institutionellen Gesichtspunkt (sowie vom Gesichtspunkt der Methode) aus betrachtet, scheint es, daß der Rationalismus den Gebrauch der Phantasie ermutigen muß, weil er sie braucht, während der Irrationalismus die Tendenz haben wird, ihn zu entmutigen. Gerade der Umstand, daß der Rationalismus kritisch ist, während der Irrationalismus die Neigung haben muß, dogmatisch zu sein, führt in diese Richtung. Wo es kein Argument gibt, da bleibt nichts übrig als völlige Annahme oder vollständige Ablehnung. Kritik erfordert immer eine gewisse Vorstellungskraft, während der Dogmatismus die Vorstellungskraft unterdrückt. Auch wissenschaftliches Forschen und technisches Konstruieren ist ohne ein sehr beträchtliches Ausmaß an Vorstellungsfähigkeit undenkbar; man muß hier etwas Neues bieten, anders als in der Orakelphilosophie, wo die ständige Wiederholung eindrucksvoller Worte auszureichen scheint. Zumindest ebenso wichtig ist die Rolle, die die Phantasie bei der praktischen Anwendung der Gleichberechtigungsidee und der Unparteilichkeit spielt. Die Grundhaltung des Rationalisten: ›Ich kann mich irren und du magst recht haben‹, verlangt, wenn man sie in die Praxis umsetzt, und besonders wenn menschliche Konflikte mit im Spiel sind, eine wirkliche Anstrengung unserer Phantasie. Ich gebe zu, daß die Gefühle der Liebe und des Mitleids manchmal zu einer ähnlichen Anstrengung führen können. Aber ich behaupte, daß es uns unmöglich ist, viele Menschen zu lieben oder mit ihnen zu leiden, noch scheint mir dies sehr wünschenswert, da dadurch schließlich entweder unsere Fähigkeit zu helfen oder die Intensität gerade dieser Gefühle zerstört werden muß. Aber die von der Phantasie unterstützte Vernunft läßt uns verstehen, daß Menschen, die weit entfernt sind, die wir niemals sehen werden, genau so sind wie wir selbst, und daß ihre Beziehungen zueinander genau so sind wie unsere Beziehungen zu den Menschen, die wir lieben. Eine direkte gefühlsmäßige Einstellung zu dem abstrakten Ganzen der Menschheit scheint mir kaum möglich zu sein. Wir können die Menschheit nur in gewissen konkreten Individuen lieben. Aber das Denken und die Phantasie kann in uns die Bereitschaft erwecken, all denen zu helfen, die unsere Hilfe brauchen.

Alle diese Überlegungen zeigen meiner Ansicht nach, daß die Verbindung zwischen dem Rationalismus und einer humanitären Einstellung sehr eng ist, sicher enger als die Verbindung zwischen dem Irrationalismus, der Ablehnung der Gleichberechtigung und einer antihumanitären Einstellung. Ich glaube, daß dieses Ergebnis durch die Erfahrung in weitem Ausmaß bestätigt wird. Eine rationalistische Haltung ist gewöhnlich mit den Ideen der Gleichheit und Humanität verbunden. Andrerseits zeigt der Irrationalismus in den meisten Fällen zumindest einige autoritäre Züge, obgleich er auch oft mit Humanität verbunden ist. Worauf es mir ankommt, ist die Tatsache, daß diese Verbindung keinesfalls wohlbegründet ist.

Text 3
Erkenntnis ohne Autorität (1960)

I

Was jetzt in diesem Abschnitt folgt, kann man als einen Angriff auf den *Empirismus* ansehen, wie ihn zum Beispiel Hume in klassischer Weise formuliert hat: »Wenn ich Dich frage, warum Du an eine bestimmte Tatsache glaubst ... mußt Du mir einen Grund sagen; und dieser Grund wird irgendeine andere Tatsache sein, die mit der ersten in Verbindung steht. Aber da man auf diese Weise nicht unbegrenzt, *ad infinitum*, fortfahren kann, mußt Du schließlich bei einer Tatsache anlangen, die Deinem Gedächtnis oder Deinen Sinnen gegenwärtig ist; oder Du wirst zugeben müssen, daß Dein Glaube völlig unbegründet ist.«[1]

Die Frage nach der Geltung des Empirismus kann folgendermaßen formuliert werden: Ist Beobachtung die letzte Quelle unserer Naturerkenntnis? Und wenn nicht, worauf gründet sich unsere Erkenntnis? Was sind ihre Quellen?

Diese Fragen bleiben bestehen – ungeachtet dessen, was ich über Bacon gesagt habe, und unabhängig davon, ob ich Bacons Philosophie etwa durch meine Erörterungen für ihre Anhänger und für andere Empiristen weniger anziehend gemacht habe.

Das Problem von den Quellen unserer Erkenntnis ist kürzlich wie folgt formuliert worden: Wenn Du eine Behauptung aufstellst, mußt Du sie rechtfertigen; und das bedeutet, daß Du imstande sein mußt, die folgenden Fragen zu beantworten:

›*Woher weißt Du das? Auf welche Quelle stützt sich Deine Behauptung?*‹

Nach Ansicht der Empiristen sind diese Fragen weiterhin gleichbedeutend mit:

›*Welche Wahrnehmungen, beziehungsweise Erinnerungen an Wahrnehmungen, liegen Deiner Behauptung zugrunde?*‹

Ich finde diese Kette von Fragen ganz und gar unbefriedigend.

Erstens gründen sich die meisten unserer Behauptungen ja gar nicht auf Wahrnehmungen, sondern auf alle möglichen anderen ›Quellen‹.

Auf die Frage ›Woher weißt Du das?‹ ist die Antwort: ›Ich las es in der *Times*‹, oder: ›Ich las es in der *Encyclopaedia Britannica*‹ wohl eher zu erwarten, und auch eher überprüfbar, als die Antwort: ›Ich habe es wahrgenommen‹, oder ›Ich weiß es aufgrund einer Wahrnehmung, die ich vor vier Jahren machte‹.

Aber der Empirist wird weiter fragen: ›Aus welchen Quellen hat denn die *Times*, oder die *Encyclopaedia Britannica*, ihre Information? Siehst Du denn nicht, daß, wenn man der Sache nur lange genug nachgeht, man schließlich doch zu *Berichten über Beobachtungen von Augenzeugen* kommen muß (die von manchen als ›Protokollsätze‹ und von Dir selbst als ›Basissätze‹ bezeichnet wurden)?‹ – ›Ich will gerne zugeben‹, so wird der Empirist fortfahren, ›daß Bücher oft von andern Büchern abgeschrieben werden; oder daß, zum Beispiel, ein Historiker mit Dokumenten arbeitet. Aber letzten Endes müssen doch diese anderen Bücher, oder diese Dokumente, auf Beobachtungen gegründet gewesen sein. Denn sonst müßten wir sie als Dichtungen bezeichnen, oder als Erfindungen, oder geradezu als Lügen, aber nicht als glaubwürdige Zeugnisse. Das ist es, was wir Empiristen sagen wollen, wenn wir behaupten, daß die Wahrnehmung die letzte Quelle unserer Erkenntnis sein muß.‹

Das ist, im wesentlichen, die Verteidigung des Empirismus, wie sie auch heute noch von einigen meiner positivistischen Freunde ins Feld geführt wird.

Ich will versuchen zu zeigen, daß diese Argumente um nichts stichhaltiger sind als Bacons Argumente: daß die Entscheidung der Frage nach den Quellen der Erkenntnis gegen die Empiristen ausfällt; und schließlich, daß diese ganze Frage nach den letzten Quellen – Quellen, an die man appellieren kann wie an eine höhere Instanz oder eine höhere Autorität – falsch gestellt ist und auf einem Irrtum beruht.

Zuerst will ich zeigen, daß wir auch durch noch so gründliches Befragen der *Times* und ihrer Reporter niemals zu jenen Beobachtungen von Augenzeugen gelangen werden, an deren Existenz der Empirist glaubt. Denn es wird sich herausstellen, daß mit jedem Schritt, den wir unternehmen, die Zahl der dadurch notwendig werdenden weiteren Schritte lawinenartig anwächst.

Nehmen wir zum Beispiel eine Behauptung, für die man sich normalerweise mit der Antwort ›Ich habe es in der *Times* gelesen‹ zufriedengeben würde; sagen wir: ›Der Premierminister hat beschlossen, einige Tage früher als beabsichtigt nach London zurückzukehren.‹ Nehmen wir für einen Augenblick an, daß jemand diese Meldung anzweifelt und herausfinden möchte, ob sie wahr ist. Was wird er unternehmen? Wenn er Zugang zur Kabinettskanzlei hat, dann ist die einfachste Methode ein telefonischer Anruf. Und wenn die Kanzlei die Meldung bestätigt, dann ist die Sache erledigt.

Mit anderen Worten: der Nachforschende wird, wenn irgend möglich, die gemeldete Tatsache selbst zu überprüfen trachten, und nicht die Quellen der Meldung ausfindig zu machen suchen; während nach der Analyse der Empiristen die Behauptung ›Ich habe es in der *Times* gelesen‹ nur der erste Schritt ist in einem Rechtfertigungsverfahren für eine ursprüngliche Behauptung, das darin besteht, daß wir die letzten Quellen aufdecken. Was ist nun der nächste Schritt ?

Es gibt mindestens zwei nächste Schritte. Der eine beruht auf der Überlegung, daß der Satz ›Ich habe es in der *Times* gelesen‹ selbst wieder eine Behauptung ist, und daß wir also fragen müßten: ›Woher weißt Du, daß Du es in der *Times* gelesen hast und nicht, sagen wir, in einer Zeitung, die sehr ähnlich aussieht wie die *Times*?‹ Der andere Schritt ist, die *Times* nach den Quellen ihrer Information zu befragen. Die Antwort auf die erste Frage würde vermutlich lauten: ›Aber ich habe doch nur die *Times* abonniert, und sie wird jeden Morgen geliefert.‹ (Das führt weiter zu einer Unzahl von Fragen nach letzten Quellen, die wir im Augenblick nicht verfolgen wollen). Auf die zweite Frage würden wir, nehmen wir an, vom Chefredakteur der *Times* die Antwort erhalten: ›Wir wurden vom ersten Sekretär des Premierministers angerufen.‹ Wenn die Empiristen recht haben, sollten wir jetzt weiter fragen: ›Welcher Herr in Ihrer Redaktion hat die Nachricht entgegengenommen?‹ und sodann von dem betreffenden Herrn einen Bericht über seine ›Beobachtung‹ verlangen. Wir müßten ihn aber natürlich auch fragen: ›Was ist der Grund Ihrer Annahme, daß die Stimme, die Sie hörten, die des ersten Sekretärs war?‹ Und so weiter.

Es ist leicht einzusehen, weshalb diese langweilige Kette von Fragen nie zu einem Ende kommen kann. Der Grund ist natürlich, daß jeder Zeuge in seinem Bericht weitgehend Gebrauch machen muß von seiner Kenntnis von Personen, Verhältnissen, Örtlichkeiten, Sprachgewohnheiten, Sitten usw. Er kann sich nicht bloß auf seine Augen und Ohren verlassen; besonders dann nicht, wenn sein Bericht eine Behauptung bestätigen soll, deren Bestätigung wichtig ist. Das bringt es aber mit sich, daß immer wieder neue Fragen über die Quellen jener Elemente seines Wissens entstehen, die nicht auf unmittelbarer Wahrnehmung beruhen.

Das ist der Grund, warum das Programm, alle Tatsachenfeststellungen auf ihren letzten Ursprung zurückzuverfolgen, undurchführbar und logisch unmöglich ist. Es führt zu einem unendlichen Regreß. (Die Theorie, daß die Wahrheit offenbar ist, schneidet diesen Regreß ab. Darin liegt vermutlich, wenigstens zum Teil, das Bestechende an dieser Theorie.)

Ich möchte noch bemerken, daß der Einwand, den ich hier vorgebracht habe, eng verwandt ist mit einem andern Argument, das ich vertrete – nämlich daß jede Beobachtung eine *Interpretation* im Lichte unseres theoretischen Wissens in sich schließt, oder anders ausgedrückt, daß ein rein auf Beobachtung gegründetes Wissen – ein Wissen, das keinerlei Theorie enthält – völlig unfruchtbar und uninteressant wäre, falls es so etwas überhaupt geben kann. [Siehe letzter Absatz von Text *11,* Abschnitt *I*, unten[2].]

Aber ganz abgesehen von der tödlichen Langeweile, die der empirischen Erkenntnislehre anhaftet, ist zu bemerken, daß die Forderung, nach den letzten Quellen zu suchen, dem gesunden Menschenverstand ins Gesicht schlägt. Denn wenn wir eine Behauptung anzweifeln, dann ist es doch das normale Verfahren, sie wenn möglich direkt zu überprüfen, und nicht, ihre Quellen ausfindig zu machen. Und wenn die Prüfung zu unabhängigen Bestätigungen führt, so werden wir nicht selten die Behauptung akzeptieren, ohne uns darum zu kümmern, woher sie stammt.

Natürlich ist das nicht immer so. Die Überprüfung einer *historischen* Behauptung besteht immer darin, sie zu ihren Quellen zurückzuverfolgen. Aber nur selten sind die vorhandenen Quellen Berichte von Augenzeugen.

Es ist klar, daß kein Historiker das Zeugnis von Urkunden kritiklos akzeptieren wird. Er untersucht ihre Echtheit, ihre Unvoreingenommenheit und andere Probleme, wie etwa die Rekonstruktion älterer Quellen. Gewiß wird gelegentlich auch die Frage auftauchen: war der Chronist zugegen, als sich diese Ereignisse zutrugen? Aber für den Historiker ist das eigentlich kein typisches Problem. Er wird sich sicher Gedanken machen über die Verläßlichkeit eines Berichtes, aber das wird nur selten auf die Frage hinauslaufen, ob der Verfasser einer bestimmten Urkunde ein Augenzeuge des beschriebenen Ereignisses war – selbst wenn wir annehmen, es handle sich um eine Begebenheit, die der Beobachtung zugänglich war. Ein Brief, in dem steht: »Ich habe mir die Sache gestern anders überlegt«, kann außerordentlich wichtiges historisches Beweismaterial darstellen, obwohl natürlich die Änderung von Vorsätzen oder Entschlüssen nicht beobachtbar ist (und selbst dann, wenn wir aufgrund anderer Indizien den Verdacht hegen, daß der Schreiber nicht die Wahrheit sagte).

Und was die Augenzeugen anlangt, so kommt ihnen fast nur vor Gericht Bedeutung zu, wo sie einem Kreuzverhör unterzogen werden können. Die meisten Anwälte wissen nur allzugut, daß sich Augenzeugen oft irren. Experimente, die darüber angestellt worden sind, haben erstaunliche Resultate ergeben. Selbst wenn Zeugen sich Mühe geben, einen Vorfall so zu schildern, wie er sich ereignete, machen sie oft viele Fehler, und wenn sich eine plausible, dem Zeugen zusagende Deutung anbietet, dann wird in der Mehrzahl der Fälle die Wahrnehmung durch die Deutung verzerrt.

Humes Ansichten über die historische Erkenntnis waren anders. »... wir glauben«, schreibt er im *Treatise* »daß Caesar im Senat an den *Iden des März* ermordet wurde ... weil diese Tatsache durch das übereinstimmende Zeugnis der Geschichtsschreiber bestätigt wird, die alle diesem Ereignis diesen bestimmten Platz in Raum und Zeit zuweisen. Hier sind bestimmte Zeichen oder Buchstaben vor unseren Augen oder in unserem Gedächtnis gegenwärtig ... und wir erinnern uns, daß diese Zeichen als Symbole für bestimmte Vorstellungen gebraucht wurden; und diese Vorstellungen existieren entweder im Geist von Personen, die bei diesem Ereignis unmittelbar anwesend waren und sie direkt von ihm empfingen; oder sie leiten sich ab von der Zeugenschaft anderer Personen, die sich vielleicht selbst wieder auf die Zeugenschaft dritter stützten, bis wir schließlich zu jenen gelangen, die Augenzeugen und Zuschauer des Ereignisses waren.«[3]

Mir scheint, daß diese Ansicht zu dem unendlichen Regreß führen muß, der oben beschrieben wurde. Denn das entscheidende Problem ist natürlich, ob wir das übereinstimmende Zeugnis der Geschichtsschreiber akzeptieren können, oder ob es abzulehnen ist; etwa deshalb, weil sie sich alle auf eine gemeinsame unverläßliche Quelle stützen. Die Berufung auf Buchstaben, die in unserem Gedächtnis oder vor unseren Augen gegenwärtig sind, hat weder für dieses noch für irgend ein anderes für die Geschichtsschreibung relevantes Problem Bedeutung.

II

Was sind nun aber wirklich die Quellen unserer Erkenntnis?

Ich glaube, die Antwort auf diese Frage lautet: Es gibt Quellen der verschiedensten Art, aber *es gibt keine Erkenntnisquelle, die Autorität besitzt.*

Es ist durchaus möglich, zu sagen, daß die *Times* eine Quelle unseres Wissens ist, oder die *Encyclopaedia Britannica.* Vielleicht können wir sagen, daß ein Aufsatz in der *Physical Review* mehr Autorität besitze und mehr den Charakter einer Quelle habe als etwa ein Artikel über dasselbe Problem in der *Times* oder in der *Encyclopaedia.* Aber es wäre ganz falsch zu sagen, die Quelle des Aufsatzes in der *Physical Review* müsse zur Gänze, oder auch nur zum Teil, Beobachtung gewesen sein. Die Quelle mag vielleicht die Entdeckung eines Widerspruchs in einer anderen Arbeit gewesen sein, oder vielleicht die Entdeckung, daß eine bestimmte experimentelle Anordnung geeignet ist, eine in einer anderen Arbeit enthaltene Hypothese zu überprüfen. Derartige Entdeckungen, die keine Beobachtungen enthalten, sind dennoch ›Quellen‹ in dem Sinne, daß sie zur Vermehrung unseres Wissens beitragen.

Natürlich leugne ich nicht die Möglichkeit, daß ein Experiment oder eine Beobachtung einen Beitrag – und vielleicht einen wichtigen Beitrag – zur Vermehrung unseres Wissens leisten kann. Aber ein Experiment ist nie eine *letzte* Quelle. Denn es muß immer *überprüft* werden. Wie in dem Beispiel von der Meldung in der *Times* werden wir normalerweise nicht die Augenzeugen eines Experiments weiter befragen, sondern wir werden, wenn wir das Resultat bezweifeln, das Experiment wiederholen, oder jemand anderen mit dessen Wiederholung beauftragen.

Der grundlegende Fehler, der von der philosophischen Theorie von den letzten Quellen unseres Wissens begangen wird, ist, daß sie nicht zwischen der Frage nach dem Ursprung und der Frage nach der Gültigkeit unterscheidet. Ich gebe zu, daß in der Geschichtswissenschaft diese beiden Fragen nicht selten zusammenhängen. Die Frage nach der Gültigkeit einer historischen Behauptung wird manches Mal ausschließlich oder doch hauptsächlich durch die nach dem Ursprung gewisser Quellen entschieden. Aber im allgemeinen sind diese beiden Fragen grundverschieden; und im allgemeinen wird die Gültigkeit einer Behauptung oder einer Information nicht dadurch überprüft, daß wir ihren Quellen oder ihrem Ursprung nachgehen. Gewöhnlich prüfen wir sie direkt, indem wir den Inhalt der Behauptung, das heißt die behaupteten Sachverhalte selbst, einer kritischen Untersuchung unterwerfen.

Die Fragen des Empiristen: ›Woher weißt Du das? Was ist die Quelle Deiner Behauptung?‹ sind daher falsch gestellt. Sie sind nicht etwa bloß ungenau oder nachlässig formuliert, sondern sie beruhen auf einer *völligen Verkennung* des Problems. Sie sind so gestellt, daß sie eine Antwort in einem autoritativen Sinn herausfordern.

III

Man könnte sagen, daß die bestehenden Systeme der Erkenntnistheorie als Resultat von einfachen Antworten, ›Ja!‹ und ›Nein!‹, auf Fragen nach den Quellen unseres Wissens entstanden sind. Sie kommen gar nicht auf den Gedanken, die *Fragen selbst und ihre Berechtigung anzuzweifeln.* Diese Fragen werden vielmehr als ganz natürlich betrachtet, und niemand scheint zu bemerken, daß diese Fragen nicht harmlos sind.

Das ist interessant, denn es ist klar, daß diesen Fragen eine autoritäre Tendenz innewohnt. Sie haben große Ähnlichkeit mit jener Frage, die eine der traditionellen Grundlagen der philosophischen Staatslehre ist, der Frage: ›Wer soll herrschen?‹ Diese Frage verlangt nach einer autoritären Antwort: etwa ›die Besten‹ oder ›die Weisesten‹ oder ›das Volk‹ oder ›die Mehrheit‹. (Sie verleitet übrigens auch zu solchen albernen Alternativfragen wie: ›Wer soll herrschen, die Kapitalisten oder die Arbeiter?‹, die analog sind zu der erkenntnistheoretischen Frage: ›Was ist die letzte Quelle unserer Erkenntnis? Der Intellekt oder die sinnliche Wahrnehmung?‹.) Diese politische Frage ist falsch gestellt und die Antworten, die sie hervorruft, sind nicht nur autoritär, sondern auch paradox [siehe Text 25 unten.] Man sollte eine ganz andere Fragestellung an ihre Stelle setzen, etwa: ›*Was können wir tun, um unsere politischen Institutionen so zu gestalten, daß schlechte oder untüchtige Herrscher* (die wir natürlich zu vermeiden suchen, aber trotzdem nur allzu leicht bekommen können) *möglichst geringen Schaden anrichten?*‹ Ich glaube, daß wir ohne eine solche Änderung in unserer Fragestellung niemals hoffen können, zu einer vernünftigen Theorie des Staates und seiner Einrichtungen zu kommen.

In ganz ähnlicher Weise kann man die Frage nach den Quellen unserer Erkenntnis durch eine andere Frage ersetzen: Die traditionelle

Frage war und ist noch immer: ›Welches sind die besten Quellen unserer Erkenntnis, die verläßlichsten Quellen – Quellen, die uns nicht in die Irre führen werden und an die wir, wenn wir im Zweifel sind, als eine letzte Instanz appellieren können?‹ Ich schlage vor, davon auszugehen, daß es solche idealen und unfehlbaren Quellen der Erkenntnis ebensowenig gibt wie ideale und unfehlbare Herrscher, und daß *alle* ›Quellen‹ unserer Erkenntnis uns manchmal irreleiten. Und ich schlage vor, die Frage nach den Quellen unserer Erkenntnis durch eine ganz andere Frage zu ersetzen: ›*Gibt es einen Weg, Irrtümer zu entdecken und auszuschalten?*‹

Wie so viele autoritäre Fragen, so ist auch die Frage nach den Quellen der Erkenntnis eine Frage nach der *Herkunft.* Sie fragt nach dem Ursprung unserer Erkenntnis in dem Glauben, daß die Erkenntnis sich durch ihren Stammbaum legitimieren könne. Die (oft unbewußte) metaphysische Idee, die ihr zugrunde liegt, ist die einer rassisch reinen Erkenntnis, einer unverfälschten Erkenntnis, einer Erkenntnis, die sich von der höchsten Autorität, wenn möglich von Gott selbst ableitet, und der daher die Autorität eines eigenen Adels innewohnt. Meine abgeänderte Fragestellung: ›Was können wir tun, um Irrtum aufzudecken?‹ ist der Ausfluß der Überzeugung, daß es solche reinen, unverfälschten und unfehlbaren Quellen nicht gibt, und daß man die Frage nach Ursprung und nach Reinheit nicht mit der Frage nach Gültigkeit und nach Wahrheit verwechseln darf. Die Ansicht, die ich hier vertrete, ist alt und geht auf Xenophanes zurück. Schon Xenophanes wußte, daß, was wir Wissen nennen, nichts ist als Raten und Meinen – *doxa* und nicht *epistēmē* –, wie wir aus seinen Versen ersehen [zitiert auf S. 11 oben].

Und doch wird die traditionelle Frage nach den autoritativen Quellen unseres Wissens auch heute noch gestellt – sehr oft sogar von Positivisten und anderen Philosophen, die überzeugt sind, daß sie gegen Autorität revoltieren.

Die richtige Antwort auf meine Frage: ›Auf welche Weise haben wir Aussicht, Irrtum zu erkennen und auszuschalten?‹ scheint mir zu sein: ›Durch *Kritik* an den Theorien und Vermutungen anderer und – falls wir uns dazu erziehen können – durch *Kritik* an unseren eigenen Theorien und spekulativen Lösungsversuchen.‹ (Eine solche Kritik der eigenen Theorien ist zwar höchst wünschenswert, aber nicht unerläßlich; denn wenn wir nicht selbst dazu imstande sind, werden sich andere finden, die es für uns tun.) Diese Antwort faßt eine Einstellung zusammen, die man ›Kritischen Rationalismus‹ nennen könnte. Es ist eine Anschauungsweise, eine Haltung und eine Überlieferung, die wir den Griechen verdanken. Sie unterscheidet sich grundlegend vom ›Rationalismus‹ oder ›Intellektualismus‹, die Descartes und seine Schule proklamierten und sogar auch von Kants Erkenntnislehre. Jedoch auf dem Gebiete der Ethik und der sittlichen Erkenntnis kommt Kants *Prinzip der Autonomie* dieser Einstellung sehr nahe. Dieses Prinzip drückt seine Einsicht aus, daß wir niemals das Gebot einer Autorität, und sei sie noch so erhaben, als Grundlage der Ethik anerkennen dürfen. Denn wenn wir uns dem Befehle einer Autorität gegenübersehen, so steht es immer bei uns, kritisch zu urteilen, ob es moralisch oder unmoralisch ist, diesem Befehl zu gehorchen. Es kann sein, daß die Autorität die Macht hat, ihre Befehle durchzusetzen, und daß wir machtlos sind, Widerstand zu leisten. Aber wenn es uns physisch möglich ist, unsere Handlungsweise zu bestimmen, so können wir uns der letzten Verantwortung nicht entziehen. Denn die kritische Entscheidung liegt bei uns: wir können dem Befehl gehorchen oder nicht gehorchen; wir können die Autorität anerkennen oder sie verwerfen.

Kant hat diese Idee mutig auch auf das Gebiet der Religion angewendet; er schreibt: »Denn in welcherlei Art auch ein Wesen als Gott von einem andern bekannt gemacht und beschrieben worden, ja ihm ein solches auch (wenn das möglich ist) selbst erscheinen möchte, so muß er diese Vorstellung doch allererst mit seinem Ideal zusammen halten um zu urtheilen, ob er befugt sei, es für eine Gottheit zu halten und zu verehren.«[4]

In Anbetracht dieser kühnen Erklärung erscheint es eigentlich seltsam, daß Kant in seiner Wissenschaftslehre nicht dieselbe Haltung des kritischen Rationalismus einnahm, einer kritischen Suche nach dem Irrtum. Es erscheint mir klar, daß nur eines Kant davon abgehalten hat, diesen Schritt zu tun: seine Anerkennung der Autorität Newtons auf dem Gebiete der Kosmologie, die ihrerseits darauf beruhte, daß Newtons Theorie den strengsten Prüfungen mit fast unglaublichem Erfolg standgehalten hatte. Wenn diese Deutung Kants richtig ist, dann ist der kritische Rationalismus (und ebenso der kritische Empirismus), den ich verfechte, nichts anderes als eine Vervollständigung der kritischen Philosophie Kants. Sie wurde erst durch Albert Einstein möglich, der uns lehrte, daß Newtons Theorie trotz ihres überwältigenden Erfolges vielleicht doch falsch sein könnte.

Meine Antwort auf die Frage: ›Woher weißt Du das? Was ist die Quelle, die Grundlage Deiner Behauptung? Welche Beobachtungen liegen ihr zugrunde?‹ ist also: ›Ich sage ja gar nicht, daß ich es *weiß:* meine Behauptung war nur als Vermutung gemeint. Auch wollen wir uns nicht um die Quelle oder die Quellen kümmern, aus denen meine Vermutung entsprungen sein mag; es gibt viele mögliche Quellen, ich bin mir keineswegs über alle im klaren. Auch haben Ursprung und Herkunft nur wenig mit der Wahrheit zu tun. Aber wenn Dich das Problem interessiert, das ich mit meiner Vermutung versuchsweise lösen wollte, dann kannst Du mir einen Dienst erweisen; versuche, sie so scharf wie es Dir nur möglich ist, zu kritisieren! Und wenn Du Dir ein Experiment ausdenken kannst, dessen Ausgang, Deiner Meinung nach, meine Behauptung widerlegen könnte, so bin ich bereit, Dir bei dieser Widerlegung zu helfen, soweit es in meinen Kräften steht.‹

Genaugenommen gilt diese Antwort allerdings nur, wenn es sich um eine naturwissenschaftliche Behauptung handelt und nicht etwa um eine historische. Denn wenn die versuchsweise aufgestellte Behauptung sich auf etwas Historisches bezieht, so muß sich jede kritische Erörterung ihrer Richtigkeit natürlich auch mit Quellen befassen – wenn auch nicht mit ›letzten‹ und ›autoritativen‹ Quellen. Aber im Grunde würde meine Antwort, wie wir ja gesehen haben, dieselbe bleiben.

IV

Es ist nun wohl an der Zeit, die erkenntnistheoretischen Resultate unserer Diskussion zusammenzufassen. Ich will sie in die Form von neun Thesen kleiden:

1. Es gibt keine letzten Quellen der Erkenntnis. Jede Quelle, jede Anregung ist uns willkommen; aber jede Quelle, jede Anregung ist auch Gegenstand kritischer Überprüfung. Soweit es sich aber nicht um historische Fragen handelt, pflegen wir eher die behaupteten Tatsachen selbst zu prüfen, als den Quellen unserer Informationen nachzugehen.

2. Die Fragen der Wissenschaftslehre haben mit Quellen eigentlich nichts zu tun. Was wir fragen, ist vielmehr, ob eine Behauptung *wahr* ist – das heißt, ob sie mit den Tatsachen übereinstimmt. (Daß wir hier mit dem Begriff der objektiven Wahrheit im Sinne einer Übereinstimmung mit den Tatsachen operieren können, ohne uns in Antinomien zu verstricken, wurde von Alfred Tarski gezeigt.) Wir versuchen das, so gut es geht, herauszufinden, indem wir die Behauptung selbstkritisch untersuchen und prüfen; das kann direkt geschehen, oder auch durch eine Untersuchung oder Prüfung der aus der Behauptung fließenden Folgerungen.

3. Im Zuge einer solchen Untersuchung können alle nur möglichen Arten von Argumenten herangezogen werden. Eine der häufigsten Methoden ist, zu prüfen, ob zwischen unseren Theorien und unseren Beobachtungen kein Widerspruch besteht. Aber in anderen Fällen werden wir vielleicht untersuchen, ob unsere historischen Quellen in sich widerspruchsfrei sind, und ob sie miteinander übereinstimmen.

4. Die Tradition ist – abgesehen von Wissen, das uns angeboren ist – bei weitem die wichtigste Quelle unseres Wissens, sowohl in quantitativer wie in qualitativer Hinsicht. Den Großteil unseres Wissens haben wir durch Beispiel erworben, durch Erzählungen, durch das Lesen von Büchern oder dadurch, daß wir gelernt haben, Kritik zu üben, uns der Kritik anderer zu unterwerfen, sie zu akzeptieren und die Wahrheit zu respektieren.

5. Die Tatsache, daß die meisten Quellen unseres Wissens auf Tradition beruhen, zeigt, daß der Antitraditionalismus ohne jede Bedeutung ist. Diese Tatsache darf aber nicht als Stütze für den Traditionalismus angesehen werden; denn kein noch so kleiner Teil unseres überlieferten Wissens (und sogar des uns angeborenen Wissens) ist davor gefeit, kritisch untersucht und gegebenenfalls umgestoßen zu werden. Trotzdem wäre ohne Tradition Erkenntnis unmöglich.

6. Erkenntnis kann nicht mit nichts beginnen – mit der *tabula rasa* – aber sie kann auch nicht von der Beobachtung ausgehen. Der Fortschritt unseres Wissens besteht in der Modifikation, in der Korrektur von früherem Wissen. Gewiß ist es manchmal möglich, durch eine Zufallsentdeckung einen Schritt vorwärts zu tun (etwa in der Archäologie), aber im allgemeinen hängt die Tragweite einer Entdeckung davon ab, ob wir durch sie in Stand gesetzt werden, bestehende Theorien zu modifizieren.

7. Pessimistische und optimistische Erkenntnistheorien sind etwa gleich weit von der Wahrheit entfernt. Von den beiden Theorien Platons entspricht das pessimistische Höhlengleichnis eher der Wahrheit als die optimistische Lehre von der *anamnēsis* (obgleich zuzugeben ist, daß alle Menschen, so wie alle Tiere und sogar alle Pflanzen, angeborenes Wissen besitzen). Aber obwohl die Welt der Erscheinungen in der Tat nur eine Welt von Schatten an der Wand unserer Höhle ist, so streben wir doch stets, diese Schattenwelt zu transzendieren. Und obwohl die Wahrheit, wie Demokrit sagt, in der Tiefe verborgen liegt, ist es uns möglich, sie in der Tiefe zu suchen. Es gibt kein Kriterium, an dem wir die Wahrheit erkennen können – und insofern müssen wir dem Pessimismus recht geben. Aber es gibt Kriterien, die (wenn wir Glück haben) es uns ermöglichen, Irrtümer und Unwahrheiten als solche zu erkennen. Klarheit und Deutlichkeit sind keine Kriterien der Wahrheit; aber Unklarheit und Verworrenheit können wohl Anzeichen des Irrtums sein. Ebenso sind Folgerichtigkeit und Widerspruchslosigkeit kein Beweis für Wahrheit, aber Mangel an Folgerichtigkeit und Selbstwiderspruch sind sichere Anzeichen des Irrtums. Und die Irrtümer, die wir als solche erkannt haben, scheinen mit einem schwachen Licht, das uns helfen kann, den Weg aus dem Dunkel unserer Höhle zu finden.

8. Weder die Beobachtung noch die Vernunft sind Autoritäten. Intellektuelle Intuition und intellektuelle Einbildungskraft sind von größter Bedeutung, aber sie sind unverläßlich: Sie mögen uns die Dinge mit größter Klarheit zeigen und uns dennoch in die Irre führen. Sie sind die Hauptquellen unserer Theorien und als solche unersetzlich; aber die meisten unserer Theorien sind ja doch falsch. Die wichtigste Funktion von Beobachtung und logischem Denken, aber auch von intellektueller Intuition und Einbildungskraft liegt darin, daß sie uns bei der kritischen Prüfung jener kühnen Ideen helfen, die wir brauchen, um ins Unbekannte vorzudringen.

9. Jede Lösung eines Problems schafft neue, ungelöste Probleme; um so interessantere Probleme, je schwieriger das ursprüngliche Problem war und je kühner der Lösungsversuch. Je mehr wir über die Welt erfahren, je mehr wir unser Wissen vertiefen, desto bewußter, klarer und fester umrissen wird unser Wissen über das, was wir nicht wissen, unser Wissen über unsere Unwissenheit. Denn die Hauptquelle unserer Unwissenheit liegt ja darin, daß unser Wissen nur begrenzt sein kann, während unsere Unwissenheit notwendigerweise grenzenlos ist.

Wir ahnen die Unermeßlichkeit unserer Unwissenheit, wenn wir die Unermeßlichkeit des Sternenhimmels betrachten. Die Größe des Weltalls ist zwar nicht der tiefste Grund unserer Unwissenheit; aber sie ist doch einer ihrer Gründe. »In einem unterscheide ich mich von einigen meiner Freunde«, schreibt F. P. Ramsey in einem scherzhaften Absatz seiner *Foundations of Mathematics* 1931 (S. 291), »nämlich darin, daß mir physische Größe nicht imponiert. Ich erschauere nicht vor der Unermeßlichkeit des Himmels. Die Sterne sind wohl riesengroß, aber sie können weder denken noch lieben; und das sind doch

Dinge, die für mich viel wichtiger sind als physische Größe. Ich bilde mir nichts darauf ein, daß ich über zwei Zentner wiege.« Ich denke, Ramseys Freunde hätten ihm zugestimmt bezüglich der Bedeutungslosigkeit bloß physischer Größe; und ich denke, wenn sie vor der Unermeßlichkeit des Himmels erschauerten, dann deshalb, weil sie darin ein Symbol der Unermeßlichkeit ihrer eigenen Unwissenheit sahen.

Ich glaube, daß es der Mühe wert ist, den Versuch zu machen, mehr über die Welt zu erfahren, selbst wenn alles, was bei dem Versuch herauskommt, nichts ist als die Erkenntnis, wie wenig wir wissen. Dieses Bewußtsein unserer gelehrten Unwissenheit kann uns in manchen Schwierigkeiten helfen. Es dürfte uns gut tun, uns manchmal daran zu erinnern, daß wir zwar in dem Wenigen, das wir wissen, sehr verschieden sein mögen, daß wir aber in unserer grenzenlosen Unwissenheit alle gleich sind.

V

Zum Schluß möchte ich noch ein letztes Problem berühren.

Wenn wir uns nur ein wenig bemühen, so können wir oft in einer philosophischen Theorie, die wir als falsch ablehnen mußten, einen wahren Gedanken entdecken, der wert ist, die falsche Theorie zu überleben. Findet sich vielleicht ein solcher Gedanke in einer der Theorien von den letzten Quellen der Erkenntnis, die ich hier abgelehnt habe ?

Ich glaube ja; es ist, glaube ich, *einer* der beiden Hauptgedanken, die der Lehre von der übernatürlichen Herkunft unserer Erkenntnis zugrunde liegen. Den einen dieser beiden Gedanken halte ich für falsch, den anderen für wahr.

Falsch ist, daß wir unsere Erkenntnis oder unsere Theorien durch *positive Gründe rechtfertigen müssen,* das heißt durch Gründe, die imstande sind, unsere Theorien zu beweisen, zu erhärten, oder doch wenigstens wahrscheinlich zu machen: durch Gründe, die auf mehr hinauslaufen als darauf, daß die betreffenden Theorien bisher der Kritik standgehalten haben. Dieser falsche Gedanke führt weiter zu dem Schluß, daß wir an eine *letzte, unbedingte oder autoritative Quelle der Erkenntnis* glauben müssen, wobei allerdings offen bleibt, was der Charakter dieser Autorität ist: ob menschlich, wie etwa Beobachtung oder Vernunft, oder übermenschlich und übernatürlich.

Der zweite und richtige Gedanke, dessen große Bedeutung von Bertrand Russell hervorgehoben wurde, besagt, daß kein Mensch dekretieren kann, was wahr ist; daß es unsere Pflicht ist, uns der Wahrheit unterzuordnen; und *daß die Wahrheit über jeder menschlichen Autorität steht.*

Wenn man diese beiden Gedanken verbindet, so kommen wir von ihnen fast unmittelbar zu der Schlußfolgerung, daß die Quellen, von denen unsere Erkenntnis sich herleitet, übermenschlich sein müssen: eine Schlußfolgerung, die nur allzu leicht zu einer moralischen Anmaßung führt, die sich berechtigt fühlt, Gewalt anzuwenden gegen alle, die sich weigern, die göttliche Wahrheit anzuerkennen.

Leider aber halten viele, die mit Recht diese Schlußfolgerung ablehnen, an dem ersten der beiden Gedanken fest– dem Glauben an die Existenz von letzten Quellen der Erkenntnis – und lehnen statt dessen den zweiten ab – die These, daß die Wahrheit über aller menschlichen Autorität steht. Dadurch gefährden sie aber die Idee der Objektivität der Erkenntnis und des Bestehens von allgemein gültigen Maßstäben der Kritik und der Rationalität.

Ich glaube, wir sollten den Gedanken von den letzten Quellen der Erkenntnis fallenlassen und zugeben, daß alle Erkenntnis menschlich ist; daß sie durchsetzt ist mit unseren menschlichen Irrtümern, unseren menschlichen Vorurteilen, mit unserem Sehnen und unserem Hoffen. Wir sollten uns damit zufriedengeben, nach der Wahrheit zu *suchen,* auch wenn sie uns immer unerreichbar bleiben sollte. Wir können zugeben, daß unsere tastenden Versuche oft inspiriert sind; aber wir müssen auf der Hut sein gegen den Glauben, wie stark er sich uns auch aufdrängen mag, daß dieser unserer Inspiration eine Art von Autorität zukommt, ob nun göttlich oder irdisch. Wenn wir uns also zu der Ansicht bekennen, daß es im ganzen Bereich unseres empirischen Wissens, wie weit es auch ins Unbekannte vorgestoßen sein möge, keine Autorität gibt, die über jede Kritik erhaben ist, dann können wir ohne jede Gefahr an der Idee festhalten, daß die Wahrheit selbst jenseits aller menschlichen Autorität ist. Ja, wir können nicht nur, wir müssen an ihr festhalten. Denn ohne sie gibt es keine objektiven Maßstäbe der wissenschaftlichen Forschung; keine Kritik an unseren kühnen Lösungsversuchen; kein Tasten nach dem Unbekannten und kein Streben nach Erkenntnis.

Text 4

Subjektive oder objektive Erkenntnis? (1967)

1. Drei Thesen über die Erkenntnistheorie und die dritte Welt

Ich hätte diejenigen, die von meiner negativen Einstellung gegenüber Platon und Hegel gehört haben, dadurch herausfordern können, daß ich die Vorlesung ›Eine Theorie der Platonischen Welt‹ oder ›Eine Theorie des objektiven Geistes‹ genannt hätte.

Der Hauptgegenstand dieser Vorlesung wird das sein, was ich mangels eines besseren Namens oft *›die dritte Welt‹* nenne. Zur Erklärung dieses Ausdrucks möchte ich sagen: ohne die Wörter ›Welt‹ oder ›Universum‹ allzu ernst zu nehmen, kann man folgende drei Welten oder Universen unterscheiden: erstens die Welt der physikalischen Gegenstände oder physikalischen Zustände; zweitens die Welt der Bewußtseinszustände oder geistigen Zustände oder vielleicht der Verhaltensdispositionen zum Handeln; und drittens die Welt der *objektiven Gedankeninhalte*, insbesondere der wissenschaftlichen und dichterischen Gedanken und der Kunstwerke.

Was ich also ›die dritte Welt‹ nenne, hat zugegebenermaßen viel mit Platons Theorie der Formen oder Ideen gemeinsam und daher auch mit Hegels objektivem Geist; jedoch unterscheidet sich meine Theorie in einigen entscheidenden Punkten grundlegend von der Platons und Hegels. Mehr hat sie noch mit Bolzanos Theorie des Reichs der Sätze an sich und Wahrheiten an sich zu tun, obwohl sie sich auch von dieser unterscheidet. Meine dritte Welt ähnelt am meisten der Welt von Freges objektiven Gedankeninhalten.

Ich bin nicht der Auffassung und behaupte hier nicht, daß wir unsere Welten nicht anders oder auch gar nicht abzählen könnten. Wir könnten insbesondere mehr als drei Welten unterscheiden. Mein Ausdruck ›die dritte Welt‹ dient lediglich der Bequemlichkeit.

Wenn ich behaupte, daß es eine dritte Welt gibt, so hoffe ich, damit jene Denker herauszufordern, die ich *›Philosophen des Glaubens‹* nenne: die sich wie Descartes, Locke, Berkeley, Hume, Kant oder Russell für unsere subjektiven Vorstellungen und ihre Grundlagen oder ihren Ursprung interessieren. Gegen diese Philosophen des

Glaubens behaupte ich, unser Problem sei, bessere und kühnere Theorien zu finden, und *nicht der Glaube* zähle, sondern die *kritische Bevorzugung*.

Ich möchte aber gleich zu Anfang bekennen, daß ich Realist bin: ich behaupte, ungefähr wie ein naiver Realist, es gebe physikalische Welten und eine Welt der Bewußtseinszustände, die aufeinander wirken. Und ich glaube, daß es eine dritte Welt gibt in einem Sinne, den ich genauer erklären werde.

Zu den Bewohnern meiner ›dritten Welt‹ gehören, um mehr ins einzelne zu gehen, *theoretische Systeme*; ebenso wichtige Bewohner sind *Probleme* und *Problemsituationen*. Und ich werde behaupten, daß die wichtigsten Bewohner dieser Welt *kritische Argumente* sind sowie das, was man – in Analogie zu einem physikalischen Zustand oder einem Bewußtseinszustand – *den Stand einer Diskussion* oder den *Stand einer kritischen Auseinandersetzung* nennen kann; natürlich gehört auch der Inhalt von Zeitschriften, Büchern und Bibliotheken dazu.

Die meisten Gegner der These von einer objektiven dritten Welt geben natürlich zu, daß es Probleme, Vermutungen, Theorien, Argumente, Zeitschriften und Bücher gibt. Doch gewöhnlich erklären sie all diese Dinge im wesentlichen zu symbolischen oder sprachlichen *Ausdrücken* subjektiver Bewußtseinszustände, oder vielleicht zu Verhaltensdispositonen zum Handeln; des weiteren zu *Kommunikations*mitteln – das heißt, zu symbolischen oder sprachlichen Mitteln, um bei anderen ähnliche Bewußtseinszustände oder Handlungsdispositionen hervorzurufen.

Dagegen habe ich oft behauptet, man könne nicht alle diese Gegenstände und ihren Inhalt in die zweite Welt verweisen.

Ich möchte eins meiner Standardargumente[1] für die (mehr oder weniger) *unabhängige Existenz der dritten Welt* wiederholen.

Ich betrachte zwei Gedankenexperimente:

Experiment 1. Alle unsere Maschinen und Werkzeuge werden zerstört, ebenso unser ganzes subjektives Wissen einschließlich unserer subjektiven Kenntnis der Maschinen und Werkzeuge und ihres Gebrauchs. Doch die *Bibliotheken* bleiben erhalten sowie *unsere Fähigkeit, aus ihnen zu lernen*. Es ist klar, daß unsere Welt nach vielen Widrigkeiten wieder in Gang kommen kann.

Experiment 2. Wie vorhin werden Maschinen und Werkzeuge zerstört sowie unser subjektives Wissen einschließlich unserer subjektiven Kenntnis der Maschinen und Werkzeuge und ihres Gebrauchs.

Aber diesmal werden *alle Bibliotheken ebenfalls zerstört*, so daß unsere Fähigkeit, aus Büchern zu lernen, nutzlos wird.

Wenn man über diese beiden Experimente nachdenkt, dann wird einem die Realität, die Bedeutung und der Grad der Selbständigkeit der dritten Welt (ebenso ihre Wirkungen auf die zweite und erste Welt) vielleicht etwas klarer. Denn im zweiten Fall wird unsere Zivilisation jahrtausendelang nicht wieder erstehen.

Ich möchte in dieser Vorlesung drei Thesen verteidigen, die alle die Erkenntnistheorie betreffen. Unter dieser verstehe ich die Theorie der *wissenschaftlichen Erkenntnis.*

Meine erste These ist folgende. Die herkömmliche Erkenntnistheorie hat sich mit der Erkenntnis oder dem Denken in einem subjektiven Sinne beschäftigt – im gewöhnlichen Sinne der Ausdrücke ›ich erkenne‹ oder ›ich denke nach‹. Das, so behaupte ich, hat die Erkenntnistheoretiker in Irrelevantes verwickelt: sie wollten die wissenschaftliche Erkenntnis untersuchen, doch tatsächlich beschäftigten sie sich mit etwas, was für die wissenschaftliche Erkenntnis ohne Bedeutung ist. Denn *wissenschaftliche Erkenntnis* ist gar nicht die Erkenntnis im gewöhnlichen Sinne von ›ich erkenne‹. Diese gehört zu dem, was ich die ›zweite Welt‹ nenne, zur Welt der *Subjekte*; die wissenschaftliche Erkenntnis gehört zur dritten Welt, der Welt der objektiven Theorien, Probleme und Argumente.

Meine erste These ist also, daß die herkömmliche Erkenntnistheorie, die von Locke, Berkeley, Hume, ja auch von Russell, irrelevant in einem recht starken Sinne ist. Daraus ergibt sich, daß ein großer Teil der gegenwärtigen Erkenntnistheorie ebenfalls irrelevant ist.

Nach meiner ersten These gibt es zwei verschiedene Bedeutungen von Erkenntnis oder Denken: (1) *Erkenntnis oder Denken im subjektiven Sinne*: ein Geistes- oder Bewußtseinszustand oder eine Verhaltens- oder Reaktionsdisposition, und (2) *Erkenntnis oder Denken im objektiven Sinne*: Probleme, Theorien und Argumente als solche. Die Erkenntnis in diesem objektiven Sinne ist völlig unabhängig von irgend jemandes Erkenntnisanspruch, ebenso von jeglichem Glauben oder jeglicher Disposition, zuzustimmen, zu behaupten oder zu handeln. Erkenntnis im objektiven Sinne ist *Erkenntnis ohne einen Erkennenden:* es ist *Erkenntnis ohne erkennendes Subjekt.*

Über das Denken im objektiven Sinne schrieb Frege: »Ich verstehe unter *Gedanken* nicht das subjektive Tun des Denkens, sondern dessen *objektiven Inhalt* ...«[2]

Die zwei Bedeutungen des Denkens und ihre interessanten Beziehungen zueinander lassen sich an dem folgenden höchst eindrucksvollen Zitat von Heyting illustrieren; er sagt über Brouwers Akt der Erfindung seiner Theorie des Kontinuums[3]: »Wären die rekursiven Funktionen vorher erfunden worden, so hätte er [Brouwer] vielleicht nicht den Begriff der Wahlfolge gebildet, was nach meiner Ansicht ein Unglück gewesen wäre.«

Dieses Zitat spricht einerseits von Brouwers *subjektiven Denkvorgängen* und sagt, sie hätten vielleicht nicht stattgefunden (was ein Unglück gewesen wäre), wenn die *objektive Problemsituation* anders gewesen wäre. Heyting spricht also von bestimmten möglichen *Einflüssen* auf Brouwers subjektiven Denkvorgang, und er teilt auch seine Meinung über den Wert dieser subjektiven Denkvorgänge mit. Nun ist interessant, daß Einflüsse ihrer Natur nach subjektiv sein müssen: nur Brouwers subjektive Bekanntschaft mit rekursiven Funktionen hätte die unglückliche Wirkung haben können, ihn an der Erfindung freier Wahlfolgen zu hindern.

Andererseits weist das Heyting-Zitat auf eine bestimmte objektive Beziehung zwischen den *objektiven Inhalten* zweier Gedanken oder Theorien hin: Heyting bezieht sich nicht auf die subjektiven Bedingungen oder die Elektrochemie von Brouwers Gehirnvorgängen, sondern auf eine *objektive Problemsituation in der Mathematik* und ihre möglichen Einflüsse auf Brouwers subjektive Denkakte, die auf die Lösung dieser objektiven Probleme abzielten. Das würde ich so beschreiben, daß sich Heytings Bemerkung auf die objektive oder drittweltliche *Situationslogik* der Brouwerschen Erfindung bezieht, und daß aus ihr folgt, daß die Situation in der dritten Welt auf die zweite Welt wirken kann. Auch Heytings Bemerkung, es wäre ein Unglück gewesen, wenn Brouwer nicht die Wahlfolgen erfunden hätte, drückt aus, daß der *objektive Inhalt* von Brouwers Gedanken wertvoll und interessant war, und zwar in bezug darauf, wie er die objektive Problemsituation in der dritten Welt veränderte.

Um es einfach auszudrücken: wenn ich sage ›Brouwers Denken war von Kant beeinflußt‹ oder ›Brouwer verwarf Kants Theorie des Raumes‹, dann spreche ich mindestens zum Teil über Denkakte im subjektiven Sinne: das Wort ›Einfluß‹ bezeichnet einen Zusammenhang von Denkvorgängen oder Denkakten. Wenn ich aber sage: ›Brouwers Denken ist von dem Kants stark verschieden‹, dann ist ziemlich klar, daß ich in erster Linie über Inhalte spreche. Und wenn ich schließlich sage: ›Brouwers Gedanken sind mit denen Russells unverträglich‹, dann macht die Verwendung eines *logischen Ausdrucks* wie *›unverträglich‹*

eindeutig klar, daß ich das Wort ›Gedanke‹ ausschließlich in Freges objektivem Sinne gebrauche und nur über den objektiven Inhalt oder den logischen Gehalt von Theorien spreche.

Die Umgangssprache hat unglücklicherweise keine verschiedenen Ausdrücke für ›Gedanke‹ im Sinne der zweiten Welt und im Sinne der dritten Welt, ebensowenig für die entsprechenden Bedeutungen von ›ich weiß‹ und ›Wissen‹.

Um zu zeigen, daß es beide Bedeutungen gibt, führe ich zunächst drei subjektive oder zweiweltliche Beispiele an:

(1) »Ich *weiß*, daß du mich provozieren willst, aber ich lasse mich nicht provozieren.«

(2) »Ich *weiß*, daß Fermats letzter Satz unbewiesen ist, aber ich glaube, daß eines Tages ein Beweis gefunden werden wird.«

(3) Unter ›Wissen‹ steht in *The Oxford English Dictionary: Wissen* ist ein »Zustand des Inneseins oder der Informiertheit«.

Jetzt bringe ich drei objektive oder drittweltliche Beispiele:

(1) Unter ›Wissen‹ steht in *The Oxford English Dictionary: Wissen* ist ein »Zweig der Gelehrsamkeit; eine Wissenschaft; eine Kunst«.

(2) »Berücksichtigt man den gegenwärtigen Stand des *metamathematischen Wissens*, so scheint es möglich, daß Fermats letzter Satz unentscheidbar ist.«

(3) »Ich bestätige, daß diese Dissertation ein eigenständiger und bedeutender *Beitrag zur Erkenntnis* ist.«

Diese sehr banalen Beispiele sollen nur klären helfen, was ich mit ›Wissen im objektiven Sinne‹ meine. Mein Zitieren aus *The Oxford English Dictionary* sollte weder als Zugeständnis an die Sprachanalyse noch als Beschwichtigungsversuch gegenüber ihren Anhängern aufgefaßt werden. Ich will damit nicht zeigen, der ›normale Sprachgebrauch‹ verstehe ›Wissen‹ auch im objektiven Sinne meiner dritten Welt. Ich war vielmehr erstaunt, in *The Oxford English Dictionary* Beispiele für den objektiven Gebrauch von ›Wissen‹ zu finden. (Und ich war noch erstaunter, einige jedenfalls *teilweise* objektive Bedeutungen von ›wissen‹ angegeben zu finden: »unterscheiden ... vertraut sein mit (einem Gegenstand, einem Ort, einer Person); ... verstehen«.) Auf jeden Fall sollen meine Beispiele keine Argumente sein, sondern nur Illustrationen.

Meine *erste These*, die ich bisher lediglich illustriert habe, war: die herkömmliche Erkenntnistheorie mit ihrem Schwergewicht auf der zweiten Welt oder dem Wissen im subjektiven Sinne ist für die Untersuchung der wissenschaftlichen Erkenntnis irrelevant.

Meine *zweite These:* Relevant für die Erkenntnistheorie ist die Untersuchung wissenschaftlicher Probleme und Problemsituationen, wissenschaftlicher Vermutungen (was für mich nur ein anderer Ausdruck für wissenschaftliche Hypothesen oder Theorien ist), wissenschaftlicher Diskussionen, kritischer Argumente und der Rolle von Daten in Argumenten; daher die Untersuchung wissenschaftlicher Zeitschriften und Bücher, von Experimenten und ihrer Beurteilung in wissenschaftlichen Diskussionen; kurz: die Untersuchung einer *weitgehend selbständigen* dritten Welt objektiver Erkenntnis ist für die Erkenntnistheorie von entscheidender Bedeutung.

Eine derartige erkenntnistheoretische Untersuchung zeigt, daß die Wissenschaftler sehr oft von ihren Vermutungen nicht behaupten, sie seien wahr, oder sie ›wüßten‹ sie im subjektiven Sinne von ›wissen‹, oder sie glaubten an sie. Vielmehr handeln sie bei der Entwicklung ihrer Forschungsprogramme auf der Grundlage von Vermutungen darüber, was fruchtbar sein könnte und was nicht, welcher Forschungsansatz weitere Ergebnisse in der dritten Welt der objektiven Erkenntnis verspricht. Mit anderen Worten, die Wissenschaftler handeln auf der Grundlage einer Vermutung, oder, wenn man will, eines *subjektiven Glaubens* (so können wir die subjektive Grundlage des Handelns nennen) bezüglich dessen, was *Fortschritt in der dritten Welt der objektiven Erkenntnis* zu versprechen scheint.

Das scheint mir ein Argument sowohl für meine *erste These* (über die Irrelevanz der subjektivistischen Erkenntnistheorie) als auch für meine *zweite These* (über die Relevanz einer objektivistischen Erkenntnistheorie) zu liefern.

Ich habe aber eine *dritte These:* Eine objektivistische Erkenntnistheorie, die die dritte Welt untersucht, kann auch ungeheuer viel Licht auf die zweite Welt des subjektiven Bewußtseins werfen helfen, insbesondere auf die subjektiven Denkvorgänge von Wissenschaftlern; doch *das Umgekehrte gilt nicht.*

Das also sind meine drei Hauptthesen.

Zusätzlich zu ihnen möchte ich drei Hilfsthesen aufstellen.

Die erste: die dritte Welt ist ein natürliches Erzeugnis des Lebewesens Mensch, vergleichbar mit einer Spinnwebe.

Die zweite Hilfsthese (ich halte sie fast für eine Hauptthese) ist die, daß die dritte Welt weitgehend *selbständig* ist, obwohl wir ständig auf sie einwirken und sie auf uns einwirkt: sie ist selbständig, obwohl sie unser Erzeugnis ist und eine starke Rückwirkung auf uns hat, das heißt, auf uns als Bewohner der zweiten und sogar der ersten Welt.

Die dritte Hilfsthese ist: durch diese Wechselwirkung zwischen uns und der dritten Welt wächst die objektive Erkenntnis, und es gibt eine starke Parallele zwischen dem Wachstum der Erkenntnis und dem biologischen Wachstum, der Entwicklung der Pflanzen und Tiere.

II. Eine biologische Betrachtung der dritten Welt

In diesem Abschnitt möchte ich versuchen, die Existenz einer selbständigen dritten Welt durch eine Art biologisches oder Entwicklungsargument zu verteidigen.

Ein Biologe interessiert sich vielleicht für das Verhalten von Tieren; er kann sich aber auch für einige der *unbelebten Strukturen* interessieren, die von Tieren erzeugt werden, etwa für Spinnweben, Wespennester, Ameisenbaue, Dachsbaue, Biberdämme oder Wildwechsel im Wald.

Ich möchte zwischen zwei Hauptarten von Problemen unterscheiden, die sich aus der Untersuchung dieser Strukturen ergeben: einmal Fragen der von den Tieren *angewandten Methoden* oder der *Verhaltensweisen der Tiere* beim Bau dieser Strukturen. Das sind also *Probleme im Zusammenhang mit den Herstellungsakten;* mit den Verhaltensdispositionen des Tieres; mit den Beziehungen zwischen dem Tier und dem Erzeugnis. Die zweite Art von Problemen betrifft die *Strukturen selbst*: die Chemie der verwendeten Materialien; ihre geometrischen und physikalischen Eigenschaften; ihre evolutiven Änderungen, die von den besonderen Umweltbedingungen abhängen; und ihre Abhängigkeit von der Anpassung an diese Umweltbedingungen. *Sehr* wichtig ist auch die *Rückwirkung* von den Eigenschaften der Struktur auf das Verhalten der Tiere. Bei der Behandlung dieser zweiten Art von Problemen – das heißt, der Strukturen selbst –, werden wir auch die Strukturen unter dem Gesichtspunkt ihrer biologischen *Funktionen* betrachten müssen. Es ergeben sich also durchaus einige Probleme der ersten Art, wenn wir Probleme der zweiten Art behandeln; beispielsweise ›Wie wurde dieses Nest gebaut?‹ und ›Welche Eigenschaften seiner Struktur sind typisch (und damit vermutlich tradiert oder vererbt) und welche sind Varianten, die besonderen Bedingungen angepaßt sind?‹.

Wie mein letztes Beispiel zeigt, werden manchmal Probleme der ersten Art – das heißt, Probleme bezüglich der Herstellung der Struktur – durch Probleme der zweiten Art aufgeworfen. Das muß so sein, da beide Problemarten von der *Tatsache* abhängen, *daß solche objektive Strukturen existieren*, eine Tatsache, die ihrerseits zur zweiten Kategorie gehört. Man kann also sagen, die Existenz der *Strukturen selbst* schaffe beide Arten von Problemen. Die Probleme der zweiten Art – die, die mit den Strukturen selbst zusammenhängen – sind wohl die grundlegenderen: alles, was sie aus der ersten Kategorie voraussetzen, ist die bloße Tatsache, daß die Strukturen irgendwie von Tieren *erzeugt* worden sind.

Diese einfachen Betrachtungen lassen sich nun natürlich auch auf Erzeugnisse *menschlicher* Tätigkeit anwenden wie Häuser, Werkzeuge und auch Kunstwerke. Besonders wichtig für uns ist: sie sind auch auf das anwendbar, was wir ›Sprache‹ und was wir ›Wissenschaft‹ nennen[4].

Die Beziehung dieser biologischen Betrachtungen zum Thema meiner Vorlesung läßt sich durch Umformulierung meiner drei Hauptthesen klarmachen. Meine erste These läßt sich so ausdrücken: in der gegenwärtigen Problemsituation in der Philosophie sind nur wenige Dinge so wichtig wie die Beachtung des Unterschieds zwischen den zwei Problemarten – Herstellungsprobleme einerseits und Probleme bezüglich der hergestellten Strukturen andererseits. Meine zweite These ist, daß wir erkennen sollten, daß die Probleme der zweiten Art – die, die mit den Erzeugnissen an sich zu tun haben – fast in jeder Hinsicht wichtiger sind als die Probleme der ersten Art, die mit der Herstellung zu tun haben. Meine dritte These ist, daß die Probleme der zweiten Art grundlegend für das Verständnis der Herstellungsprobleme sind: entgegen dem ersten Eindruck kann man mehr über das Herstellverhalten lernen, wenn man die Erzeugnisse selbst untersucht, als über diese, wenn man das Herstellverfahren untersucht. Diese dritte These läßt sich als eine antibehaviouristische und antipsychologistische These kennzeichnen.

Angewandt auf das, was man ›Erkenntnis‹ nennen kann, lassen sich meine drei Thesen folgendermaßen formulieren.

(1) Man sollte sich ständig den Unterschied vor Augen halten zwischen Problemen betreffend unsere persönlichen Beiträge zur Erzeugung wissenschaftlicher Erkenntnis einerseits, und Problemen betreffend die Struktur der verschiedenen Erzeugnisse wie wissenschaftlicher Theorien oder wissenschaftlicher Argumente andererseits.

(2) Man sollte sich klarmachen, daß die Untersuchung der Erzeugnisse sehr viel wichtiger ist als die der Erzeugung, auch für das Verständnis der Erzeugung und ihrer Methoden.

(3) Man kann mehr über die Heuristik und die Methodologie, ja sogar über die Psychologie der Forschung lernen, wenn man Theorien und die für oder gegen sie angeführten Argumente untersucht, als durch irgendeinen direkten behaviouristischen, psychologischen oder soziologischen Ansatz. Ganz allgemein kann man eine Menge über das Verhalten und die Psychologie aus der Untersuchung der Erzeugnisse lernen.

Im folgenden werde ich den Ansatz von den Erzeugnissen her – den Theorien und Argumenten – den ›objektiven‹ oder ›drittweltlichen‹ Ansatz nennen, den behaviouristischen, den psychologischen und den soziologischen Ansatz zur Untersuchung der wissenschaftlichen Erkenntnis den ›subjektiven‹ oder ›zweitweltlichen‹.

Die Anziehungskraft des subjektiven Ansatzes liegt vornehmlich darin, daß er ein kausaler ist. Denn ich gebe zu, daß die objektiven Strukturen, deren Vorrang ich behaupte, durch menschliches Verhalten hervorgebracht werden. Als kausaler Ansatz könnte der subjektive als wissenschaftlicher erscheinen als der objektive Ansatz, der gewissermaßen bei den Wirkungen statt den Ursachen anfängt.

Obwohl ich zugebe, daß die objektiven Strukturen Erzeugnisse des Verhaltens sind, bin ich der Ansicht, daß dieses Argument falsch ist. In allen Wissenschaften schreitet man gewöhnlich von den Wirkungen zu den Ursachen fort. Die Wirkung wirft das Problem auf – das zu erklärende Problem, das explicandum –, und der Wissenschaftler versucht es durch Aufstellung einer erklärenden Hypothese zu lösen.

Meine drei Hauptthesen mit ihrem Nachdruck auf das objektive Erzeugnis sind daher weder teleologisch noch unwissenschaftlich.

III. Die Objektivität und die Selbständigkeit der dritten Welt

Einer der Hauptgründe für die falsche subjektivistische Analyse der Erkenntnis ist das Gefühl, daß ein Buch ohne einen Leser nichts ist: erst wenn es aufgefaßt wird, wird es eigentlich ein Buch; sonst ist es bloß Papier mit schwarzen Flecken darauf.

Diese Auffassung ist in vieler Hinsicht falsch. Ein Wespennest ist ein Wespennest, auch nachdem es verlassen worden ist, und auch wenn es nie wieder von Wespen als Nest benützt wird. Ein Vogelnest ist ein Vogelnest, auch wenn es nie bewohnt wurde. Ähnlich bleibt ein Buch ein Buch – eine bestimmte Art von Erzeugnis –, auch wenn es nie gelesen wird (was heutzutage leicht vorkommen kann).

Darüber hinaus braucht ein Buch, ja eine Bibliothek nicht einmal von irgend jemandem geschrieben worden zu sein: eine Reihe von Logarithmentafeln etwa kann von einer Rechenanlage erzeugt und gedruckt werden. Es kann die beste Logarithmentafel sein – sie kann, sagen wir, fünfzigstellige Logarithmen enthalten. Sie kann an Bibliotheken verschickt werden, aber vielleicht benützt sie niemand, weil es zu umständlich ist; oder es vergehen jedenfalls Jahre, bevor sie jemand benützt; und viele Zahlen in ihr (die mathematische Sätze darstellen) werden vielleicht nie angesehen, solange Menschen auf Erden leben. Doch jede dieser Zahlen enthält das, was ich ›objektives Wissen‹ nenne; und die Frage, ob ich berechtigt bin, es so zu nennen, ist uninteressant.

Das Beispiel mit den Logarithmentafeln könnte weit hergeholt erscheinen. Aber das ist es nicht. Ich muß sagen, fast jedes Buch ist von dieser Art: es enthält objektives Wissen, wahr oder falsch, nützlich oder nutzlos; und ob es jemals jemand liest und seinen Inhalt wirklich versteht, ist fast ein Zufall. Ein Mensch, der ein Buch verständnisvoll liest, ist ein seltenes Wesen. Doch selbst wenn es mehr davon gäbe, kämen immer noch genug Mißverständnisse und Mißdeutungen vor; und nicht die tatsächliche und bis zu einem gewissen Grade zufällige Vermeidung solcher Mißverständnisse macht schwarze Flecke auf weißem Papier zu einem Buch oder zu einem Beispiel für Wissen im objektiven Sinne. Vielmehr ist es etwas Abstrakteres. Es ist die Möglichkeit des Verstandenwerdens, die Dispositionseigenschaft des Verstanden- oder Gedeutetwerdens, die aus etwas ein Buch macht. Und diese Möglichkeit oder Disposition kann bestehen, ohne je aktualisiert oder verwirklicht zu werden.

Um das deutlicher einzusehen, stellen wir uns vor, nach dem Aussterben der Menschheit würden von unseren zivilisierten Nachfolgern (seien es zivilisierte irdische Lebewesen oder Besucher aus dem Weltraum) einige Bücher oder Bibliotheken gefunden. Diese Bücher könnten entziffert werden. Stellen wir uns zum Zwecke unseres Arguments vor, es seien jene Logarithmentafeln, die noch nie gelesen wurden. Das macht völlig deutlich, daß weder die Herstellung durch denkende Wesen noch das tatsächlich Gelesen- oder Verstandenwerden dafür wesentlich ist, daß etwas ein Buch ist; es genügt, daß es entziffert werden könnte.

Ich gebe also durchaus zu, daß ein Buch, wenn es zur dritten Welt der objektiven Erkenntnis gehören soll, – jedenfalls im Prinzip – für jemanden verstehbar (oder entzifferbar, oder auffaßbar) sein muß. Doch mehr gebe ich nicht zu.

Wir können also sagen, es gebe eine Art Platonische (oder Bolzanosche) dritte Welt von Büchern an sich, Theorien an sich, Problemen an sich, Problemsituationen an sich, Argumenten an sich, und so weiter. Und ich behaupte: obwohl diese dritte Welt ein menschliches Erzeugnis ist, gibt es viele Theorien an sich und Argumente an sich und Problemsituationen an sich, die nie erzeugt oder verstanden worden sind und vielleicht nie von Menschen erzeugt oder verstanden werden.

Die These von der Existenz einer solchen dritten Welt von Problemsituationen wird vielen äußerst metaphysisch und dubios vorkommen. Doch man kann sie durch Hinweis auf ihre biologische Parallele verteidigen. Sie hat zum Beispiel eine vollständige Analogie auf dem Gebiet der Vogelnester. Vor ein paar Jahren bekam ich ein Geschenk für meinen Garten – einen Nistkasten für Vögel. Er war natürlich kein Erzeugnis der Vögel, sondern ein menschliches Erzeugnis – ähnlich wie unsere Logarithmentafel nicht ein menschliches Erzeugnis war, sondern das einer Rechenmaschine. Doch im Rahmen der Vogelwelt war er Teil einer objektiven Problemsituation und eine objektive Möglichkeit. Ein paar Jahre lang schienen die Vögel den Nistkasten nicht einmal wahrzunehmen. Doch dann wurde er einmal von einem Blaumeisenpaar sorgfältig untersucht, das sogar darin zu nisten begann, aber sehr bald wieder aufhörte. Offenbar gab es da eine Möglichkeit, aus der man etwas machen konnte, wenn auch anscheinend keine besonders wertvolle. Auf jeden Fall war es eine Problemsituation. Und das Problem wird vielleicht in einem anderen Jahr von anderen Vögeln gelöst. Wenn nicht, erweist sich vielleicht ein anderer Kasten als geeigneter. Andererseits kann auch ein besonders geeigneter Kasten entfernt werden, bevor er je benützt wurde. Die Frage der Brauchbarkeit des Kastens ist eindeutig eine objektive; ob er je benützt wird, ist zum Teil Zufall. So ist es mit allen ökologischen Nischen. Es sind Möglichkeiten, die als solche objektiv untersucht werden können, bis zu einem gewissen Grade unabhängig von der Frage, ob diese Möglichkeiten je von einem Lebewesen aktualisiert werden. Der Bakteriologe weiß, wie er eine solche ökologische Nische für die Kultur gewisser Bakterien oder Pilze herstellen kann. Sie kann für ihren Zweck bestens geeignet sein. Ob sie je benützt und bewohnt wird, ist eine andere Frage.

Ein großer Teil der objektiven dritten Welt wirklicher und möglicher Theorien und Bücher und Argumente entsteht als unbeabsichtigtes Nebenprodukt der wirklich hergestellten Bücher und Argumente. Man könnte auch sagen, sie seien ein Nebenprodukt der menschlichen Sprache. Und die Sprache selbst ist, wie ein Vogelnest, ein unbeabsichtigtes Nebenprodukt von Handlungen, die sich auf andere Ziele richteten.

Wie entsteht ein Wildwechsel im Urwald? Ein Tier bricht vielleicht durch das Unterholz, um an eine Wasserstelle zu kommen. Andere finden es am einfachsten, dieser Spur zu folgen. So wird sie durch Gebrauch erweitert und verbessert. Sie ist nicht geplant – sie ist eine unbeabsichtigte Folge des Bedürfnisses nach leichter und schneller Bewegung. So entsteht ursprünglich ein Pfad – vielleicht sogar auch bei Menschen –, und so kann die Sprache und andere nützliche Einrichtungen entstehen; so können sie ihre Existenz und Entwicklung ihrer Nützlichkeit verdanken. Sie sind nicht geplant oder beabsichtigt, und ehe es sie gab, gab es vielleicht kein Bedürfnis nach ihnen. Doch sie können ein neues Bedürfnis oder neue Ziele schaffen: die Bedürfnisstruktur von Tieren oder Menschen ist nicht ›gegeben‹, sondern entwickelt sich mit Hilfe einer Art von Rückkopplungsmechanismen aus früheren Bedürfnissen und aus Ergebnissen, die beabsichtigt oder nicht beabsichtigt waren[5].

Auf diese Weise kann ein ganz neues Reich von Möglichkeiten entstehen: eine Welt, die in hohem Maße *selbständig* ist.

Ein sehr naheliegendes Beispiel ist ein Garten. Er kann sorgfältig geplant worden sein, aber in der Regel entwickelt er sich zum Teil in unvorhergesehener Weise. Doch selbst wenn er so wird, wie er geplant war, können einige unerwartete Beziehungen zwischen den geplanten Gegenständen ein ganzes Reich von Möglichkeiten schaffen, von möglichen neuen Zielen und von neuen *Problemen*.

Die Welt der Sprache, der Vermutungen, Theorien und Argumente – kurz, das Reich der objektiven Erkenntnis – ist eine der wichtigsten dieser von Menschen geschaffenen und gleichzeitig weitgehend selbständigen Welten.

Der Begriff der *Selbständigkeit* steht im Mittelpunkt meiner Theorie der dritten Welt: obwohl die dritte Welt ein menschliches Erzeugnis ist, schafft sie sich ihrerseits, wie viele Erzeugnisse von Lebewesen, ihren eigenen *Selbständigkeitsbereich*.

Es gibt unzählige Beispiele. Vielleicht die schlagendsten, und jedenfalls die, die wir als Standardbeispiele im Auge behalten wollen, finden sich in der Theorie der natürlichen Zahlen.

Gegen Kronecker stimme ich mit Brouwer darin überein, daß die Folge der natürlichen Zahlen eine menschliche Konstruktion ist.

Doch obwohl wir diese Folge schaffen, schafft sie ihrerseits ihre eigenen selbständigen Probleme. Der Unterschied zwischen geraden und ungeraden Zahlen ist nicht von uns geschaffen: er ist eine unbeabsichtigte und unvermeidliche Folge unserer Schöpfung. Die Primzahlen sind natürlich ebenfalls unbeabsichtigte selbständige und objektive Tatsachen, und bei ihnen ist offensichtlich, daß es für uns viele Tatsachen zu *entdecken* gibt: es gibt Vermutungen wie die Goldbachsche. Diese Vermutungen beziehen sich indirekt auf unsere Erzeugnisse, direkt aber auf Probleme und Tatsachen, die sich irgendwie aus unserer Schöpfung ergeben haben und die wir nicht kontrollieren oder beeinflussen können: es sind harte Tatsachen, und die Wahrheit über sie ist oft schwer zu finden.

Das veranschaulicht, was ich damit meine, daß die dritte Welt weitgehend selbständig sei, obwohl sie von uns geschaffen ist.

Doch die Selbständigkeit ist nicht vollständig: die neuen Probleme führen zu neuen Schöpfungen oder Konstruktionen – wie den rekursiven Funktionen oder Brouwers freien Wahlfolgen – und können so der dritten Welt neue Gegenstände zuführen. Und jeder solche Schritt schafft *neue unbeabsichtigte Tatsachen; neue unerwartete Probleme;* und oft auch *neue Widerlegungen*[6].

Es gibt auch eine höchst wichtige Rückwirkung von unseren Schöpfungen auf uns selbst, von der dritten Welt auf die zweite Welt. Denn die neu auftauchenden Probleme regen uns zu neuen Schöpfungen an.

Der Vorgang läßt sich mit folgendem stark vereinfachtem Schema beschreiben[7]:

$$P_1 \rightarrow VT \rightarrow FB \rightarrow P_2.$$

Das heißt, wir beginnen mit einem Problem P_1, kommen zu einer vorläufigen Lösung oder vorläufigen Theorie VT, die teilweise oder vollständig falsch sein kann; jedenfalls wird sie der Fehlerbeseitigung FB unterworfen, die in kritischer Diskussion oder experimentellen Prüfungen bestehen kann; auf jeden Fall ergeben sich neue Probleme P_2 aus unserer schöpferischen Tätigkeit, und diese werden im allgemeinen nicht absichtlich von uns geschaffen, sondern ergeben sich selbständig aus den neuen Beziehungen, die wir, ob wir wollen oder nicht, mit jeder Handlung schaffen.

Die Selbständigkeit der dritten Welt und ihre Rückwirkungen auf die zweite und selbst die erste Welt gehören zu den wichtigsten Tatsachen des Erkenntnisfortschritts.

Man erkennt leicht, daß unsere biologischen Betrachtungen von allgemeiner Bedeutung für die Darwinsche Entwicklungstheorie sind: sie erklären, wie wir uns an unserem eigenen Schopf aus dem Sumpf ziehen können. Oder in etwas hochgestochenerer Ausdrucksweise: sie tragen zur Erklärung der ›Emergenz‹ bei.

IV. Sprache, Kritik und die dritte Welt

Die wichtigsten menschlichen Schöpfungen mit den wichtigsten Rückwirkungen auf uns selbst und besonders auf unser Gehirn sind die höheren Funktionen der menschlichen Sprache; genauer: die *deskriptive Funktion* und die *argumentative Funktion.*

Mit den Tiersprachen haben die menschlichen Sprachen die beiden niedrigeren Funktionen der Sprache gemeinsam: (1) die expressive und (2) die Signalfunktion. Die expressive oder symptomatische Funktion der Sprache ist offensichtlich: alle Tiersprachen sind symptomatisch für den Zustand eines Organismus. Die Signal- oder Auslösefunktion ist ebenfalls offensichtlich: wir nennen ein Symptom nur dann sprachlich, wenn wir annehmen, daß es eine Reaktion bei einem anderen Organismus auslösen kann.

Alle Tiersprachen und alle sprachlichen Erscheinungen haben diese beiden niedrigeren Funktionen gemeinsam. Doch die menschliche Sprache hat viele weitere Funktionen (zum Beispiel beratende, ermahnende, erzählende Funktionen). Merkwürdigerweise sind die wichtigsten der höheren Funktionen von fast allen Philosophen übersehen worden. Die Erklärung dafür liegt darin, daß die beiden niedrigeren Funktionen immer vorhanden sind, wenn höhere vorhanden sind, so daß man jede sprachliche Erscheinung mit Hilfe der niedrigeren Funktion ›erklären‹ kann: als ›*Ausdruck*‹ oder ›*Kommunikation*‹.

Die beiden wichtigsten höheren Funktionen der menschlichen Sprache sind (3) die *deskriptive Funktion* und (4) die *argumentative Funktion*[8].

Mit der deskriptiven Funktion der menschlichen Sprache taucht die regulative Idee der *Wahrheit* auf, das heißt einer Beschreibung, die den Tatsachen entspricht. Weitere regulative oder bewertende Ideen sind Gehalt, Wahrheitsgehalt und Wahrheitsähnlichkeit[9].

Die argumentative Funktion der menschlichen Sprache setzt die deskriptive voraus: Argumente beziehen sich im Grunde auf Beschreibungen: sie kritisieren Beschreibungen unter dem Gesichtspunkt der regulativen Ideen der Wahrheit, des Gehalts und der Wahrheitsähnlichkeit.

Zwei Punkte sind nun hier von entscheidender Bedeutung:

(1) Ohne die Entwicklung einer äußeren deskriptiven Sprache – die sich wie ein Werkzeug außerhalb des Körpers entwickelt – kann es *keinen Gegenstand* für unsere kritische Diskussion geben. Doch mit ihrer Entwicklung (und des weiteren einer geschriebenen Sprache) kann eine sprachliche dritte Welt entstehen, und nur so, und nur in dieser dritten Welt können sich die Probleme und Grundsätze einer rationalen Kritik entwickeln.

(2) Dieser Entwicklung der höheren Funktionen der Sprache verdanken wir unser Menschsein, unsere Vernunft. Denn unser Denkvermögen ist ausschließlich kritisches Argumentiervermögen.

Der zweite Punkt zeigt die Hinfälligkeit aller Theorien der menschlichen Sprache, die sich auf *Ausdruck und Kommunikation* konzentrieren. Wie wir sehen werden, hängt die Struktur des menschlichen Organismus, die, wie man oft sagt, auf Ausdruck angelegt ist, sehr weitgehend von den beiden höheren Funktionen der Sprache ab.

Mit der Entwicklung der argumentativen Funktion der Sprache wird die Kritik das Hauptinstrument weiteren Fortschritts. (Die Logik kann als das *organon der Kritik* aufgefaßt werden[10].) Die selbständige Welt der höheren Funktionen der Sprache wird zur Welt der Wissenschaft. Und das Schema

$$P_1 \rightarrow VT \rightarrow FB \rightarrow P_2,$$

das ursprünglich für die Tierwelt wie für den primitiven Menschen gegolten hatte, wird zum Schema des Erkenntnisfortschritts durch Fehlerbeseitigung mittels systematischer *rationaler Kritik*. Es wird zum Schema der Suche nach Wahrheit und Gehalt durch rationale Diskussion. Es beschreibt, wie wir uns an den Haaren aus dem Sumpf ziehen. Es liefert eine rationale Beschreibung der evolutiven Emergenz und unserer *Selbstüberschreitung mittels Auslese und rationaler Kritik*.

Ich fasse zusammen. Die Bedeutung von ›Erkenntnis‹ ist zwar, so wie die Bedeutung aller Wörter, unwichtig; wichtig ist aber, zwischen verschiedenen Bedeutungen des Wortes zu unterscheiden.

(1) Subjektive Erkenntnis, die aus bestimmten angeborenen Handlungsdispositionen und ihren erworbenen Modifikationen besteht.

(2) Objektive Erkenntnis, zum Beispiel wissenschaftliche Erkennt-

nis, die aus vermuteten Theorien, offenen Problemen, Problemsituationen und Argumenten besteht.

Alle wissenschaftliche Arbeit richtet sich auf den Fortschritt der objektiven Erkenntnis. Wir sind Arbeiter, die zum Wachstum der objektiven Erkenntnis beitragen, so wie Steinmetzen an einem Dom arbeiten.

Unsere Arbeit ist fehlbar, wie alle menschliche Arbeit. Wir machen ständig Fehler, und es gibt objektive Maßstäbe, die wir nicht erfüllen – Maßstäbe der Wahrheit, des Gehalts, der Gültigkeit, und andere.

Die Sprache, die Formulierung von Problemen, das Auftauchen neuer Problemsituationen, konkurrierende Theorien, wechselseitige Kritik durch Argumentation, all das sind die unentbehrlichen Mittel des wissenschaftlichen Fortschritts. Die wichtigsten Funktionen oder Dimensionen der menschlichen Sprache (die die Tiersprachen nicht aufweisen) sind die deskriptive und die argumentative Funktion. Die Ausbildung dieser Funktionen ist natürlich unser Werk, wenn auch unbeabsichtigte Folge unserer Handlungen. Erst in einer derart bereicherten Sprache werden kritische Argumentation und Erkenntnis im objektiven Sinne möglich.

Die Rückwirkungen der Entwicklung der dritten Welt auf uns selbst – unser Gehirn, unsere Traditionen (wenn jemand dort anfangen müßte, wo Adam anfing, würde er nicht weiter kommen als Adam), unsere Handlungsdispositionen (das heißt, unser Glaube[11]) und unsere Handlungen – läßt sich kaum überschätzen.

Im Gegensatz zu dem allem interessiert sich die *herkömmliche Erkenntnistheorie* für die zweite Welt: für das Wissen als eine bestimmte Art des Glaubens – rechtfertigbarer Glaube, etwa: auf Wahrnehmung beruhender Glaube. Als Folge davon kann diese Philosophie des Glaubens die so überaus wichtige Erscheinung nicht erklären (und versucht es nicht einmal), daß die Wissenschaftler ihre Theorien kritisieren und so zu Fall bringen. *Die Wissenschaftler versuchen, ihre falschen Theorien auszumerzen, sie versuchen, diese an ihrer Stelle sterben zu lassen. Der Glaubende dagegen – Tier oder Mensch – geht mit seinem falschen Glauben zugrunde.*

V. Historische Bemerkungen

(*1*) Platon und der Neo-Platonismus

Nach allem, was wir wissen, war Platon der Entdecker der dritten Welt. Wie Whitehead bemerkte, besteht die ganze abendländische Philosophie aus Anmerkungen zu Platon.

Ich möchte lediglich drei kurze Bemerkungen zu Platon machen, davon zwei kritische.

(*1*) Platon entdeckte nicht nur die dritte Welt, sondern auch einen Teil ihrer Rückwirkung auf uns selbst: er erkannte, daß wir die Ideen seiner dritten Welt zu erfassen versuchen, und daß wir sie als Erklärungen verwenden.

(*2*) Platons dritte Welt war göttlich, unveränderlich und selbstverständlich wahr. So gibt es eine tiefe Kluft zwischen seiner und meiner dritten Welt: die meinige ist Menschenwerk und veränderlich. Sie enthält nicht nur wahre Theorien, sondern auch falsche, und besonders auch offene Probleme, Vermutungen und Widerlegungen.

Und während Platon, der große Meister der dialektischen Argumentation, in ihr nur einen Weg zur dritten Welt erblickte, betrachte ich Argumente mit als die wichtigsten Bewohner der dritten Welt, nicht zu reden von offenen Problemen.

(*3*) Platon glaubte, die dritte Welt der Formen oder Ideen liefere uns letzte Erklärungen (das heißt, Erklärungen durch das Wesen; [siehe S. 148, oben]). Er schreibt etwa: »Wenn nämlich außer dem An-sich-Schönen noch irgend etwas anderes schön ist, so ist es meiner Meinung nach *aus keinem anderen Grunde* schön, als weil es an jenem Schönen teil hat. *Und so in allen anderen Fällen.*« (Platon, *Phaidon*, 100 c. Übers. v. Otto Apelt.)

Das ist eine Theorie der *letzten Erklärung*, das heißt, einer Erklärung, deren explicans weiterer Erklärung weder fähig noch bedürftig ist. Und es ist eine Theorie der *Erklärung durch das Wesen*, das heißt, durch hypostasierte Wörter.

Als Folge davon betrachtete Platon die Gegenstände der dritten Welt als so etwas wie nichtmaterielle Dinge oder vielleicht wie Sterne oder Sternbilder – die man anschaut und intuitiv erfaßt, an die aber unser Geist nicht herankommt. Daher wurden die Bewohner der dritten Welt – die Formen oder Ideen – Begriffe von Dingen, oder ihr Wesen oder ihre Natur, und nicht Theorien oder Argumente oder Probleme.

Das hatte die weitreichendsten Folgen für die Philosophiegeschichte. Von Platon bis auf den heutigen Tag waren die meisten Philosophen entweder Nominalisten[12] oder das, was ich Essentialisten genannt habe. Sie interessieren sich mehr für die (wesenhafte) Bedeutung von Wörtern als für die Wahrheit oder Falschheit von Theorien.

Meine These ist: *die linke Seite der Tabelle ist uninteressant* im Vergleich zur rechten: uns sollten Theorien interessieren, die Wahrheit,

Ich stelle das Problem oft in Form einer Tabelle dar:

	Ideen	
	das heißt	
Bezeichnungen		*Sätze*
oder *Ausdrücke*		oder *Aussagen*
oder *Begriffe*		oder *Theorien*
	können formuliert werden durch	
Wörter		*Behauptungen*
	die	
sinnvoll		*wahr*
	sein können und	
ihr *Sinn*		ihre *Wahrheit*
	kann durch	
Definitionen		*Ableitungen*
	zurückgeführt werden auf	
undefinierte Begriffe		*unableitbare Grundsätze*
	wenn wir versuchen, auf diese Weise	
ihren *Sinn*		ihre *Wahrheit*
	eindeutig festzulegen (statt bloß auf anderes zurückzuführen), so führt das zu einem unendlichen Regreß	

die Argumentation. Wenn so viele Philosophen und Wissenschaftler immer noch glauben, Begriffe und Begriffssysteme (und Probleme ihrer Bedeutung, oder der Bedeutung von Wörtern) seien ähnlich wichtig wie Theorien und theoretische Systeme (und Probleme ihrer Wahrheit, oder der Wahrheit von Aussagen), dann leiden sie noch unter Platons Hauptfehler[13]. Denn Begriffe sind teils Mittel zur Formulierung von Theorien, teils Mittel, sie zusammenzufassen. Auf jeden

Fall haben sie nur als Mittel Bedeutung, und man kann sie immer durch andere Begriffe ersetzen.

Inhalte und Gegenstände des Denkens scheinen in der Stoa und im Neo-Platonismus eine wichtige Rolle gespielt zu haben: Plotin behielt Platons Trennung zwischen empirischer Welt und der Welt der Formen und Ideen bei. Doch wie Aristoteles[14] zerstörte Plotin die Transzendenz von Platons Ideenwelt, indem er sie in das Bewußtsein Gottes versetzte.

Plotin kritisierte Aristoteles, er habe nicht zwischen der ersten hypostasis (der Einheit) und der zweiten hypostasis (dem göttlichen Geist) unterschieden. Doch er folgte Aristoteles darin, daß er Gottes Denkakte mit ihrem eigenen Inhalt oder Gegenstand gleichsetzte; und er baute diese Anschauung dahin aus, daß er die Formen oder Ideen aus Platons intelligibler Welt als die immanenten Bewußtseinszustände des göttlichen Geistes nahm[15].

(*II*) Hegel

Hegel war so etwas ähnliches wie Platonist (oder vielmehr Neo-Platonist), und wie Platon war er so etwas ähnliches wie ein Herakliteer. Er war ein Platonist, dessen Ideenwelt sich veränderte, entwickelte. Platons ›Formen‹ oder ›Ideen‹ waren objektiv und hatten nichts mit Gedanken in einem subjektiven Bewußtsein zu tun; sie bewohnten eine göttliche, unveränderliche himmlische Welt (eine im Sinne des Aristoteles super-lunare Welt). Demgegenüber waren Hegels Ideen, wie die Plotins, Bewußtseinserscheinungen: Gedanken, die sich selbst dachten und einer Art Bewußtsein zugehörten, einer Art ›Geist‹, mit dem zusammen sie sich veränderten oder entwickelten. Die Tatsache, daß sich Hegels ›objektiver Geist‹ und ›absoluter Geist‹ verändern, ist der einzige Punkt, in dem sie meiner ›dritten Welt‹ ähnlicher sind, als es Platons Ideenwelt ist (oder Bolzanos Welt der ›Sätze an sich‹).

Die wichtigsten Unterschiede zwischen Hegels ›objektivem Geist‹ und ›absolutem Geist‹ einerseits und meiner ›dritten Welt‹ andererseits sind folgende:

(*1*) Obwohl nach Hegel der objektive Geist (der die künstlerische Schöpfung umfaßt) und der absolute Geist (zu dem die Philosophie gehört) beide aus menschlichen Erzeugnissen bestehen, ist der Mensch nicht schöpferisch. Vielmehr wird er von dem hypostasierten objektiven Geist, dem göttlichen Selbstbewußtsein der Welt bewegt:

»Die ›Einzelnen‹ ... sind Werkzeuge«, Werkzeuge des Zeitgeistes, und ihr Tun, ihr ›substantiales Geschäft‹, wird »von ihnen unabhängig bereitet und bestimmt«[16].

Was ich die Selbständigkeit der dritten Welt und ihre Rückwirkung genannt habe, wird also bei Hegel allmächtig: das ist nur einer der Aspekte seines Systems, in dem sich seine theologische Herkunft zeigt. Demgegenüber behaupte ich: das individuelle schöpferische Element, das Geben und Nehmen zwischen einem Menschen und seiner Schöpfung ist von größter Bedeutung. Bei Hegel entartet das zu der Lehre, der große Mensch sei so etwas wie ein Medium, in dem sich der Zeitgeist ausdrücke.

(*2*) Trotz einer gewissen oberflächlichen Ähnlichkeit zwischen Hegels Dialektik und meinem Entwicklungsschema

$$P_1 \rightarrow VT \rightarrow FB \rightarrow P_2,$$

gibt es einen grundlegenden Unterschied. Mein Schema arbeitet mit Fehlerausmerzung und auf der wissenschaftlichen Ebene mit bewußter Kritik unter der regulativen Idee der Suche nach Wahrheit.

Kritik besteht natürlich in der Suche nach Widersprüchen und ihrer Beseitigung: die Schwierigkeit, die die Forderung nach ihrer Beseitigung schafft, bildet das neue Problem (P_2). So führt die Beseitigung von Fehlern zum objektiven Erkenntnisfortschritt – zum Fortschritt der Erkenntnis im objektiven Sinne. Sie führt zur Zunahme der objektiven Wahrheitsähnlichkeit: sie ermöglicht die Annäherung an die (absolute) Wahrheit.

Hegel dagegen war Relativist[17]. Er sah unsere Aufgabe nicht darin, Widersprüche zu suchen, um sie zu beseitigen, denn er hielt Widersprüche für ebenso gut (oder besser) als widerspruchsfreie theoretische Systeme: sie bilden den Mechanismus, durch den sich der Geist bewegt. Damit spielt rationale Kritik keine Rolle in Hegels Automatik, ebensowenig wie menschliche Schöpferkraft[18].

(*3*) Während Platon seine hypostasierten Ideen in einem göttlichen Himmel wohnen ließ, personalisiert Hegel den Geist zu einem göttlichen Bewußtsein: die Ideen wohnen ihm inne wie menschliche Gedanken einem menschlichen Bewußtsein. Er lehrt durchweg, der Geist sei nicht nur Bewußtsein, sondern ein Ich. Demgegenüber hat meine dritte Welt keinerlei Ähnlichkeit mit dem menschlichen Bewußtsein; und obwohl ihre ersten Bewohner Erzeugnisse des menschlichen Bewußtseins sind, sind sie völlig verschieden von bewußten Ideen oder Gedanken im subjektiven Sinne.

Text 5

Evolutionäre Erkenntnistheorie (1973)

I

Lassen Sie mich jetzt zum Fortschritt in der Wissenschaft kommen. Ich werde ihn von einem biologischen oder evolutionären Standpunkt aus betrachten. Damit möchte ich keineswegs vorschlagen, daß das der wichtigste Standpunkt zur Untersuchung des Fortschrittes in der Wissenschaft ist. Aber der biologische Ansatz bietet sich dazu an, die zwei leitenden Ideen aus der ersten Hälfte meines Vortrags auch hier einzuführen. Es sind die Ideen der *Instruktion* und der *Auslese*.

Vom biologischen oder evolutionären Standpunkt aus kann man die Wissenschaft, oder den Fortschritt in der Wissenschaft, als ein Mittel betrachten, das die Menschen als Spezies zu ihrer Anpassung an die Umgebung benützen: um neue Nischen der Umgebung zu erobern und sogar, um neue Nischen der Umgebung zu erfinden.[1] Das führt zu dem folgenden Problem.

Wir können zwischen drei Ebenen der Anpassung unterscheiden: die genetische Anpassung; das adaptive Verhaltenslernen; und die wissenschaftliche Entdeckung, die ein Spezialfall des adaptiven Verhaltenslernens ist. Es wird in diesem Teil meiner Vorlesung mein Hauptproblem sein, die Ähnlichkeiten und Verschiedenheiten zwischen den Fortschritts- oder Adaptionsstrategien auf der *wissenschaftlichen* Ebene und auf jenen zwei anderen Ebenen zu untersuchen: der genetischen Ebene und der Verhaltensebene. Und ich werde die drei Ebenen der Anpassung vergleichen, indem ich die Rolle untersuche, die die *Instruktion* und die *Auslese* auf jeder Ebene spielen.

II

Um Sie nicht mit verbundenen Augen zu dem Resultat dieses Vergleiches zu führen, werde ich meine Hauptthese gleich vorwegnehmen. Es ist eine These, die die *grundlegende Ähnlichkeit der drei Ebenen* wie folgt behauptet.

Auf allen drei Ebenen – genetische Anpassung, adaptives Verhalten und wissenschaftliche Entdeckung – ist der Mechanismus der Adaption im wesentlichen der gleiche.

Das kann ausführlicher erklärt werden.

Die Anpassung auf allen drei Ebenen geht von einer vererbten *Struktur* aus, die elementar ist. Auf der genetischen Ebene ist es *die Genstruktur des Organismus*. Ihr entspricht auf der Verhaltensebene *das angeborene Repertoire* der Verhaltenstypen, die dem Organismus zur Verfügung stehen; und auf der wissenschaftlichen Ebene, *die dominierenden wissenschaftlichen Vermutungen oder Theorien*. Diese *Strukturen* werden auf allen drei Ebenen immer durch *Instruktion* übermittelt: durch die Replikation der kodifizierten genetischen Instruktion auf der genetischen und Verhaltensebene; und durch gesellschaftliche Tradierung und Nachahmung auf der Verhaltens- und der wissenschaftlichen Ebene. Auf allen drei Ebenen kommt die *Instruktion* aus dem *Inneren der Struktur*. Wenn Mutationen oder Variationen oder Fehler vorkommen, sind das neue Instruktionen, die sich auch *aus dem Inneren der Struktur* ergeben, und nicht *von außen*, aus der Umgebung.

Diese vererbten Strukturen sind bestimmten Zwängen ausgesetzt, oder bestimmten Herausforderungen oder Problemen: Auslesezwängen; den Herausforderungen der Umwelt; theoretischen Problemen. Als Reaktion werden Variationen der genetisch oder traditionell vererbten *Instruktionen* produziert[2], mittels Methoden, die wenigstens teilweise *zufällig* sind. Auf der genetischen Ebene sind das Mutationen und Neukombinationen der kodifizierten Instruktion; auf der Verhaltensebene sind es vorläufige Variationen und Neukombinationen innerhalb des Repertoires; auf der wissenschaftlichen Ebene sind es neue und revolutionäre vorläufige Theorien. Auf allen drei Ebenen erhalten wir neue vorläufige Versuchsinstruktionen; oder, kurz, vorläufige Versuche.

Es ist wichtig, daß diese vorläufigen Versuche Veränderungen sind, die mehr oder weniger zufällig im *Inneren* der individuellen Struktur entstehen – auf allen drei Ebenen. Die Ansicht, daß sie *nicht* auf Instruktion von außen zurückzuführen sind, auf die Umgebung, wird (wenn auch nur schwach) durch die Tatsache gestützt, daß sehr ähnliche Organismen manchmal sehr verschieden auf die gleiche Herausforderung der Umwelt reagieren können.

Die nächste Stufe ist diejenige der *Selektion* aus den zur Verfügung stehenden Mutationen und Variationen: diejenigen der neuen vorläufigen Versuche, die schlecht angepaßt sind, werden ausgemerzt. *Das ist die Stufe der Irrtumsbeseitigung*. Nur die mehr oder weniger gut angepaßten Versuchsinstruktionen überleben und werden ihrerseits vererbt. Wir können also von *Anpassung durch ›die Methode von Versuch und Irrtum‹* sprechen, oder besser, durch ›die Methode von Versuch und Irrtumsbeseitigung‹. Die Beseitigung von Fehlern oder von schlecht angepaßten Versuchsinstruktionen heißt auch *›natürliche Auslese‹* : sie ist eine Art ›negative Rückwirkung‹. Sie wirkt sich auf allen drei Ebenen aus.

Es muß bemerkt werden, daß durch irgendeine bestimmte Anwendung der Methode von Versuch und Irrtumsbeseitigung oder durch die natürliche Auslese *kein Gleichgewichtszustand der Anpassung* erreicht wird. Erstens, weil es nicht wahrscheinlich ist, daß perfekte oder optimale Versuchslösungen zu dem Problem angeboten werden; zweitens – und das ist wichtiger –, weil das Auftreten neuer Strukturen oder neuer Instruktionen eine Veränderung der Umweltsituation mit sich bringt. Neue Elemente der Umgebung können relevant werden; und als Folge davon können sich als Resultat der strukturellen Veränderungen, die im Inneren des Organismus entstanden sind, neue Zwänge, neue Herausforderungen, neue Probleme ergeben.

Auf der genetischen Ebene kann es sich bei der Veränderung um die Mutation eines Gens mit der daraus folgenden Veränderung eines Enzyms handeln. Nun bildet das Netz der Enzyme die nähere Umgebung der Genstruktur. Folglich wird es zu einer Veränderung in dieser nahen Umgebung kommen; und damit können sich neue Beziehungen zwischen dem Organismus und der entfernteren Umgebung ergeben; und darüber hinaus, neue Auslesezwänge.

Das gleiche findet auf der Verhaltensebene statt; denn die Übernahme einer neuen Art von Verhalten kann in den meisten Fällen mit der Übernahme einer neuen ökologischen Nische gleichgesetzt werden. Folglich werden sich neue Auslesezwänge und neue genetische Veränderungen ergeben.

Auf der wissenschaftlichen Ebene kann die vorläufige Übernahme einer neuen Vermutung oder Theorie ein oder zwei Probleme lösen, aber sie schafft unweigerlich viele *neue* Probleme; denn eine neue revolutionäre Theorie funktioniert genau gleich wie ein neues und wirkungsvolles Sinnesorgan. Wenn der Fortschritt bedeutend ist, dann werden sich die neuen Probleme von den alten unterscheiden: die neuen Probleme werden sich auf einer Stufe mit einem radikal anderen Tiefgang befinden. Das geschah zum Beispiel in der Relativitätstheorie; es geschah in der Quantenmechanik; und es geschieht gerade jetzt auf höchst dramatische Weise in der Molekularbiologie. In allen diesen Fällen wurden durch die neue Theorie neue Horizonte unerwarteter Probleme aufgetan.

So, denke ich, macht die Wissenschaft Fortschritte. Und unser Fortschritt kann am besten dadurch beurteilt werden, daß wir unsere alten Probleme mit unseren neuen vergleichen. Wenn der Fortschritt groß ist, werden die neuen Probleme solcher Art sein, wie man es sich vorher nie hätte träumen lassen. Es wird tiefere Probleme geben, und noch viel mehr Probleme als zuvor. Je weiter wir in unserer Erkenntnis fortschreiten, desto klarer können wir die Unermeßlichkeit unseres Unwissens wahrnehmen. (Eine verschärfte Erkenntnis unseres Unwissens verdanken wir beispielsweise den revolutionären Fortschritten in der Molekularbiologie.)

Ich werde jetzt meine These zusammenfassen.

Auf allen drei hier betrachteten Ebenen, der genetischen, der Verhaltensebene und der wissenschaftlichen Ebene, operieren wir mit vererbten Strukturen, die durch Instruktion weitergegeben werden; entweder durch den genetischen Code oder durch die Tradition. Auf allen drei Ebenen ergeben sich neue Strukturen und neue Instruktionen durch versuchsweise Veränderungen aus d*em Inneren der Struktur*: durch vorläufige Versuche, die der natürlichen Auslese oder der Irrtumsbeseitigung unterworfen werden.

III

Bis jetzt habe ich die *Ähnlichkeiten* im Funktionieren des adaptiven Mechanismus auf den drei Ebenen betont. Das wirft ein naheliegendes Problem auf: wie steht es mit den *Unterschieden*?

Der Hauptunterschied zwischen der genetischen und der Verhaltensebene ist folgender. Mutationen auf der genetischen Ebene sind in zweierlei Sinn nicht nur zufällig, sondern vollkommen ›blind‹. Erstens sind sie in keiner Weise zielgerichtet. Zweitens kann das Überleben einer Mutation die weiteren Mutationen nicht beeinflussen, nicht einmal die Häufigkeiten oder Wahrscheinlichkeiten ihres Auftretens; obwohl das *Überleben* einer Mutation zugegebenermaßen manchmal bestimmen kann, welche Art von Mutationen möglicherweise in zukünftigen Fällen *überleben* könnte. Auf der Verhaltensebene sind Mutationen ebenfalls mehr oder weniger zufällig, aber sie sind in keiner der zwei erwähnten Bedeutungen mehr völlig ›blind‹. Erstens sind sie zielgerichtet; und zweitens können Tiere aus dem Ergebnis eines Versuches lernen: sie können lernen, die Art von Versuchsverhalten zu meiden, die zu einem Mißerfolg geführt hat. (Sie können es sogar in solchen Fällen meiden, in denen es erfolgreich sein könnte.) Ebenso können sie aus dem Erfolg lernen; und erfolgreiches Verhalten kann wiederholt werden, selbst in Fällen, in denen es nicht angemessen ist. Jedoch ist ein bestimmter Grad von ›Blindheit‹ allen Versuchen eigen[3].

Verhaltensanpassung ist gewöhnlich ein höchst aktiver Prozeß: das Tier – besonders das junge, spielende Tier – und selbst die Pflanze erforschen aktiv die Umgebung[4].

Diese zum größten Teil genetisch programmierte Aktivität scheint mir einen wichtigen Unterschied zwischen der genetischen und der Verhaltensebene zu bezeichnen. Hier kann ich auf die Erfahrung hinweisen, die die *Gestalt*psychologen ›Einsicht‹ nennen; eine Erfahrung, die viele Verhaltensentdeckungen begleitet[5]. Jedoch darf nicht übersehen werden, daß selbst eine von ›Einsicht‹ begleitete Entdekkung *falsch* sein kann: jeder Versuch, selbst einer mit ›Einsicht‹, ist der Art nach eine Vermutung oder eine Hypothese. Man erinnert sich vielleicht, daß Köhlers Affen manchmal mit ›Einsicht‹ auf etwas stießen, was sich als ein falscher Versuch erwies, ihr Problem zu lösen; und selbst große Mathematiker werden manchmal von der Intuition irregeführt. Tiere und Menschen müssen also ihre Hypothesen ausprobieren; sie müssen die Methode von Versuch und Irrtumsbeseitigung verwenden.

Andererseits stimme ich Köhler und Thorpe[6] zu, daß die Versuche problemlösender Tiere im allgemeinen nicht völlig blind sind. Nur in Extremfällen, wenn sich das Problem, dem das Tier gegenübersteht, der Hypothesenbildung nicht beugt, wird das Tier zu mehr oder weniger blinden und zufälligen Versuchen Zuflucht nehmen, um aus einer beunruhigenden Situation herauszukommen. Aber selbst in diesen Versuchen kann man gewöhnlich Zielgerichtetheit wahrnehmen, ganz im Gegensatz zu der blinden Zufälligkeit genetischer Mutationen und Neukombinationen.

Ein weiterer Unterschied zwischen genetischer Veränderung und adaptiver Verhaltensänderung ist, daß erstere *immer* eine starre und fast unveränderliche genetische Struktur hervorbringt. Zugegebenermaßen führt letztere *manchmal* auch zu einem ziemlich starren Verhaltensmuster, an welchem dogmatisch festgehalten wird; das ist ganz und gar so im Falle der ›Prägung‹ (Konrad Lorenz); aber in anderen Fällen führt sie zu einem flexiblen Muster, das Differenzierung und Modifikation zuläßt; zum Beispiel kann sie zu Forschungsverhalten führen, oder zu dem, was Pavlov den ›Freiheitsreflex‹ nannte[7].

Auf der wissenschaftlichen Ebene sind Entdeckungen revolutionär und kreativ. Sicher kann jeder Ebene eine gewisse Kreativität zugeschrieben werden, sogar der genetischen: Neue Versuche, die zu neuen Umgebungen und somit zu neuen Auslesezwängen führen, schaffen neue und revolutionäre Resultate auf allen Ebenen, obwohl starke bewahrende Tendenzen in die verschiedenen Instruktionsmechanismen eingebaut sind.

Genetische Anpassung kann natürlich nur innerhalb einer Zeitspanne von mehreren Generationen operieren – sagen wir zu allermindest innerhalb von einer oder zwei Generationen. In Organismen, die sich sehr schnell reproduzieren, kann das eine kurze Zeitspanne sein; und vielleicht gibt es einfach keinen Raum für Verhaltensanpassung. Langsamer reproduzierende Organismen sind gezwungen, Verhaltensadaption zu erfinden, um sich schnellen Veränderungen der Umwelt anzupassen. Sie brauchen also ein Verhaltensrepertoire mit Verhaltenstypen größerer oder geringerer Breite oder Reichweite. Man kann annehmen, daß das Repertoire und die Breite der verfügbaren Verhaltenstypen genetisch programmiert sind; und da man, wie bereits angedeutet, sagen kann, daß ein neuer Verhaltenstyp die Wahl einer neuen Umweltnische mit sich bringt, können neue Verhaltenstypen tatsächlich genetisch kreativ sein, denn sie können ihrerseits neue Auslesezwänge festlegen und so indirekt über die zukünftige Evolution der genetischen Struktur bestimmen[8].

Auf der Ebene der wissenschaftlichen Entdeckung entstehen zwei neue Aspekte. Der wichtigste ist, daß wissenschaftliche Theorien sprachlich formuliert werden können und daß sie sogar veröffentlicht werden können. So werden sie zu Objekten außerhalb von uns: Objekte, die der Untersuchung offen stehen. Als Folge davon stehen sie jetzt der *Kritik* offen. Wir können also eine schlecht passende Theorie loswerden, bevor uns die Übernahme einer Theorie überlebensunfähig macht: indem wir unsere Theorien kritisieren, können wir statt uns selbst unsere Theorien sterben lassen. Das ist natürlich äußerst wichtig.

Der andere Aspekt ist auch mit der Sprache verbunden. Es ist eine der Neuheiten der menschlichen Sprache, daß sie das Geschichtenerzählen ermutigt und somit die *schöpferische Vorstellungskraft*. Die wissenschaftliche Entdeckung gleicht dem erklärenden Geschichtenerzählen, der Erfindung von Mythen und der poetischen Vorstellungskraft. Das Wachstum der Vorstellungskraft erhöht natürlich die Notwendigkeit einer entsprechenden Kontrolle, wie es die interpersonale Kritik in der Wissenschaft ist – die freundlich-feindliche Zusammenarbeit von Wissenschaftlern, die teilweise auf Wettbewerb beruht und teilweise auf dem gemeinsamen Ziel, der Wahrheit näher zu kommen. Diese Kontrolle, und die Rolle, die Instruktion und Tradition spielen, scheinen mir die wichtigsten sozialen Elemente zu sein, die von Natur aus im Fortschritt der Wissenschaft enthalten sind; obwohl natürlich mehr über die sozialen Hindernisse des Fortschrittes gesagt werden könnte oder über die sozialen Gefahren, die dem Fortschritt innewohnen.

IV

Ich habe vorgeschlagen, daß der Fortschritt in der Wissenschaft oder die wissenschaftlichen Entdeckungen von der *Instruktion und der Auslese* abhängen: von einem bewahrenden oder traditionellen oder historischen Element und von einer revolutionären Verwendung von Versuch und Irrtumsbeseitigung durch Kritik, die strenge empirische Prüfungen oder Tests einschließt; das heißt, Versuche, nach den möglichen Schwächen von Theorien zu suchen, Versuche, sie zu widerlegen.

Natürlich möchte der individuelle Wissenschaftler seine Theorie vielleicht lieber beweisen und nicht widerlegen. Aber im Hinblick auf den Fortschritt der Wissenschaft kann ihn dieser Wunsch leicht irreführen. Darüber hinaus werden andere seine liebgewonnene Theorie kritisch untersuchen, wenn er es nicht selbst tut. Die einzige Stütze für die Theorie liegt für sie im Scheitern von interessanten Widerlegungsversuchen; im Nichtfinden von Gegenbeispielen, wo solche Gegenbeispiele im Lichte der besten der konkurrierenden Theorien am ehesten erwartet würden. Es braucht also kein großes Hindernis für die Wissenschaft zu entstehen, wenn der individuelle Wissenschaftler zugunsten einer Lieblingstheorie befangen ist. Doch glaube ich, daß Claude Bernard sehr klug war, als er schrieb: »Jene, die ein übertriebenes Vertrauen in ihre eigenen Ideen haben, sind nicht sehr geeignet, Entdeckungen zu machen«[9].

All das ist Teil der kritischen Haltung der Wissenschaft gegenüber, im Gegensatz zur induktivistischen Haltung; oder der Darwinischen oder eliminatorischen oder selektionistischen Haltung im Gegensatz zu der Lamarckischen Haltung, die mit der Idee der *Instruktion von außen* oder aus der Umwelt operiert, während die kritische oder selektionistische Haltung nur die *Instruktion von innen* zuläßt – aus dem Inneren der Struktur selbst.

Ich behaupte tatsächlich, daß *es so etwas wie eine Instruktion von außerhalb der Struktur*, oder die passive Aufnahme eines Informationsflusses, der sich unseren Sinnesorganen einprägt, *gar nicht gibt.* Alle Beobachtungen sind theoriegetränkt: es gibt keine reine, unvoreingenommene, theoriefreie Beobachtung. (Um das einzusehen, können wir unter Anstrengung unserer Phantasie versuchen, die menschliche Beobachtung mit derjenigen einer Ameise oder einer Spinne zu vergleichen.)

Francis Bacon war zu recht besorgt darüber, daß unsere Theorien Vorurteile enthalten, die unsere Beobachtungen einschränken könnten. Das führte ihn dazu, Wissenschaftlern den Rat zu erteilen, Vorurteile zu vermeiden, indem sie ihr Denken von allen Theorien reinigen. Ähnliche Rezepte werden immer noch gegeben[10]. Aber um Objektivität zu erlangen, können wir uns nicht auf einen ›leeren Geist‹ verlassen: Die Objektivität beruht auf der Kritik, auf der kritischen Diskussion und auf der kritischen Prüfung von Experimenten. [Siehe Text *11*, Abschnitt *II*, sowie Text *30* unten.] Und ganz besonders müssen wir erkennen, daß unsere Sinnesorgane selbst so etwas wie Vorurteile enthalten. Ich habe vorher (in Abschnitt *II*) betont, daß Theorien wie Sinnesorgane sind. Jetzt möchte ich betonen, daß unsere Sinnesorgane wie Theorien sind. Sie *enthalten* adaptive Theorien (wie im Falle von Kaninchen und Katzen gezeigt wurde). Und diese Theorien sind das Resultat der natürlichen Auslese.

V

Jedenfalls sahen nicht einmal Darwin oder Wallace, ganz zu schweigen von Spencer, daß es keine Instruktion von außen gibt. Sie operierten nicht mit rein selektionistischen Argumenten. Tatsächlich argumentierten sie oft in die Lamarckische Richtung[11]. In dieser Hinsicht scheinen sie sich getäuscht zu haben. Doch kann es sich lohnen, über die möglichen Grenzen des Darwinismus zu spekulieren; denn wir sollten immer auf der Suche sein nach möglichen Alternativen zu jeder vorherrschenden Theorie.

Ich glaube, daß ich hier auf zwei Punkte aufmerksam machen sollte. Der erste ist, daß das Argument gegen die genetische Vererbung von erworbenen Eigenschaften (wie zum Beispiel Verstümmelungen) von der Existenz eines genetischen Mechanismus abhängt, in dem es eine ziemlich scharfe Unterscheidung gibt zwischen der Genstruktur und dem verbleibenden Teil des Organismus: dem Soma. Aber dieser genetische Mechanismus muß selbst ein spätes Produkt der Evolution sein, und ohne Zweifel gingen ihm verschiedene andere, weniger komplexe Mechanismen voraus. Überdies *sind* bestimmte ganz besondere Arten von Verstümmelungen vererbt; genauer, Verstümmelungen der Genstruktur durch Strahlung. Wenn wir also annehmen, daß der urzeitliche Organismus ein nacktes Gen war, dann können wir sogar sagen, daß jede nicht-tödliche Verstümmelung dieses Organismus vererbt wäre. Was wir nicht sagen können, ist, daß diese Tatsache in irgendeiner Weise zu einer Erklärung der genetischen Anpassung oder des genetischen Lernens beiträgt, es sei denn indirekt, auf dem Umweg über die natürliche Auslese.

Der zweite Punkt ist folgender. Wir können die sehr vorläufige Vermutung in Erwägung ziehen, daß als somatische Reaktion auf einen bestimmten Umweltdruck ein chemisches Mutagen produziert wird, das die sogenannte spontane Mutationsrate erhöht. Das wäre eine Art halb-Lamarckische Wirkung, obwohl die *Anpassung* immer noch nur durch die Eliminierung von Verstümmelungen fortschreiten würde; das heißt, durch natürliche Auslese. Es kann natürlich sein, daß nicht viel an dieser Vermutung ist, denn es scheint, daß die spontane Mutationsrate für die adaptive Evolution genügt[12].

Ich mache hier bloß als Warnung gegen ein zu dogmatisches Festhalten am Darwinismus auf diese zwei Punkte aufmerksam. Natürlich vermute ich, daß der Darwinismus recht hat, sogar auf der Ebene der wissenschaftlichen Entdeckung; und daß er selbst über diese Ebene hinaus recht hat: daß er sogar auf der Ebene künstlerischen Schaffens recht hat. Wir entdecken neue Tatsachen oder neue Wirkungen nicht, indem wir sie nachahmen oder indem wir sie induktiv von der Beobachtung herleiten; oder mittels irgendeiner anderen Instruktionsmethode durch die Umwelt. Wir verwenden vielmehr die Methode von Versuch und Irrtumsbeseitigung. Wie Ernst Gombrich sagt: »Das Machen kommt vor dem Passend-Machen«[13] : das aktive Erstellen einer neuen Versuchsstruktur geht ihrer Aussetzung an eliminierende Prüfungen voraus.

VI

Ich schlage deshalb vor, daß wir uns die Art, wie sich die Wissenschaft entwickelt, ungefähr in der Richtung von Niels Jernes und Sir Macfarlane Burnets Theorien der Antikörperformation vorstellen[14]. Frühere Theorien der Antikörperformation nahmen an, daß das Antigen als eine negative Schablone für die Formation des Antikörpers wirkt. Das würde bedeuten, daß es *Instruktion von außen* gibt, von dem eindringenden Antikörper. Die grundlegende Idee Jernes war die, daß die Instruktion oder Information, die es dem Antikörper ermöglicht, das Antigen zu erkennen, im wörtlichen Sinne angeboren ist: daß sie Teil der Genstruktur ist, wenn auch möglicherweise einem Repertoire von mutationalen Variationen unterworfen. Sie wird von dem genetischen Code übermittelt, von den Chromosomen der spezialisierten Zellen, die die Antikörper hervorbringen; und die Immunreaktion ist ein Resultat einer Wachstumsstimulation, die diesen Zellen vom Antikörper-/Antigenkomplex gegeben wird. Diese Zellen werden also mit durch die eindringende Umgebung *selektioniert* (das heißt, mit Hilfe des Antigens) und nicht instruiert. (Jerne sieht die Analogie mit der Selektion – und der Modifikation – wissenschaftlicher Theorien klar und verweist in diesem Zusammenhang auf Kierkegaard und auf Sokrates im *Menon* .)

Mit dieser Bemerkung schließe ich meine Diskussion der biologischen Aspekte des Fortschritts in der Wissenschaft.

Text 6

Zwei Arten von Definitionen (1945)

> Die Hauptgefahr unserer Philosophie ist, abgesehen von Faulheit und Verschwommenheit, der Scholastizismus, ... der das Vage so behandelt, als sei es genau.
>
> F. P. Ramsey[1]

Das Problem der Definition und des ›Sinnes der Begriffe‹ ist die wichtigste Quelle des intellektuellen Einflusses Aristoteles' der leider noch immer vorherrscht, die Quelle all des wortreichen und leeren Scholastizismus, der nicht nur im Mittelalter sein Unwesen trieb, sondern der auch unsere zeitgenössische Philosophie heimsucht; denn selbst eine so moderne Philosophie wie die Philosophie L. Wittgensteins leidet, wie wir sehen werden, unter diesem Einfluß. Die Entwicklung des Denkens seit Aristoteles läßt sich, wie mir scheint, so zusammenfassen: Jede Disziplin, die die aristotelische Methode des Definierens verwendet hat, blieb in einem Stadium leerer Wortmacherei und in einem unfruchtbaren Scholastizismus stecken, und das Ausmaß, in dem die verschiedenen Wissenschaften fähig waren, Fortschritte zu machen, hing ab von dem Ausmaß, in dem sie fähig waren, sich von dieser essentialistischen Methode zu befreien. (Das ist der Grund, warum ein so großer Teil unserer ›Sozialwissenschaften‹ noch immer im Mittelalter steckt.) Die Diskussion dieser Methode wird ein wenig abstrakt sein müssen, und das aufgrund der Tatsache, daß das Problem von Platon und Aristoteles gründlich verwirrt worden ist; ihr Einfluß hat zu tief verwurzelten Vorurteilen geführt, und die Aussicht, diese Vorurteile zu vertreiben, scheint nicht die beste zu sein. Trotzdem ist es vielleicht nicht uninteressant, wenn man die Quelle von so viel Verwirrung und Gerede analysiert.

Wie Platon unterschied auch Aristoteles zwischen *Wissen* und *Meinung*[2]. Wissen oder Wissenschaft kann nach Aristoteles von zweifacher Art sein. Es ist entweder demonstrativ oder intuitiv. *Demonstratives Wissen* ist zugleich ein Wissen von den ›Ursachen‹. Es besteht aus Sätzen, die bewiesen werden können – den Konklusionen (Schlußsätzen) –, und ihren syllogistischen Beweisen (die die ›Ursachen‹ oder ›Gründe‹ in ihrem ›Mittelbegriff‹ aufdecken). *Intuitives Wissen* besteht im Erfassen der ›Form‹ oder ›Essenz‹ oder der wesentlichen Natur eines Dinges (wenn dieses ›unmittelbar‹ ist, d.h., wenn seine ›Ursache‹ oder sein ›Grund‹ mit seiner wesentlichen Natur identisch ist); es ist die Quelle aller Wissenschaft, da es die ursprünglichen und grundlegenden Prämissen aller Beweise erfaßt.

Aristoteles hatte zweifellos recht, als er betonte, daß wir nicht versuchen dürfen, unser *gesamtes* Wissen zu beweisen oder zu demonstrieren; jeder Beweis muß von Prämissen ausgehen; der Beweis als solcher, das heißt die Herleitung aus den Prämissen, kann daher die Wahrheit einer Konklusion niemals endgültig bestimmen, sondern nur zeigen, daß die Schlußfolgerung wahr sein muß, *vorausgesetzt,* daß die Prämissen wahr sind. Wenn wir die Prämissen selbst beweisen wollen, so verschieben wir dadurch die Frage nach der Wahrheit nur um einen weiteren Schritt zurück, auf eine neue Reihe von Prämissen, und so fort *ad infinitum.* Um einen solchen unendlichen Regreß (wie es die Logiker nennen) zu vermeiden, lehrte Aristoteles, daß wir die Existenz von Prämissen annehmen müssen, deren Wahrheit sich nicht bezweifeln läßt und die keines Beweises bedürfen; und solche Prämissen nannte er ›Grundprämissen‹. Wenn wir die Methode akzeptieren, mit deren Hilfe wir die Konklusionen aus diesen Grundprämissen ableiten, dann können wir sagen, daß nach Aristoteles alles Wissen in den Grundprämissen enthalten ist, und daß wir das gesamte Wissen besitzen, sobald wir nur über eine enzyklopädische Liste aller Grundprämissen verfügen. Aber wie gewinnen wir diese Grundprämissen? Wie Platon glaubt auch Aristoteles, daß wir letzten Endes all unser Wissen durch ein intuitives Erfassen des Wesens der Dinge gewinnen. »Wir können ein Ding nur kennen, indem wir sein Wesen kennen«, schreibt Aristoteles, und »das Wissen um ein Ding besteht in der Kenntnis seines Wesens«. Eine ›Grundprämisse‹ ist für ihn nichts als ein Satz, der die Essenz, das Wesen eines Dinges beschreibt. Aber ein solcher Satz ist gerade das, was er eine Definition nennt[3]. Daher *sind alle ›Grundprämissen der Beweise‹ Definitionen.*

Wie sieht eine Definition aus ? Ein Beispiel einer Definition ist der Satz: ›Ein Fohlen ist ein junges Pferd.‹ Das Subjekt eines solchen Definitionssatzes – in unserem Beispiel das Wort ›Fohlen‹ – heißt *der zu definierende (oder der definierte)* Terminus (Ausdruck), kurz, das *Definiendum;* die Worte ›junges Pferd‹ heißen die *Definitionsformel* oder das *Definiens.* In der Regel ist das Definiens länger und komplizierter als das Definiendum, und manchmal ist die Verschiedenheit der Länge der beiden Ausdrücke beträchtlich. Aristoteles hält[4] das Definiendum für den Namen der Essenz eines Dinges und die Definitionsformel für die Beschreibung dieser Essenz. Und er betont, daß die Definitionsformel eine erschöpfende Beschreibung der Essenz oder der wesentlichen Eigenschaften des fraglichen Dinges liefern müsse; daher ist ein Satz wie ›Ein Fohlen hat vier Beine‹ zwar wahr, aber keine befriedigende Definition; er erschöpft nicht das, was man die Essenz der Fohlenheit nennen könnte, denn er trifft auch auf Hunde zu; und in gleicher Weise ist der Satz ›Ein Fohlen ist braun‹ zwar für einige, aber nicht für alle Fohlen wahr; er beschreibt eine akzidentielle, nicht eine essentielle Eigenschaft des definierten Begriffs.

Aber die schwierigste Frage ist, wie wir zu Definitionen oder Grundprämissen kommen können und wie wir uns versichern können, daß sie korrekt sind, daß wir uns nicht geirrt haben, daß wir nicht etwa die richtige Essenz verfehlt haben. Obwohl sich Aristoteles in diesem Punkt nicht sehr klar ausdrückt, besteht doch nur geringer Zweifel daran, daß er im Grunde wieder Platon folgt. Platon lehrte[5], daß wir die Ideen mit Hilfe einer unfehlbaren *intellektuellen Intuition* erfassen können; das heißt, wir vergegenwärtigen sie uns oder wir betrachten sie mit unserem ›geistigen Auge‹, ein Prozeß, den er sich als dem Sehen ähnlich vorstellte, doch so, daß er völlig von unserem Intellekt ausgeht und jedes Element ausschließt, das von unseren Sinnen abhängt. Die Theorie des Aristoteles ist weniger radikal und weniger geistreich, sie läuft aber am Ende auf dasselbe hinaus[6]. Denn obgleich Aristoteles lehrt, daß wir zu einer Definition erst dann kommen, wenn wir zahlreiche Beobachtungen angestellt haben, so gibt er doch zu, daß die sinnliche Erfahrung an und für sich die universelle Essenz nicht erfaßt und daß sie daher eine Definition nicht völlig bestimmen kann. Schließlich postuliert er einfach, daß wir eine intellektuelle Intuition besitzen, eine geistige oder intellektuelle Fähigkeit, die es uns ermöglicht, die Wesenheiten der Dinge, ihre Essenzen, in unfehlbarer Weise zu erfassen und ein Wissen von ihnen zu erlangen. Und er nimmt außerdem an, daß uns die intuitive Kenntnis des Wesens befähigen muß, dieses Wesen zu beschreiben und damit zu definieren (Die Argumente, die er in der *Zweiten Analytik* zugunsten dieser Theorie anführt, sind überraschend schwach. Sie bestehen lediglich in dem Hinweis, daß unser Wissen von den Grundprämissen nicht demonstrativ sein kann – dies würde zu einem unendlichen Regreß führen –

und daß die Grundprämissen zumindest ebenso wahr und ebenso sicher sein müssen wie die Schlüsse, die auf ihnen beruhen. »Daraus folgt«, so schreibt er, »daß es kein demonstratives Wissen von den Grundprämissen geben kann; und da nur die intellektuelle Intuition mehr Wahrheit geben kann als das demonstrative Wissen, so folgt, daß es die intellektuelle Intuition sein muß, die die Grundprämissen erfaßt.« In *de anima* und im theologischen Teil der *Metaphysik* finden wir Bemerkungen, die schon eher wie ein Argument aussehen; denn hier haben wir eine *Theorie* der intellektuellen Intuition; nach dieser Theorie kommt die intellektuelle Intuition mit ihrem Gegenstand – dem Wesen – in Berührung, und sie vereinigt sich sogar mit ihm. »Wirkliches Wissen ist mit seinem Gegenstand identisch.«)

Wir fassen unsere kurze Analyse zusammen: Eine, wie mir scheint, gerechte Beschreibung des aristotelischen Ideals von vollkommenem und vollständigem Wissen kann abschließend formuliert werden, wenn wir sagen, daß für Aristoteles das Endziel der Forschung in der Zusammenstellung einer Enzyklopädie der durch Intuition gewonnenen Definitionen aller Wesenheiten bestand, das heißt in der Zusammenstellung der Namen aller Wesenheiten zusammen mit ihren Definitionsformeln; und daß für ihn der Fortschritt der Wissenschaft in der allmählichen Ansammlung einer solchen Enzyklopädie bestand, in ihrer Ausdehnung, in der Ausfüllung ihrer Lücken sowie natürlich in der syllogistischen Herleitung des ›gesamten Bereichs der Tatsachen‹ (die das demonstrative Wissen bilden) aus den in ihr enthaltenen Definitionen.

Nun besteht nur geringer Zweifel darüber, daß alle diese essentialistischen Ansichten den Methoden der modernen Wissenschaft schärfstens widersprechen. (Ich denke dabei vor allem an die empirischen Wissenschaften; in der reinen Mathematik liegen die Verhältnisse vielleicht anders.) Obwohl wir in der Wissenschaft unser Bestes tun, die Wahrheit aufzufinden, sind wir uns doch des Umstandes wohl bewußt, daß wir nie sicher sein können, ob wir sie gefunden haben. Wir haben in der Vergangenheit aus vielen Enttäuschungen gelernt, daß wir niemals Endgültigkeit erwarten dürfen; und wir haben gelernt, nicht mehr enttäuscht zu sein, wenn unsere wissenschaftlichen Theorien widerlegt werden; denn wir können in den meisten Fällen mit großer Zuverlässigkeit feststellen, welche von zwei vorgelegten Theorien die bessere ist. Wir können daher wissen, daß wir Fortschritte machen; und es ist dieses Wissen, das die meisten von uns mit dem Verlust der Illusion von Endgültigkeit und Sicherheit versöhnt. Wir wissen, mit anderen Worten, daß unsere wissenschaftlichen Theorien zwar immer Hypothesen bleiben müssen, daß wir aber in vielen wichtigen Fällen herausfinden können, ob eine neue Hypothese einer alten überlegen ist oder nicht. Denn wenn sie sich voneinander unterscheiden, dann werden sie zu verschiedenen Voraussagen führen, die sich oft experimentell überprüfen lassen; und auf der Basis eines solchen ›*experimentum crucis*‹ können wir manchmal entdecken, daß die neue Theorie gerade dort zu befriedigenden Resultaten führt, wo die alte versagt. Wir können also sagen, daß wir auf unserer Suche nach der Wahrheit die wissenschaftliche Sicherheit durch den wissenschaftlichen Fortschritt ersetzt haben. Und diese Ansicht von der wissenschaftlichen Methode wird durch die Entwicklung der Wissenschaft bestätigt. Denn die Wissenschaft entwickelt sich nicht, wie Aristoteles dachte, durch eine allmähliche enzyklopädische Anhäufung wesentlicher Information, sondern durch eine weit revolutionärere Methode; sie schreitet fort durch kühne Ideen, durch die Verbreitung neuer und höchst seltsamer Theorien (wie etwa der Theorie, daß die Erde nicht flach ist, oder daß der ›metrische Raum‹ nicht flach ist) und durch das Verwerfen der alten.

Aber diese Auffassung der Methode der Wissenschaft [ausführlicher behandelt in den Texten *9–14*, unten] bedeutet, daß es in der Wissenschaft kein ›*Wissen*‹ in dem Sinne gibt, in dem Platon und Aristoteles das Wort verstanden haben, in dem Sinne nämlich, in dem es Endgültigkeit einschließt. In der Wissenschaft besitzen wir nie einen hinreichenden Grund zu der Annahme, daß wir die Wahrheit erreicht haben. Was wir gewöhnlich ›wissenschaftliche Erkenntnis‹ nennen, ist in der Regel nicht ein Wissen in diesem Sinn, sondern eine Information über die verschiedenen rivalisierenden Hypothesen und über die Weise, in der sie sich in verschiedenen Prüfungen bewährt haben. In der Sprache von Aristoteles und Platon ist diese ›Erkenntnis‹, dieses ›Wissen‹ eine ›Meinung‹ – jene *Meinung*, die von der Wissenschaft zuletzt aufgestellt wurde und sich als die beste bewährt hat. Diese Auffassung bedeutet weiterhin, daß es in der Wissenschaft keine Beweise gibt (reine Mathematik und Logik sind natürlich ausgenommen). In den empirischen Wissenschaften, die uns allein Information über die Welt, in der wir leben, verschaffen können, kommen keine Beweise vor, wenn wir unter einem ›Beweis‹ ein Argument verstehen, das die Wahrheit einer Theorie ein für allemal begründet. (Hingegen ist es möglich, wissenschaftliche Theorien zu widerlegen.) Andrerseits geben uns die Mathematik und die Logik, die beide Beweise zulassen, keine Auskunft über die Welt, sondern sie entwickeln nur die Werkzeuge zu ihrer Beschreibung. Wir können daher sagen (wie ich an anderer Stelle ausgeführt habe[7]): »Insofern sich die Sätze einer Wissenschaft auf die Wirklichkeit beziehen, müssen sie falsifizierbar sein, und insofern sie nicht falsifizierbar sind, beziehen sie sich nicht auf die Wirklichkeit.« Aber obwohl der Beweis in den empirischen Wissenschaften nicht die geringste Rolle spielt, ist das *Argument* noch immer von großer Bedeutung. Seine Rolle ist in der Tat zumindest ebenso wichtig wie die Rolle der Beobachtung und des Experiments.

Auch die Definitionen spielen in der Wissenschaft eine ganz andere Rolle, als Aristoteles gedacht hatte. Aristoteles lehrte, daß wir in einer Definition zuerst auf das Wesen verweisen – etwa dadurch, daß wir es benennen – und daß wir es dann mit Hilfe der Definitionsformel beschreiben; ebenso, wie wir in einem gewöhnlichen Satz wie ›Dieses Fohlen ist braun‹ zuerst mit den Worten ›dieses Fohlen‹ auf ein gewisses Ding verweisen, um es dann als ›braun‹ zu beschreiben. Und er lehrte, daß wir, indem wir so das Wesen dieses Dinges beschreiben, auf das der zu definierende Ausdruck verweist, auch die Bedeutung dieses Ausdrucks bestimmen oder erklären[8]. Dementsprechend kann die Definition zur gleichen Zeit zwei sehr nah verwandte Fragen beantworten. Die eine lautet: ›Was ist es?‹, zum Beispiel ›Was ist ein Fohlen?‹; sie fragt nach der Wesenheit, die vom definierten Ausdruck bezeichnet wird. Die andere lautet ›Was bedeutet es?‹, zum Beispiel »Was bedeutet ›Fohlen‹?«; sie fragt nach der Bedeutung eines Ausdrucks (nämlich jenes Ausdrucks, der diese Wesenheit bezeichnet). Es ist hier nicht nötig, zwischen den beiden angeführten Fragen zu unterscheiden; es ist vielmehr wichtig zu sehen, was ihnen gemeinsam ist. Und ich möchte insbesondere darauf aufmerksam machen, daß *beide Fragen durch den Ausdruck veranlaßt werden, der in der Definition auf der linken Seite steht, und daß sie beide durch die Definitionsformel beantwortet werden, die auf der rechten Seite steht.* Dies charakterisiert den essentialistischen Standpunkt, von dem sich die wissenschaftliche Definitionsmethode radikal unterscheidet.

Während die essentialistische Interpretation eine Definition ›normal‹, das heißt *von links nach rechts* liest, muß *eine Definition, wie sie gewöhnlich in der modernen Wissenschaft verwendet wird, von rückwärts nach vorne, das heißt von rechts nach links gelesen werden;* denn sie beginnt mit der Definitionsformel und fragt nach einer kurzen und handlichen Bezeichnung, nach einer Art Etikette für sie. In der wissenschaftlichen Auffassung ist eine Definition wie etwa ›Ein Fohlen ist ein junges Pferd‹ eine Antwort auf die Frage ›*Wie sollen wir ein junges Pferd nennen?*‹, nicht aber eine Antwort auf die Frage › *Was ist ein Fohlen?*‹. (Fragen wie ›*Was ist Leben?*‹ oder ›*Was ist* die Schwere?‹ spielen in der Wissenschaft keine Rolle.) Den wissenschaftlichen Gebrauch von Definitionen, der durch das Vorgehen ›von rechts nach links‹ gekennzeichnet ist, kann man die *nominalistische* Interpretation nennen, im Gegensatz zur Aristotelischen oder *essentialistischen* Interpretation[9]. In der modernen Wissenschaft kommen nur[10] nominalistische Definitionen vor, das heißt abkürzende Symbole oder Etiketten, die zur abkürzenden Darstellung einer langen Formel eingeführt wurden. Und daraus können wir sogleich sehen, daß Definitionen in der Wissenschaft *keine* besonders wichtige Rolle spielen. Denn abkürzende Symbole lassen sich natürlich immer durch die längeren Ausdrücke, durch die Definitionsformeln ersetzen, die sie vertreten. In manchen Fällen würde dies unsere wissenschaftliche Sprache sehr komplizieren; wir würden Zeit und Papier verschwenden. Aber wir würden nie auch nur das geringste Stück an Information über Tatsachen verlieren. Unsere ›wissenschaftliche Erkenntnis‹ in dem Sinn, in dem dieser Begriff zweckmäßig verwendet wird, bleibt völlig unberührt, wenn wir alle Definitionen eliminieren; die einzige Auswirkung betrifft die Sprache, die zwar nicht an Präzision, sondern nur an Kürze verlieren würde. (Das soll nicht heißen, daß in der Wissenschaft kein dringendes praktisches Bedürfnis zur Einführung von Definitionen um der Kürze willen besteht.) Es kann kaum einen größeren Gegensatz geben, als den Gegensatz zwischen dieser Auffassung der Rolle von Definitionen und der Auffassung des Aristoteles. Für Aristoteles sind essentialistische Definitionen die Prinzipien, aus denen sich unser gesamtes Wissen herleitet; sie enthalten daher unser gesamtes Wissen; und sie dienen dazu, eine kurze Formel durch eine lange zu ersetzen. Im Gegensatz dazu enthalten die wissenschaftlichen oder nominalistischen Definitionen überhaupt kein Wissen, nicht einmal eine ›Meinung‹; ihre Funktion liegt einzig in der Einführung neuer abkürzender Etiketten; sie stellen eine lange Geschichte auf abgekürzte Weise dar.

In der Praxis sind diese Etiketten von größtem Nutzen. Um das zu sehen, brauchen wir uns nur die immensen Schwierigkeiten vorzustellen, die eintreten würden, wenn ein Bakteriologe bei der Erwähnung einer bestimmten Art von Bakterien immer ihre ganze Beschreibung wiederholen müßte (eingeschlossen die Methoden der Färbung usw., durch die sie von ähnlichen Arten unterschieden wird). Und eine ähnliche Überlegung läßt uns auch verstehen, warum sogar Wissenschaftler so oft vergessen haben, daß eine wissenschaftliche Definition, wie eben erklärt, ›von rechts nach links‹ gelesen werden muß. Denn die meisten Leute, die eine Wissenschaft, sagen wir die Bakteriologie, zu studieren beginnen, müssen versuchen, den Sinn der neuen Fachausdrücke ausfindig zu machen, mit denen sie zu tun haben. Auf diese Weise lernen sie in der Tat die Definition ›von links nach rechts‹, indem sie, wie im Falle einer essentialistischen Definition, einen kurzen Ausdruck durch einen sehr langen ersetzen. Aber das ist nicht mehr als ein psychologischer Zufall, und ein Lehrer oder der Verfasser eines Lehrbuches kann ganz anders vorgehen; er kann zum Beispiel einen fachtechnischen Begriff erst dann einführen, wenn es notwendig geworden ist.

Soweit habe ich zu zeigen versucht, daß sich der wissenschaftliche oder nominalistische Gebrauch einer Definition von der essentialistischen Definitionsmethode des Aristoteles radikal unterscheidet. Es läßt sich aber auch zeigen, daß die essentialistische Auffassung von den Definitionen in sich unhaltbar ist. Um diese Abschweifung von unserem Hauptthema nicht zu sehr in die Länge zu ziehen, werde ich nur zwei der essentialistischen Lehren kritisieren; zwei Lehren, die wichtig sind, da einige einflußreiche moderne Schulen noch immer auf ihnen beruhen. Die eine ist die esoterische Lehre von der intellektuellen Intuition; die andere ist die sehr populäre Lehre, daß wir ›unsere Begriffe definieren müssen‹, wenn wir genau sein wollen.

Aristoteles nahm an, ebenso wie Platon, daß wir eine Fähigkeit besitzen, mit deren Hilfe wir die Wesenheiten erschauen und die uns zeigt, welche Definition korrekt ist. Er nennt sie die ›intellektuelle Intuition‹. Zahlreiche moderne Essentialisten haben diese Lehre wiederholt. Andere Philosophen, die hierin Kant folgen, halten dem entgegen, daß etwas Derartiges, wie die intellektuelle Intuition, nicht existiert. Meiner Ansicht nach können wir bereitwillig zugeben, daß wir etwas besitzen, das als ›intellektuelle Intuition‹ beschrieben werden mag; oder genauer – wir können zugeben, daß sich gewisse unserer intellektuellen Erfahrungen auf diese Weise beschreiben lassen. Jeder Mensch, der eine Idee, einen Gesichtspunkt oder eine arithmetische Methode, wie zum Beispiel das Multiplizieren, ›versteht‹ in dem Sinn, daß er ›ein Gefühl dafür bekommen hat‹, versteht jenes Ding in gewissem Sinn auf intuitive Weise; und es gibt zahlreiche intellektuelle Erfahrungen dieser Art. Aber andrerseits würde ich betonen, daß diese Erfahrungen, so wichtig sie auch für unsere wissenschaftlichen Bemühungen sein mögen, nie zur Begründung der Wahrheit irgendeiner Idee oder Theorie dienen können, und sei diese Theorie für einen Forscher auch noch so ›intuitiv einsichtig‹ oder noch so ›selbstevident‹[11]. Derartige Intuitionen können nicht einmal als ein Argument dienen, obgleich sie uns zur Suche nach Argumenten anregen können. Denn für jemand anderen kann es ebenso selbstevident sein, daß dieselbe Theorie falsch ist. Der Weg der Wissenschaft ist gepflastert mit abgelegten Theorien, die einst als selbstevident galten; so zum Beispiel verhöhnte Francis Bacon alle die, die die selbstevidente Wahrheit leugneten, daß sich die Sonne und die Sterne um die klarerweise ruhende Erde bewegten. Die Intuition spielt im Leben eines Wissenschaftlers ebenso wie im Leben eines Dichters ohne Zweifel eine wichtige Rolle. Sie führt ihn zu seinen Entdeckungen. Aber sie kann ihn auch zu seinen Fehlschlägen führen. Und sie bleibt sozusagen immer seine Privatsache.

Die Wissenschaft fragt nicht danach, wie er zu seinen Erkenntnissen gekommen ist. Sie hat nur ein Interesse an den Argumenten, die von jedermann überprüft werden können. Der große Mathematiker Gauß hat diese Situation einst sehr hübsch beschrieben, als er ausrief: »Ich habe mein Ergebnis gefunden! Aber ich weiß noch nicht, wie ich es finden soll.« All dies gilt natürlich auch für die aristotelische Lehre von der intellektuellen Intuition der sogenannten Wesenheiten, eine Lehre, die von Hegel und in unserer eigenen Zeit von Husserl und seinen zahlreichen Schülern verbreitet wurde; und dies zeigt uns, daß ›die intellektuelle Intuition der Wesenheiten‹ oder die ›reine Phänomenologie‹, wie es Husserl nennt, weder eine Methode der Wissenschaft noch eine Methode der Philosophie ist. (Die viel diskutierte Frage, ob sie, wie die reinen Phänomenologen glauben, eine neue Erfindung ist oder eine Spielart des Cartesianismus (oder der Hegelschen Philosophie), läßt sich leicht entscheiden; sie ist eine Spielart der aristotelischen Philosophie.)

Die zweite zu kritisierende Lehre weist noch wichtigere Verbindungen mit modernen Ansichten auf; und sie hängt besonders mit dem Problem des Verbalismus zusammen. Man weiß seit Aristoteles, daß nicht alle Sätze bewiesen werden können und daß ein solcher Versuch nur zu einem unendlichen Regreß der Beweise führt und daher zusammenbrechen muß. Aber weder Aristoteles[12] noch zahlreiche andere Autoren scheinen sich darüber im klaren zu sein, daß der analoge Versuch einer Definition des Sinnes aller unserer Begriffe in gleicher Weise zu einem unendlichen Regreß von Definitionen führen muß. Die folgende Stelle aus Crossmans *Plato To-Day* ist charakteristisch für eine Ansicht, die im Grunde von vielen geachteten zeitgenössischen Philosophen, zum Beispiel auch von Wittgenstein[13], vertreten wird: »... wenn wir den Sinn unserer Worte nicht genau kennen, so ist es nicht möglich, eine Frage mit Gewinn zu diskutieren. Die meisten der wertlosen Argumente, an die wir alle Zeit verschwenden, sind im Grunde auf den Umstand zurückzuführen, daß jeder von uns den Worten, die er verwendet, seinen eigenen vagen Sinn gibt und annimmt, daß der Opponent jene Worte im gleichen Sinn verwenden wird. Wenn wir zu Beginn unsere Begriffe definieren würden, dann könnten wir unsere Diskussionen weit einträglicher gestalten. Auch brauchen wir nur die Tageszeitungen zu lesen, um zu beobachten, daß die Propaganda (das moderne Gegenstück der Rhetorik) vor allem davon abhängt, daß sie den Sinn der Begriffe verwirrt. Wenn die Politiker gesetzlich gezwungen würden, jeden Begriff, den sie verwenden wollen, zu definieren, so würden sie einen Großteil ihrer Popularität und ihrer Anziehungskraft verlieren, ihre Reden würden kürzer sein, und man würde finden, daß viele ihrer Meinungsverschiedenheiten rein verbaler Natur sind.« Diese Stelle ist sehr charakteristisch für eines der Vorurteile, das wir Aristoteles verdanken, für das Vorurteil, daß die Sprache durch die Verwendung von Definitionen genauer gemacht werden kann. Überlegen wir, ob das wirklich der Fall ist.

Zunächst ist folgendes klar: »Wenn die Politiker« (oder sonst jemand) »gesetzlich gezwungen würden, jeden Begriff zu definieren, den sie verwenden wollen«, so würden ihre Reden nicht kürzer, sondern unendlich lang werden. Denn eine Definition kann den Sinn eines Begriffs ebensowenig begründen, wie ein Beweis oder eine Ableitung die Wahrheit eines Satzes begründen kann; beide können dieses Problem nur verschieben. Die Ableitung verschiebt das Problem der Wahrheit zurück auf die Prämissen, die Definition verschiebt das Problem des Sinnes zurück auf die definierenden Begriffe (das heißt auf jene Begriffe, die die Definitionsformel aufbauen)[14]. Aber diese definierenden Begriffe werden aus vielen Gründen höchstwahrscheinlich ebenso vage und verwirrend sein wie die Begriffe, von denen wir ausgegangen sind; und auf jeden Fall müßten wir nun sie selbst definieren, was zu neuen Begriffen führt, die gleichfalls definiert werden müssen. Und so weiter *ad infinitum.* Man sieht, daß die Forderung der Definition aller unserer Begriffe ebenso unhaltbar ist wie die Forderung des Beweises aller unserer Behauptungen.

Diese Kritik mag auf den ersten Blick unfair erscheinen. Der Einwand liegt nahe, daß jemand, der Definitionen verlangt, an die Ausschaltung der Zweideutigkeit denkt, die so oft mit Worten wie[15] ›Demokratie‹, ›Freiheit‹, ›Pflicht‹, ›Religion‹ verbunden sind; daß es sicher unmöglich ist, alle Begriffe zu definieren; daß es aber möglich ist, Definitionen für einige dieser gefährlichen Begriffe zu geben und es dabei bewenden zu lassen; und daß wir eben die definierenden Begriffe hinnehmen müssen, das heißt, daß wir nach ein oder zwei Schritten anhalten müssen, um einen unendlichen Regreß zu vermeiden. Aber diese Verteidigung ist unhaltbar. Zugegeben – die erwähnten Begriffe werden häufig mißbraucht. Aber ich bestreite, daß der Versuch, sie zu definieren, die Situation verbessern kann. Er kann sie nur verschlechtern. Es ist klar, daß die Politiker, auch wenn sie ihre ›Begriffe‹ nur einmal ›definieren‹ und hierauf die definierenden Ausdrücke undefiniert lassen würden, ihre Reden nicht abkürzen könnten; denn jede essentialistische Definition, das heißt jede Definition, die ›unsere Begriffe definiert‹ (im Gegensatz zu einer nominalistischen Definition, die neue Fachausdrücke einführt) bedeutet, wie wir gesehen haben, die Einführung einer langen Geschichte anstelle einer kurzen. Außerdem würde der Versuch, gewisse Begriffe zu definieren, die Vagheit und die Verwirrung nur noch vermehren. Denn da wir nicht verlangen können, daß alle definierenden Ausdrücke ihrerseits definiert werden, so kann ein kluger Politiker oder Philosoph die Forderung nach Definitionen mühelos erfüllen. Auf die Frage, was er unter ›Demokratie‹ versteht, kann er zum Beispiel antworten ›die Herrschaft des allgemeinen Willens‹ oder ›die Herrschaft des Volksgeistes‹; und da er nun eine Definition gegeben und damit die höchsten Maßstäbe der Präzision erfüllt hat, so wird es niemand wagen, ihn länger zu kritisieren. In der Tat – wie könnte er auch kritisiert werden, wo uns doch die weitere Forderung nach einer Definition der Begriffe ›Herrschaft‹ oder ›Volk‹ oder ›Willen‹ oder ›Geist‹ in einen unendlichen Regreß treibt, so daß jedermann zögern wird, sie zu erheben; sollte sie aber all dem zum Trotz doch erhoben werden, so läßt sie sich ebenso leicht erfüllen. Andrerseits kann ein Streit über die Korrektur oder Wahrheit der aufgestellten Definition nur zu einem leeren Wortgefecht führen.

Damit bricht die essentialistische Definitionslehre zusammen, und dies auch dann, wenn sie nicht, wie bei Aristoteles, die ›Prinzipien‹ unseres Wissens zu begründen versucht, sondern sich mit der bescheideneren Forderung begnügt, daß wir ›den Sinn unserer Worte definieren sollten‹.

Aber sicher ist die Forderung, klar und unzweideutig zu sprechen, sehr wichtig, und es muß ihr Genüge getan werden. Läßt sie sich innerhalb der nominalistischen Lehre erfüllen? Und kann der Nominalismus dem infiniten Regreß entgehen?

Er kann es. Für die nominalistische Position gibt es keine Schwierigkeit, die dem unendlichen Regreß entspricht. Wie wir gesehen haben, verwendet die Wissenschaft Definitionen nicht, um den Sinn ihrer Begriffe festzustellen, sondern nur, um handliche abkürzende Etiketten einzuführen. Und sie hängt nicht von Definitionen ab; alle Definitionen (und damit die definierten Begriffe) können ohne Verlust der gegebenen Information weggelassen werden. Daraus folgt, daß in der Wissenschaft *alle wirklich unentbehrlichen Begriffe nur die undefinierten Begriffe sein können.* Aber wie versichert sich dann die Wissenschaft des Sinnes ihrer Begriffe? Auf diese Frage sind verschiedene Antworten vorgeschlagen worden[16], doch glaube ich nicht, daß auch nur eine von ihnen wirklich befriedigend ist. Die Situation scheint so zu liegen: Die Aristotelische Lehre und verwandte philosophische Richtungen haben uns so lange Zeit eingeredet, wie wichtig es ist, den Sinn unserer Begriffe genau zu kennen, daß wir alle geneigt sind, daran zu glauben. Und bei diesem Glauben verharren wir trotz der unbestreitbaren Tatsache, daß die Philosophie, die sich für zwanzig Jahrhunderte um den Sinn ihrer Begriffe Sorgen gemacht hat, nicht nur voll ist von Gerede und Wortklauberei, sondern auch erschreckend vage und vieldeutig, während eine Wissenschaft wie die Physik, die sich kaum um Begriffe und ihren Sinn, sondern statt dessen um Tatsachen kümmert, große Präzision erreicht hat. Das ist sicher ein wichtiger Hinweis darauf, daß die Wichtigkeit des Sinnes von Begriffen unter dem Einfluß der Aristotelischen Lehren sehr übertrieben worden ist. Aber ich glaube, daß das Beispiel der Physik noch mehr zeigt. Denn ganz abgesehen davon, daß diese Konzentration auf das Problem des Sinnes nicht zu größerer Genauigkeit führt, ist sie selbst die Hauptquelle von Vagheit, Zweideutigkeit und Verwirrung.

In der Wissenschaft sorgen wir dafür, daß die Behauptungen, die wir aufstellen, nie vom Sinn unserer Begriffe *abhängen.* Sogar dort, wo die Begriffe definiert werden, versuchen wir nie aus der Definition irgendein Wissen herzuleiten oder ein Argument auf sie zu gründen. Das ist der Grund, warum uns unsere Begriffe so wenig Sorge bereiten. Wir überlasten sie nicht. Wir bemühen uns, ihnen so wenig wie möglich Gewicht zu verleihen. Wir nehmen ihren ›Sinn‹ nicht allzu ernst. Wir sind uns immer des Umstandes bewußt, daß sie ein wenig vage sind (denn wir haben ihren Gebrauch nur in praktischen Anwendungen gelernt), und wir erreichen Präzision nicht, indem wir ihren Halbschatten von Vagheit reduzieren, sondern indem wir uns von ihm entfernt halten, das heißt, indem wir unsere Sätze sorgfältig so formulieren, daß die möglichen Abschattungen des Sinns unserer Begriffe nichts ausmachen. Auf diese Weise vermeiden wir einen Streit über bloße Worte.

Die Idee, daß die Genauigkeit der Wissenschaft oder der wissenschaftlichen Sprache von der Genauigkeit ihrer Begriffe abhängt, ist sicher sehr plausibel, aber ich halte sie nichtsdestoweniger für ein bloßes Vorurteil. Die Präzision einer Sprache hängt vielmehr gerade davon ab, daß sie sich sorgfältig bemüht, ihre Begriffe nicht mit der Aufgabe zu belasten, präzise zu sein. Ein Begriff wie ›Düne‹ oder ›Wind‹ ist sicher sehr vage. (Wie viele Zentimeter hoch muß ein kleiner Sandhügel sein, um eine ›Düne‹ zu heißen? Wie schnell muß sich die Luft bewegen, um ›Wind‹ genannt zu werden?) Dennoch sind diese Begriffe für viele Zwecke des Geologen hinreichend genau; und in anderen Umständen, wenn ein höherer Grad der Unterscheidung verlangt wird, kann er immer sagen ›Dünen von einer Höhe zwischen einem und acht Metern‹ oder ›Wind von einer Geschwindigkeit zwischen fünfzehn und dreißig Kilometern pro Stunde‹. Und in den exakten Wissenschaften ist die Situation ähnlich. Bei physikalischen Messungen zum Beispiel bemühen wir uns immer, den Bereich in Betracht zu ziehen, innerhalb dessen Fehler auftreten können; und Präzision besteht weder in dem Versuch, diesen Bereich zur Gänze zu beseitigen, noch in der Behauptung, daß es einen solchen Bereich nicht gebe, sondern vielmehr in seiner expliziten Anerkennung.

Selbst dort, wo ein Begriff Schwierigkeiten gemacht hat, wie zum Beispiel der Ausdruck ›Gleichzeitigkeit‹ in der Physik, beruhte die Schwierigkeit nicht auf der mangelnden Präzision oder auf der Zweideutigkeit seines Sinnes, sondern vielmehr darauf, daß uns ein intuitives Vorurteil veranlaßte, ihn mit zu viel Sinn oder mit einem zu ›präzisen‹ Sinn zu beladen – nicht mit zu wenig. Was Einstein bei seiner Analyse des Begriffes der Gleichzeitigkeit fand, war, daß die Physiker bei der Erörterung gleichzeitiger Ereignisse eine stillschweigende Annahme trafen (die Annahme, daß es ein unendlich schnelles Signal gibt), die sich als unrichtig erwies. Ihr Fehler bestand nicht darin, daß sie nichts meinten oder daß der Sinn dessen, was sie meinten, zweideutig war, oder daß der Begriff nicht genügend präzise war. Was Einstein fand, war vielmehr, daß die Ausschaltung dieser theoretischen

Annahme die Beseitigung einer Schwierigkeit ermöglichte, die sich in der Wissenschaft erhoben hatte, einer Annahme, deren Unrichtigkeit wegen ihrer ›Selbstevidenz‹ unbemerkt geblieben war. Er befaßte sich also gar nicht mit der Frage des Sinnes eines Begriffes, sondern mit der Frage der Wahrheit einer Theorie. Es ist sehr unwahrscheinlich, daß es zu weit geführt hätte, die von einem bestimmten physikalischen Problem völlig unabhängige Analyse des ›wesentlichen Sinnes‹ des Begriffes der Gleichzeitigkeit oder gar das, was die Physiker mit dem Begriff der Gleichzeitigkeit ›eigentlich meinen‹, zu untersuchen.

Ich denke, wir können aus diesem Beispiel lernen, daß wir nicht versuchen sollten, Probleme zu lösen, bevor wir überhaupt in Schwierigkeiten geraten sind. Und ich glaube auch, daß man das Beispiel Einsteins nicht zur Rechtfertigung einer vorwiegenden Beschäftigung mit Fragen heranziehen kann, die den ›Sinn‹ von Begriffen betreffen, wie etwa mit der Frage ihrer Vagheit oder ihrer Mehrdeutigkeit. Die ausschließliche Beschäftigung mit derartigen Fragen beruht vielmehr auf der Annahme, daß vieles vom ›Sinn‹ unserer Begriffe abhängt und daß wir mit diesem Sinn operieren; und sie muß daher zu einem Streit um Worte und zum Scholastizismus führen. Hier können wir sogleich eine Lehre wie die Wittgensteins[17] kritisieren, nach der die Wissenschaft Tatsachen untersucht, während die Philosophie die Aufgabe hat, den Sinn von Begriffen zu klären, dadurch unsere Sprache zu reinigen und linguistische Vexierfragen zu beseitigen. Es ist charakteristisch für die Ansichten dieser Schule, daß sie nicht zu Argumenten führen, die rational kritisiert werden können; die Schule wendet sich daher mit ihren subtilen Analysen[18] exklusiv an den kleinen esoterischen Kreis der Eingeweihten. Dies legt die Annahme nahe, daß die ausschließliche Beschäftigung mit Sinnfragen immer die Tendenz hat, zu jenem Ergebnis zu führen, das so typisch ist für die aristotelischen Richtungen in der Philosophie : zu Scholastizismus und Mystizismus.

Betrachten wir noch kurz, wie diese beiden typischen Ergebnisse des Aristotelianismus entstanden sind. Aristoteles betonte, daß die Demonstration, oder der Beweis, und die Definition die beiden fundamentalen Methoden sind, mit deren Hilfe wir Wissen erlangen. Wenn wir zuerst die Beweislehre betrachten, so kann kein Zweifel bestehen, daß sie zu zahllosen Versuchen führte, mehr zu beweisen, als bewiesen werden kann; die mittelalterliche Philosophie ist voll von diesem Scholastizismus, und dieselbe Tendenz läßt sich auf dem Kontinent bis herab auf Kant beobachten. Kants Kritik aller Versuche, die Existenz Gottes zu beweisen, führte zur romantischen Reaktion von

Fichte, Schelling und Hegel. Die neue Tendenz besteht darin, Beweise und mit ihnen jede Art rationaler Argumentation zu verwerfen. Mit der Romantik wird in der Philosophie, wie auch in den Sozialwissenschaften, eine neue Art von Dogmatismus Mode. Dieser Dogmatismus konfrontiert uns mit seiner apodiktischen Behauptung, die nur blindlings akzeptiert oder verworfen werden kann. Diese romantische Periode einer Orakelphilosophie, die Schopenhauer die »Periode der Unredlichkeit« genannt hat, wird von ihm auf folgende Weise beschrieben[19]: »... der Charakter der Redlichkeit, des gemeinschaftlichen Forschens mit dem Leser, welchen die Schriften aller früheren Philosophen tragen, ist hier verschwunden; nicht belehren, sondern betören will der Philosophaster dieser Zeit seinen Leser; davon zeugt jede Seite.«

Die aristotelische Definitionslehre führte zu einem ähnlichen Ergebnis. Zuerst produzierte sie ein Gutteil Haarspalterei. Später begannen aber die Philosophen zu fühlen, daß ein Argumentieren über Definitionen nicht möglich ist. Auf diese Weise ermunterte der Essentialismus nicht nur das Herumreden, er führte auch zur Enttäuschung am Argument, das heißt zur Enttäuschung an der Vernunft. Scholastizismus, Mystizismus, Verzweiflung an der Vernunft – dies sind die unvermeidlichen Resultate des platonischen und aristotelischen Essentialismus. Und mit Aristoteles wird Platons offener Aufstand gegen die Freiheit zum verborgenen Aufstand gegen die Vernunft.

Wie wir von Aristoteles selbst wissen, trafen der Essentialismus und die Lehre von der Definition, als sie zuerst vorgetragen wurden, auf eine starke Opposition, insbesondere auf die Opposition des Antisthenes, des alten Gefährten des Sokrates, der sehr vernünftige Einwände erhoben haben dürfte[20]. Aber diese Opposition wurde unglücklicherweise völlig geschlagen und verlor jeden Einfluß. Die Folgen, die diese Niederlage für die intellektuelle Entwicklung der Menschheit hatte, lassen sich kaum überschätzen.

Text 7

Das Problem der Induktion (1953, 1974)

I

Für eine knappe Formulierung des Induktionsproblems können wir Born zitieren; er schreibt: »... keine Beobachtung und kein Experiment, wie ausgedehnt auch immer, kann mehr liefern als eine endliche Zahl von Wiederholungen«; daher »transzendiert die Aufstellung eines Gesetzes – *B* ist von *A* abhängig – immer unsere Erfahrung. Und dennoch werden Aussagen dieser Art immer und überall aufgestellt und manchmal aufgrund recht dürftigen Materials.«[1]

Mit anderen Worten: Das logische Problem der Induktion entspringt (*a*) aus der Entdeckung Humes (von Born so klar formuliert), daß es unmöglich ist, ein Gesetz durch Beobachtung oder Experiment zu rechtfertigen, da es »die Erfahrung transzendiert«, (*b*) aus der Tatsache, daß die Wissenschaft »immer und überall« Gesetze aufstellt und anwendet. (Wie Hume wundert sich Born über das »dürftige Material«, das heißt über die geringe Anzahl beobachteter Fälle, auf der ein Gesetz beruhen kann.) Dazu müssen wir noch ergänzen (*c*) *das Prinzip des Empirismus,* das behauptet, daß in der Wissenschaft nur Beobachtung und Experiment über die *Annahme oder Ablehnung* von wissenschaftlichen Sätzen, einschließlich Gesetzen und Theorien, entscheiden dürfen.

Diese drei Prinzipien (*a*), (*b*) und (*c*) scheinen auf den ersten Blick einander zu widersprechen. Und dieser scheinbare Widerspruch bildet das *logische Problem der Induktion.*

Angesichts dieses Widerspruchs läßt Born (*c*), das Grundprinzip des Empirismus fallen (wie vor ihm Kant und viele andere, einschließlich Bertrand Russell), und zwar zugunsten von etwas, das er als ein ›metaphysisches Prinzip‹ bezeichnet; ein metaphysisches Prinzip, das zu formulieren er nicht einmal versucht; das er vage als einen ›Kodex‹ oder eine ›Handwerksregel‹ beschreibt; von dem ich bis heute keine Formulierung zu Gesicht bekommen habe, die auch nur etwas versprach und nicht von vornherein unhaltbar war.

In Wirklichkeit besteht aber zwischen den drei Prinzipien kein Widerspruch. Wir begreifen das sofort, wenn wir uns klarmachen, daß die Wissenschaft ein Naturgesetz oder eine Theorie *immer nur vorläufig* akzeptiert; das heißt, daß alle Gesetze und Theorien Vermutungen oder vorläufige *Hypothesen* sind (ich habe diese Anschauungsweise manchmal als ›Hypothetizismus‹ bezeichnet); und daß wir ein Gesetz oder eine Theorie aufgrund von neuen Tatsachen verwerfen können, ohne deshalb die alten Tatsachen aufgeben zu müssen, die uns ursprünglich bewogen hatten, das Gesetz oder die Theorie zu akzeptieren. (Ich zweifle nicht daran, daß Born und viele andere der Ansicht zustimmen würden, daß eine Theorie nur vorläufig akzeptiert werden kann. Aber der weitverbreitete Glaube an die Methode der Induktion zeigt, daß die weitreichenden Konsequenzen dieser Ansicht nur selten gesehen werden.)

Das Grundprinzip des Empirismus (*c*) können wir uneingeschränkt aufrechterhalten, da das Schicksal einer Theorie, ihre Annahme oder Ablehnung, durch Beobachtung und Experiment entschieden wird durch das Ergebnis von Prüfungen. Solange eine Theorie die schwersten Prüfungen besteht, die wir uns ausdenken können, wird sie akzeptiert; wenn nicht, wird sie verworfen. Aber sie wird niemals, in irgendeinem Sinn, aus empirischen Tatsachen abgeleitet. Es gibt weder eine psychologische noch eine logische Induktion. *Nur die Falschheit einer Theorie kann aus empirischen Tatsachen abgeleitet werden, und diese Ableitung ist rein deduktiv.*

Hume hat gezeigt, daß es nicht möglich ist, eine Theorie aus Beobachtungssätzen abzuleiten. Aber das berührt nicht die Möglichkeit, eine Theorie durch Beobachtungssätze zu widerlegen. Das volle Verständnis dieser Möglichkeit macht die Beziehung zwischen Theorie und Beobachtung gänzlich klar.

Das ist die Lösung des angeblichen Widerspruchs zwischen den Prinzipien (*a*), (*b*) und (*c*) und damit auch die Lösung von Humes Induktionsproblem.

II

Die philosophische Tradition, oder was man als solche bezeichnen kann, hat Humes Induktionsproblem fast immer schlecht formuliert. Zuerst werde ich einige dieser schlechten Formulierungen vorstellen, die ich als die *traditionellen Formulierungen des Induktionsproblems* bezeichne. Ich werde sie jedoch durch Formulierungen ersetzen, die meiner Meinung nach besser sind.

Typische Beispiele für zugleich traditionelle und schlechte Formulierungen des Induktionsproblems sind die folgenden.

Was ist die Rechtfertigung für die Überzeugung, daß die Zukunft der Vergangenheit gleichen wird? Was ist die Rechtfertigung für sogenannte *induktive Schlüsse*?

Mit einem induktiven Schluß meint man hier einen Schluß aus wiederholt *beobachteten Fällen* auf einige vorerst noch *unbeobachtete Fälle*. Es ist verhältnismäßig unwichtig, ob ein solcher Schluß aus dem Beobachteten auf das Unbeobachtete in zeitlicher Hinsicht prädiktiv oder retrodiktiv ist; ob wir schließen, daß die Sonne morgen aufgehen wird oder daß sie vor 100.000 Jahren aufging. Natürlich kann man von einem pragmatischen Standpunkt aus sagen, daß die prädiktive Art des Schließens die wichtigere ist. Ohne Zweifel ist sie es gewöhnlich.

Es gibt verschiedene andere Philosophen, die ebenfalls finden, daß dieses traditionelle Problem der Induktion auf falschen Voraussetzungen beruht. Einige sagen, daß es auf falschen Voraussetzungen beruht, weil das induktive Schließen in Wirklichkeit ebensowenig einer Rechtfertigung bedarf wie das deduktive Schließen. Induktives Schließen ist induktiv gültig genau so, wie deduktives Schließen deduktiv gültig ist. Ich glaube, es war Professor Strawson, der das als erster sagte.

Ich bin anderer Meinung. Ich glaube mit Hume, daß es einfach keine solche logische Entität wie einen induktiven Schluß gibt; oder, daß alle sogenannten induktiven Schlüsse logisch unhaltbar sind – und sogar *induktiv* unhaltbar, um es schärfer auszudrücken [siehe den Schluß dieses Textes]. Wir kennen viele Beispiele deduktiv gültiger Schlüsse und sogar einige partielle Kriterien für die deduktive Gültigkeit; aber es gibt kein Beispiel eines gültigen Induktionsschlusses[2]. Und übrigens behaupte ich, daß man dieses Resultat in Hume finden kann, obwohl Hume gleichzeitig und in scharfem Gegensatz zu mir *an die psychologische Macht der Induktion glaubte*; nicht als ein logisch zulässiges Verfahren, sondern als ein Verfahren, das Tiere und Menschen tatsächlich und aus biologischer Notwendigkeit erfolgreich verwenden.

Ich halte es für eine wichtige Aufgabe, klarzumachen, wo ich Hume zustimme und wo ich anderer Meinung bin, selbst wenn ich damit einige Widerholungen nicht vermeiden kann.

Ich stimme Humes Meinung zu, daß die Induktion unhaltbar und in keiner Hinsicht gerechtfertigt ist. Als Folge davon können weder

Hume noch ich die traditionellen Formulierungen akzeptieren, die unkritisch eine Rechtfertigung der Induktion verlangen; eine solche Forderung ist unkritisch, weil sie blind für die Möglichkeit ist, daß die Induktion *in jeder Hinsicht* unhaltbar und daher *nicht zu rechtfertigen* ist.

Ich stimme nicht mit Humes Meinung (der Meinung übrigens fast aller Philosophen) überein, daß die Induktion eine Tatsache ist und daß sie auf jeden Fall gebraucht wird. Ich behaupte, daß weder Tiere noch Menschen irgendein Verfahren wie die Induktion oder irgendein auf der Wiederholung von Fällen beruhendes Argument verwenden. Die Überzeugung, daß wir Induktionen verwenden, ist einfach ein Irrtum. Sie ist eine Art optische Täuschung.

Was wir tatsächlich verwenden, ist eine Methode von Versuch und Fehlerausmerzung; wie immer täuschend ähnlich diese Methode der Induktion sehen mag, ihre logische Struktur, wenn wir sie genau untersuchen, ist von derjenigen der Induktion vollkommen verschieden. Überdies ist es eine Methode, die keine der Schwierigkeiten verursacht, die mit dem Induktionsproblem zusammenhängen.

Ich bin also nicht gegen das traditionelle Problem, weil die Induktion ohne Rechtfertigung auskommt; im Gegenteil, sie hätte eine Rechtfertigung dringend nötig. Aber diese Notwendigkeit kann nicht erfüllt werden. Die Induktion gibt es nun einmal nicht, und die gegenteilige Ansicht ist einfach falsch.

III

Es gibt viele Arten, meinen eigenen nicht-induktivistischen Standpunkt vorzulegen. Vielleicht ist die einfachste die folgende. Ich werde zu zeigen versuchen, daß der ganze Induktionsapparat unnötig wird, sobald wir die allgemeine Fehlbarkeit der menschlichen Erkenntnis zugeben, oder, wie ich es gewöhnlich nenne, *den Vermutungscharakter der menschlichen Erkenntnis*.

Ich möchte das zuerst im Zusammenhang mit der besten Art von menschlicher Erkenntnis zeigen, die wir haben, das heißt, der wissenschaftlichen Erkenntnis. Ich behaupte, daß wissenschaftliche Erkenntnis wesentlich konjektural oder hypothetisch ist.

Nehmen wir die klassische Newtonische Mechanik als Beispiel. Nie hat es eine erfolgreichere Theorie gegeben. Wenn wiederholte erfolgreiche Beobachtungen eine Theorie beweisen könnten, hätten sie

Newtons Theorie bewiesen. Newtons Theorie wurde jedoch auf dem Gebiet der Astronomie durch Einsteins Theorie abgelöst und auf dem Gebiet der Atomforschung durch die Quantentheorie. Und fast alle Physiker finden jetzt, daß die klassische Newtonische Mechanik nichts weiter ist als eine erstaunliche Vermutung, eine merkwürdig erfolgreiche Hypothese, und eine verblüffend gute Annäherung an die Wahrheit.

Jetzt kann ich meine Hauptthese formulieren, die wie folgt lautet. Wenn wir die Implikationen des Vermutungscharakters der menschlichen Erkenntnis erst einmal klar erkennen, verändert sich der Charakter des Induktionsproblems völlig: wir brauchen uns wegen der negativen Resultate Humes nicht mehr zu beunruhigen, da wir der menschlichen Erkenntnis keine *Gültigkeit* mehr zuzuschreiben brauchen, die von wiederholten Beobachtungen herrührt. Die menschliche Erkenntnis besitzt keine solche Gültigkeit. Andererseits können wir alle unsere Leistungen mit der Methode von Versuch und Fehlerbeseitigung erklären. Um es ganz kurz zu sagen: unsere Vermutungen sind unsere Versuchsballons, und wir prüfen sie, indem wir sie kritisieren und indem wir versuchen, sie zu ersetzen – indem wir zu zeigen versuchen, daß es bessere oder schlechtere Vermutungen geben kann und daß sie verbessert werden können. Das Problem, ob vorgeschlagene, rivalisierende Vermutungen oder Theorien vergleichsweise besser oder schlechter sind, verdrängt das Problem der Induktion von seinem Platze.

Was hauptsächlich daran hindert, den Vermutungscharakter der menschlichen Erkenntnis einerseits und die darin enthaltene Lösung des Induktionsproblems andererseits zu akzeptieren, ist eine Doktrin, die man als die Erkenntnistheorie des Alltagsverstands oder die *Kübeltheorie des menschlichen Geistes* bezeichnen kann[3].

IV

Ich halte sehr viel vom Alltagsverstand. Ich bin sogar der Meinung, daß alle Philosophie von den Ansichten des Alltagsverstandes und ihrer kritischen Überprüfung ausgehen muß.

Für unsere Zwecke hier möchte ich zwei Teile der Weltsicht des Alltagsverstandes unterscheiden und darauf aufmerksam machen, daß sie in Konflikt miteinander stehen.

Der erste ist der Realismus des Alltagsverstandes; das ist die Ansicht, daß es eine wirkliche Welt gibt, die wirkliche Menschen, Tiere und Pflanzen, Autos und Sterne enthält. Ich glaube, daß diese Ansicht wahr und ungeheuer wichtig ist, und ich glaube, daß noch nie eine haltbare Kritik dieser Ansicht vorgeschlagen wurde. [Siehe auch Text *17*, unten.]

Ein ganz anderer Teil der Weltsicht des Alltagsverstandes ist die *Erkenntnistheorie* des Alltagsverstandes. Dabei geht es um das Problem, wie wir Erkenntnis über die Welt erlangen. Die Lösung des Alltagsverstandes ist: indem wir unsere Augen und Ohren öffnen. *Unsere Sinne sind die wichtigsten, wenn nicht gar die einzigen, Quellen unserer Erkenntnis*.

Diese zweite Ansicht betrachte ich als völlig falsch, und ich glaube, daß sie unzulänglich kritisiert worden ist (trotz Leibniz und Kant). Ich nenne sie die Kübeltheorie des Geistes, weil sie durch die folgende Zeichnung zusammengefaßt werden kann.

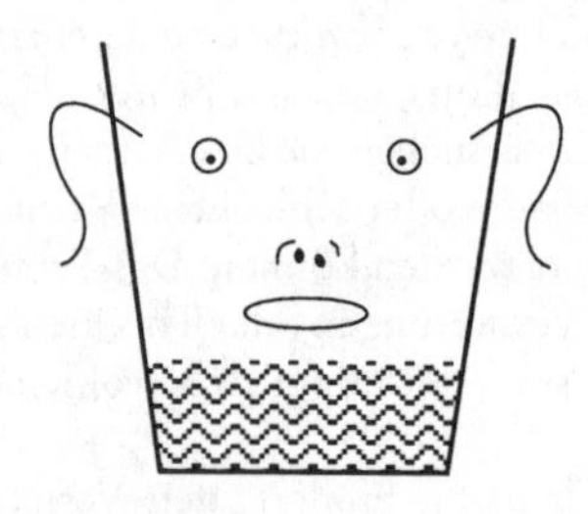

Was angeblich durch unsere Sinne in den Kübel hineingelangt, sind die Elemente, die Atome oder Moleküle der Erkenntnis. Unsere Erkenntnis besteht dann aus einer Anhäufung, einer Auswahl, oder vielleicht einer Synthese der uns durch die Sinne angebotenen Elemente.

Hume hielt beide Teile der Philosophie des Alltagsverstandes, den Realismus des Alltagsverstandes und die Erkenntnistheorie des Alltagsverstandes, für wahr; er stellte fest, wie Berkeley vor ihm, daß zwischen ihnen ein Konflikt besteht. Denn die Erkenntnistheorie des Alltagsverstandes führt leicht zu einer Art Antirealismus. Wenn die Erkenntnis aus Empfindungen zustande kommt, dann sind Empfindungen die einzig *gewissen* Elemente der Erkenntnis, und es gibt keinen guten Grund zu der Annahme, daß es irgend etwas gibt außer Empfindungen.

Hume, Berkeley und Leibniz waren alle von einem Prinzip des zureichenden Grundes überzeugt. Für Berkeley und Hume nahm das

Prinzip folgende Form an: wenn es tatsächlich keinen zureichenden Grund gibt, eine Überzeugung für wahr zu halten, dann ist diese Tatsache selbst ein zureichender Grund, diese Überzeugung aufzugeben. Echte Erkenntnis bestand für Berkeley und Hume wesentlich aus Überzeugung, die durch zureichende Gründe unterstützt sein mußte: aber dies führte sie zu der Position, daß Erkenntnis mehr oder weniger aus nichts als Empfindungen besteht.

Die reale Welt des Alltagsverstandes existiert also nicht wirklich für diese Philosophen; nach Hume existieren nicht einmal wir selbst ganz. Alles, was existiert, sind Empfindungen, Eindrücke und Erinnerungsbilder. [Siehe auch Text 22, Abschnitt *I*, unten.]

Diese antirealistische Ansicht kann mit verschiedenen Namen bezeichnet werden, aber der übliche Name ist scheinbar ›Idealismus‹. Hume glaubte, daß sein eigener Idealismus eine strenge Widerlegung des Realismus des Alltagsverstandes war. Aber obwohl er sich *rational* verpflichtet fühlte, den Realismus des Alltagsverstandes als einen Irrtum zu betrachten, gab er zu, daß es ihm selbst in der Praxis ganz unmöglich war, länger als eine Stunde am Realismus des Alltagsverstandes zu zweifeln.

So erlebte Hume sehr stark den Konflikt zwischen den beiden Teilen der Philosophie des Alltagsverstandes: dem Realismus und der Erkenntnistheorie des Alltagsverstandes. Und obwohl er sich bewußt war, daß es ihm gefühlsmäßig unmöglich war, den Realismus aufzugeben, sah er diese Tatsache als eine bloße Konsequenz irrationalen Brauches oder irrationaler Gewohnheit; er war davon überzeugt, daß ein beharrliches Festhalten an den kritischeren Resultaten der Erkenntnistheorie uns dazu bringen sollte, den Realismus aufzugeben[4]. Im Grunde ist Humes Idealismus die Hauptrichtung des Britischen Empirismus geblieben.

V

Ich glaube, daß die beiden Induktionsprobleme Humes – das logische Problem und das psychologische Problem – am besten vor dem Hintergrund der Induktionstheorie des Alltagsverstandes dargelegt werden können. Diese Theorie ist sehr einfach. Da alle Erkenntnis das Resultat vergangener Beobachtung sein soll, trifft das besonders für alle Erwartungserkenntnis zu, wie zum Beispiel, daß die Sonne morgen aufgehen wird, daß alle Menschen sterben müssen, oder daß Brot nährt. All das muß das Resultat vergangener Beobachtung sein.

Es ehrt Hume auf alle Zeiten, daß er es wagte, die Ansicht des Alltagsverstandes über die Induktion in Frage zu stellen, obwohl er nie daran zweifelte, daß sie zum größten Teil wahr sein muß. Er glaubte, daß die Induktion durch Wiederholung logisch unhaltbar war – daß rational oder logisch gesehen, *keine noch so große Anzahl* beobachteter Fälle für unbeobachtete Fälle im geringsten von Belang sein kann. Das ist Humes negative Lösung des Induktionsproblems, eine Lösung, der ich vollkommen beipflichte.

Aber Hume meinte zugleich, daß die Induktion, obwohl vernunftmäßig unhaltbar, eine psychologische Tatsache ist und daß wir uns alle auf sie verlassen.

Die beiden Induktionsprobleme Humes waren also:

(*1*) Das logische Problem: *Ist es vernünftigerweise gerechtfertigt, von wiederholten Einzelfällen, von denen wir Erfahrungswissen haben, auf Fälle zu schließen, von denen wir kein Erfahrungswissen haben?*

Humes unerbittliche Antwort war: Nein, es ist nicht gerechtfertigt, wie groß auch immer die Zahl der Wiederholungen ist. Und er fügte hinzu, daß es nicht den geringsten Unterschied mache, wenn wir bei diesem Problem nach *Gewißheit* statt nach *Wahrscheinlichkeit* verlangen. Fälle, von denen wir Erfahrungswissen haben, rechtfertigen es nicht, daß wir über die *Wahrscheinlichkeit* von Fällen, von denen wir kein Erfahrungswissen haben, schlüssig argumentieren; ebenso wenig wie über die *Gewißheit* solcher Fälle.

(2) Die folgende psychologische Frage: *Wie kommt es, daß trotzdem alle vernünftigen Menschen erwarten und glauben, daß Fälle, von denen sie kein Erfahrungswissen haben, jenen entsprechen werden, von denen sie Erfahrungswissen haben?* Oder, mit anderen Worten, warum haben wir alle *Erwartungen*, und warum halten wir mit so viel *Vertrauen* an ihnen fest, oder mit so starker Überzeugung?

Humes Antwort auf dieses psychologische Problem der Induktion war: *Aus ›Brauch oder Gewohnheit‹; oder, mit anderen Worten, wegen der irrationalen aber unwiderstehlichen Macht des Assoziationsgesetzes.* Wir sind durch *Widerholung daran gewöhnt*; durch einen Konditionierungsmechanismus, ohne den wir, sagt Hume, kaum überleben könnten.

Meine eigene Ansicht ist, daß Humes Antwort auf das logische Problem richtig ist und daß seine Antwort auf das psychologische Problem trotz ihrer Überzeugungskraft ganz falsch ist.

VI

Die Antworten, die Hume auf das logische und das psychologische Induktionsproblem gibt, führen direkt zu einem irrationalistischen Schluß. Nach Hume ist all unsere Erkenntnis, besonders all unsere wissenschaftliche Erkenntnis, irrationale Gewohnheit oder irrationaler Brauch, und sie ist rational vollkommen unvertretbar.

Hume selbst hielt das für eine Form des Skeptizismus; jedoch war es, wie Bertrand Russell zeigte, eine unbeabsichtigte Kapitulation vor dem Irrationalismus. Es ist eine erstaunliche Tatsache, daß ein einzigartiges kritisches Genie, einer der rationalsten Köpfe aller Zeiten, nicht nur nicht mehr an die Vernunft glaubte, sondern ein Verfechter der Unvernunft, des Irrationalismus wurde.

Niemand hat dieses Paradoxon stärker empfunden als Bertrand Russell, ein Bewunderer und in mancherlei Hinsicht sogar ein später Schüler Humes. So schreibt Russell im Hume-Kapitel seiner 1946 erschienenen *Geschichte der Westlichen Philosophie* über Humes Behandlung der Induktion: »Humes Philosophie ... ist der Bankrott der Vernunft des 18. Jahrhunderts«, und: »Daher ist es wichtig, herauszufinden, ob es im Rahmen einer ganz oder teilweise *empiristischen* Philosophie eine Antwort auf Hume gibt. Wenn nicht, *dann gibt es keinen erkenntnistheoretischen Unterschied zwischen Vernunft und Wahnsinn*. Der Verrückte, der sich für ein Rührei hält, ist nur deshalb abzulehnen, weil er sich in der Minderheit befindet... .«

Russell behauptet weiter, daß, wenn die Induktion (oder das Induktionsprinzip) abgelehnt wird, »jeder Versuch, von einzelnen Beobachtungen zu allgemeinen wissenschaftlichen Gesetzen zu kommen, zum Scheitern verurteilt ist, und der Empirist der Humeschen Skepsis nicht entgehen kann.«

Und Russell faßt seine Ansicht der Situation, die durch den Konflikt zwischen den beiden Antworten Humes geschaffen wurde, durch folgende dramatische Bemerkung zusammen:

»Der Vormarsch des Irrationalismus im neunzehnten und im bisherigen Teil des zwanzigsten Jahrhunderts ist eine natürliche Folge von Humes Zerstörung des Empirismus[5]*.«*

Dieses letzte Zitat Russells geht *vielleicht* zu weit. Ich möchte die Situation nicht übermäßig dramatisieren; und obwohl ich manchmal glaube, daß Russell mit seiner Emphase recht hat, gibt es Momente, wo ich es bezweifle.

Doch scheint mir das folgende Zitat von Professor Strawson die schwerwiegende Anklage von Russell zu unterstützen: »[Wenn] ... es ein Induktionsproblem gibt und ... Hume es aufgeworfen hat, muß man hinzufügen, daß er es gelöst hat ... [;] unser Akzeptieren der ›Grundregeln‹ [der Induktion] ... wird uns von der Natur aufgedrängt. ... Die Vernunft ist der Sklave der Leidenschaften und sollte es auch sein[6].«

Wie auch immer, ich behaupte, daß ich eine Antwort auf Humes psychologisches Problem habe, die den Konflikt zwischen der Logik und der Psychologie der Erkenntnis vollkommen beseitigt; und zugleich beiseitigt sie Humes und Strawsons ganzes Argumentieren gegen die Vernunft.

VII

Meine Art, Humes irrationalistische Konsequenzen zu vermeiden, ist ganz einfach. Ich löse das psychologische Induktionsproblem (sowie Formulierungen wie zum Beispiel das pragmatische Problem) auf eine Weise, die das folgende ›*Prinzip des Primats der logischen Lösung*‹ oder kürzer, das ›*Prinzip der Übertragung*‹ erfüllt. Das Prinzip lautet wie folgt. Die Lösung des logischen Induktionsproblems kann, wenn man sich etwas bemüht, direkt auf die Lösungen des psychologischen oder pragmatischen Problems übertragen werden, statt mit ihnen in Konflikt zu geraten. Im Ergebnis gibt es keinen Konflikt und keine irrationalistischen Konsequenzen.

Wir müssen von einer etwas anderen Formulierung des logischen Induktionsproblems selbst ausgehen.

Erstens muß es nicht nur mit Hilfe von ›Einzelfällen‹ (wie bei Hume) formuliert werden, sondern mit Hilfe von allgemeinen Regelmäßigkeiten oder Gesetzen. Regelmäßigkeiten oder Gesetze werden durch Humes eigenen Begriff ›Einzelfall‹ vorausgesetzt; denn ein Einzelfall ist ein Fall *von* etwas – *von* einer Regelmäßigkeit oder *von* einem Gesetz. (Oder vielmehr ist er ein Fall vieler Regelmäßigkeiten oder vieler Gesetze.)

Zweitens müssen wir die Reichweite unseres Denkens von Fällen ausweiten auf Gesetze, so daß wir auch Gegenbeispielen Beachtung schenken können.

Auf diese Weise kommen wir zu einer Neuformulierung des *logischen Induktionsproblems* Humes, etwa so:

Ist es vernünftigerweise gerechtfertigt, von Fällen oder Gegenbei-

spielen, von denen wir Erfahrungswissen haben, auf die Wahrheit oder Falschheit der entsprechenden Gesetze zu schließen oder auf Fälle, von denen wir kein Erfahrungswissen haben?

Das ist ein rein logisches Problem. Es ist im wesentlichen nur eine geringe Erweiterung des logischen Induktionsproblems Humes, das vorher in Abschnitt *V* formuliert wurde.

Die Antwort auf dieses Problem lautet: Wie Hume impliziert, ist es sicher nicht gerechtfertigt, von einem Einzelfall auf die Wahrheit des entsprechenden Gesetzes zu schließen. Aber man kann diesem negativen Resultat ein zweites, ebenso negatives, hinzufügen: Es *ist* gerechtfertigt, von einem Gegenbeispiel auf die *Falschheit* des entsprechenden allgemeinen Gesetzes zu schließen (das heißt, eines jeden Gesetzes, für das es ein Gegenbeispiel ist). Mit anderen Worten: Von einem rein logischen Standpunkt aus impliziert das Akzeptieren *eines* Gegenbeispiels für ›Alle Schwäne sind weiß‹ die Falschheit des Gesetzes ›Alle Schwäne sind weiß‹ – das heißt, des Gesetzes, dessen Gegenbeispiel wir akzeptiert haben. Die Induktion ist logisch unhaltbar; aber die Widerlegung oder Falsifizierung ist ein logisch zulässiger Weg, von einem einzigen Gegenbeispiel auf das entsprechende Gesetz zu schließen (oder besser: es auszuschließen).

Das zeigt, daß ich Humes negativem logischen Resultat immer noch zustimme; aber ich erweitere es.

Die logische Situation ist völlig unabhängig von jeglicher Frage, ob wir in der Praxis ein einziges Gegenbeispiel (zum Beispiel, einen einzigen schwarzen Schwan) als Widerlegung eines bisher höchst erfolgreichen Gesetzes akzeptieren. Ich behaupte nicht, daß wir uns notwendigerweise so leicht zufriedengeben müssen; wir können durchaus bezweifeln, daß es sich bei dem schwarzen Exemplar vor uns um einen Schwan handelt. Und überhaupt werden wir in der Praxis nur höchst zurückhaltend ein isoliertes Gegenbeispiel akzeptieren. Aber das ist eine andere Frage [siehe Abschnitt *IV* in Text *10*, unten]. Die Logik zwingt uns, selbst das erfolgreichste Gesetz im gleichen Moment aufzugeben, wenn wir ein einziges Gegenbeispiel akzeptieren.

Wir können also sagen: Hume hatte recht mit seinem negativen Resultat, daß es keinen logisch gültigen positiven Beweis geben kann, der in die induktive Richtung führt. Aber es gibt ein weiteres, ein negatives Resultat; es gibt logisch gültige, negative Beweise, die in die induktive Richtung führen: *ein Gegenbeispiel kann ein Gesetz widerlegen.*

VIII

Humes negatives Resultat weist ein für allemal nach, daß alle unsere allgemeinen Gesetze oder Theorien für immer Annahmen bleiben, Vermutungen, Hypothesen. Aber das zweite, das negative, die Kraft von Gegenbeispielen betreffende Resultat, schließt die Möglichkeit einer positiven Theorie keineswegs aus, wonach wir mit rein rationalen Argumenten einige konkurrierende Vermutungen anderen *vorziehen* können.

Tatsächlich können wir eine ziemlich detaillierte *logische Theorie der Bevorzugungen* erstellen – Bevorzugungen vom Standpunkt der Wahrheitssuche aus.

Um es kurz zu sagen, hat Russell unrecht mit seiner verzweifelten Bemerkung, daß »es keinen erkenntnistheoretischen Unterschied zwischen Vernunft und Wahnsinn gibt«, wenn wir mit Hume alle positive Induktion ablehnen. Denn das Aufgeben der Induktion hindert uns nicht daran, zum Beispiel Newtons Theorie derjenigen Keplers vorzuziehen, oder Einsteins Theorie derjenigen Newtons: während unserer vernünftigen kritischen Diskussion dieser Theorien haben wir *möglicherweise* die Existenz von Gegenbeispielen für Keplers Theorie akzeptiert, die Newtons Theorie nicht widerlegen, sowie von Gegenbeispielen für Newtons Theorie, die Einsteins Theorie nicht widerlegen. Das Akzeptieren dieser Gegenbeispiele vorausgesetzt, können wir sagen, daß Keplers und Newtons Theorien sicher falsch sind; während diejenige Einsteins wahr oder falsch sein kann: wir wissen es nicht. Es kann also eine *rein intellektuelle* Bevorzugung der einen oder anderen dieser Theorien geben; und wir sind sehr weit davon entfernt, mit Russell sagen zu müssen, daß jeder Unterschied zwischen Wissenschaft und Wahnsinn verschwindet. Zugegebenermaßen gilt Humes Argument immer noch, und daher ist der Unterschied zwischen einem Wissenschaftler und einem Wahnsinnigen nicht der, daß der erste seine Theorien sicher auf Beobachtungen stützt, während der andere das nicht tut, oder irgend etwas dieser Art. Trotzdem können wir jetzt sehen, daß es *möglicherweise* einen Unterschied gibt: es ist *möglicherweise* so, daß die Theorie des Wahnsinnigen leicht durch die Beobachtung zu widerlegen ist, während die Theorie des Wissenschaftlers strengen Prüfungen standhält.

Was die Theorien des Wissenschaftlers und des Wahnsinnigen gemeinsam haben, ist, daß beide dem *Vermutungswissen* angehören. Aber es gibt Vermutungen, die viel besser sind als andere; und das ist eine ausreichende Antwort auf Russell, und sie reicht aus, um den Skeptizismus zu vermeiden. Denn da es möglich ist, daß es Vermutungen gibt, die anderen *vorzuziehen* sind, ist es auch möglich, daß unser Vermutungswissen besser wird und *wächst*. (Natürlich ist es möglich, daß eine Theorie, die einer anderen zu einem bestimmten Zeitpunkt vorgezogen wird, zu einem späteren Zeitpunkt in Ungnade fällt, so daß die andere ihr jetzt vorgezogen wird. Aber es kann auch sein, daß das nicht geschieht.)

Wir können unter konkurrierenden Theorien die eine oder andere aus rein rationalen Gründen *vorziehen*. Es ist wichtig, daß wir uns im klaren sind darüber, welches die Prinzipien für die Bevorzugung oder Auslese sind.

Sie werden vor allem von der Idee der Wahrheit geleitet. Wir wollen wenn möglich Theorien, die wahr sind, und aus diesem Grunde versuchen wir, die falschen fallenzulassen.

Aber wir wollen mehr als das. Wir wollen neue und interessante Wahrheit. So gelangen wir zu der Idee *des Wachstums des informativen Gehalts*, und besonders des *Wahrheitsgehalts*. Das heißt, wir gelangen zu dem folgenden *Prinzip der Bevorzugung*: Eine Theorie mit einem großen informativen Gehalt ist im großen und ganzen, sogar bevor sie geprüft wurde, interessanter als eine Theorie mit wenig Gehalt. Zugegeben, wir müssen möglicherweise die Theorie mit dem größeren Gehalt, oder, wie ich sie auch nenne, die kühnere Theorie, aufgeben, wenn sie Prüfungen nicht standhält. Aber selbst in diesem Fall haben wir vielleicht mehr von ihr gelernt, als von einer Theorie mit wenig Gehalt, denn falsifizierende Prüfungen können manchmal neue und unerwartete Tatsachen und Probleme zum Vorschein bringen. [Siehe auch Text *13*, unten.]

Unsere logische Analyse führt uns also direkt zu einer Theorie der Methode und besonders zu der folgenden methodologischen Regel. Du sollst kühne Theorien mit großem informativen Gehalt ausprobieren und anstreben; und dann laß diese kühnen Theorien konkurrieren, indem du sie kritisch diskutierst und strengen Prüfungen unterziehst.

IX

Meine *Lösung* des logischen Induktionsproblems war, daß wir bestimmte der konkurrierenden Vermutungen *bevorzugen* können; das heißt jene, die höchst informativ sind und die bisher der Elimination durch Kritik entgangen sind. Diese bevorzugten Vermutungen sind das Resultat der Auslese, des Kampfes um das Überleben der Hypothesen unter dem Druck der *Kritik, die einen künstlich verstärkten Auslesedruck darstellt* .

Dasselbe gilt für das psychologische Induktionsproblem. Auch hier sehen wir konkurrierende Hypothesen, wir können sie auch Überzeugungen nennen; einige von ihnen werden ausgemerzt, während andere überleben, jedenfalls vorläufig. Tiere werden oft zusammen mit ihren Überzeugungen ausgemerzt; oder sie überleben mit ihnen. Die Menschen überleben ihre Überzeugungen häufig; aber so lange die Überzeugungen überleben (oft sehr kurz), bilden sie die (momentane oder dauernde) *Grundlage des Handelns* .

Es ist meine These, daß dieses Darwinische Verfahren der Selektion von Überzeugungen und Handlungen in keiner Weise als irrational bezeichnet werden kann. Es gerät in keiner Weise in Konflikt mit der rationalen Lösung des logischen Induktionsproblems. Vielmehr ist es nur die Übertragung der logischen Lösung auf das Gebiet der Psychologie. (Das heißt natürlich nicht, daß wir so etwas wie einen ›irrationalen Glauben‹ nie haben könnten.)

Mit einer Anwendung des Prinzips der Übertragung auf das psychologische Problem Humes verschwinden also Humes irrationalistische Folgerungen.

X

Als ich von Bevorzugung sprach, habe ich bisher nur die Bevorzugung des Theoretikers diskutiert – falls er eine hat; und warum sie für die ›bessere‹, das heißt prüfbarere, und die besser geprüfte, Theorie ausfallen wird. Es kann natürlich auch sein, daß der Theoretiker *keine* Theorie bevorzugt: vielleicht ist er entmutigt durch Humes und meine ›skeptische‹ Lösung zu Humes logischem Problem; vielleicht sagt er sich: Wenn ich keine *Gewißheit* haben kann beim Finden der wahren unter den konkurrierenden Theorien, dann bin ich an keiner der beschriebenen Methoden interessiert – nicht einmal dann, wenn die Methode es ziemlich sicher macht, daß, *wenn* sich eine wahre Theorie unter den vorgeschlagenen befindet, sie zu den überlebenden, den bevorzugten, den bewährten gehören wird. Doch ein optimistischerer, engagierterer, neugierigerer ›reiner‹ Theoretiker kann sich durch unsere Analyse durchaus ermutigt fühlen, wieder und wieder neue konkurrierende Theorien vorzuschlagen in der Hoffnung, daß eine von ihnen wahr sein könnte – selbst wenn wir von keiner je die Gewißheit haben können, daß sie wahr ist.

Für den reinen Theoretiker steht also mehr als ein Weg des Handelns offen; und er wird die Methode von Versuch und Fehlerbeseitigung nur dann wählen, wenn seine Neugier größer ist als seine Enttäuschung über die unvermeidliche Ungewißheit und Unvollständigkeit all unserer Bemühungen.

Anders ist es für ihn als Menschen der praktischen Tat. Denn ein Mensch der praktischen Tat muß immer zwischen mehr oder weniger bestimmten Alternativen *wählen*, denn *sogar das Nichthandeln ist eine Art von Handeln.*

Aber jede Handlung setzt eine Reihe von Erwartungen voraus, das heißt, von Theorien über die Welt. Welche Theorie soll der Mensch der Tat wählen? Gibt es so etwas wie eine *rationale Wahl*?

Das führt uns zu den *pragmatischen Problemen der Induktion*, die wir erst einmal so formulieren könnten:

(*1*) Auf welche Theorie sollten wir uns von einem rationalen Standpunkt aus für das praktische Handeln verlassen?

(*2*) Welche Theorie sollten wir von einem rationalen Standpunkt aus für das praktische Handeln bevorzugen?

Meine Antwort auf (*1*) ist: Von einem rationalen Standpunkt aus sollten wir uns auf keine Theorie ›verlassen‹, denn keine Theorie hat sich als wahr erwiesen, oder kann sich als wahr erweisen (oder als ›zuverlässig‹).

Meine Antwort auf (2) ist: Wir sollten die bestgeprüfte Theorie als Grundlage für unser Handeln *bevorzugen*.

Mit anderen Worten: Es gibt keine ›absolute Zuverlässigkeit‹; aber da wir wählen *müssen*, wird es ›vernünftig‹ sein, die bestgeprüfte Theorie zu wählen. Es wird in dem selbstverständlichsten Sinne des Wortes, der mir bekannt ist, ›vernünftig‹ sein: die bestgeprüfte Theorie ist die, welche im Lichte unserer *kritischen Diskussion* bisher die beste zu sein scheint; und ich kenne nichts ›Vernünftigeres‹, als eine gut geführte kritische Diskussion.

Da dieser Punkt nicht klar zu sein scheint, werde ich versuchen, ihn hier auf eine etwas andere Art neu zu formulieren, die mir David Miller vorgeschlagen hat. Vergessen wir vorläufig, was für Theorien wir ›verwenden‹ oder ›wählen‹ oder auf welche wir ›unsere praktischen Handlungen stützen‹, und betrachten wir nur den resultierenden *Vorschlag* oder die resultierende *Entscheidung* (*X* zu tun; *X* nicht zu tun; nichts zu tun; und so weiter). Ein solcher Vorschlag kann, so hoffen wir, rational kritisiert werden; und wenn wir rationale, handelnde Wesen sind, werden wir wünschen, daß er, wenn möglich, die strengste Kritik überlebt, deren wir fähig sind. *Aber eine solche Kritik wird sich frei der bestgeprüften wissenschaftlichen Theorien bedienen, die wir besitzen.* Daraus folgt, daß jeder Vorschlag, der diese Theorien ignoriert (wo sie relevant sind, wie ich wohl kaum hinzuzufügen brauche), unter der Kritik zusammenbrechen wird. Wenn dann ein Vorschlag übrigbleibt, wird es vernünftig sein, ihm zu folgen.

Das scheint mir alles ganz und gar nicht tautologisch zu sein. Tatsächlich kann es durchaus in Frage gestellt werden, indem man den kursiven Satz im letzten Absatz in Frage stellt. Warum, könnte man fragen, bedient sich die rationale Kritik der bestgeprüften Theorien, obwohl sie höchst unzuverlässig sind? Jedoch ist die Antwort genau diesselbe wie vorher. Die Entscheidung, einen praktischen Vorschlag vom Standpunkt der modernen Medizin aus zu kritisieren (und nicht, sagen wir, phrenologisch), ist selbst eine Art ›praktische‹ Entscheidung (jedenfalls kann sie praktische Konsequenzen haben). Die rationale Entscheidung ist also immer: bediene dich der kritischen Methoden, die selbst strenger Kritik standgehalten haben.

Natürlich ist hier ein unendlicher Regreß. Aber er ist offensichtlich harmlos.

Ich möchte nicht unbedingt bestreiten (aber auch nicht behaupten), daß wir, indem wir die bestgeprüfte Theorie als Handlungsbasis wählen, uns in irgendeinem Sinne des Wortes darauf ›verlassen‹. Sie kann daher sogar in irgendeinem Sinne des Wortes als die *›zuverlässigste‹* zur Verfügung stehende Theorie bezeichnet werden. Aber das heißt nicht, daß sie ›zuverlässig‹ ist. Sie ist zumindest in dem Sinne ›unzuverlässig‹, als wir immer gut daran tun werden, selbst im praktischen Handeln die Möglichkeit vorauszusehen, daß etwas schiefgehen kann mit ihr und unseren Erwartungen.

Aber es ist nicht nur diese belanglose Vorsicht, die wir aus unserer negativen Antwort auf das pragmatische Problem (1) herleiten müssen. Vielmehr ist es von äußerster Wichtigkeit für das Verständnis des ganzen Problems und besonders dessen, was ich als das traditionelle Problem bezeichnet habe, daß trotz der ›Vernünftigkeit‹, die bestgeprüfte Theorie als Grundlage für unser Handeln zu wählen, diese Wahl *nicht* ›rational‹ ist in dem Sinne, daß sie sich auf *gute Gründe zugunsten* der Erwartung stützt, daß sie in der Praxis erfolgreich sein wird: In einem solchen Sinne *kann es keine guten Gründe geben*, und das ist genau das Ergebnis von Hume. Im Gegenteil, selbst wenn unsere physikalischen Theorien wahr sein sollten, ist es durchaus möglich, daß die Welt, wie wir sie kennen, mit all ihren für das praktische Handeln relevanten Regelmäßigkeiten, sich in der nächsten Sekunde vollkommen auflöst. Das sollte heute für jedermann selbstverständlich sein; aber ich sagte es[7] schon vor Hiroshima: es gibt unendlich viele mögliche Ursachen für lokale, partielle oder totale Katastrophen.

Von einem pragmatischen Standpunkt aus lohnt es sich jedoch bei den meisten dieser Möglichkeiten nicht, sich den Kopf darüber zu zerbrechen, weil wir nichts dagegen *tun* können: Sie gehen über den Bereich des Handelns hinaus. (Natürlich zähle ich den Atomkrieg nicht zu den Katastrophen, die über den Bereich des menschlichen Handelns hinausgehen, obwohl wir fast alle so denken, weil wir als einzelner nicht mehr dagegen tun können als gegen eine Tat Gottes.)

All das würde sogar dann gelten, wenn wir sicher sein könnten, daß unsere physikalischen und biologischen Theorien wahr sind. Aber das wissen wir nicht. Im Gegenteil, wir haben sehr gute Gründe, selbst die besten von ihnen zu bezweifeln; und das fügt natürlich den unendlichen Katastrophenmöglichkeiten weitere Unendlichkeiten hinzu.

Diese Art von Überlegung macht die negative Antwort von Hume und mir so wichtig. Denn jetzt können wir ganz klar sehen, warum wir uns davor hüten müssen, daß unsere Erkenntnistheorie nicht zu viel beweist. Genauer: *keine Erkenntnistheorie sollte versuchen zu erklären, warum wir in unseren Bemühungen, die Dinge zu erklären, erfolgreich sind.*

Selbst wenn wir annehmen, daß wir erfolgreich sind – daß unsere physikalischen Theorien wahr sind – können wir von unserer Kosmologie lernen, wie unendlich unwahrscheinlich ein solcher Erfolg ist. Unsere Theorien zeigen uns, daß die Welt fast ganz leer ist und daß der leere Raum mit chaotischer Strahlung gefüllt ist. Und fast alle Orte, die nicht leer sind, sind entweder mit chaotischem Staub angefüllt, oder mit Gasen, oder mit sehr heißen Sternen – sie unterliegen alle Bedingungen, die uns vertraute physikalische Methoden zum Erwerb von Erkenntnis unmöglich zu machen scheinen.

Es gibt viele Welten, mögliche und wirkliche Welten, in denen die Suche nach Erkenntnis und nach Regelmäßigkeiten scheitern würde. Und selbst in der Welt, wie wir sie wirklich von den Naturwissenschaften kennen, scheint das Vorkommen von Bedingungen, unter denen das Leben und die Suche nach Erkenntnis entstehen – und gelingen – konnten, fast unendlich unwahrscheinlich zu sein. Zudem scheint es, daß solche Bedingungen, sollten sie je auftauchen, nach einer kosmologisch gerechnet sehr kurzen Zeit wieder verschwinden müßten.

In diesem Sinne ist die Induktion induktiv ungültig, wie ich oben sagte. Das heißt, jede starke positive Antwort auf Humes logisches Problem (zum Beispiel die These, daß die Induktion gültig ist) wäre paradox. Wenn einerseits die Induktion die Methode der Wissenschaft ist, dann ist die moderne Kosmologie wenigstens ungefähr richtig (was ich nicht bestreite); andererseits lehrt uns die moderne Kosmologie, daß es fast immer ganz unhaltbar wäre, von Beobachtungen her zu verallgemeinern, die größtenteils aus unserem unglaublich idiosynkratischen Teil des Universums stammen. Wenn also die Induktion ›induktiv gültig‹ ist, wird sie fast immer zu falschen Schlüssen führen; deshalb ist sie induktiv ungültig.

Text *8*
Das Abgrenzungsproblem (1974)

I. Wissenschaft gegen Nicht-Wissenschaft

Ich wende mich jetzt dem *Abgrenzungsproblem* zu, sowie der Erklärung, wie dieses Problem mit den Problemen des empirischen Gehalts und der Überprüfbarkeit zusammenhängt.

Die großen Wissenschaftler wie Galilei, Kepler, Newton, Einstein und Bohr (um mich auf einige der toten zu beschränken) verkörpern für mich eine einfache, jedoch eindrückliche Idee von der Wissenschaft. Selbstverständlich würde keine solche Liste, wie lange sie auch ist, *in extenso definieren,* was Wissenschaft oder was ein Wissenschaftler ist. Aber sie macht auf eine große Vereinfachung aufmerksam, von der wir, denke ich, viel lernen können. Mit meinem Paradigma der Wissenschaft meine ich die Arbeitsweise großer Wissenschaftler. Nicht, daß ich für die weniger großen keinen Respekt hätte; es gibt hunderte von großen Menschen und großen Wissenschaftlern, die der nahezu heroischen Kategorie angehören.

Jedoch möchte ich hier, bei allem Respekt für die weniger großen Wissenschaftler, eine heroische und romantische Vorstellung der Wissenschaft und derer, die für sie arbeiteten, vermitteln: Menschen, die sich demütig der Suche nach Wahrheit widmeten, dem Wachstum unserer Erkenntnis; Menschen, deren Leben aus einem Abenteuer mutiger Ideen bestand. Ich bin bereit, viele ihrer weniger brillanten Helfer, die sich ebenso der Suche nach Wahrheit widmeten – nach großer Wahrheit – in diese Überlegungen mit einzubeziehen. Aber ich zähle jene nicht zu ihnen, für die die Wissenschaft nichts weiter ist als ein Beruf, eine Technik: jene, die nicht tief berührt sind von großen Problemen und von den großen Vereinfachungen mutiger Lösungen.

Es ist die Wissenschaft in diesem heroischen Sinne, mit der ich mich befassen möchte. Dabei stellt sich nebenbei heraus, daß wir sogar auf die bescheideneren Arbeiter in der angewandten Wissenschaft viel Licht werfen können.

Für mich ist also Wissenschaft folgendes. Ich versuche aus sehr guten Gründen nicht, sie zu definieren. Ich möchte nur ein einfaches

Bild geben von der Art von Menschen, die ich meine, und von ihren Aktivitäten. Und das Bild wird eine grobe Vereinfachung sein: es sind Menschen mit mutigen Ideen, die aber ihren eigenen Ideen gegenüber höchst kritisch sind; sie versuchen herauszufinden, ob ihre Ideen richtig sind, indem sie versuchen herauszufinden, ob sie nicht vielleicht falsch sind. Sie arbeiten mit kühnen Vermutungen und strengen Widerlegungsversuchen ihrer eigenen Vermutungen.

Mein Kriterium für die Abgrenzung zwischen Wissenschaft und Nicht-Wissenschaft ist eine einfache logische Analyse dieses Bildes. Wie gut oder wie schlecht es ist, wird sich an seiner Fruchtbarkeit zeigen.

Mutige Ideen sind neue, kühne Hypothesen oder Vermutungen. Und strenge Widerlegungsversuche sind strenge, kritische Diskussionen und strenge empirische Prüfungen.

Wann ist eine Vermutung kühn, und wann ist sie es in dem hier vorgeschlagenen Sinne nicht? Antwort: Sie ist dann und nur dann kühn, wenn sie ein großes Risiko eingeht, falsch zu sein – wenn die Dinge anders sein könnten, und wenn sie zu jener Zeit anders zu sein scheinen.

Betrachten wir ein einfaches Beispiel. Die Vermutungen von Kopernikus oder Aristarch, daß die Sonne im Zentrum des Universums ruht und nicht die Erde, war unglaublich kühn. Sie war übrigens falsch; niemand akzeptiert heutzutage die Vermutung, daß die Sonne (im Sinne von Aristarch und Kopernikus) im Zentrum des Universums ruht. Aber das beeinflußt weder die Kühnheit der Vermutung noch ihre Fruchtbarkeit. Und eine ihrer Hauptkonsequenzen – daß die Erde nicht im Zentrum des Universums ruht, sondern daß sie (mindestens) eine tägliche und eine jährliche Drehung vollzieht – wird immer noch voll akzeptiert, trotz einiger Mißverständnisse der Relativitätstheorie[1].

Aber ich will hier nicht diskutieren, ob die Theorie gegenwärtig akzeptiert wird, sondern wie kühn sie war. Sie war kühn, weil sie mit allen damals akzeptierten Ansichten in Konflikt geriet, *sowie* mit dem glaubhaften Beweis der Sinne. Sie wahr kühn, weil sie eine bis dahin unbekannte versteckte Wirklichkeit hinter den Erscheinungen postulierte.

In einem anderen sehr wichtigen Sinne war sie nicht kühn: weder Aristarch noch Kopernikus schlugen ein realisierbares entscheidendes Experiment vor. Tatsächlich legten sie nicht nahe, daß irgend etwas an den traditionellen Erscheinungen nicht stimmte: sie ließen die akzeptierten Erscheinungen strikt unberührt; sie interpretierten sie nur neu. Sie waren nicht darauf aus, ihren Kopf zu riskieren, indem sie neue beobachtbare Erscheinungen vorhersagten. (Das ist eine grobe Vereinfachung im Falle des Kopernikus, aber es ist fast sicher wahr für Aristarch.)

In dem Maße, in dem das zutrifft, können die Theorien von Aristarch und von Kopernikus in meiner Terminologie als unwissenschaftlich oder metaphysisch bezeichnet werden. In dem Maße, in dem Kopernikus einige kleinere Vorhersagen machte, ist seine Theorie in meiner Terminologie wissenschaftlich. Aber sogar als metaphysische Theorie war sie ganz und gar nicht sinnlos; und mit ihrem Vorschlag einer neuen, mutigen Sicht des Universums leistete sie einen enormen Beitrag zum Beginn der neuen Wissenschaft.

Kepler ging viel weiter. Auch er hatte eine mutige metaphysische Sicht von der Wirklichkeit der Welt, die zum Teil auf der Kopernikanischen Theorie beruhte. Aber diese Sicht führte ihn zu vielen neuen genauen Vorhersagen von Erscheinungen. Zuerst stimmten diese Vorhersagen nicht mit den Beobachtungen überein. Er versuchte, die Beobachtungen im Lichte seiner Theorien neu zu interpretieren; aber seine Sucht nach Wahrheitssuche war noch größer als sein Enthusiasmus für die metaphysische Harmonie der Welt. Er sah sich also gezwungen, eine Anzahl seiner Lieblingstheorien eine nach der anderen aufzugeben und sie durch andere zu ersetzen, die den Tatsachen entsprachen. Es war ein großer und herzzerreißender Kampf. Das Endergebnis, seine drei berühmten und enorm wichtigen Gesetze, gefielen ihm nicht so recht – mit Ausnahme des dritten. Aber sie hielten seinen strengsten Prüfungen stand – sie stimmten mit den Erscheinungen im einzelnen überein, mit den Beobachtungen, die ihm Tycho Brahe hinterlassen hatte.

Keplers Gesetze sind ausgezeichnete Annäherungen an das, was wir heute für die wahren Planetenbewegungen unseres Sonnensystems halten. Sie sind sogar ausgezeichnete Annäherungen an die Bewegungen der Doppelsternsysteme, die seither entdeckt wurden. Aber sie sind nur *Annäherungen* an das, was die Wahrheit zu sein scheint; *sie sind nicht wahr*.

Sie wurden im Lichte neuer Theorien überpüft – den Theorien von Newton und von Einstein – , die kleine Abweichungen von Keplers Gesetzen vorhersagten. (Nach Newton treffen Keplers Gesetze nur für Zweikörpersysteme zu [siehe auch Text *12* unten].) Die entscheidenden Experimente fielen also gegen Kepler aus, zwar in sehr geringem Maße, aber deutlich genug.

Von diesen drei Theorien – die von Kepler, die von Newton und die von Einstein – ist die späteste und bisher erfolgreichste die von Einstein; und es war diese Theorie, die mich zur Wissenschaftstheorie führte. Was mich so sehr an Einsteins Gravitationstheorie beeindruckte, waren die folgenden Punkte.

(*1*) Es war eine sehr kühne Theorie. Sie wich in ihrer Grundanschauung stark von Newtons Theorie ab, die zu jener Zeit äußerst erfolgreich war. (Die kleine Abweichung des Periheliums des Merkur beunruhigte im Lichte des fast unglaublichen Erfolges der Theorie in anderer Hinsicht niemanden ernstlich. Ob sie jemanden hätte beunruhigen sollen, ist eine andere Frage.)

(*2*) Vom Standpunkt der Theorie Einsteins aus war die Theorie Newtons, obwohl falsch, eine ausgezeichnete Annäherung (ebenso, wie vom Standpunkt der Theorie Newtons aus die Theorien Keplers und Galileis, obwohl falsch, ausgezeichnete Annäherungen waren). Es ist also nicht ihre Wahrheit, die über den wissenschaftlichen Charakter einer Theorie entscheidet.

(*3*) Einstein verdankt seiner Theorie drei wichtige Vorhersagen von erheblich unterschiedlichen beobachtbaren Wirkungen; zwei davon waren niemandem vor ihm in den Sinn gekommen, und alle drei widersprachen der Theorie Newtons, so weit man sagen kann, daß sie überhaupt in das Anwendungsgebiet dieser Theorie fielen.

Aber was mich vielleicht am meisten beeindruckte, waren die folgenden zwei Punkte.

(*4*) Einstein erklärte, daß diese Vorhersagen entscheidend sind: wenn sie nicht mit seinen genauen theoretischen Kalkulationen übereinstimmen, würde er seine Theorie als widerlegt betrachten.

(*5*) Aber sogar wenn sie wie vorhergesagt beobachtet würden, erklärte Einstein, *sei seine Theorie falsch.* Er sagte, daß sie eine bessere Annäherung an die Wahrheit ist als Newtons, aber er gab Gründe an, warum er seine Theorie nicht als wahr betrachten würde, selbst wenn alle Vorhersagen richtig wären. Er skizzierte eine Anzahl von Bedingungen, die eine wahre Theorie (eine einheitliche Feldtheorie) erfüllen müßte und erklärte, daß seine Theorie im besten Falle eine Annäherung an diese bisher unerreichte einheitliche Feldtheorie ist.

Es kann nebenbei bemerkt werden, daß es Einstein ebenso wenig gelang wie Kepler, seinen wissenschaftlichen Traum zu erfüllen – oder seinen metaphysischen Traum: es ist in diesem Zusammenhang unwichtig, welche Bezeichnung wir verwenden. Was wir heute die Keplerschen Gesetze oder die Einsteinsche Gravitationstheorie nennen, sind Ergebnisse, die ihre Schöpfer in keiner Weise befriedigten; jeder arbeitete bis an sein Lebensende an seinem Traum weiter. Und selbst über Newton kann etwas ähnliches bemerkt werden: er glaubte nie, daß eine Theorie der Fernwirkung eine endgültig annehmbare Erklärung der Schwerkraft sein könnte[2].

Einsteins Theorie wurde erstmals durch das berühmte Experiment von Eddington anläßlich der Sonnenfinsternis von 1919 überprüft. Obwohl er nicht an die Wahrheit seiner Theorie glaubte, obwohl er glaubte, daß sie nur eine neue wichtige Annäherung an die Wahrheit war, zweifelte Einstein niemals daran, wie das Ergebnis dieses Experiments ausgehen würde; der innere Zusammenhang, die innere Logik seiner Theorie überzeugte ihn davon, daß sie ein Schritt vorwärts war, selbst wenn er wußte, daß sie nicht wahr sein konnte. Sie hat seither eine Reihe weiterer Prüfungen bestanden, alle sehr erfolgreich. Aber einige Leute glauben immer noch, daß die Übereinstimmung zwischen der Einsteinschen Theorie und den Beobachtungen das Resultat (unglaublich unwahrscheinlicher) Zufälle sein könnte. Es ist unmöglich, das auszuschließen; doch kann die Übereinstimmung auch daraus resultieren, daß Einsteins Theorie eine unglaublich gute Annäherung an die Wahrheit ist[3].

Das Bild der Wissenschaft, das ich bisher nur angedeutet habe, kann wie folgt skizziert werden.

Es gibt eine Wirklichkeit hinter der Welt, wie sie uns erscheint, möglicherweise eine vielschichtige Wirklichkeit, von der die Erscheinungen die äußersten Schichten sind. Der große Wissenschaftler stellt nun kühne Vermutungen, riskante Schätzungen darüber an, wie diese inneren Realitäten beschaffen sind. Das ist dem Erfinden von Mythen verwandt. (Historisch können wir die Ideen Newtons über Anaximander bis Hesiod zurückverfolgen und die Ideen Einsteins über Faraday, Boscovič, Leibniz und Descartes bis Aristoteles und Parmenides[4].) Der Mut kann an der Distanz zwischen der Welt der Erscheinungen und der vermuteten Realität, der erklärenden Hypothese, gemessen werden.

Aber es gibt eine weitere und besondere Art von Mut – *den Mut*, Aspekte der Erscheinungswelt *vorherzusagen* , die bisher übersehen wurden, die sie aber besitzen muß, wenn die vermutete Realität (mehr oder weniger) richtig ist, wenn die erklärenden Hypothesen (ungefähr) wahr sind. Es ist diese speziellere Art von Mut, die ich gewöhnlich meine, wenn ich von kühnen wissenschaftlichen Vermutungen spreche. Es ist die Kühnheit einer Vermutung, die ein großes Risiko eingeht – das Risiko, überprüft und widerlegt zu werden; das Risiko, mit der Realität in Konflikt zu geraten.

Es war und ist also mein Vorschlag, daß es diese zweite Art von Mut ist, einschließlich der Bereitschaft, Überprüfungen und Widerlegungen zu suchen, die die ›empirische‹ Wissenschaft von der Nicht-Wissenschaft unterscheidet, und besonders von den vorwissenschaftlichen Mythen und der Metaphysik.

Ich werde diesen Vorschlag als (*D*) bezeichnen: (*D*) für ›*Abgrenzung*‹ (›*demarcation*‹).

Der oben kursiv gedruckte Vorschlag (*D*) ist das, was ich immer noch als den Kern meiner Philosophie betrachte. Aber ich war immer äußerst kritisch allen meinen Ideen gegenüber; und so versuchte ich sofort, diese besondere Idee zu kritisieren, bevor ich sie veröffentlichte. Und ich veröffentlichte sie zusammen mit den wichtigsten Ergebnissen dieser Kritik. Meine Kritik führte mich zu einer Reihe von Verfeinerungen oder Verbesserungen des Vorschlages (*D*): Es waren keine späteren Konzessionen, sondern sie wurden zusammen mit dem Vorschlag als ein Bestandteil des Vorschlages selbst veröffentlicht[5].

II. Schwierigkeiten mit dem Abgrenzungsvorschlag

(*1.*) Ich habe mein Abgrenzungskriterium von Anfang an als einen *Vorschlag* bezeichnet. Das war zum Teil wegen meines Unbehagens gegenüber Definitionen und meiner Abneigung gegen sie. Definitionen sind entweder Abkürzungen und daher unnötig, wenn auch vielleicht praktisch, oder sie sind Aristotelische Versuche, ›das Wesen‹ eines Wortes zu ›formulieren‹, und daher unbewußte konventionelle Dogmen [siehe Text *6* oben]. Wenn ich ›Wissenschaft‹ mit meinem Abgrenzungskriterium definiere (ich gebe zu, das ist mehr oder weniger, was ich tue), dann könnte irgend jemand eine andere Definition vorschlagen, wie zum Beispiel ›die Wissenschaft ist die Summe aller wahren Sätze‹. Eine Diskussion über die Vorzüge solcher Definitionen kann ziemlich zwecklos sein. Deshalb habe ich hier mit einer Beschreibung der großen und heroischen Wissenschaft angefangen und schlug erst dann ein Kriterium vor, das es uns ermöglicht, diese Art von Wissenschaft – ungefähr – abzugrenzen. Jede Abgrenzung in meinem Sinne *muß* ungefähr sein. (Das ist einer der großen Unterschiede zwischen meinem Kriterium und jedem formalen Sinnkriterium irgendeiner künstlichen ›Sprache der Wissenschaft‹.) Denn die Trennung zwischen Metaphysik und Wissenschaft ist keine scharfe: was gestern eine metaphysische Idee war, kann morgen eine überprüfbare wissenschaftliche Theorie werden; und das kommt oft vor (ich habe in meiner *Logik der Forschung* und andernorts verschiedene Beispiele dafür gegeben: der Atomismus ist vielleicht das beste).

Eine der Schwierigkeiten ist also, daß unser Kriterium nicht zu eng sein darf; und in dem Kapitel ›Grade der Prüfbarkeit‹ meiner *Logik der Forschung* schlug ich vor (als eine Art zweiter Verbesserung des Kriteriums (*D*) des vorhergehenden Abschnitts), daß eine Theorie in dem Maße wissenschaftlich ist, wie sie überprüfbar ist.

Das führte übrigens zu einer der fruchtbarsten Entdeckungen jenes Buches: daß es Grade der Prüfbarkeit gibt (oder des wissenschaftlichen Charakters), die mit den Graden des empirischen Gehalts (oder des informativen Gehalts) identifiziert werden können.

(2) Die Formel (*D*) des vorhergehenden Abschnitts ist in einer etwas psychologischen Sprache ausgedrückt. Sie kann beträchtlich verbessert werden, wenn man von *theoretischen Systemen* spricht oder von *Satzsystemen*, wie ich es die ganze *Logik* hindurch tat. Das führt gleich zu der Erkenntnis eines der Probleme, das mit dem Falsifizierbarkeitskriterium der Abgrenzung zusammenhängt: sogar wenn wir es auf Satz*systeme* anwenden können, kann es schwierig, wenn nicht unmöglich sein, festzustellen, welcher bestimmte Satz, oder welches Untersystem eines Systems von Sätzen, einer bestimmten empirischen Prüfung ausgesetzt wurde. Wir können also ein *System* als wissenschaftlich oder empirisch überprüfbar bezeichnen, während wir im Hinblick auf seine Bestandteile höchst unsicher sind.

Ein Beispiel ist die Newtonische Gravitationstheorie. Man hat oft die Frage gestellt, ob die Newtonischen Bewegungsgesetze insgesamt, oder einzelne davon, eher versteckte Definitionen als empirische Behauptungen sind.

Meine Antwort ist folgende. Newtons Theorie ist ein System. *Wenn wir es falsifizieren, falsifizieren wir das ganze System.* Vielleicht beschuldigen wir damit nur das eine oder andere seiner Gesetze. Aber das bedeutet nur, daß wir *vermuten,* daß eine bestimmte Veränderung im System es von der Falsifizierung befreien wird; oder, mit anderen Worten, daß wir vermuten, daß ein bestimmtes Alternativsystem eine Verbesserung sein wird, eine bessere Annäherung an die Wahrheit.

Das aber bedeutet: Wenn wir eine Falsifizierung nur einem bestimmten Untersystem zuschreiben, ist das eine typische Hypothese, eine Vermutung wie jede andere, vielleicht sogar kaum mehr als ein vager Verdacht, wenn kein definitiver anderer Vorschlag gemacht wird. Und dasselbe gilt umgekehrt: die Entscheidung, daß die Falsifizierung einem bestimmten Untersystem nicht zugerechnet werden soll, ist ebenso eine typische Vermutung. Das Zuschreiben oder Nicht-Zuschreiben der Verantwortung für Mißerfolg ist konjektural, wie alles in der Wissenschaft. Worauf es ankommt, ist der Vorschlag einer neuen Möglichkeit und eines konkurrierenden konjekturalen Systems, das imstande ist, die falsifizierende Prüfung zu bestehen.

(3) Die Punkte *(1)* und *(2)* zeigen – wie richtig mein Kriterium kühner Vermutungen und strenger Widerlegungen auch ist –, daß es nicht zu übersehende Schwierigkeiten gibt. Eine elementare Schwierigkeit dieser Art kann wie folgt beschrieben werden. Ein Biologe stellt die Vermutung auf, daß alle Schwäne weiß sind. Als man in Australien schwarze Schwäne entdeckt, sagt er, seine Vermutung sei nicht widerlegt. Er beharrt darauf, daß schwarze Schwäne eine neue Art von Vögeln sind, da es ein *Teil der definierenden Eigenschaft* eines Schwanes ist, daß er weiß ist. Mit anderen Worten, er kann der Widerlegung entgehen, obwohl ich glaube, daß er mehr lernen könnte, wenn er zugibt, daß er sich getäuscht hat.

Auf alle Fälle – und das ist sehr wichtig – ist die Theorie ›Alle Schwäne sind weiß‹ zumindest in dem folgenden klaren, logischen Sinne widerlegbar: sie muß von jedem für widerlegt erklärt werden, der anerkennt, daß es mindestens einen nicht-weißen Schwan gibt.

(4) Das in diesem Beispiel enthaltene Prinzip ist sehr primitiv, aber es hat eine Vielzahl von Anwendungen. Chemiker neigten lange dazu, Atomgewichte, Schmelzpunkte und ähnliche Eigenschaften als *definierende Eigenschaften* von Stoffen zu betrachten: es kann kein Wasser geben, dessen Gefrierpunkt von 0 °C abweicht; es wäre einfach kein Wasser, wie ähnlich es dem Wasser auch in anderer Hinsicht ist. Wenn das jedoch zutrifft, dann wäre der Satz ›Wasser gefriert bei 0 °C‹ nach meinem Abgrenzungskriterium keine wissenschaftliche oder empirische Aussage; er wäre eine Tautologie – Teil einer Definition.

Es ist klar, daß hier ein Problem vorliegt: entweder ist mein Abgrenzungskriterium widerlegt, oder wir müssen die Möglichkeit zulassen, daß Wasser entdeckt werden kann, dessen Gefrierpunkt nicht bei 0 °C liegt.

(5) Ich plädiere natürlich für die zweite Möglichkeit und behaupte, daß wir von diesem einfachen Beispiel viel über die Vorzüge meines Vorschlages (*D*) lernen können. Nehmen wir einmal an, wir hätten Wasser mit einem anderen Gefrierpunkt entdeckt. Soll man das immer noch als Wasser bezeichnen? *Ich behaupte, daß die Frage vollkommen unwichtig ist.* Die wissenschaftliche Hypothese war, daß eine Flüssigkeit (ganz gleich, wie man sie nennt) mit einer beträchtlichen Liste chemischer und physikalischer Eigenschaften bei 0 °C gefriert. Wenn irgendeine dieser Eigenschaften, von denen man vermutete, daß sie immer zusammen auftreten, nicht vorhanden ist, dann *haben wir uns getäuscht;* und so *ergeben sich neue und interessante Probleme.* Das geringste unter ihnen ist, ob wir die in Frage stehende Flüssigkeit weiterhin ›Wasser‹ nennen sollen: *das* ist rein willkürlich oder konventionell. Mein Abgrenzungskriterium wird also durch dieses Beispiel nicht nur nicht widerlegt: es hilft uns vielmehr, herauszufinden, was in der Wissenschaft von Bedeutung und was willkürlich und irrelevant ist.

(6) Wie ich im allerersten Kapitel meiner *Logik der Forschung* erklärte, können wir angesichts von Widerlegungen immer Zuflucht zu ausweichenden Taktiken nehmen. Aus historischen Gründen bezeichnete ich eine solche Taktik ursprünglich als ›konventionalistische Strategie [oder Wendung]‹, jetzt nenne ich sie deutlicher *›Immunisierungstaktik* oder *Immunisierungsstrategie*[6]: wir können eine Theorie immer gegen Widerlegung immunisieren. Solche Immunisierungstaktiken gibt es viele; und wenn uns nichts Besseres einfällt, können wir immer die Objektivität – oder sogar die Existenz – der widerlegenden Beobachtung leugnen. (Man erinnere sich an die Leute, die *sich weigerten,* durch Galileis Teleskop zu schauen.) Intellektuelle, die sich mehr dafür interessieren, recht zu haben, als etwas Interessantes, aber Unerwartetes zu entdecken, sind keineswegs seltene Ausnahmen.

(7) Keine der soweit diskutierten Schwierigkeiten ist schrecklich ernst: es sieht so aus, als ob ein kleines Maß intellektueller Ehrlichkeit schon fast ausreicht, um sie zu überwinden. Im großen und ganzen stimmt das. Aber wie können wir diese intellektuelle Ehrlichkeit logisch beschreiben? Ich beschrieb sie in der *Logik der Forschung* als eine *Regel der Methode* oder eine *methodologische Regel:* »Ver-

suche nicht, der Falsifikation zu entgehen, sondern riskiere deinen Kopf!«

(*8*) Doch ich war noch etwas selbstkritischer: zuerst bemerkte ich, daß eine solche methodologische Regel notwendigerweise etwas unbestimmt ist – ein Problem, das für die Abgrenzung als Ganzes gilt. Wir können also sagen, daß man empirische Wissenschaft in meinem Sinne aufgibt, wenn man die Falsifizierung *um jeden Preis* vermeidet. Aber ich stellte zusätzlich fest, daß Übersensibilität in bezug auf die widerlegende Kritik ebenso gefährlich ist: Dogmatismus hat einen legitimen Platz, wenn auch einen sehr begrenzten. Derjenige, der seine Theorie angesichts scheinbarer Widerlegungen zu leicht aufgibt, wird die seiner Theorie innewohnenden Möglichkeiten nie entdecken. *In der Wissenschaft ist Platz für die Debatte:* für den Angriff und daher auch für die Verteidigung. Nur wenn wir sie zu verteidigen versuchen, können wir all die verschiedenen Möglichkeiten kennenlernen, die unseren Theorien innewohnen. Auch hier ist die Wissenschaft immer Vermutung. Man muß auch vermuten, wann man aufhören soll, eine bevorzugte Theorie zu verteidigen und wann man eine neue ausprobieren soll.

(*9*) Ich habe also nicht die einfache Regel vorgeschlagen: ›Suche Widerlegungen und verteidige deine Theorie nie dogmatisch.‹ Aber mein Rat war immerhin besser als die dogmatische Verteidigung um jeden Preis. Die Wahrheit ist, daß wir ständig kritisch sein müssen; selbstkritisch, was unsere eigenen Theorien anbetrifft und selbstkritisch, was unsere eigene Kritik anbetrifft; und natürlich dürfen wir keinem Problem ausweichen.

Das ist also ungefähr die *methodologische Form* von (*D*), des Abgrenzungskriteriums. Schlage Theorien vor, die kritisierbar sind. Stelle dir mögliche entscheidende falsifizierende Experimente vor – entscheidende Experimente. Aber gib deine Theorien nicht zu leicht auf – auf keinen Fall, bevor du deine Kritik kritisch geprüft hast.

III. Erfahrungs-wissenschaftliche und nicht-wissenschaftliche Theorien

Die Schwierigkeiten, die mit meinem Abgrenzungskriterium (*D*) zusammenhängen, sind wichtig, dürfen jedoch nicht übertrieben werden. Es ist vage, da es eine methodologische Regel ist und da die Abgrenzung zwischen Wissenschaft und Nicht-Wissenschaft vage ist.

Aber es ist mehr als scharf genug, um eine Unterscheidung zu machen zwischen vielen physikalischen Theorien einerseits und metaphysischen Theorien, wie zum Beispiel der Psychoanalyse oder dem Marxismus (in seiner gegenwärtigen Form), andererseits. Das ist natürlich eine meiner Hauptthesen; und man kann von niemandem, der sie nicht verstanden hat, sagen, er habe meine Theorie verstanden.

Die Situation des Marxismus ist übrigens eine ganz andere als diejenige der Psychoanalyse. Der Marxismus war einmal eine wissenschaftliche Theorie: er sagte voraus, daß der Kapitalismus zu wachsendem Elend führen würde und, durch eine mehr oder weniger sanfte Revolution, zum Sozialismus; er sagte voraus, daß das zuerst in den technisch höchstentwickelten Ländern passieren würde; und er sagte voraus, daß die technische Evolution der ›Produktionsmittel‹ zu sozialen, politischen und ideologischen Entwicklungen führen würde und nicht umgekehrt.

Aber die (so-genannte) sozialistische Revolution kam zuerst in einem der technisch rückständigen Länder. Und statt daß die Produktionsmittel eine neue Ideologie hervorbrachten, war es die Ideologie von Lenin und Stalin, daß Rußland mit seiner Industrialisierung vorwärts drängen müsse (›Der Sozialismus ist die Diktatur des Proletariats plus die Elektrifizierung‹), welche die neue Entwicklung der Produktionsmittel förderte.

Man kann also sagen, daß der Marxismus einmal eine Wissenschaft war, aber eine, die durch die Tatsachen, die nun einmal mit ihren Vorhersagen kollidierten, widerlegt wurde. (Ich habe hier nur einige wenige dieser Tatsachen erwähnt[7].)

Der Marxismus ist jedoch keine Wissenschaft mehr; er verletzte die methodologische Regel, daß wir die Falsifikation akzeptieren müssen, und er immunisierte sich gegen die offensichtlichsten Widerlegungen seiner Vorhersagen. Seither kann man ihn nur mehr als nichtwissenschaftlich bezeichnen – als einen metaphysischen Traum, wenn Sie wollen, vermählt mit einer grausamen Wirklichkeit.

Die Psychoanalyse ist ein ganz anderer Fall. Sie ist eine interessante psychologische Metaphysik (und zweifellos enthält sie einiges an Wahrheit, wie das bei metaphysischen Ideen so oft der Fall ist), aber sie war nie eine Wissenschaft. Vielleicht gibt es viele Menschen, die Fälle sind im Sinne von Freud oder Adler: Freud selbst war offensichtlich ein Fall im Sinne Freuds, und Adler ein Fall im Sinne Adlers. Aber was verhindert, daß ihre Theorien in dem hier beschriebenen Sinne wissenschaftlich sind, ist ganz einfach, daß sie kein physisch mögliches menschliches Verhalten ausschließen. Was immer irgend jemand tut, ist im Prinzip im Sinne Freuds oder Adlers erklärbar. (Der Bruch Adlers mit Freud war eher Adlerisch als Freudianisch, aber Freud betrachtete ihn nie als eine Widerlegung seiner Theorie.)

Der Punkt ist ganz klar. Weder Freud noch Adler schließt die Handlung irgendeiner bestimmten Person auf irgendeine bestimmte Art aus, ganz gleich, wie die äußeren Umstände sind. Ob ein Mann sein Leben opferte, um ein ertrinkendes Kind zu retten (ein Fall von Sublimation), oder ob er das Kind ermordete, indem er es ertränkte (ein Fall von Unterdrückung), konnte durch Freuds Theorie ganz unmöglich vorhergesagt oder ausgeschlossen werden: *die Theorie war mit allem, was geschehen konnte, vereinbar – sogar ohne irgendeine besondere Immunisierungsbehandlung.*

Während also der Marxismus durch seine Übernahme einer Immunisierungsstrategie unwissenschaftlich wurde, war die Psychoanalyse von Anfang an immun und blieb es[8]. Im Gegensatz dazu sind die meisten physikalischen Theorien von Immunisierungstaktiken ziemlich frei *und von Anfang an hoch falsifizierbar.* In der Regel *schließen sie unendlich viele vorstellbare Möglichkeiten aus.*

Mein Abgrenzungskriterium war also vor allem deshalb wertvoll, weil es auf diese Unterschiede aufmerksam macht. Und es führte mich zu der Theorie, daß der empirische Gehalt einer Theorie an der Anzahl von Möglichkeiten gemessen werden kann, die sie ausschließt (vorausgesetzt, daß man eine mehr oder weniger nicht-immunisierende Methodologie verwendet).

IV. Ad-hoc-Hypothesen und Hilfshypothesen

Es gibt eine wichtige Methode, Widerlegungen zu vermeiden oder ihnen zu entgehen: es ist die Methode der Hilfshypothesen oder der *Ad-hoc*-Hypothesen.

Wenn irgendeine unserer Vermutungen nicht zutrifft – wenn zum Beispiel der Planet Uranus sich nicht genau so bewegt, wie es die Theorie Newtons vorschreibt – *dann müssen wir die Theorie ändern.* Dabei gibt es vor allem zwei Arten von Änderungen; *konservative und revolutionäre.* Und unter den konservativeren Änderungen gibt es wieder zwei Arten: *Ad-hoc-Hypothesen* und *Hilfshypothesen.*

Im Falle der Unregelmäßigkeiten in den Bewegungen des Uranus war die Hypothese, die man übernahm, teilweise revolutionär: man vermutete die Existenz eines neuen Planeten, etwas, was die Newtonischen Bewegungsgesetze nicht berührte, jedoch das viel ältere ›Weltsystem‹ beeinflußte. Die neue Vermutung war eher eine Hilfshypothese als *ad hoc*, denn obwohl es nur diesen einen *Ad-hoc*-Grund gab, sie einzuführen, war sie *unabhängig überprüfbar:* die Position des neuen Planeten (Neptun) wurde berechnet, der Planet wurde optisch entdeckt, und es stellte sich heraus, daß er die Anomalien des Uranus vollständig erklärte. Die Hilfshypothese blieb also innerhalb des theoretischen Rahmens Newtons, und die drohende Widerlegung wurde zum durchschlagenden Erfolg.

Ich bezeichne eine Vermutung als ›*ad hoc*‹, wenn sie (wie die eben geschilderte) eingeführt wird, um eine besondere Schwierigkeit zu erklären, wenn sie jedoch (im Gegensatz zu ihr) *nicht unabhängig überprüft werden kann.*

Es ist offensichtlich, daß die Unterscheidung zwischen *Ad-hoc*-Hypothesen und einer konservativen Hilfshypothese etwas vage ist, wie alles in der Methodologie. Pauli führte die Hypothese des Neutrinos ganz bewußt als eine *Ad-hoc*-Hypothese ein. Er hatte ursprünglich keine Hoffnung, daß eines Tages unabhängige Anhaltspunkte gefunden würden; zu seiner Zeit schien das praktisch unmöglich. Wir haben hier also das Beispiel einer *Ad-hoc*-Hypothese, die mit zunehmender Erkenntnis ihren *Ad-hoc*-Charakter ablegte. Und wir haben hier eine Warnung, kein zu strenges Edikt gegen *Ad-hoc*-Hypothesen auszusprechen: sie können doch noch überprüfbar werden, wie das auch mit metaphysischen Hypothesen geschehen kann. Aber im allgemeinen warnt uns unser Kriterium der Überprüfbarkeit vor *Ad-hoc*-Hypothesen; und Pauli war ursprünglich ganz und gar nicht glücklich über das Neutrino, das man sehr wahrscheinlich am Ende aufgegeben hätte, wären nicht durch neue Verfahren unabhängige Prüfungen zugunsten seiner Existenz möglich geworden.

Ad-hoc-Hypothesen – das heißt, zur Zeit unüberprüfbare Hilfshypothesen – können fast jede Theorie vor jeder *bestimmten* Widerlegung retten. Das erlaubt uns aber nicht, daß wir mit einer *Ad-hoc*-Hypothese so lange weitermachen können, wie wir wollen. Sie kann überprüfbar werden; und eine negative Prüfung kann uns zwingen, sie entweder aufzugeben, oder eine neue, sekundäre *Ad-hoc*-Hypothese einzuführen, und so weiter *ad infinitum.* Das ist dann aber etwas, was wir fast immer vermeiden. (Ich sage ›fast‹, denn methodologische Regeln sind nicht fest.)

Außerdem darf die Möglichkeit, etwas durch *Ad-hoc*-Hypothesen zu retten, nicht überschätzt werden: es gibt viele Widerlegungen, denen man auf diese Weise nicht entgehen kann, während Immunisierungstaktiken, wie etwa das Ignorieren der Widerlegung, immer möglich sind.

Teil *II*

Philosophie der Naturwissenschaften

Text 9

Die wissenschaftliche Methode (1934)

Unsere im folgenden entwickelte Auffassung steht in schärfstem Widerspruch zu allen induktionslogischen Versuchen; man könnte sie etwa als Lehre von der *deduktiven Methodik der Nachprüfung* kennzeichnen, oder als die Auffassung, daß eine Hypothese nur empirisch *überprüft* werden kann – und erst, *nachdem* sie aufgestellt wurde.

Um diese (›deduktivistische‹[1]) Auffassung diskutieren zu können, müssen wir zunächst den Gegensatz zwischen der empirischen *Erkenntnispsychologie* und der nur an logischen Zusammenhängen interessierten *Erkenntnislogik* klarstellen; das induktionslogische Vorurteil hängt nämlich eng mit einer Vermengung von psychologischen und erkenntnistheoretischen Fragestellungen zusammen – die, nebenbei bemerkt, nicht nur für die Erkenntnistheorie, sondern auch für die Psychologie unangenehme Folgen hat.

I. Ausschaltung des Psychologismus

Wir haben die Tätigkeit des wissenschaftlichen Forschers eingangs dahin charakterisiert, daß er Theorien aufstellt und überprüft.

Die erste Hälfte dieser Tätigkeit, das Aufstellen der Theorien, scheint uns einer logischen Analyse weder fähig noch bedürftig zu sein: An der Frage, wie es vor sich geht, daß jemandem etwas Neues einfällt – sei es nun ein musikalisches Thema, ein dramatischer Konflikt oder eine wissenschaftliche Theorie –, hat wohl die empirische Psychologie Interesse, nicht aber die Erkenntnislogik. Diese interessiert sich nicht für *Tatsachenfragen* (Kant: ›quid facti‹), sondern nur für *Geltungsfragen* (›quid juris‹) – das heißt für Fragen von der Art: ob und wie ein Satz begründet werden kann; ob er nachprüfbar ist; ob er von gewissen anderen Sätzen logisch abhängt oder mit ihnen in Widerspruch steht usw. Damit aber ein Satz in diesem Sinn erkenntnislogisch untersucht werden kann, muß er bereits vorliegen; jemand muß ihn formuliert, der logischen Diskussion unterbreitet haben.

Wir wollen also scharf zwischen dem Zustandekommen des Einfalls und den Methoden und Ergebnissen seiner logischen Diskussion unterscheiden und daran festhalten, daß wir die Aufgabe der Erkenntnistheorie oder Erkenntnislogik (im Gegensatz zur Erkenntnispsychologie) derart bestimmen, daß sie lediglich die Methoden der systematischen Überprüfung zu untersuchen hat, der jeder Einfall, soll er ernstgenommen werden, zu unterwerfen ist.

Hier könnte man einwenden, es wäre zweckmäßiger, die Aufgabe der Erkenntnistheorie dahin zu bestimmen, daß sie den Vorgang des Entdeckens, des Auffindens einer Erkenntnis, ›rational nachkonstruieren‹ soll. Es kommt aber darauf an, *was* man nachkonstruieren will: Will man die Vorgänge bei der *Auslösung* des Einfalls nachkonstruieren, dann würden wir den Vorschlag ablehnen, darin die Aufgabe der Erkenntnislogik zu sehen. Wir glauben, daß diese Vorgänge nur empirisch-psychologisch untersucht werden können und mit Logik wenig zu tun haben. Anders, wenn der Vorgang der nachträglichen *Prüfung* eines Einfalls, durch die ja der Einfall erst als Entdeckung entdeckt, als Erkenntnis erkannt wird, rational nachkonstruiert werden soll: Sofern der Forscher seinen Einfall kritisch beurteilt, abändert oder verwirft, könnte man unsere methodologische Analyse auch als eine rationale Nachkonstruktion der betreffenden denkpsychologischen Vorgänge auffassen. Nicht, daß sie diese Vorgänge so beschreibt, wie sie sich tatsächlich abspielen: sie gibt nur ein logisches Gerippe des Prüfungsverfahrens. Gerade das aber dürfte man wohl unter der rationalen Nachkonstruktion eines Erkenntnisvorganges verstehen.

Unsere Auffassung (von der die Ergebnisse unserer Untersuchung jedoch unabhängig sind), daß es eine logische, rational nachkonstruierbare Methode, etwas Neues zu entdecken, nicht gibt, pflegt man oft dadurch auszudrücken, daß man sagt, jede Entdeckung enthalte ein ›irrationales Moment‹, sei eine ›schöpferische Intuition‹ (im Sinne Bergsons); ähnlich spricht Einstein über »... das Aufsuchen jener allgemeinsten ... Gesetze, aus denen durch reine Deduktion das Weltbild zu gewinnen ist. Zu diesen ... Gesetzen führt kein logischer Weg, sondern nur die auf Einfühlung in die Erfahrung sich stützende Intuition.«[2]

II. Die deduktive Überprüfung der Theorien

Die Methode der kritischen Nachprüfung, der Auslese der Theorien, ist nach unserer Auffassung immer die folgende: Aus der vorläufig unbegründeten Antizipation, dem Einfall, der Hypothese, dem theoretischen System, werden auf logisch-deduktivem Weg Folgerungen abgeleitet; diese werden untereinander und mit anderen Sätzen verglichen, indem man feststellt, welche logischen Beziehungen (z.B. Äquivalenz, Ableitbarkeit, Vereinbarkeit, Widerspruch) zwischen ihnen bestehen.

Dabei lassen sich insbesondere vier Richtungen unterscheiden, nach denen die Prüfung durchgeführt wird: der logische Vergleich der Folgerungen untereinander, durch den das System auf seine innere Widerspruchslosigkeit hin zu untersuchen ist; eine Untersuchung der logischen Form der Theorie mit dem Ziel, festzustellen, ob es den Charakter einer empirisch-wissenschaftlichen Theorie hat, also z.B. nicht tautologisch ist; der Vergleich mit anderen Theorien, um unter anderem festzustellen, ob die zu prüfende Theorie, falls sie sich in den verschiedenen Prüfungen bewähren sollte, als wissenschaftlicher Fortschritt zu bewerten wäre; schließlich die Prüfung durch ›empirische Anwendung‹ der abgeleiteten Folgerungen.

Diese letzte Prüfung soll feststellen, ob sich das Neue, das die Theorie behauptet, auch praktisch bewährt, etwa in wissenschaftlichen Experimenten oder in der technisch-praktischen Anwendung. Auch hier ist das Prüfungsverfahren ein deduktives: Aus dem System werden (unter Verwendung bereits anerkannter Sätze) empirisch möglichst leicht nachprüfbare bzw. anwendbare singuläre Folgerungen (›Prognosen‹) deduziert und aus diesen insbesondere jene ausgewählt, die aus bekannten Systemen nicht ableitbar sind bzw. mit ihnen in Widerspruch stehen. Über diese – und andere – Folgerungen wird nun im Zusammenhang mit der praktischen Anwendung, den Experimenten usw., entschieden. Fällt die Entscheidung positiv aus, werden die singulären Folgerungen anerkannt, *verifiziert,* so hat das System die Prüfung vorläufig bestanden; wir haben keinen Anlaß, es zu verwerfen. Fällt eine Entscheidung negativ aus, werden Folgerungen *falsifiziert,* so trifft ihre Falsifikation auch das System, aus dem sie deduziert wurden.

Die positive Entscheidung kann das System immer nur vorläufig stützen; es kann durch spätere negative Entscheidungen immer wieder umgestoßen werden. Solang ein System eingehenden und strengen deduktiven Nachprüfungen standhält und durch die fortschreitende Entwicklung der Wissenschaft nicht überholt wird, sagen wir, daß es sich *bewährt.*[3]

Induktionslogische Elemente treten in dem hier skizzierten Verfahren nicht auf; niemals schließen wir von der Geltung der singulären Sätze auf die der Theorien. Auch durch ihre verifizierten Folgerungen können Theorien niemals als ›wahr‹ oder auch nur als ›wahrscheinlich‹ erwiesen werden.

Eine genaue Analyse der hier nur kurz angedeuteten deduktiven Nachprüfungsmethoden zeigt, daß wir im Rahmen dieser Auffassung über jene Fragen Auskunft geben können, die man als ›erkenntnistheoretisch‹ zu bezeichnen pflegt; daß also die ganze induktionslogische Problematik eliminierbar ist, ohne daß dadurch neue Schwierigkeiten entstehen.

III. Warum methodologische Festsetzungen unentbehrlich sind

Nach unserem Vorschlag ist die Erkenntnistheorie oder Forschungslogik *Methodenlehre.* Sie beschäftigt sich, soweit ihre Untersuchungen über die rein logische Analyse der Beziehungen zwischen wissenschaftlichen Sätzen hinausgehen, mit den *methodologischen Festsetzungen,* mit den Beschlüssen über die Art, wie mit wissenschaftlichen Sätzen verfahren werden muß, wenn man diese oder jene Ziele verfolgt. Die Beschlüsse, die wir vorschlagen, die also eine unseren Zwecken entsprechende ›empirische Methode‹ festlegen, werden daher mit unserem Abgrenzungskriterium [siehe Text *8*, Abschnitt *I* oben] zusammenhängen: Wir beschließen, solche Verwendungsregeln für die Sätze der Wissenschaft einzuführen, die die Nachprüfbarkeit, die Falsifizierbarkeit dieser Sätze sicherstellen.

Was sind und wozu brauchen wir methodologische Regeln? Gibt es eine Wissenschaft von diesen Regeln, eine Methodologie?

Wie man diese Fragen beantwortet, wird davon abhängen, ob man, wie der Positivismus, die Erfahrungswissenschaft als ein System von Sätzen charakterisiert, die gewissen *logischen Kriterien* genügen (etwa dem, daß sie ›sinnvoll‹ d.h. verifizierbar sind), oder ob man, wie wir, das Charakteristische der empirischen Sätze in ihrer Überholbarkeit sucht und sich zur Aufgabe setzt, die eigentümliche Entwicklungsfähigkeit der empirischen Wissenschaft zu analysieren sowie die Art und Weise, wie in kritischen Fällen zwischen verschiedenen Systemen entschieden wird.

Auch wir halten zwar eine rein logische Analyse der Systeme – die auf deren Wechsel, auf deren Entwicklung keine Rücksicht nimmt – für notwendig. Aber auf diese Weise kann man jene Eigentümlichkeit der empirischen Wissenschaft, die wir so hoch schätzen, nicht erfassen. Denn wer an einem System, und sei es noch so ›wissenschaftlich‹, dogmatisch festhält (z.B. an dem der klassischen Mechanik), wer seine Aufgabe etwa darin sieht, ein System zu verteidigen, bis seine Unhaltbarkeit logisch zwingend *bewiesen* ist, der verfährt nicht als empirischer Forscher in unserem Sinn; denn ein zwingender logischer Beweis für die Unhaltbarkeit eines Systems kann ja nie erbracht werden, da man ja stets z.B. die experimentellen Ergebnisse als nicht zuverlässig bezeichnen oder etwa behaupten kann, der Widerspruch zwischen diesen und dem System sei nur ein scheinbarer und werde sich mit Hilfe neuer Einsichten beheben lassen. (Beide Argumente wurden im Kampf gegen Einstein zugunsten der Newtonischen Mechanik oft verwendet; auch in den Geisteswissenschaften sind sie gebräuchlich.) Wer in den empirischen Wissenschaften strenge Beweise verlangt (oder strenge Widerlegungen), wird nie durch Erfahrung eines Besseren belehrt werden können.

Kennzeichnet man also die empirische Wissenschaft nur durch formallogische Angaben über den Bau ihrer Sätze, so kann man jene verbreitete Form der ›Metaphysik‹ nicht ausschließen, die ein veraltetes wissenschaftliches System zur unumstößlichen Wahrheit erhebt.

Wir kennzeichnen deshalb die empirische Wissenschaft durch die *Methode,* nach der mit den Systemen verfahren wird; anders ausgedrückt: Wir wollen die Regeln, oder, wenn man will, die Normen aufstellen, nach denen sich der Forscher richtet, wenn er Wissenschaft treibt, wie wir es uns denken.

IV. Die ›naturalistische‹ Auffassung der Methodenlehre

Der tiefliegende Gegensatz zwischen unserer und der positivistischen Auffassung wird durch die Bemerkungen des vorigen Abschnitts nur angedeutet.

Der Positivist wünscht nicht, daß es außer den Problemen der ›positiven‹ Erfahrungswissenschaften noch ›sinnvolle Probleme‹ geben soll, die diese philosophische Wissenschaft, etwa eine Erkenntnistheorie oder Methodenlehre, zu behandeln hätte[4]. Er möchte in den sogenannten philosophischen Problemen ›Scheinprobleme‹ sehen.

Dieser Wunsch (der jedoch nicht als ein Wunsch oder Vorschlag, sondern als eine Erkenntnis vertreten wird) ist natürlich immer durchführbar; nichts ist leichter, als eine Frage als ›sinnloses Scheinproblem‹ zu enthüllen: Man braucht ja nur den Begriff des ›Sinns‹ eng genug zu fassen, um von allen unbequemen Fragen erklären zu können, daß man keinen ›Sinn‹ in ihnen zu finden vermag; und indem man nur Fragen der empirischen Wissenschaften als ›sinnvoll‹ anerkennt, wird auch jede Debatte über den Sinnbegriff sinnlos: einmal inthronisiert, ist dieses Sinndogma für immer jedem Angriff entrückt, ›unantastbar und definitiv‹ [Wittgenstein][5].

So alt fast wie die Philosophie selbst ist auch der Streit um ihre Existenzberechtigung. Immer wieder tritt eine ›ganz neue‹ Richtung auf, die die philosophischen Probleme endgültig als Scheinprobleme entlarvt und dem philosophischen Unsinn die sinnvolle positive Erfahrungswissenschaft gegenüberstellt; und immer wieder versucht die verachtete ›Schulphilosophie‹ den Vertretern dieser (›positivistischen‹) Richtung klarzumachen, daß das Problem der Philosophie die kritische Untersuchung eben jener Erfahrung[6] ist, die der jeweilige Positivismus ohne Bedenken als gegeben ansieht. Da aber für den Positivismus nur Fragen der Erfahrungswissenschaft sinnvoll sind, so kann ihm dieser Einwand nichts bedeuten: ›Erfahrung‹ ist für ihn ein Programm, nie ein Problem – es sei denn ein Problem der (erfahrungswissenschaftlichen) Psychologie.

Auf den Versuch, den wir hier unternehmen, die ›Erfahrung‹ als die Methode der empirischen Wissenschaft zu untersuchen, wird der Positivismus wohl auch nicht anders reagieren können. Für ihn gibt es nur logische Tautologien und empirische Sätze; wenn die Methodenlehre nicht Logik ist, so muß sie also eine *empirische* Wissenschaft sein – etwa die Wissenschaft von dem Verhalten der Naturforscher, wenn sie ›amtieren‹.

Diese Auffassung, nach der die Methodenlehre eine empirische Wissenschaft ist – sei es nun eine Lehre von dem tatsächlichen Verhalten der Wissenschaftler oder von den ›tatsächlichen Verfahren der Wissenschaft‹ –, kann man *naturalistisch* nennen. Eine naturalistische Methodenlehre (manche sagen: ›induktive Wissenschaftslehre‹[7]) hat zweifellos ihren Wert: Jeder Erkenntnislogiker wird für solche Bestrebungen Interesse haben und von ihnen lernen. Dennoch fassen wir das, was wir hier ›Methodenlehre‹ nennen, nicht als eine empirische Wissenschaft auf; und wir glauben auch nicht, daß es möglich ist, mit den Mitteln einer empirischen Wissenschaft Streitfragen von der

Art zu entscheiden, ob die Wissenschaft ein Induktionsprinzip anwendet oder nicht; um so weniger, als es ja durchaus Sache der Festsetzung ist, was man als Wissenschaft und wen man als Wissenschaftler anerkennen will.

Wir werden deshalb Fragen von dieser Art anders behandeln und z.B. zunächst zwei verschiedene Möglichkeiten untersuchen, ein methodologisches Regelsystem mit und eines ohne Induktionsprinzip, um uns dann zu fragen, ob die Einführung eines solchen Prinzips widerspruchsfrei durchführbar, zweckmäßig, notwendig ist. Und nicht aus dem Grund verwerfen wir es, weil in der Wissenschaft ein solches Prinzip tatsächlich nicht angewendet wird, sondern weil wir seine Einführung für überflüssig, unzweckmäßig, ja, für widerspruchsvoll halten.

Wir lehnen also die naturalistische Auffassung ab: Sie ist unkritisch, sie bemerkt nicht, daß sie Festsetzungen macht, wo sie Erkenntnisse vermutet[8]; so werden ihre Festsetzungen zu Dogmen. Das gilt für das Sinnkriterium, es gilt für den Wissenschaftsbegriff und damit auch für den Begriff der erfahrungswissenschaftlichen Methode.

V. Die methodologischen Regeln als Festsetzungen

Wir betrachten die methodologischen Regeln als Festsetzungen. Man könnte sie die Spielregeln des Spiels ›empirische Wissenschaft‹ nennen. Sie unterscheiden sich von den Regeln der Logik in ähnlicher Weise wie etwa die Regeln des Schachspiels, die man ja nicht als einen Zweig der Logik zu betrachten pflegt: Da die Regeln der Logik Festsetzungen über die Umformung von Formeln sind, so könnte man zwar die Untersuchung der Regeln des Schachspiels vielleicht als ›Logik des Schachspiels‹ bezeichnen, nicht aber als ›die Logik‹ schlechthin; und ähnlich können wir die Untersuchung der Regeln des Wissenschaftsspiels, der Forschungsarbeit, auch *Logik der Forschung* nennen.

Daß es nicht sehr zweckmäßig wäre, diese und eine rein logische Untersuchung auf eine Stufe zu stellen, sollen zwei einfache Beispiele solcher methodologischer Regeln zeigen:

(1) Das Spiel Wissenschaft hat grundsätzlich kein Ende: wer eines Tages beschließt, die wissenschaftlichen Sätze nicht weiter zu überprüfen, sondern sie etwa als endgültig verifiziert zu betrachten, der tritt aus dem Spiel aus.

(2) Einmal aufgestellte und bewährte Hypothesen dürfen nicht ›ohne Grund‹ fallengelassen werden; als ›Gründe‹ gelten dabei unter anderem: Ersatz durch andere, besser nachprüfbare Hypothesen; Falsifikation der Folgerungen.[9]

Diese beiden Beispiele zeigen den Charakter der methodologischen Regeln. Sie unterscheiden sich deutlich von dem, was man logische Regeln zu nennen pflegt: Die Logik kann vielleicht Kriterien dafür aufstellen, ob ein Satz nachprüfbar ist, aber sie interessiert sich nicht dafür, ob sich jemand bemüht, ihn nachzuprüfen.

Wir haben [in Text *8*] den Begriff der empirischen Wissenschaft mit Hilfe des Kriteriums der Falsifizierbarkeit zu definieren versucht, mußten aber schon dort die Berechtigung gewisser Einwände anerkennen und eine methodologische Ergänzung dieser Definition versprechen. Wir werden also – ähnlich, wie wir etwa das Schachspiel durch seine Regeln definieren würden – auch die Erfahrungswissenschaft durch methodologische Regeln definieren. Bei der Festsetzung dieser Regeln gehen wir systematisch vor: Wir stellen eine oberste Regel auf, eine Norm für die Beschlußfassung der übrigen methodologischen Regeln, also eine Regel von *höherem Typus;* nämlich die, die verschiedenen Regelungen des wissenschaftlichen Verfahrens so einzurichten, daß eine etwaige Falsifikation der in der Wissenschaft verwendeten Sätze nicht verhindert wird.

Die methodologischen Regeln stehen also untereinander und mit dem Abgrenzungskriterium in einem engen Zusammenhang, wenn auch *nicht in einem streng logisch-deduktiven*[10]: Sie werden entwikkelt, um die Anwendbarkeit des Abgrenzungskriteriums sicherzustellen, d.h. ihre Aufstellung ist nur durch eine Regel von höherem Typ geregelt. Ein Beispiel haben wir ja oben gegeben: Theorien, die man nicht mehr zu überprüfen beschließt (vgl. die Regel 1), würden auch nicht mehr falsifizierbar sein, usw. Dieser systematische Zusammenhang zwischen den Regeln berechtigt uns, von einer Methoden*lehre* zu sprechen. Freilich sind deren Sätze zumeist, wie ja auch unsere Beispiele zeigen, ziemlich selbstverständliche Festsetzungen; tiefe Erkenntnisse darf man von der Methodenlehre nicht erwarten[11]; aber sie hilft uns in vielen Fällen, und manchmal auch bei bedeutsamen, bisher noch ungelösten Fragen, die logische Situation zu klären, z.B. beim Entscheidbarkeitsproblem der Wahrscheinlichkeitsaussagen[12].

Daß die Fragen der Erkenntnistheorie untereinander in einem systematischen Zusammenhang stehen und systematisch behandelt werden können, ist oft bezweifelt worden. Dieses Buch soll zeigen, daß diese Zweifel unberechtigt sind. Auf diesen Punkt müssen wir Wert legen: Nur wegen seiner Fruchtbarkeit, wegen der aufklärenden Kraft seiner Folgerungen haben wir die Festsetzung eines Abgrenzungskriteriums vorgeschlagen. »Definitionen sind Dogmen, nur die Deduktionen aus ihnen sind Erkenntnisse«, sagt Menger[13], und sicher gilt das für die Definition des Wissenschaftsbegriffes: Nur aus den Konsequenzen unserer Definition der empirischen Wissenschaft (und den im Zusammenhang mit dieser Definition stehenden methodologischen Beschlüssen) wird der Forscher sehen können, ob sie dem entspricht, was ihm als Ziel seines Tuns vorschwebt. [Siehe auch Text *12,* unten.]

Auch der Philosoph wird sich von der Zweckmäßigkeit unserer Definition nur durch die Konsequenzen überzeugen lassen, die uns helfen, die Widersprüche und Unzulänglichkeiten der bisherigen Erkenntnistheorien aufzufinden und bis zu den grundlegenden Festsetzungen zurückzuverfolgen; aber auch zu prüfen, ob nicht unsere Vorschläge von ähnlichen Schwierigkeiten bedroht werden. Diese Methode der Auflösung von Widersprüchen, die auch in der Naturwissenschaft eine Rolle spielt, ist für die Erkenntnistheorie besonders charakteristisch; sie ist der für erkenntnistheoretische Festsetzungen am ehesten gangbare Weg zu einer Rechtfertigung, zu einer Bewährung[14].

Ob freilich der Philosoph unsere methodologischen Untersuchungen überhaupt ›philosophisch‹ wird nennen wollen, ist fraglich; aber das ist uns auch nicht wichtig. Erwähnt sei jedoch in diesem Zusammenhang, daß nicht wenige metaphysische, also wohl ›philosophische‹ Behauptungen als typische Hypostasierungen von methodologischen Regeln aufgefaßt werden können, ein Beispiel dafür ist das sogenannte ›Kausalprinzip‹.[15] Wir erinnern hier auch an das Objektivitätsproblem: die Forderung nach wissenschaftlicher Objektivität kann man als methodologische Regel auffassen, nur solche Sätze in die Wissenschaft einzuführen, die intersubjektiv nachprüfbar sind [siehe Text *10,* Abschnitt *II,* Text *11,* Abschnitt *II* und Text *30*]. Man kann wohl sagen, daß die meisten und bedeutsamsten philosophischen Probleme in dieser Weise als methodologische Fragen umgedeutet werden können.

Text *10*

Falsifikationismus oder Konventionalismus? (1934)

Unter der Voraussetzung – wir werden sie erst später prüfen –, daß es falsifizierbare besondere Sätze (Basissätze) gibt, untersuchen wir hier die Verwendbarkeit unseres Abgrenzungskriteriums für Theoriensysteme. Eine Auseinandersetzung mit dem Konventionalismus führt uns zunächst zu methodologischen Überlegungen; anschließend versuchen wir, die logischen Eigenschaften jener Satzsysteme zu charakterisieren, die – entsprechende methodologische Maßnahmen vorausgesetzt – falsifizierbar sind.

I. Die konventionalistischen Einwände

Gegen unseren Vorschlag, die Falsifizierbarkeit als Kriterium des empirisch-wissenschaftlichen Charakters eines Theoriensystems anzuerkennen, können einige Einwände erhoben werden, die dem Gedankenkreis des Konventionalismus[1] angehören. Wir sind auf manche dieser Einwände schon kurz zu sprechen gekommen [in Abschnitt *V* des vorhergehenden Textes] und wollen sie nun zusammenhängend behandeln.

Den Ausgangspunkt der konventionalistischen Philosophie glauben wir in dem Staunen über die großzügige *Einfachheit der Welt* zu finden, die sich uns in den Naturgesetzen offenbart. Diese Einfachheit wäre unverständlich und wunderbar, wenn die Naturgesetze, wie der Realist glaubt, eine innere Einfachheit der dem äußeren Schein nach so formenreichen Welt offenbaren würden. Kants Idealismus versucht, diese Einfachheit dadurch zu erklären, daß unser Verstand der Natur seine Gesetze aufprägt; ähnlich, aber noch entschlossener, führt sie der Konventionalist auf eine Schöpfung unseres Verstandes zurück. Sie ist ihm kein Ausdruck von Vernunftgesetzen, die sich der Natur aufprägen und so die Natur einfach machen; denn nicht die Natur ist es, die einfach ist: Einfach sind nur die Natur*gesetze;* diese aber sind unsere freien Schöpfungen, unsere Erfindungen, unsere Festsetzungen. Die Naturwissenschaft ist für den Konventionalisten kein Bild der Natur, sondern eine rein begriffliche Konstruktion; nicht die Eigenschaften der Welt bestimmen die Konstruktion, sondern diese bestimmt die Eigenschaften einer künstlichen, von uns geschaffenen Begriffswelt, implizit definiert durch die von uns festgesetzten Naturgesetze. Nur von *dieser* Welt spricht die Wissenschaft.

Die konventionalistisch aufgefaßten Naturgesetze sind durch keine Beobachtung falsifizierbar, denn erst sie bestimmen, was eine Beobachtung, was insbesondere eine wissenschaftliche Messung ist: Die von uns festgesetzten Naturgesetze sind es, auf Grund derer wir unsere Uhren regulieren, unsere ›starren‹ Maßstäbe korrigieren; eine Uhr geht ›richtig‹, ein Maßstab ist ›starr‹, wenn die mit Hilfe dieser Instrumente gemessenen Bewegungen den von uns festgesetzten Axiomen der Mechanik genügen[2].

Der Konventionalismus hat sich große Verdienste um die Aufklärung des Verhältnisses zwischen Theorie und Experiment erworben. Er erkannte die von der Induktionslogik wenig beachtete Rolle, die dem auf Festsetzungen und Deduktionen gegründeten planmäßigen Handeln bei Durchführung und Deutung des wissenschaftlichen Experiments zukommt. Wir halten die konventionalistische Auffassung für in sich geschlossen und durchführbar; eine immanente Kritik hätte wenig Aussicht auf Erfolg. Dennoch schließen wir uns ihr nicht an: Ihr liegt ein anderer Wissenschaftsbegriff zugrunde als der unseren, eine andere Zielsetzung, ein anderer Zweck. Während wir keine endgültige Sicherheit von der Wissenschaft verlangen und deshalb auch keine erreichen, sucht der Konventionalist in der Wissenschaft ein ›System letztbegründeter Erkenntnisse‹ (Dingler). Dieses Ziel ist erreichbar, denn jedes gerade vorliegende wissenschaftliche System kann als System von impliziten Definitionen interpretiert werden; und in ruhigen Zeiten der Wissenschaftsentwicklung wird es zwischen dem konventionalistisch eingestellten und dem Forscher, der unsere Absichten gutheißt, keine oder doch nur rein akademische Gegensätze geben. Anders in Zeiten der Krise. Jedesmal, wenn ein gerade ›klassisches‹ System durch Experimente bedroht ist, die *wir* als Falsifikationen deuten werden, wird der Konventionalist sagen, das System stehe unerschüttert da. Die auftretenden Widersprüche erklärt er damit, daß wir es noch nicht zu handhaben verstehen, und beseitigt sie durch ad hoc eingeführte Hilfshypothesen oder durch Korrektur an den Meßinstrumenten.

In solchen Krisenzeiten zeigt sich deutlich die Verschiedenheit der Zielsetzung: *Wir* hoffen, mit Hilfe eines neu zu errichtenden wissenschaftlichen Systems neue Vorgänge zu entdecken; an dem falsifizierenden Experiment haben wir höchstes Interesse, wir buchen es als Erfolg, denn es eröffnet uns Aussichten in eine neue Welt von Erfahrungen; und wir begrüßen es, wenn diese uns neue Argumente gegen die neuen Theorien liefert. Aber dieser Neubau, dessen Kühnheit wir bewundern, ist für den Konventionalisten ein ›Zusammenbruch der Wissenschaft‹ (Dingler). Für ihn gibt es nur *eine* Methode, ein System innerhalb der möglichen Systeme als anerkannt auszuzeichnen, nämlich die, das *einfachste* – was hier aber meist bedeutet: das jeweils ›klassische‹ – System von Definitionen zu wählen[3].

Unser Gegensatz zum Konventionalismus kann nicht durch eine sachlich-theoretische Debatte ausgetragen werden. Dennoch kann man aus dessen Gedankenkreis Einwände gegen unser Abgrenzungskriterium gewinnen, z.B. die folgenden: Zugegeben, daß die theoretischen Systeme der Naturwissenschaft nicht verifizierbar sind; sie sind aber auch nicht falsifizierbar. Denn man kann ja »... für jedes beliebige Axiomensystem das erzielen, was ›Übereinstimmung mit der Wirklichkeit‹ genannt wird«[4], und zwar (wie schon angedeutet) auf verschiedene Weise: Einführung von Ad-hoc-Hypothesen; Abänderung der sogenannten ›Zuordnungsdefinitionen‹ (bzw. der expliziten Definitionen, die in unserem Aufbau an deren Stelle treten); Vorbehalte gegen die Verläßlichkeit des Experimentators, dessen bedrohliche Beobachtungen man aus der Wissenschaft ausschaltet, indem man sie als nicht gesichert, als unwissenschaftlich, nicht objektiv, erlogen oder dgl. erklärt (ein Verfahren, das die Physik wohl mit Recht gegenüber okkultistischen Phänomenen anwendet); und schließlich Vorbehalte gegen den Scharfsinn des Theoretikers (der nicht, wie Dingler, daran glaubt, daß man dereinst auch die Theorie der Elektrizität aus dem Newtonischen Gravitationsgesetz werde ableiten können).

Man kann also nach konventionalistischer Ansicht Theoriensysteme nicht in falsifizierbare und nicht-falsifizierbare einteilen; d.h.: diese Einteilung ist nicht eindeutig. Das Kriterium der Falsifizierbarkeit wäre somit kein geeignetes Abgrenzungskriterium.

II. Methodologische Regeln

Ähnlich wie der Konventionalismus sind auch die konventionalistischen Einwände in der Hauptsache unwiderleglich. Das Kriterium der Falsifizierbarkeit ist zunächst in der Tat nicht eindeutig, denn wir können durch Analyse der logischen Form eines Satzsystems nicht entscheiden, ob dieses System ein konventionalistisches, d.h. nicht erschütterbares System von impliziten Definitionen ist oder ein in unserem Sinn empirisches, d.h. ein widerlegbares System. Aber das besagt nur, daß es unmöglich ist, unser Abgrenzungskriterium ohne weiteres auf *Systeme von Sätzen* anzuwenden – ein Umstand, auf den wir z.B. schon in Text *8*, Abschnitt *II* und Text *9*, Abschnitt *V* hingewiesen haben. Die Frage, ob ein vorliegendes *System* als solches konventionalistisch oder empirisch zu nennen ist, ist deshalb falsch gestellt: Nur mit Rücksicht auf die *Methode* kann man von konventionalistischen oder von empirischen Theorien sprechen. Wir können dem Konventionalismus nur durch einen *Entschluß* entgehen: Wir setzen fest, seine Methoden nicht anzuwenden und im Falle einer Bedrohung des Systems dieses nicht durch eine *konventionalistische Wendung* zu retten, d.h. nicht unter allen Umständen das zu »... erzielen, was ›Übereinstimmung mit der Wirklichkeit‹ genannt wird«.

Eine klare Einsicht, was man dadurch gewinnt (und verliert), findet man schon – ein Jahrhundert vor Poincaré – bei Black: »Eine geschickte Anwendung gewisser Bedingungen wird fast jede Hypothese mit den Erscheinungen übereinstimmend machen: dies ist der Einbildungskraft angenehm, aber vergrößert unsere Kenntnisse nicht.«[5]

Um die methodologischen Regeln aufzufinden, die eine konventionalistische Wendung verhindern sollen, werden wir die verschiedenen möglichen konventionalistischen Verfahrensweisen festzustellen und durch entsprechende ›antikonventionalistische‹ Maßregeln zu verbieten haben. Überdies vereinbaren wir, überall, wo wir ein solches konventionalistisches Vorgehen feststellen, das betreffende System neuerlich zu überprüfen und gegebenenfalls zu verwerfen.

Die vier hauptsächlich in Betracht kommenden konventionalistischen Verfahrensweisen haben wir am Schlusse des vorigen Abschnittes zusammengestellt. Wir erheben keinen Anspruch darauf, daß die Zusammenstellung vollständig ist; der Forscher, insbesondere der Soziologe und der Psychologe (dem Physiker werden wir wohl nur Selbstverständliches sagen können), muß immer vor neuen Wendungen dieser Art auf der Hut sein (Beispiel: Psychoanalyse).

Bezüglich der *Hilfshypothesen* setzen wir fest, nur solche als befriedigend zuzulassen, durch deren Einführung der ›Falsifizierbarkeitsgrad‹ des Systems nicht herabgesetzt, sondern gesteigert wird[6]; in diesem Fall bedeutet die Einführung der Hypothese eine Verbesserung: Das System verbietet mehr als vorher. Anders ausgedrückt: Wir betrachten die Einführung einer Hilfshypothese in jedem Fall als den Versuch eines Neubaues und müssen diesen dann daraufhin beurteilen, ob er einen Fortschritt darstellt. Ein typisches Beispiel einer in diesem Sinn zulässigen Hilfshypothese wäre das Pauli-Verbot. Ein Beispiel einer unbefriedigenden Hilfsannahme wäre die Lorentz-Fitzgeraldsche Kontraktionshypothese, die keinerlei falsifizierbare Konsequenzen hatte[7], sondern nur die Übereinstimmung zwischen Theorie und (Michelson-Morley-)Experiment wiederherstellte; erst die Relativitätstheorie erzielte einen Fortschritt, denn sie prognostizierte neue Konsequenzen, neue Effekte und eröffnete damit neue Überprüfungs- bzw. Falsifikationsmöglichkeiten. – Wir ergänzen die angegebene Regel noch durch die Bemerkung, daß nicht *alle* unbefriedigenden Hilfshypothesen als konventionalistisch abgelehnt werden müssen; insbesondere singuläre Annahmen, die in das Theoriensystem gar nicht eingehen, die man aber auch oft Hilfshypothesen nennt, sind meist zwar theoretisch belanglos, aber nicht weiter bedenklich. (Beispiel: Falls eine nicht reproduzierbare Beobachtung gemacht wird, nimmt man vielleicht einen Beobachtungsfehler an [vgl. Text *11,* Abschnitt *II*].

Auch Änderungen expliziter *Definitionen* durch Zuordnung von Begriffen eines Systems von niedrigerer Allgemeinheitsstufe sind, wenn zweckmäßig, erlaubt, aber als Abänderung des Systems, als Neubau zu beurteilen. Was die *undefinierten* Universalien betrifft, so müssen wir zwei Möglichkeiten unterscheiden: Es gibt (1) undefinierte Begriffe, die nur in Sätzen höchster Allgemeinheitsstufe auftreten, deren Gebrauch dadurch festgelegt ist, daß wir von anderen Begriffen wissen, in welchem logischen Verhältnis sie zu ihnen stehen; sie können im Verlauf der Deduktion eliminiert werden (Beispiel: ›Energie‹)[8]; ferner (2) solche, die auch in Sätzen niedrigerer Allgemeinheitsstufe vorkommen und deren Verwendung durch den Sprachgebrauch festgelegt ist (Beispiel: ›Bewegung‹, ›Massenpunkt‹, ›Lage‹). Wir werden unkontrollierte Änderungen der Verwendungsweise verbieten, im übrigen aber wie früher verfahren.

Auch bei den übrigen Punkten (Vorbehalte gegenüber Experimentator bzw. Theoretiker) wäre ähnlich vorzugehen: intersubjektiv nachprüfbare *Effekte* werden wir entweder anerkennen oder Gegenexperimente anstellen; und die bloße Berufung auf künftig zu entdeckende Ableitungen bedeutet uns nichts.

III. Logische Untersuchung der Falsifizierbarkeit

Nur bei solchen Systemen, die bei empirisch-methodischem Vorgehen falsifizierbar wären, werden wir konventionalistische Wendungen zu befürchten haben. Wir wollen annehmen, daß es uns gelingt, diese zu vermeiden, und nun nach der *logischen* Charakterisierung solcher falsifizierbarer Systeme fragen. Wir können dann die Falsifizierbarkeit einer Theorie als eine logische Beziehung zwischen ihr und den Basissätzen kennzeichnen.

Über die singulären Sätze, die wir Basissätze nennen, und die Frage ihrer Falsifizierbarkeit sprechen wir [im nächsten Text] ausführlich. Hier setzen wir voraus, daß es falsifizierbare Basissätze gibt; wir bemerken, daß wir unter Basissätzen nicht etwa ein System von anerkannten Sätzen verstehen; vielmehr enthält das System der Basissätze alle überhaupt nichtwiderspruchsvollen besonderen Sätze einer gewissen Form – sozusagen alle überhaupt denkbaren Tatsachenfeststellungen; es enthält daher auch Sätze, die einander widersprechen.

Man könnte zunächst vielleicht versuchen, eine Theorie dann empirisch zu nennen, wenn aus ihr besondere Sätze ableitbar sind; das läßt sich aber nicht durchführen, weil zur Deduktion besonderer Sätze immer besondere Sätze, Randbedingungen substituiert werden müssen. Aber auch der Versuch, jene Theorien empirisch zu nennen, aus denen bei Substitution besonderer Sätze andere besondere Sätze ableitbar sind, mißlingt, denn aus nichtempirischen, z.B. tautologischen Sätzen können in Verbindung mit besonderen Sätzen immer besondere Sätze abgeleitet werden. (Nach den Regeln der Logik dürfen wir z.B. sagen: Aus der Konjunktion von ›Zwei mal zwei ist vier‹ und ›Hier ist ein schwarzer Rabe‹ folgt u. a. ›Hier ist ein Rabe‹.) Aber es genügt nicht einmal die Forderung, daß aus der Theorie in Verbindung mit einer Randbedingung *mehr* deduzierbar sein soll als aus der Randbedingung allein; denn das würde zwar tautologische Theorien ausschalten, jedoch nicht synthetisch-metaphysische Sätze. (Beispiel: Aus ›Jedes Ereignis hat eine Ursache‹ und ›Hier ereignet sich eine Katastrophe‹ folgt ›Diese Katastrophe hat eine Ursache‹.)

Wir müßten also etwa verlangen, daß mit Hilfe der Theorie mehr *besondere [singuläre] empirische* Sätze deduziert werden können, als aus den Randbedingungen allein ableitbar sind[9], d.h., wir werden unsere Definition auf eine bestimmte Klasse von besonderen Sätzen, eben die Basissätze, stützen müssen. Mit Rücksicht darauf, daß es gar nicht durchsichtig ist, in welcher Weise ein komplizierteres theoretisches System bei der Deduktion von Basissätzen mitwirkt, wählen wir die folgende Definition: Eine Theorie heißt ›empirisch‹ bzw. ›falsifizierbar‹, wenn sie die Klasse aller überhaupt möglichen Basissätze eindeutig in zwei nichtleere Teilklassen zerlegt: in die Klasse jener, mit denen sie in Widerspruch steht, die sie ›verbietet‹ – wir nennen sie die Klasse der *Falsifikationsmöglichkeiten* der Theorie –, und die Klasse jener, mit denen sie nicht in Widerspruch steht, die sie ›erlaubt‹. Oder kürzer: Eine Theorie ist falsifizierbar, wenn die Klasse ihrer Falsifikationsmöglichkeiten nicht leer ist.

Wir bemerken, daß die Theorie nur über die Klasse ihrer Falsifikationsmöglichkeiten etwas aussagt. (Sie behauptet die Falschheit aller ihrer Falsifikationsmöglichkeiten.) Über die anderen, die erlaubten Basissätze, sagt sie nichts aus; insbesondere sagt sie nicht, daß diese Sätze etwa ›wahr‹ sind[10].

IV. Falsifizierbarkeit und Falsifikation

Wir müssen zwischen Falsifizierbarkeit und Falsifikation deutlich unterscheiden. Die Falsifizierbarkeit führen wir lediglich als Kriterium des empirischen Charakters von Satzsystemen ein; wann ein System als falsifiziert anzusehen ist, muß durch eigene Regeln bestimmt werden.

Wir nennen eine Theorie nur dann falsifiziert, wenn wir Basissätze anerkannt haben, die ihr widersprechen [siehe Text *9*, Abschnitt *V*]. Diese Bedingung ist notwendig, aber nicht hinreichend, denn nichtreproduzierbare Einzelereignisse sind, wie wir schon mehrfach erwähnt haben, für die Wissenschaft bedeutungslos; widersprechen also der Theorie nur einzelne Basissätze, so werden wir sie deshalb noch nicht als falsifiziert betrachten. Das tun wir vielmehr erst dann, wenn ein die Theorie widerlegender *Effekt* aufgefunden wird; anders ausgedrückt: wenn eine (diesen Effekt beschreibende) empirische Hypothese von niedriger Allgemeinheitsstufe, die der Theorie widerspricht, aufgestellt wird und sich bewährt. Eine solche Hypothese nennen wir *falsifizierende Hypothese.* Wenn wir verlangen, daß diese Hypothese empirisch, also falsifizierbar sein muß, so ist damit nur ihre logische Beziehung zu möglichen Basissätzen gemeint, d.h., diese Forderung bezieht sich auf die logische Form der Hypothese. Die Bemerkung hingegen, daß sich die Hypothese bewährt, bezieht sich auf ihre Prüfung durch anerkannte Basissätze[11].

Die Basissätze spielen also zwei verschiedene Rollen: Einerseits ist das System aller logisch-möglichen Basissätze sozusagen ein Bezugssystem, mit dessen Hilfe wir die Form empirischer Sätze logisch kennzeichnen können; anderseits sind die *anerkannten* Basissätze Grundlage für die Bewährung von Hypothesen. Widersprechen anerkannte Basissätze einer Theorie, so sind sie nur dann Grundlage für deren Falsifikation, wenn sie gleichzeitig eine falsifizierende Hypothese bewähren.

Text *11*

Die empirische Basis (1934)

Wir haben die Frage der Falsifizierbarkeit der Theorien auf die der Falsifizierbarkeit gewisser besonderer Sätze zurückgeführt, die wir Basissätze nennen. Welche Art von besonderen Sätzen sind aber diese Basissätze? Und wie können sie falsifiziert werden? Diese Fragen werden zwar den praktischen Forscher nur wenig berühren, aber die mit ihnen verbundenen Unklarheiten und Mißverständnisse veranlassen uns, sie ausführlich zu besprechen.

I. Erlebnisse als Basis (Psychologismus)

Daß die Erfahrungswissenschaften auf Sinneswahrnehmungen, auf Erlebnisse zurückführbar sind, ist eine These, die vielen fast als selbstverständlich gilt. Aber diese These steht und fällt mit der Induktionslogik; wir lehnen sie mit dieser ab. Daß etwas Richtiges an der Bemerkung ist, Mathematik und Logik entsprächen dem Denken, die Tatsachenwissenschaften den Sinneswahrnehmungen, wollen wir nicht leugnen. Aber das, was hier vorliegt, halten wir nicht für ein erkenntnistheoretisches Problem; und wir glauben, daß wohl in keiner erkenntnistheoretischen Frage die Vermengung von psychologischen und logischen Gesichtspunkten größere Verwirrung angerichtet hat als in der Frage nach den Grundlagen der Erfahrungssätze.

Das Problem der Erfahrungsgrundlage ist von wenigen Denkern so stark empfunden worden wie von Fries[1]: Will man die Sätze der Wissenschaft nicht *dogmatisch* einführen, so muß man sie *begründen.* Verlangt man eine logische Begründung, so kann man *Sätze immer nur auf Sätze* zurückführen: die Forderung nach logischer Begründung (das ›Vorurteil des Beweises‹, sagt Fries) führt zum *unendlichen Regreß.* Will man sowohl den Dogmatismus wie den unendlichen Regreß vermeiden, so bleibt nur der Psychologismus übrig, d.h. die Annahme, daß man Sätze nicht nur auf Sätze, sondern z.B. auch auf Wahrnehmungserlebnisse gründen kann. Angesichts dieses *Trilemmas* (Dogmatismus – unendlicher Regreß – psychologistische Basis) optiert Fries, und mit ihm fast alle Erkenntnistheoretiker, die der Empirie gerecht werden wollen, für den Psychologismus: Die Anschauung, die Sinneswahrnehmung, so lehrt er, ist ›unmittelbare Erkenntnis‹[2]; durch sie können wir unsere ›mittelbaren Erkenntnisse‹, die symbolischen, sprachlich dargestellten Sätze der Wissenschaft, rechtfertigen.

Meist aber wird das Problem gar nicht so weit aufgerollt: Den sensualistischen und ›positivistischen‹ Erkenntnistheorien gilt es als selbstverständlich, daß[3] die erfahrungswissenschaftlichen Sätze ›von unseren Erlebnissen sprechen‹. Denn wie sollten wir ein Wissen von Tatsachen erlangen, wenn nicht durch Wahrnehmung? Durch Denken allein können wir doch nichts über die Welt der Tatsachen erfahren; nur die Wahrnehmungserlebnisse können die ›Erkenntnisquelle‹ der Erfahrungswissenschaften sein; alles, was wir über die Welt der Tatsachen wissen, müssen wir daher auch in Form von *Sätzen über unsere Erlebnisse* aussprechen können. Ob dieser Tisch rot ist oder blau, das können wir durch Vergleich mit unseren Erlebnissen feststellen; durch unmittelbare Überzeugungserlebnisse können wir den ›wahren‹ Satz, die richtige Zuordnung der Begriffe zu den Erlebnissen, von dem ›falschen‹ Satz, der unrichtigen Zuordnung, unterscheiden. Die Wissenschaft ist ein Versuch, unser Wissen, unsere Überzeugungserlebnisse zu ordnen und zu beschreiben: sie ist die *systematische Darstellung unserer Überzeugungserlebnisse.*

Diese Auffassung scheitert unserer Meinung nach am Induktions- bzw. am Universalienproblem: Wir können keinen wissenschaftlichen Satz aussprechen, der nicht über das, was wir ›auf Grund unmittelbarer Erlebnisse‹ sicher wissen können, weit hinausgeht (›Transzendenz der Darstellung‹); jede Darstellung verwendet allgemeine Zeichen, Universalien, jeder Satz hat den Charakter einer Theorie, einer Hypothese. Der Satz: ›Hier steht ein Glas Wasser‹ kann durch keine Erlebnisse verifiziert werden, weil die auftretenden Universalien nicht bestimmten Erlebnissen zugeordnet werden können (die ›unmittelbaren Erlebnisse‹ sind nur einmal ›unmittelbar gegeben‹, sie sind einmalig). Mit dem Wort ›Glas‹ z.B. bezeichnen wir physikalische Körper von bestimmtem gesetzmäßigem Verhalten, und das gleiche gilt von dem Wort ›Wasser‹. Universalien sind nicht auf Klassen von Erlebnissen zurückführbar, sie sind nicht ›konstituierbar‹[4].

II. Objektivität der Basis

Wir gehen von einer anderen Auffassung der Wissenschaft aus, als die geschilderten psychologistischen Auffassungen: *Wir unterscheiden scharf zwischen der objektiven Wissenschaft und ›unserem Wissen‹.*

Sicher kann uns nur Beobachtung »ein Wissen über die Tatsachen liefern«, können wir (wie Hahn sagt) »Tatsachen ... nur durch Beobachtung erfassen«. Aber dieses unser Wissen, unser Erfassen begründet nicht die Geltung von Sätzen. Die Fragestellung der Erkenntnistheorie kann daher nicht sein: »... worauf geht *unser Wissen* zurück? ..., genauer: womit kann ich, wenn ich das *Erlebnis* S gehabt habe, meine ... Erkenntnis ... begründen, gegen Zweifel rechtfertigen?«[5], – auch dann nicht, wenn man die ›Erlebnisse‹ durch die ›Protokollsätze‹ ersetzt; sondern wir werden fragen: Wie überprüfen wir wissenschaftliche Sätze durch ihre deduktiven Folgerungen? (oder allgemeiner: Wie können wir unsere Theorien (Hypothesen, Vermutungen) am besten *kritisieren,* anstatt sie gegen Anzweiflungen zu verteidigen.) [siehe auch Text *3,* Abschnitt *III*.] Durch welche intersubjektiv nachprüfbaren Folgerungen sind die wissenschaftlichen Sätze überprüfbar?

Für logisch-tautologische Behauptungen der Wissenschaft ist die nichtpsychologische, objektive Auffassung bereits ziemlich allgemein anerkannt. Zwar ist es nicht allzu lange her, daß der Standpunkt vertreten wurde, die Logik sei die Lehre von den Gesetzen unseres Denkens, es gäbe für sie keine andere Rechtfertigung als der Hinweis auf die ›Tatsache‹, daß wir gar nicht anders denken können; und ein logischer Schluß wäre etwa dadurch gerechtfertigt, daß wir seine Denknotwendigkeit – vielleicht in Form eines Zwangs – erleben. In Fragen des logischen Schließens dürfte dieser Psychologismus wohl überwunden sein; niemand denkt daran, einen logischen Schluß, den er vertritt, dadurch zu begründen, gegen Zweifel zu rechtfertigen, daß er neben dessen Darstellung etwa den folgenden Protokollsatz hinschreibt: ›Protokoll: Ich habe heute beim Durchrechnen dieser Schlußkette ein Evidenzerlebnis gehabt.‹

Anderer Ansicht pflegt man jedoch bezüglich der *empirischen* Aussagen der Wissenschaft zu sein. Von diesen glaubt man allgemein, daß sie sich auf Wahrnehmungserlebnisse gründen – in formaler Ausdrucksweise: auf Protokollsätze. Merkwürdigerweise tritt der Versuch, Sätze durch Protokollsätze zu sichern – bei logischen Sätzen würde man ihn wohl als Psychologismus bezeichnen –, bei empirischen Sätzen unter dem Namen ›Physikalismus‹ auf. Aber die Verhältnisse sind unserer Meinung nach auch hier die gleichen: Unser *Wissen* (eine psychologische Angelegenheit, vage beschreibbar als ein System von Dispositionen) hängt hier wie dort mit Evidenzerlebnissen, Überzeugungserlebnissen zusammen – hier vielleicht mit dem Erlebnis einer ›Wahrnehmungsevidenz‹, dort mit Denkerlebnissen. Aber das interessiert nur den Psychologen; in den logischen Begründungszusammenhang der wissenschaftlichen Sätze, der allein den Erkenntnistheoretiker interessiert, geht nichts von alledem ein.

(Es ist ein verbreitetes Vorurteil, daß der Satz: ›Ich sehe, daß der Tisch hier weiß ist‹ gegenüber dem Satz: ›Der Tisch hier ist weiß‹ irgendwelche erkenntnistheoretische Vorzüge aufweist; aber deshalb, weil er etwas über ›mich‹ behauptet, kann der erste Satz vom Standpunkt einer objektiven Prüfung nicht als sicherer angesehen werden als der zweite Satz, der etwas über ›den Tisch hier‹ behauptet.)

Um eine logische Beweiskette zu sichern, gibt es nur *ein* Mittel: sie in möglichst leicht nachprüfbarer Form darzustellen d.h. die Kettendeduktion in viele einzelne Schritte zu zerlegen, so daß ihr jeder, der die mathematisch-logische Umformungstechnik gelernt hat, zu folgen vermag. Sollte jemand dann noch Zweifel hegen, so bleibt uns nichts übrig, als ihn zu bitten, einen Fehler in der Schlußkette nachzuweisen oder sich die Sache doch nochmals zu überlegen. Ganz analog muß jeder empirisch-wissenschaftliche Satz durch Angabe der Versuchsanordnung u. dgl. in einer Form vorgelegt werden, daß jeder, der die Technik des betreffenden Gebietes beherrscht, imstande ist, ihn nachzuprüfen. Kommt der Prüfende zu einer widersprechenden Auffassung, so genügt es nicht, daß er seine Zweifelserlebnisse schildert, auch nicht, daß er beteuert, er habe diese oder jene Wahrnehmungserlebnisse gehabt, sondern er muß eine Gegenbehauptung mit neuen Prüfungsanweisungen aufstellen. Tut er das nicht, so können wir ihn nur ersuchen, sich den fraglichen Vorgang doch nochmals – und besser – anzuschauen.

Eine Behauptung in nicht nachprüfbarer Form kann in der Wissenschaft nur die Rolle einer Anregung, eines Problems spielen; das gilt auf logisch-mathematischem Gebiet z.B. für das Fermatsche Problem, auf naturkundlichem Gebiet etwa für die Seeschlangenberichte. Die Wissenschaft behauptet in solchen Fällen zunächst nicht etwa, daß die Berichte erfunden seien, daß sich Fermat geirrt habe oder die Seeschlangenbeobachter lügen; sondern sie enthält sich vorläufig des Urteils.

Man kann die Wissenschaft auch anders als vom Standpunkt der Erkenntnistheorie betrachten, z.B. als biologisch-soziologische Erscheinung. Sie kann dann als Werkzeug, als Instrument beschrieben werden, ähnlich etwa unseren industriellen Einrichtungen; man kann sie als Produktionsmittel, als einen ›Produktionsumweg‹[6] auffassen. Aber auch in dieser Betrachtungsweise hat die Wissenschaft mit ›unseren Erlebnissen‹ nicht mehr zu tun als irgendein anderes Instrument oder Produktionsmittel. Und auch insofern sie intellektuelle Bedürfnisse befriedigt, ist ihr Zusammenhang mit unseren Erlebnissen kein anderer als der irgendeines anderen objektiven Gebildes. Es ist zwar nicht unrichtig, wenn man sagt, die Wissenschaft sei »... ein Instrument«, dessen Zweck es ist, »... aus den unmittelbaren Erlebnissen spätere vorauszusagen und womöglich zu beherrschen«[7]. Aber die Erwähnung der Erlebnisse trägt nicht zur Klarheit bei; sie ist nicht zweckmäßiger als die Charakterisierung eines Bohrturms durch die nicht unrichtige Bemerkung, sein Zweck sei, uns gewisse Erlebnisse zu verschaffen – also z.B. nicht Öl, sondern das Erlebnis des Öls; nicht Geldbesitz, sondern das Erlebnis des Geldbesitzes.

III. Die Basissätze

Wir haben schon kurz angegeben, welche Funktion die Basissätze in unserem erkenntnistheoretischen Aufbau haben: Wir brauchen sie, um entscheiden zu können, wann wir eine Theorie falsifizierbar bzw. empirisch nennen können und wir brauchen sie zur Bewährung von falsifizierenden Hypothesen bzw. zur Falsifikation von Theorien [siehe Text *10,* Abschnitte *III* und *IV.*].

Die Basissätze müssen daher so bestimmt werden, daß (*a*) aus einem allgemeinen Satz (ohne spezielle Randbedingungen) niemals ein Basissatz folgen kann[8], daß jedoch (*b*) ein allgemeiner Satz mit Basissätzen im Widerspruch stehen kann. (*b*) kann nur erfüllt sein, wenn die Negation des widersprechenden Basissatzes aus der Theorie ableitbar ist. Daraus und aus (*a*) folgt: wir müssen die logische Norm der Basissätze so bestimmen, daß die Negation eines Basissatzes ihrerseits kein Basissatz sein kann.

Sätze, die eine andere logische Form haben wie ihre Negate, haben wir schon kennengelernt: Allsätze und universelle Es-gibt-Sätze gehen auseinander durch Negation hervor und haben dabei verschiedene logische Form. Eine analoge Konstruktion können wir auch mit singulären Sätzen durchführen; der Satz: ›An der Raum-Zeit-Stelle *k* gibt es einen Raben‹ hat eine andere logische – nicht nur sprachliche – Form als der Satz: ›An der Stelle *k* gibt es keinen Raben.‹ Wir wollen einen Satz von der Form: ›An der Raum-Zeit-Stelle *k* gibt es das und das‹ oder ›An der Stelle *k* ereignet sich der und der Vorgang‹ einen *singulären Es-gibt-Satz* nennen; den aus ihm durch Negation hervorgehenden Satz: ›An der Stelle k gibt es nicht das und das‹ oder ›An der Stelle k ereignet sich nicht der oder der Vorgang‹ einen *singulären Es-gibt-nicht-Satz.*

Wir setzen fest, daß *die Basissätze die Form singulärer Es-gibt-Sätze* haben sollen. Sie erfüllen dann die Forderung (*a*), denn aus einem Allsatz, d.h. einem universellen Es-gibt-nicht-Satz kann nie ein singulärer Es-gibt-Satz deduziert werden; und ebenso erfüllen sie die Forderung (*b*), was man schon daraus sieht, daß aus jedem singulären Es-gibt-Satz durch Weglassen der Raum-Zeit-Bestimmung ein universeller Es-gibt-Satz ableitbar ist und ein solcher mit einer Theorie in Widerspruch stehen kann.

Es ist zu bemerken, daß durch Konjunktion zweier einander nicht widersprechender Basissätze p und r wieder ein Basissatz entsteht. Unter Umständen kann aber auch durch Konjunktion eines Basissatzes und eines Satzes, der kein Basissatz ist, ein Basissatz entstehen, z.B. aus dem Basissatz r: ›An der Stelle *k* gibt es einen Zeiger‹ und dem singulären Es-gibt-nicht-Satz $\bar{p}$: ›An der Stelle k gibt es keinen sich bewegenden Zeiger‹; denn die Konjunktion $r \cdot \bar{p}$ (›*r*-und-nicht-*p*‹) dieser beiden Sätze ist äquivalent dem singulären Es-gibt-Satz: ›An der Stelle *k* gibt es einen Zeiger, der sich nicht bewegt‹. Es kann daher, wenn wir aus einer Theorie t und einer Randbedingung r die Prognose p deduzieren, der die Theorie falsifizierende Satz $r \cdot \bar{p}$ ein Basissatz sein. (Die Implikation $r \rightarrow p$ ist jedoch ebensowenig ein Basissatz wie die Negation $\bar{p}$, da sie der Negation des Basissatzes $r \cdot \bar{p}$ äquivalent ist.)

Neben diesen formalen Forderungen, die durch alle singulären Es-gibt-Sätze erfüllt werden, müssen wir an die Basissätze noch eine materiale Forderung stellen, nämlich die, daß die Vorgänge, von denen sie behaupten, daß sie sich an einer Stelle *k* abspielen, ›*beobachtbare*‹ Vorgänge sind; Basissätze müssen durch ›Beobachtung‹ intersubjektiv nachprüfbar sein. Da sie singuläre Sätze sind, kann sich diese Forderung natürlich nur auf jene ›nachprüfenden Subjekte‹ beziehen, die sich in entsprechender raumzeitlicher Nähe befinden (eine Frage, auf die wir nicht weiter eingehen).

Man könnte meinen, daß durch die Forderung der Beobachtbarkeit doch ein psychologistisches Element in unsere Überlegungen Einlaß findet. Daß das nicht der Fall ist, sieht man daran, daß wir den Begriff ›beobachtbar‹ zwar auch psychologistisch erläutern können, aber, wenn wir wollten, statt von einem ›beobachtbaren Vorgang‹ auch von einem ›Bewegungsvorgang an (makroskopischen) physischen Körpern‹ sprechen könnten; genauer: wir könnten festsetzen, daß jeder Basissatz entweder selbst ein Satz über Lagebeziehungen zwischen physischen Körpern sein oder solchen ›mechanistischen‹ oder materialistischen Basissätzen äquivalent sein muß. (Eine solche Festsetzung ist deshalb durchführbar, weil jede Theorie nicht nur intersubjektiv, sondern auch intersensual[9] nachprüfbar ist; d.h., Nachprüfungen der Theorie, die durch Beobachtungen eines bestimmten Sinnesgebietes erfolgen können, können grundsätzlich durch solche in anderen Sinnesgebieten ersetzt werden.) Die Bemerkung, unsere Auffassung sei psychologistisch, wäre also sozusagen gleichberechtigt mit der, daß sie mechanistisch oder materialistisch sei, woraus man am besten sieht, daß sie derartigen Kennzeichnungen gegenüber *neutral* ist. Diese Überlegungen stellen wir nur an, um den Ausdruck ›beobachtbar‹ von seinem psychologistischen Beigeschmack zu befreien (Beobachtungen, Wahrnehmungen mögen etwas Psychologisches sein, nicht aber Beobachtbarkeit); im übrigen möchten wir den Begriff ›beobachtbar‹ (›beobachtbarer Vorgang‹) durch psychologistische oder mechanistische Beispiele nur erläutern; wir wollen ihn nicht durch Definition, sondern als einen undefinierten, durch den Sprachgebrauch hinreichend präzisierten *Grundbegriff* einführen, den der Erkenntnistheoretiker in ähnlicher Weise zu gebrauchen lernen muß, wie etwa den Terminus ›Zeichen‹ – oder wie der Physiker den Begriff des ›Massenpunkts‹.

Basissätze sind also – in realistischer Ausdrucksweise – Sätze, die behaupten, daß sich in einem individuellen Raum-Zeit-Gebiet ein beobachtbarer Vorgang abspielt.

IV. Relativität der Basissätze. Auflösung des Friesschen Trilemmas

Jede Nachprüfung einer Theorie, gleichgültig, ob sie als deren Bewährung oder als Falsifikation ausfällt, muß bei irgendwelchen Basissätzen haltmachen, die *anerkannt* werden. Kommt es nicht zu einer Anerkennung von Basissätzen, so hat die Überprüfung überhaupt kein Ergebnis. Aber niemals zwingen uns die logischen Verhältnisse dazu, bei bestimmten ausgezeichneten Basissätzen stehenzubleiben und gerade diese anzuerkennen oder aber die Prüfung aufzugeben; jeder Basissatz kann neuerdings durch Deduktion anderer Basissätze überprüft werden; wobei unter Umständen die gleiche Theorie wieder verwendet werden muß oder auch eine andere. Dieses Verfahren findet niemals ein ›natürliches‹ Ende. Wenn wir ein Ergebnis erzielen wollen, bleibt uns also nichts anderes übrig, als uns an irgendeiner Stelle für vorläufig befriedigt zu erklären.

Es ist verständlich, daß sich auf diese Weise ein Verfahren ausbildet, bei solchen Sätzen stehenzubleiben, deren Nachprüfung ›leicht‹ ist, d.h. über deren Anerkennung oder Verwerfung unter den verschiedenen Prüfern eine Einigung erzielt werden kann; wenn eine solche nämlich nicht erzielt wird, wird man das Verfahren weiter fortführen oder die Prüfung von neuem beginnen. Wo auch das zu keinem Ergebnis führt, werden wir sagen, daß es sich nicht um eine intersubjektiv nachprüfbare Frage handelt, nicht um ›beobachtbare Vorgänge‹. Sollte eines Tages zwischen wissenschaftlichen Beobachtern über Basissätze keine Einigung zu erzielen sein, so würde das bedeuten, daß die Sprache als intersubjektives Verständigungsmittel versagt. Durch eine solche Sprachverwirrung wäre die Tätigkeit des Forschers ad absurdum geführt; wir müßten unsere Arbeit am Turmbau der Wissenschaft einstellen.

Ähnlich wie eine logische Beweisführung dann befriedigend ist, wenn die schwierige Arbeit getan ist und den Nachprüfenden nur mehr die leichte übrigbleibt, ähnlich bleiben wir also, nachdem die Wissenschaft ihre Erklärungs- oder Deduktionsarbeit geleistet hat, bei Basissätzen stehen, die leicht nachprüfbar sind. Daher werden sich Erlebnisaussagen oder Protokollsätze nicht sehr dazu eignen, die Funktion eines solchen Endsatzes zu übernehmen. Zwar werden wir auch Protokolle benützen (z.B. von der Phys.-Techn. Reichsanstalt ausgefertigte Prüfungsbescheinigungen) und wir können sie, wenn ein Bedürfnis besteht, auch weiter nachprüfen, – etwa in der Weise, daß wir die Reaktionsgeschwindigkeit des Protokollierenden (persönliche Gleichung) untersuchen. Aber im allgemeinen und insbesondere ›... in kritischen Fällen‹ werden wir [Carnaps Rat *nicht* folgen, und] *nicht* »... gerade bei ihnen stehenbleiben ..., weil die intersubjektive Nachprüfung von Sätzen über Wahrnehmungen ... verhältnismäßig umständlich und schwierig ist«.[10]

Wie steht es nun mit dem Friesschen Trilemma: Dogmatismus – unendlicher Regreß – Psychologismus? [siehe Abschnitt *1* oben.] Die Basissätze, bei denen wir jeweils stehenbleiben, bei denen wir uns befriedigt erklären, die wir als hinreichend geprüft anerkennen – sie haben wohl insofern den Charakter von Dogmen, als sie ihrerseits nicht weiter begründet werden. Aber diese Art von Dogmatismus ist harmlos, denn sie können ja, falls doch noch ein Bedürfnis danach auftreten sollte, weiter nachgeprüft werden. Wohl ist dabei die Kette der Deduktion grundsätzlich unendlich, aber dieser ›unendliche Regreß‹ ist unbedenklich, weil durch ihn keine Sätze bewiesen werden sollen und können. Und was schließlich die psychologistische Basis betrifft, so ist es sicher richtig, daß der Beschluß, einen Basissatz anzuerkennen, sich mit ihm zu begnügen, mit Erlebnissen zusammenhängt – etwa mit Wahrnehmungserlebnissen; aber der Basissatz wird durch diese Erlebnisse nicht begründet; Erlebnisse können Entschlüsse, also auch Festsetzungen *motivieren,* vielleicht sogar entscheidend; aber sie können einen *Basissatz* ebensowenig begründen wie ein Faustschlag auf den Tisch[11].

Text *12*

Die Zielsetzung der Erfahrungswissenschaft (1957)

Es mag vielleicht ein wenig naiv klingen, von ›dem Ziel‹ oder ›der Aufgabe‹ der erfahrungswissenschaftlichen Tätigkeit zu sprechen; denn es ist klar, daß verschiedene Erfahrungswissenschaftler verschiedene Ziele haben, und daß Erfahrungswissenschaft selbst (was immer das bedeuten mag) keine Ziele hat. Das alles gebe ich gerne zu. Und doch scheint es, daß wir, wenn wir von empirischer Wissenschaft sprechen, mehr oder weniger deutlich fühlen, daß erfahrungswissenschaftliche Tätigkeit etwas Charakteristisches an sich hat; und da erfahrungswissenschaftliche Tätigkeit doch einigermaßen wie eine vernünftige Tätigkeit aussieht, und da eine vernünftige Tätigkeit irgendein Ziel haben muß, dürfte der Versuch, das Ziel der empirischen Wissenschaft zu beschreiben, nicht völlig vergeblich sein.

Ich nehme an, daß es das Ziel der empirischen Wissenschaft ist, *befriedigende Erklärungen* zu finden für alles, was uns einer Erklärung zu bedürfen scheint. Mit einer (kausalen) *Erklärung* ist eine Klasse von Sätzen gemeint, von denen einer den Sachverhalt beschreibt, der erklärt werden soll (das *explicandum*), während die anderen, die erklärenden Aussagen, die ›Erklärung‹ im engeren Sinne des Wortes bilden (das *explicans* des *explicandums*).

Wir können in der Regel annehmen, daß das *explicandum*, mehr oder weniger, als wahr erkannt ist, oder daß von ihm vorausgesetzt wird, es sei als wahr erkannt. Denn es hat wenig Zweck, nach einer Erklärung für einen Stand von Dingen zu fragen, der sich als völlig imaginär herausstellen kann. (Fliegende Untertassen können einen solchen Fall darstellen: Was wir brauchen, ist vielleicht nicht eine Erklärung der fliegenden Untertassen, sondern der Berichte über fliegende Untertassen; sollten aber fliegende Untertassen existieren, dann wäre keine weitere Erklärung für die Berichte erforderlich). Das *explicans* andererseits, das wir aufzufinden suchen, wird in der Regel nicht bekannt sein; es muß entdeckt werden. Daher wird die wissenschaftliche Erklärung, wenn immer sie eine Entdeckung ist, die *Erklärung des Bekannten durch das Unbekannte* sein[1].

Das *explicans* muß, um befriedigend zu sein (befriedigend in einem höheren oder geringeren Grad), eine Anzahl von Bedingungen erfüllen. Erstens muß das *explicandum* logisch aus ihm folgen. Zweitens sollte das *explicans* wahr sein, obwohl es im allgemeinen nicht als wahr bekannt sein wird; auf jeden Fall darf es, selbst nach strengster kritischer Prüfung, nicht als falsch erkannt werden. Wenn es nicht als wahr erkannt ist (wie dies gewöhnlich der Fall sein wird), dann müssen *unabhängige* Zeugnisse zu seinen Gunsten sprechen, oder, in anderen Worten, es muß auf *unabhängige* Weise prüfbar sein; und es wird desto befriedigender sein, je unabhängiger und strenger die Prüfungen waren, denen es standgehalten hat.

Ich muß nun meinen Gebrauch des Ausdrucks ›unabhängig‹, mit seinen Gegenteilen, ›*ad hoc*‹ und (in extremen Fällen) ›zirkelförmig‹, erklären.

Nehmen wir an, daß *a* ein *explicandum* sei, das als wahr erkannt ist. Da es ein Gemeinplatz ist, daß *a* aus *a* selbst folgt, könnten wir immer *a* als eine Erklärung für sich selbst vorschlagen. Diese wäre offensichtlich *unbefriedigend*, obwohl wir in diesem Falle wüßten, daß das *explicans* wahr ist und daß das *explicandum* aus ihm folgt. *Daher müssen wir zirkelförmige Erklärungen ausschließen.*

Aber Zirkelförmigkeit ist zum Teil eine Sache des Grades. Betrachten wir den folgenden Dialog: ›Wieso ist das Meer heute so stürmisch?‹ – ›Weil Neptun heute sehr zornig ist.‹ – ›Auf welche Gründe kannst du deine Aussage stützen, daß Neptun heute sehr zornig ist?‹ – ›Ja, siehst du denn nicht, daß das Meer *sehr* stürmisch ist? Und ist es nicht immer stürmisch, wenn Neptun zornig ist?‹ Diese Erklärung wird unbefriedigend gefunden, weil, wie im Falle der zirkelförmigen Erklärung, der einzige Grund für das *explicans* das *explicandum* selbst ist[2]. Das Gefühl, daß diese Art von halbzirkelförmiger oder *Ad-hoc*-Erklärung höchst unbefriedigend ist, und die Forderung, Erklärungen dieser Art zu vermeiden, gehören, wie ich glaube, zu den hauptsächlichsten Beweggründen für die Entwicklung der empirischen Wissenschaft; sie sind die ersten Früchte einer kritischen oder rationalen Einstellung.

Damit das *explicans* nicht *ad hoc* sei, muß es reich an Gehalt sein; es muß eine große Zahl prüfbarer Folgerungen enthalten und unter ihnen, vor allem, prüfbare Folgerungen, die von dem *explicandum* ganz verschieden sind. An diese anderen prüfbaren Folgerungen denke ich, wenn ich von *unabhängigen* Gründen oder Zeugnissen oder von unabhängigen Prüfungen spreche.

Obwohl diese Bemerkungen vielleicht dazu beitragen können, die intuitive Idee eines unabhängig prüfbaren *explicans* ein wenig zu erläutern, sind sie noch immer ganz unzureichend, um eine befriedigende und unabhängig prüfbare Erklärung zu charakterisieren. Denn wenn *a* wieder unser *explicandum* ist – ein solches wie ›das Meer ist heute stürmisch‹ –, dann können wir immer ein höchst unbefriedigendes *explicans* darbieten, das völlig *ad hoc* ist, obwohl es unabhängig prüfbare Folgerungen enthält. Wir können diese Folgerungen sogar immer nach Wunsch auswählen. Wir können zum Beispiel sagen: ›Diese Pflaumen sind saftig‹ und ›Alle Raben sind schwarz‹. Lassen wir *b* ihre Konjunktion sein. Dann können wir als *explicans* einfach die Konjunktion von *a* und *b* nehmen; sie wird allen Anforderungen entsprechen, die wir bis jetzt gestellt haben.

Nur wenn wir Erklärungen fordern, die universelle Aussagen oder Naturgesetze benutzen (ergänzt durch Anfangsbedingungen), können wir einen gewissen Fortschritt machen in Richtung auf eine Verwirklichung der Idee unabhängiger Erklärungen oder solcher Erklärungen, die nicht *ad hoc* sind. Denn universelle Naturgesetze können Aussagen mit einem reichen Gehalt sein, so daß sie überall und zu allen Zeiten *unabhängig geprüft* werden können. Wenn sie daher als Erklärungen benutzt werden, so ist es ganz gut möglich, daß sie nicht ad *hoc* sind; denn es ist möglich, daß sie uns gestatten, das *explicandum* als einen typischen Fall eines reproduzierbaren Effekts zu interpretieren. All dies trifft jedoch nur zu, wenn wir uns auf universelle Gesetze beschränken, die prüfbar, das heißt falsifizierbar sind.

Die Frage, was für eine Art Erklärung befriedigend sein kann, führt daher zu der Antwort: Eine Erklärung mit Hilfe von prüfbaren und falsifizierbaren universellen Gesetzen und Anfangsbedingungen. Und eine Erklärung dieser Art wird desto befriedigender sein, je besser prüfbar diese Gesetze sind (und auch die Anfangsbedingungen), und je besser die tatsächlich geprüft wurden.

Auf diese Weise führt die Mutmaßung, daß es das Ziel der empirischen Wissenschaft sei, befriedigende Erklärungen zu finden, zu der weiteren Idee, die Güte der Erklärungen zu verbessern, indem man den Grad ihrer Prüfbarkeit verbessert, das heißt, indem man zu immer besseren und besser prüfbaren Theorien fortschreitet. Das bedeutet aber, daß man zu Theorien fortschreitet mit einem reicheren Gehalt, einem höheren Grad von Universalität und einem höheren Grad von Genauigkeit [siehe Anm. 3 und 6 zu Text *10,* oben]. Dies

Resultat stimmt zweifellos völlig mit der tatsächlichen Praxis der theoretischen Wissenschaften überein.

Wir können zu einem im wesentlichen gleichen Resultat auch auf andere Weise gelangen. Wenn es das Ziel der Wissenschaft ist, zu erklären, dann wird es auch ihr Ziel sein, das zu erklären, was bis jetzt als ein *explicans* angenommen wurde, wie zum Beispiel ein Naturgesetz. Daher erneuert sich die Aufgabe der empirischen Wissenschaft beständig. Wir können immer weiterschreiten zu Erklärungen auf immer höherer Universalitätsstufe – es sei denn, wir kämen tatsächlich zu einer *letzten Erklärung*, das heißt zu einer Erklärung, die einer weiteren Erklärung weder fähig noch bedürftig ist.

Gibt es letzte Erklärungen? Die Lehre, die ich ›Essentialismus‹ genannt habe, ist die Ansicht, daß die empirische Wissenschaft letzte Erklärungen in der Form *essentieller* oder *wesentlicher* Eigenschaften suchen muß; wenn wir das Verhalten eines Dinges kraft seines Wesens – seiner wesentlichen Eigenschaften – erklären können, dann kann keine weitere Frage gestellt werden und braucht auch keine gestellt zu werden (außer vielleicht die theologische Frage nach dem Schöpfer der Wesenheiten). So dachte Descartes, er hätte die Physik im Rahmen der *wesentlichen Eigenschaft eines physikalischen Körpers* erklärt, die er für Ausdehnung hielt; und einige Newtonianer, von Roger Cotes beeinflußt, glaubten, daß die *wesentliche Eigenschaft der Materie* ihre Trägheit sei und ihr Vermögen, andere Materie anzuziehen, und daß Newtons Theorie von diesen wesentlichen Eigenschaften aller Materie abgeleitet und daher schließlich durch diese erklärt werden könne. Newton selber war anderer Meinung. Es war eine Hypothese über die letzte oder *wesentliche* Kausalerklärung der Schwerkraft, die er im Sinne hatte, als er im *scholium generale* am Ende der *Principia* schrieb: »Soweit habe ich die Erscheinungen ... durch die Schwerkraft erklärt, aber ich habe noch nicht *die Ursache der Schwerkraft selbst* ermittelt ... und ich erfinde Hypothesen nicht willkürlich [oder ich führe sie nicht *ad hoc* ein].«[3]

Ich glaube nicht an die Lehre von der letzten Erklärung. In der Vergangenheit waren die Kritiker dieser Lehre, in der Regel, Instrumentalisten; sie interpretierten empirische Theorien nur als Werkzeuge zur Vorhersage, ohne jede erklärende Kraft. Es gibt in der Tat eine dritte Möglichkeit, eine ›dritte Auffassung‹, wie ich sie genannt habe. Sie ist recht gut als ein ›modifizierter Essentialismus‹ beschrieben worden – wobei der Nachdruck auf dem Wort ›modifiziert‹ liegt[4].

Diese ›dritte Auffassung‹ – es ist die, die ich vertrete – modifiziert den Essentialismus auf radikale Weise. Zuerst vor allem durch das Aufgeben der Idee einer letzten Erklärung: Ich behaupte, daß jede Erklärung weiter erklärt werden kann durch eine Theorie oder Vermutung von höherer Universalität; und es kann keine Erklärung geben, die nicht einer weiteren Erklärung bedarf, denn keine kann eine sich selbst erklärende Beschreibung einer wesentlichen Eigenschaft sein (etwa eine essentialistische Definition des Wesens eines Körpers, wie sie von Descartes vorgeschlagen wurde). Zweitens müssen wir ›*Was-ist?*‹-Fragen aufgeben: Fragen, die danach fragen, was ein Ding ist, was seine wesentliche Eigenschaft oder Beschaffenheit ist. Denn wir müssen die für den Essentialismus charakteristische Ansicht aufgeben, nach der es einen wesentlichen Bestandteil, eine inhärente Beschaffenheit oder ein innewohnendes Prinzip in jedem Ding gibt (ähnlich wie den Weingeist im Wein), die ›Natur‹ des Dings, die es begründet oder erklärt, daß es ist, was es ist, und sich daher auf seine besondere Weise verhält. Diese animistische Anschauung erklärt nichts; aber sie hat Essentialisten (wie Newton) dazu geführt, relationalen Eigenschaften, wie der Schwerkraft, zu mißtrauen und aus als *a priori* gültig angenommenen Gründen zu glauben, daß es eine befriedigende Erklärung in Form inhärenter Eigenschaften (im Gegensatz zu relationalen Eigenschaften) geben müsse. Die dritte und letzte Modifizierung, die wir am Essentialismus vornehmen müssen, ist diese: Wir müssen die eng mit dem Animismus verknüpfte (und für Aristoteles im Gegensatz zu Plato charakteristische) Anschauung aufgeben, daß man sich auf die *jedem individuellen oder einzelnen Ding* inhärenten wesentlichen Eigenschaften berufen kann, um das Verhalten dieses Dinges zu erklären. Denn dieser Anschauung gelingt es durchaus nicht, Licht auf das Problem zu werfen, warum verschiedene individuelle Dinge sich auf ähnliche Weise verhalten sollen. Wenn gesagt wird: ›Weil ihre wesentlichen Eigenschaften ähnlich sind‹, so erhebt sich die neue Frage, *warum es nicht ebenso viele verschiedene wesentliche Eigenschaften geben solle, wie es verschiedene Dinge gibt*.

Plato versuchte genau dieses Problem zu lösen, indem er sagte, daß ähnliche individuelle Dinge Abkömmlinge, und daher Abbilder, derselben ursprünglichen ›Form‹ sind, die daher ›außerhalb‹ der verschiedenen individuellen Dinge besteht und ›älter‹ als diese und ihnen ›überlegen‹ ist; und, in der Tat, wir haben bis jetzt keine bessere Theorie der Ähnlichkeit. Selbst heutzutage berufen wir uns auf ihren gemeinsamen Ursprung, wenn wir die Ähnlichkeit zweier Menschen oder eines Vogels und eines Fisches, oder zweier Betten, oder zweier

Automobile, oder zweier Sprachen, oder zweier Rechtsverfahren erklären wollen; das heißt, wir erklären Ähnlichkeit hauptsächlich *genetisch*; und wenn wir daraus ein metaphysisches System machen, so neigt es dazu, eine historizistische Philosophie zu werden. Platos Lösung wurde von Aristoteles verworfen; aber da Aristoteles' Fassung des Essentialismus nicht einmal den Hinweis einer Lösung enthält, so scheint es, daß er niemals das Problem erfaßt hat[5].

Indem wir Erklärungen in der Form von universellen Naturgesetzen wählen, schlagen wir eine Lösung für genau dieses zuletzt erwähnte (platonische) Problem vor. Denn wir stellen uns alle individuellen Dinge und alle einzelnen Tatsachen als diesen Gesetzen unterworfen vor. Die Gesetze (die ihrerseits immer einer weiteren Erklärung bedürfen) erklären daher Regelmäßigkeiten oder Ähnlichkeiten individueller Dinge oder individueller Tatsachen oder Ereignisse. Und diese Gesetze sind nicht den einzelnen Dingen inhärent. (Noch sind sie platonische Ideen außerhalb der Welt.) Naturgesetze sind eher aufzufassen als (hypothetische) Beschreibungen struktureller Eigenschaften der Natur – des Kosmos.

Hier nun liegt die Ähnlichkeit zwischen meiner Auffassung (der ›dritten Auffassung‹) und dem Essentialismus; obwohl ich nicht glaube, daß wir jemals durch unsere allgemeinen Gesetze ein *letztes* Wesen der Welt beschreiben können, so bezweifle ich doch nicht, daß wir danach streben, immer tiefer in die Welt oder, wie wir sagen können, in immer wesentlichere oder tieferliegende Eigenschaften der Welt einzudringen.

Jedes Mal, wenn wir dazu fortschreiten, irgendein vermutetes Gesetz oder eine Theorie durch eine neue vermutete Theorie von höherem Grad der Universalität zu erklären, entdecken wir Neues über die Welt, indem wir versuchen, tiefer in ihre Geheimnisse einzudringen. Und jedes Mal, wenn es uns gelingt, eine Theorie dieser Art zu falsifizieren, machen wir eine neue wichtige Entdeckung. Denn diese Falsifizierungen sind höchst wichtig. Sie lehren uns das Unerwartete; und sie lehren uns wieder, daß unsere Theorien, obwohl sie von uns selbst aufgestellt wurden, obwohl sie unsere eigene Erfindung sind, dennoch echte Aussagen über die Welt sind; denn sie können mit etwas zusammenstoßen, sie können an etwas scheitern, das wir nicht selbst erfunden haben.

Unser ›modifizierter Essentialismus‹ ist, wie ich glaube, nützlich, wenn wir die Frage nach der logischen Form der Naturgesetze erheben. Er deutet an, daß unsere Gesetze, oder unsere Theorien, *univer-*

sell sein müssen, das heißt, daß sie Aussagen über die Welt machen müssen – über alle räumlich-zeitlichen Gebiete der Welt. Er deutet, darüber hinaus, an, daß unsere Theorien Aussagen über strukturelle oder relationale Eigenschaften der Welt machen und daß die durch eine erklärende Theorie beschriebenen strukturellen Eigenschaften, in irgendeinem Sinne, tiefer sind als diejenigen, die erklärt werden sollen. Ich glaube, daß das Wort ›tiefer‹ dem Versuch einer erschöpfenden logischen Analyse Widerstand leistet; es ist jedoch ein Führer zu unseren Intuitionen. (Das ist so in der Mathematik: Alle ihre Lehrsätze sind logisch äquivalent, da sie in der Gegenwart der Axiome voneinander ableitbar sind, und doch besteht ein großer Unterschied in ihrer ›Tiefe‹, der sich kaum logisch analysieren läßt.) Die ›Tiefe‹ einer erfahrungswissenschaftlichen Theorie scheint in sehr enger Beziehung zu ihrer Einfachheit und damit zu ihrem Gehalt zu stehen. (Dies unterscheidet sich völlig von der Tiefe eines mathematischen Lehrsatzes, dessen Gehalt immer gleich Null ist.) Zwei Bestandteile scheinen erforderlich zu sein: ein reicher Gehalt und eine gewisse intuitive Einheitlichkeit oder Geschlossenheit (oder ein ›organischer Charakter‹) des beschriebenen Sachverhalts. Es ist gerade dieser letzte Bestandteil, der so schwer zu analysieren ist, und den die Essentialisten zu beschreiben versuchen, wenn sie von wesentlichen Eigenschaften sprechen, im Gegensatz zu einer bloßen Anhäufung von zufälligen Eigenschaften. Ich glaube nicht, daß wir viel mehr tun können, als hier auf eine intuitive Idee zu verweisen. Und ich glaube nicht, daß wir viel mehr tun müssen. Denn im Falle irgendeiner vorgeschlagenen besonderen Theorie ist es ihr Gehalt, das heißt ihre Prüfbarkeit, die über das Interesse an ihr entscheidet, so wie es der Ausfall der tatsächlichen Prüfungen ist, der über ihr Schicksal entscheidet. Vom methodologischen Gesichtspunkt aus sind ihre Tiefe, ihr Zusammenhang und ihre Schönheit nichts als Hinweise und Anregungen für unsere Intuition und unser Vorstellungsvermögen.

Nichtsdestoweniger scheint es etwas wie eine *hinreichende* Bedingung für Tiefe zu geben, oder für Grade der Tiefe; eine Bedingung, die logisch analysiert werden kann. Ich werde versuchen, sie mit Hilfe eines Beispiels aus der Geschichte der Physik zu erklären.

Es ist bekannt, daß Newtons Dynamik eine Synthese der irdischen Physik Galileis und der Himmelsphysik Keplers gelang. Es wird oft gesagt, daß von Galileis und Keplers Gesetzen auf Newtons Dynamik geschlossen werden kann, und es ist sogar behauptet worden, daß sie sich genau von diesen deduzieren lasse[6]. Aber dies ist nicht so; von einem logischen Gesichtspunkt aus widerspricht Newtons Theorie, strenggenommen, der Theorie Galileis wie auch der Keplers (obwohl diese beiden Theorien natürlich als Annäherung erhalten werden können, sobald wir mit Newtons Theorie arbeiten). Es ist daher unmöglich, daß Newtons Theorie von den beiden anderen durch deduktive oder auch durch induktive Schlüsse abgeleitet werden kann. Denn weder deduktive noch induktive Schlüsse können von widerspruchsfreien Prämissen zu Schlußfolgerungen führen, die diesen Prämissen formal widersprechen.

Das halte ich für ein sehr starkes Argument gegen die Induktion.

Hier jedoch bin ich nicht so sehr an der Unmöglichkeit der Induktion als vielmehr am *Problem der Tiefe von Theorien* interessiert. Und in bezug auf dieses Problem können wir in der Tat etwas aus unserem Beispiel lernen. Newtons Theorie vereinigt diejenigen Galileis und Keplers. Aber weit davon entfernt, nur eine Konjunktion dieser beiden Theorien zu sein – die die Rolle von *explicanda* für die Newtons spielen –, *berichtigt sie diese, indem sie sie erklärt*. Die ursprüngliche Erklärungsaufgabe war die Deduktion der beiden älteren Theorien. Sie wird gelöst, nicht indem diese abgeleitet werden, sondern indem etwas Besseres an ihrer Stelle abgeleitet wird: neue Resultate, die, unter den besonderen Bedingungen der älteren Theorien, zahlenmäßig sehr nahe an diese älteren Theorien herankommen und sie gleichzeitig berichtigen. Daher läßt sich sagen, daß der empirische Erfolg der alten Theorien die neue Theorie bestätigt; und außerdem noch können die Berichtigungen geprüft – und widerlegt oder bestätigt werden. Was sich durch die logische Situation, die ich skizziert habe, deutlich erweist, ist die Tatsache, daß die neue Theorie unmöglich *ad hoc* oder zirkelförmig sein kann. Weit davon entfernt, ihr *explicandum* zu wiederholen, widerspricht ihm die neue Theorie und berichtigt es. Auf diese Weise wird sogar das Zeugnis des *explicandums* selbst zum *unabhängigen* Zeugnis für die neue Theorie. (Diese Analyse gestattet uns übrigens, *den Wert messender Theorien zu erklären*, und damit den des Messens; und sie hilft uns daher, den Fehler zu vermeiden, Messung und Genauigkeit als letzte Werte zu akzeptieren.)

Ich deutete an, daß, wenn in den empirischen Wissenschaften eine neue Theorie auf einer höheren Stufe der Universalität mit Erfolg einige ältere Theorien erklärt, indem sie sie *berichtigt*, dies ein sicheres Zeichen dafür ist, daß die neue Theorie Tieferes ergründet hat als die alten. Die Forderung, daß eine neue Theorie die alte annähernd erhalten soll, für angemessene Werte der Parameter der neuen Theorie, mag (nach Bohr) das *Korrespondenzprinzip* genannt werden.

Erfüllung dieser Forderung ist eine hinreichende Bedingung für Tiefe, wie ich bereits gesagt habe. Daß sie nicht eine notwendige Bedingung ist, kann aus der Tatsache ersehen werden, daß Maxwells elektromagnetische Wellentheorie nicht, in diesem Sinne, Fresnels Theorie des Lichtes berichtigte. Sie bedeutet zweifellos eine Zunahme an Tiefe, aber in einem anderen Sinne: »Die alte Frage nach der Schwingungsrichtung des polarisierten Lichtes wurde gegenstandslos. Die Schwierigkeiten betreffend die Grenzbedingungen an der Grenze zweier Media ergaben sich aus dem Fundament der Theorie. Es bedurfte keiner willkürlichen Hypothese mehr, um longitudinale Lichtwellen auszuschließen. Der erst in neuerer Zeit experimentell konstatierte Lichtdruck, welcher in der Theorie der Strahlung eine so wichtige Rolle spielt, ergab sich als Konsequenz der Theorie.«[7] Diese brillante Skizze (die wir Einstein verdanken) einiger der wichtigeren Ergebnisse von Maxwells Theorie im Vergleich zu Fresnels Theorie mag ein Anzeichen dafür genommen werden, daß es andere hinreichende Bedingungen für Tiefe gibt, die durch meine Analyse noch nicht erfaßt sind.

Die Aufgabe der empirischen Wissenschaft, die, wie ich angedeutet habe, darin besteht, befriedigende Erklärungen zu finden, kann kaum verstanden werden, wenn wir nicht Realisten sind. Denn eine befriedigende Erklärung ist eine, die nicht *ad hoc* ist; und diese Idee – die *Idee unabhängiger Zeugnisse* – kann kaum verstanden werden ohne die Idee der Entdeckung, des Fortschreitens zu tieferen Schichten der Erklärung: ohne die Idee daher, daß es für uns etwas zu entdecken gibt, und daß es etwas gibt, das kritisch diskutiert werden kann.

Und doch scheint es mir, daß wir in der Methodologie weder einen metaphysischen Realismus voraussetzen müssen noch irgendwelchen Nutzen aus ihm ziehen können, abgesehen davon, daß er uns intuitiv helfen kann. Denn nachdem uns einmal gesagt worden ist, daß es das Ziel der empirischen Wissenschaft ist, zu erklären, und daß die befriedigendsten Erklärungen die am strengsten prüfbaren und am strengsten geprüften sind, ist uns alles gesagt worden, was wir als Methodologen brauchen. Daß das Ziel realisierbar ist, können wir nicht behaupten,weder mit noch ohne Hilfe des metaphysischen Realismus, der uns nur etwas intuitive Ermutigung, etwas Hoffnung, aber keine Sicherheit irgendwelcher Art geben kann. Und obwohl gesagt werden kann, daß eine rationale Entwicklung der Methodologie von einem vorausgesetzten – oder gemutmaßten – Ziel der empirischen Wissenschaft abhängt, so hängt sie sicherlich nicht von der metaphysischen und höchstwahrscheinlich falschen Annahme ab, daß die wahre strukturelle Theorie der Welt (falls es sie gibt) von Menschen gefunden werden könne oder in menschlicher Sprache ausdrückbar sei.

Wenn das Bild der Welt, das die moderne Erfahrungswissenschaft entwirft, der Wahrheit irgendwie nahekommt – mit anderen Worten: wenn wir irgend etwas wie ›erfahrungswissenschaftliche Erkenntnis‹ besitzen –, dann machen die Bedingungen, die fast überall im Universum herrschen, ›erfahrungswissenschaftliche Erkenntnis‹, das heißt die Entdeckung struktureller Gesetze von der Art, wie wir sie suchen, fast überall unmöglich. Denn fast alle Gebiete des Universums sind von chaotischer Strahlung erfüllt, und fast alle übrigen Gebiete von Materie in ähnlich chaotischem Zustand. Trotzdem ist die empirische Wissenschaft auf wunderbare Weise erfolgreich; erfolgreich im Sinne dessen, was ich als ihr Ziel zu betrachten vorschlage [siehe auch den Schluß von Text *7*, oben]. Ich glaube nicht, daß wir diese seltsame Tatsache erklären können, ohne zuviel zu beweisen. Aber sie kann uns dazu ermutigen, dieses Ziel zu verfolgen – obwohl wir weder vom metaphysischen Realismus noch von irgendeiner anderen Quelle im Glauben ermutigt werden, daß wir es verwirklichen können.

Text *13*
Das Wachstum der wissenschaftlichen Erkenntnis (1960)

I

In der hier vorgelegten Arbeit [diesem und dem nächsten Text] möchte ich einige alte und einige neue Probleme lösen, die mit der Idee des wissenschaftlichen Fortschritts und mit der Unterscheidung zwischen rivalisierenden Theorien verbunden sind. Die neuen Probleme, die ich hier besprechen möchte, sind hauptsächlich jene, die mit der Idee der objektiven Wahrheit und mit der Idee der Annäherung an die Wahrheit zusammenhängen – Ideen, die mir sehr hilfreich erscheinen für die Aufgabe, das Wachstum der Erkenntnis zu analysieren.

Obwohl ich meine Diskussion auf das Wachstum der wissenschaftlichen Erkenntnis beschränken werde, sind meine Bemerkungen, glaube ich, ohne große Änderungen auch auf das Wachstum der vorwissenschaftlichen Erkenntnis anwendbar – das heißt, auf die allgemeine Art und Weise, in der Menschen und sogar Tiere sich neues Tatsachenwissen über die Welt aneignen. Die Methode, durch Versuch und Irrtum zu lernen – also aus unseren Fehlern – scheint im Grunde immer dieselbe zu sein, ob sie nun von niedrigeren oder höheren Tieren praktiziert wird, von Schimpansen – oder auch von Wissenschaftlern! Ich interessiere mich nicht nur für die Theorie der wissenschaftlichen Erkenntnis, sondern für die Erkenntnistheorie schlechthin. Dennoch ist das Studium des wissenschaftlichen Erkenntniswachstums, glaube ich, der fruchtbarste Weg zum Studium des allgemeinen Erkenntniswachstums von Tieren und Menschen. Denn man kann im Wachstum der wissenschaftlichen Erkenntnis alle Züge des Wachstums der gewöhnlichen menschlichen Erkenntnis wiederfinden, aber besser dokumentiert und daher wie durch ein Vergrößerungsglas gesehen.[1]

Man könnte hier die Frage aufwerfen, ob nicht eine Gefahr besteht, daß unser Bedürfnis nach Fortschritt eines Tages unbefriedigt bleiben wird, und daß das Wachstum der wissenschaftlichen Erkenntnis zu einem Ende kommt? Besteht insbesondere irgendeine Gefahr, daß der

Fortschritt der Wissenschaft endet, weil die Wissenschaft ihre Aufgabe erfüllt hat? Ich kann mir nicht denken, daß dieser Fall je eintreten wird, denn unsere Unwissenheit ist unendlich. Eine wirkliche Gefahr für den Fortschritt der Wissenschaft besteht nicht in der Wahrscheinlichkeit ihrer Vollendung, sondern eher in einem Mangel an Phantasie (manchmal als Folge eines Mangels an echtem Interesse); oder in einem Irrglauben an Formalisierung und Präzision (siehe die betreffende Erörterung in Abschnitt *V*, unten); oder in einem Autoritätsglauben in der einen oder anderen seiner vielen Formen.

Weil ich das Wort ›Fortschritt‹ mehrmals benutzt habe, möchte ich lieber gleich sicherstellen, daß mich niemand fälschlicherweise für einen Verfechter eines geschichtlichen Fortschrittsglaubens hält. Im Gegenteil: ich habe anderswo [siehe Text *23*, unten] bereits einige Angriffe gegen diesen Irrglauben geführt, und ich fürchte, daß wir nicht einmal im Falle der Wissenschaft auf Fortschritt rechnen dürfen. Die Geschichte der Wissenschaft – und ähnlich auch die Geschichte aller menschlichen Ideen – ist eine Geschichte von unverantwortlichen Träumen, von Starrsinn und von Irrtum. Aber die Wissenschaft ist eine der ganz wenigen menschlichen Tätigkeiten – vielleicht sogar die einzige –, bei der Irrtümer systematisch kritisiert werden und häufig sogar rechtzeitig korrigiert. Das ist es wohl, weshalb wir sagen können, daß wir in der Wissenschaft oft aus unseren Fehlern lernen, und weshalb wir in der Wissenschaft klar und oft mit Recht von Fortschritt sprechen können. Auf den meisten anderen Gebieten menschlichen Strebens gibt es Änderung und Wandel, aber nur selten Fortschritt (es sei denn, wir stecken uns sehr beschränkte Ziele im Leben); denn fast jeder Gewinn wird durch Verluste ausgeglichen oder sogar mehr als ausgeglichen. Und auf den meisten Gebieten wissen wir nicht einmal, ob eine Änderung ein Gewinn ist oder ein Verlust.

Auf dem Gebiet der Wissenschaft besitzen wir jedoch eine Art von *Kriterium des Fortschritts:* sogar von einer Theorie, die noch nie empirisch geprüft wurde, können wir sagen, ob sie gegenüber anderen uns bekannten Theorien eine Verbesserung darstellen würde, falls sie gewisse Prüfungen übersteht. Das ist meine erste These.

Etwas anders ausgedrückt: Ich behaupte, daß wir *wissen,* wie sich eine gute wissenschaftliche Theorie verhalten soll, und daß wir *wissen* – sogar bevor sie geprüft wurde – was für Theorien vielleicht noch besser wären, falls sie gewissen schweren Prüfungen standhalten. Und gerade dieses (meta-wissenschaftliche) Wissen macht es möglich, daß wir von einem Fortschritt in der Wissenschaft sprechen können, und von einer rationalen Entscheidung zwischen Theorien.

II

Deshalb lautet meine erste These, daß wir auch von einer noch nicht geprüften Theorie wissen können, daß sie besser ist als eine andere, falls sie bestimmte Prüfungen besteht.

Meine erste These impliziert, daß wir eine Art von Kriterium *relativer potentieller* Güte oder *potentieller* Fortschrittlichkeit besitzen, das wir auf eine Theorie anwenden können, noch bevor wir wissen, ob sie sich durch Bestehen einiger entscheidender Prüfungen als *tatsächlich* zufriedenstellend herausstellt.

Dieses Kriterium der relativen potentiellen Güte (das ich vor einiger Zeit[2] formuliert habe, und das uns übrigens erlaubt, Theorien entsprechend ihrer potentiellen Güte einzustufen) ist außerordentlich einfach und einleuchtend. Es bestimmt diejenige Theorie als vorzugswürdig, die mehr besagt; also diejenige, die eine größere Menge an empirischer Information oder an empirischem *Gehalt* besitzt, die logisch stärker ist, die eine größere Erklärungs- und Vorhersagekraft hat und die daher durch Vergleich der vorausgesagten mit den beobachteten Tatsachen strenger geprüft werden kann. Kurz gesagt, wir ziehen eine interessante, kühne und hochinformative Theorie einer trivialen vor.

Alle diese Eigenschaften, die wir anscheinend an einer Theorie schätzen, laufen, wie man zeigen kann, auf ein und dasselbe hinaus, nämlich auf einen höheren Grad an empirischem *Gehalt* oder an Prüfbarkeit.

III

Meine Untersuchung des *Gehalts* einer Theorie (oder eines beliebigen Satzes) beruhte auf dem einfachen und auf der Hand liegenden Gedanken, daß der informative Gehalt der *Konjunktion a b,* also zweier beliebiger Sätze *a* und *b,* immer größer oder zumindest ebenso groß ist wie der einer ihrer Komponenten.

Nehmen wir an, *a* sei der Satz ›Am Freitag wird es regnen‹, *b* der Satz ›Am Samstag wird das Wetter schön sein‹, also *a b* der Konjunktionalsatz ›Am Freitag wird es regnen, und am Samstag wird das Wetter schön sein‹: offensichtlich übersteigt der Informationsgehalt dieses letzten Satzes, des Konjunktionalsatzes *a b*, den seiner Komponente *a* und auch den seiner Komponente *b*. Und es liegt auch auf der Hand, daß die Wahrscheinlichkeit von *a b* (oder, was dasselbe bedeutet, die Wahrscheinlichkeit, daß *a b* wahr ist) kleiner ist als die jeder einzelnen der beiden Komponenten.

Wenn wir *Ct* (*a*) für den ›Gehalt von Satz *a*‹ (englisch *›content‹)* und *Ct (a b)* für den ›Gehalt der Konjunktion *a* und *b*‹ nehmen, dann haben wir

$$(1) \qquad Ct(a) \leqslant Ct(a\,b) \geqslant Ct(b).$$

Dem steht das entsprechende Gesetz der Wahrscheinlichkeitsrechnung *(›calculus of probability‹)* im schärfsten Gegensatz gegenüber:

$$(2) \qquad p(a) \geqslant p(a\,b) \leqslant p(b),$$

wo die Ungleichheitszeichen von (*1*) umgekehrt sind. Zusammen behaupten diese beiden Gesetze, nämlich (*1*) und *(2), daß die Wahrscheinlichkeit mit wachsendem Gehalt sinkt* und umgekehrt, daß, wenn der Gehalt eines Satzes zunimmt, er unwahrscheinlicher wird. (Diese Analyse stimmt selbstverständlich ganz und gar überein mit der allgemeinen Vorstellung vom logischen *Gehalt* eines Satzes als der Klasse *aller jener Sätze, die logisch aus ihm folgen.* Wir können auch sagen, daß ein Satz *a* logisch stärker ist als ein Satz *b*, wenn sein Gehalt größer ist als der von *b* – das heißt also, wenn aus ihm mehr folgt als aus *b.)*

Diese triviale Tatsache hat die folgenden unvermeidlichen Konsequenzen: wenn Erkenntniswachstum bedeutet, daß wir mit Theorien von wachsendem Gehalt arbeiten, dann muß es auch bedeuten, daß wir mit Theorien von abnehmender Wahrscheinlichkeit arbeiten (im Sinne der Wahrscheinlichkeitsrechnung). Wenn unser Ziel also der Fortschritt oder das Wachstum der Erkenntnis ist, dann kann eine hohe Wahrscheinlichkeit (im Sinne der Wahrscheinlichkeitsrechnung) auf keinen Fall ebenfalls unser Ziel sein, *denn diese beiden Ziele sind miteinander unvereinbar.*

Ich fand diesen trivialen, aber doch grundlegenden Zusammenhang vor ungefähr dreißig Jahren und habe ihn seither ununterbrochen gepredigt. Aber das Vorurteil, eine hohe Wahrscheinlichkeit müsse etwas Wünschenswertes sein, ist so tief eingewurzelt, daß meine triviale

Feststellung noch immer von vielen für ›paradox‹ gehalten wird[3]. Obwohl das einfach genug aussieht, so scheint doch für die meisten ein hoher Grad der Wahrscheinlichkeit (im Sinne der Wahrscheinlichkeitsrechnung) etwas so offenbar Wünschenswertes zu sein, daß sie Schwierigkeiten haben, kritisch darüber nachzudenken. Bruce Brooke-Wavell hat mir daher geraten, in diesem Zusammenhang nicht mehr von ›Wahrscheinlichkeit‹ zu sprechen, sondern meine Argumente auf einen ›Kalkül des Gehalts‹ und des ›relativen Gehalts‹ zu gründen; mit anderen Worten: ich soll von der Wissenschaft nicht sagen, daß sie Unwahrscheinlichkeit zum Ziel hat, sondern lediglich maximalen Gehalt. Ich habe viel über diesen Vorschlag nachgedacht, aber ich glaube nicht, daß es helfen würde, ihm zu folgen: ein direkter Zusammenstoß mit dem weithin akzeptierten und tiefverwurzelten probabilistischen Vorurteil erscheint unvermeidlich, wenn die Sache wirklich bereinigt werden soll. Selbst wenn ich meine Theorie – was ja nicht schwierig wäre – mit dem Kalkül des Gehalts oder der logischen Stärke begründen würde, müßte ich noch immer erklären, daß die Wahrscheinlichkeitsrechnung in ihrer (›logischen‹) Anwendung auf Aussagen oder Sätze nichts anderes ist als ein *Kalkül der logischen Schwäche oder des Mangels an Gehalt dieser Sätze* (entweder der absoluten oder der relativen logischen Schwäche). Vielleicht wäre ein direkter Zusammenstoß vermeidbar, würden nicht so viele Leute zu der unkritischen Annahme neigen, daß eine hohe Wahrscheinlichkeit ein Ziel der Wissenschaft sein muß, und würden sie nicht deshalb von der Induktionstheorie erwarten, daß sie erklärt, wie wir einen hohen Wahrscheinlichkeitsgrad für unsere Theorien erreichen können. (Und dann muß erst recht darauf hingewiesen werden, daß es noch etwas anderes gibt – nämlich eine ›Wahrheitsähnlichkeit‹ oder *›verisimilitudo‹* – mit einem Kalkül, der etwas ganz anderes ist als die Wahrscheinlichkeitsrechnung, mit der er anscheinend verwechselt wurde.)

Um diesen einfachen Ergebnissen zu entgehen, wurden alle möglichen mehr oder minder spitzfindigen Theorien entworfen. Ich habe, glaube ich, gezeigt, daß keine von ihnen erfolgreich ist. Aber noch wichtiger ist die Tatsache, daß sie ganz überflüssig sind. Wir müssen uns nur klarmachen, daß wir an Theorien das schätzen, was wir vielleicht ›Wahrheitsähnlichkeit‹ oder *›verisimilitude‹* nennen können [siehe den nächsten Text], und daß das *etwas ganz anderes* ist als eine Wahrscheinlichkeit *im Sinne der Wahrscheinlichkeitsrechnung,* in der (2) ein unvermeidliches Theorem ist.

Das geschuldete Problem vor uns ist alles andere als ein rein verbales Problem. Mir ist es gleichgültig, was andere ›Wahrscheinlichkeit‹ nennen, und ich habe nichts dagegen, wenn sie jene Zahlen, die sich aus der sogenannten ›Wahrscheinlichkeitsrechnung‹ ergeben, mit irgendeinem anderen Fachausdruck bezeichnen. Persönlich finde ich es äußerst zweckmäßig, den Ausdruck ›Wahrscheinlichkeit‹ für das zu reservieren, was den wohlbekannten Regeln dieses Kalküls entspricht (die von Laplace, Keynes, Jeffreys und vielen anderen formuliert wurden, und für die ich verschiedene formale Axiomensysteme aufgestellt habe[4]). Dann (und nur dann), wenn wir diese Terminologie akzeptieren, kann es keinen Zweifel geben, daß die absolute Wahrscheinlichkeit eines Satzes *a* einfach der *Grad seiner logischen Schwäche ist, oder sein Mangel an Informationsgehalt;* und daß die relative Wahrscheinlichkeit eines Satzes *a,* wenn ein Satz *b* gegeben ist, einfach der Grad der relativen Schwäche von Satz *a* ist, oder seines relativen *Mangels* an *neuem* Informationsgehalt – unter der Annahme, daß wir bereits im Besitz der Information *b* sind.

Wenn wir also in der Wissenschaft einen hohen Informationsgehalt anstreben – wenn Erkenntniswachstum bedeutet, daß wir mehr wissen, daß wir *a* und *b* wissen und nicht nur *a,* und daß der Gehalt unserer Theorien auf diese Weise zunimmt, dann müssen wir zugeben, daß wir zugleich eine niedrige Wahrscheinlichkeit im Sinne der Wahrscheinlichkeitsrechnung anstreben.

Und da eine niedrige Wahrscheinlichkeit von Theorien bedeutet, daß die Wahrscheinlichkeit, falsifiziert zu werden, hoch ist, so folgt daraus, daß ein hoher Grad der Falsifizierbarkeit, Widerlegbarkeit oder Prüfbarkeit eines der Ziele der Wissenschaft ist – in der Tat genau dasselbe Ziel wie ein hoher Informationsgehalt.

Das Kriterium dafür, ob eine Theorie potentiell befriedigend ist, ist daher Prüfbarkeit oder Unwahrscheinlichkeit: nur eine sehr gut prüfbare oder sehr unwahrscheinliche Theorie ist es wert, geprüft zu werden; und sie ist erst dann wirklich (und nicht nur potentiell) befriedigend, wenn sie strenge Prüfungen übersteht – vor allem jene Prüfungen, die wir für entscheidend hielten, bevor sie je durchgeführt wurden.

In vielen Fällen ist es möglich, die Strenge der Prüfungen objektiv zu vergleichen. Es ist sogar möglich, wenn wir es der Mühe wert finden, den Grad der Strenge von Prüfungen zu definieren. Mit derselben Methode können wir die Erklärungskraft und den Bewährungsgrad einer Theorie definieren[5].

IV

Die These, daß das hier vorgeschlagene Kriterium den Fortschritt der Wissenschaft tatsächlich bestimmt, kann an Hand historischer Beispiele leicht illustriert werden. Die Theorien von Kepler und von Galilei wurden vereinigt und überholt durch Newtons logisch stärkere und besser prüfbare Theorie, und ähnlich erging es den Theorien von Fresnel und von Faraday durch die von Maxwell. Newtons und Maxwells Theorien wurden ihrerseits durch die von Einstein vereint und überholt. In jedem dieser Fälle vollzog sich der Fortschritt in Richtung auf eine informativere und daher logisch weniger wahrscheinliche Theorie: nämlich auf eine Theorie, die strenger prüfbar war, weil sie Voraussagen machte, die in einem rein logischen Sinn leichter zu widerlegen waren.

Eine Theorie, die also nicht widerlegt wird trotz strenger Nachprüfung dieser neuen, kühnen und unwahrscheinlichen Voraussagen, zu denen sie führt, kann als bewährt angesehen werden. In diesem Zusammenhang möchte ich an die Entdeckung des Planeten Neptun durch Galle erinnern, ebenso an die Entdeckung der elektromagnetischen Wellen durch Hertz, an die Beobachtungen der Sonnenfinsternis durch Eddington, an Elsassers Deutung von Davissons Maxima als Interferenz-Randeffekte von de Broglie-Wellen, sowie an Powells Beobachtungen der ersten Yukawa-Mesonen.

Alle diese Entdeckungen stellen Bewährungen durch strenge Prüfungen dar – durch Voraussagen, die höchst unwahrscheinlich waren im Lichte unseres früheren Wissens (des jeweiligen Wissens, das wir besaßen, bevor uns die geprüfte und bewährte Theorie zur Verfügung stand). Andere wichtige Entdeckungen wurden ebenfalls bei der Überprüfung von Theorien gemacht, obwohl sie nicht zu ihrer Bewährung, sondern zu ihrer Widerlegung führten. Ein neuerlich aufsehenerregender Fall dieser Art ist die Widerlegung der sogenannten Parität. Und es gibt Lavoisiers klassische Versuche, die zeigen, daß das Volumen der Luft abnimmt, wenn eine Kerze im geschlossenen Raum brennt, oder daß das Gewicht von brennenden Eisenfeilspänen zunimmt; sie bestätigen nicht die Sauerstofftheorie der Verbrennung, und doch legen sie es nahe, daß die Phlogistontheorie nicht stimmt.

Lavoisiers Versuche waren sorgfältig überlegt; aber sogar die meisten sogenannten ›Zufallsentdeckungen‹ haben im Grunde dieselbe logische Struktur. Denn diese sogenannten ›Zufallsentdeckungen‹ sind in der Regel Widerlegungen von Theorien, an die bewußt oder unbewußt geglaubt wurde: sie treten dann auf, wenn unsere Erwartungen (die auf diesen Theorien beruhen) enttäuscht werden. So wurde die katalytische Eigenschaft von Quecksilber entdeckt, als sich zufällig herausstellte, daß in seiner Gegenwart eine bestimmte chemische Reaktion schneller ablief, von der nicht erwartet wurde, daß sie von Quecksilber beeinflußt würde. Aber weder Oersteds noch Röntgens Entdeckungen, noch die von Becquerel oder Fleming, waren wirklich zufällig, auch wenn sie Zufallskomponenten besaßen: jeder dieser Wissenschaftler war auf der Suche nach einem Ergebnis von der Art, wie er es dann auch fand.

Wir können sogar sagen, daß manche Entdeckungen, wie etwa Kolumbus' Entdeckung von Amerika, eine Theorie bestätigen (die von der Kugelform der Erde) und zugleich eine andere widerlegen (die Theorie über die Größe der Erde und damit die über den kürzesten Weg nach Indien). Und wir können auch sagen, daß sie in dem Maße Zufallsentdeckungen waren, in dem sie allen Erwartungen widersprachen und nicht bewußt als Überprüfungen jener Theorien unternommen wurden, die sie widerlegten.

V

Die Betonung, die ich auf Änderungen in der wissenschaftlichen Erkenntnis lege, auf ihr Wachstum oder ihre Fortschrittlichkeit, steht bis zu einem gewissen Grad im Gegensatz zur gegenwärtigen Idealvorstellung der Wissenschaft als axiomatisiertes deduktives System. Dieses Ideal hat die europäische Erkenntnislehre dominiert, von Euklids platonisierender Kosmologie (denn das ist, glaube ich, was Euklids *Elemente* ihrer Intention nach wirklich waren) bis zu der von Newton und weiter zu den Systemen von Boscovič, Maxwell, Einstein, Bohr, Schrödinger und Dirac. Es ist eine Erkenntnislehre, welche die wichtigste Aufgabe und das letzte Ziel der wissenschaftlichen Tätigkeit darin sieht, ein axiomatisiertes deduktives System zu errichten.

Im Gegensatz dazu denke ich, daß diese höchst bewundernswürdigen deduktiven Systeme als Mittel angesehen werden sollten und nicht als Ziele[6]: als wichtige Stufen auf unserem Weg zu einer vertieften und besser prüfbaren wissenschaftlichen Erkenntnis.

Sieht man sie also als Mittel oder Stufen an, so sind sie sicher ganz unentbehrlich, denn wir sind gezwungen, unsere Theorien in Form von deduktiven Systemen zu entwickeln. Das ist unvermeidlich, weil wir große logische Strenge, großen Informationsgehalt von unseren Theorien verlangen müssen, wenn ihre Prüfbarkeit sich ständig verbessern soll. Die Vielfalt ihrer Folgerungen muß deduktiv entfaltet werden; in der Regel kann eine Theorie nämlich nicht anders geprüft werden, als daß ihre weniger unmittelbaren Folgerungen eine nach der anderen überprüft werden – Folgerungen, die vielleicht nicht sofort ins Auge stechen, wenn wir die Sache intuitiv ansehen.

Es ist jedoch nicht die wunderbare deduktive Entfaltung in einem System, die eine Theorie rational oder empirisch macht, sondern die Tatsache, daß wir sie kritisch prüfen können; das heißt, daß wir sie Widerlegungsversuchen aussetzen können, einschließlich empirischen Prüfungen. Wichtig ist für uns natürlich die Tatsache, daß in bestimmten Fällen eine Theorie diesen Kritiken und diesen Prüfungen widerstehen kann – vielleicht auch denen, durch die ihre Vorgänger zusammenbrachen – und manchmal sogar noch strengeren Prüfungen. Die Rationalität der Wissenschaft beruht auf diesen kritischen Prüfungen und der damit verbundenen wiederholten und flexiblen Wahl der neuen Theorien und nicht so sehr auf der deduktiven Entfaltung eines Systems.

Es hat daher wenig Sinn, ein empirisch-deduktives (also ein nichtkonventionelles) System weiter zu formalisieren als unbedingt nötig für die Aufgabe, es zu kritisieren und zu prüfen und kritisch mit seinen Konkurrenten zu vergleichen. Dieses kritische Verfahren enthält sowohl die rationalen als auch die empirischen Elemente der Wissenschaft. Es enthält jene Wahlmöglichkeiten, jene Ablehnungen und jene Entscheidungen, die zeigen, daß wir aus den von uns gemachten Fehlern gelernt und dadurch unsere wissenschaftliche Erkenntnis erweitert und gefördert haben.

VI

Vielleicht ist selbst dieses Bild der Wissenschaft – als eines Verfahrens, dessen Rationalität darin besteht, daß wir aus unseren Fehlern lernen – noch nicht gut genug. Es kann immer noch den Anschein erwecken, daß die Wissenschaft von Theorie zu Theorie fortschreitet und aus einer Folge von immer besser werdenden deduktiven Systemen besteht. Was ich aber hier vorschlagen will, ist, daß wir die Wissenschaft ansehen sollen als *fortschreitend von Problem zu Problem* – zu Problemen von immer größerer Tiefe.

Denn eine wissenschaftliche Theorie – eine Theorie von hohem Erklärungswert – ist ja nichts anderes als ein Versuch, ein wissenschaftliches *Problem* zu lösen, also ein Problem, das mit der Entdeckung einer Erklärung zusammenhängt.

Ich räume ein, daß unsere Erwartungen und damit unsere Theorien zeitlich unseren Problemen sogar vorangehen können. *Doch die Wissenschaft beginnt erst mit den Problemen.* Probleme tauchen vor allem dann auf, wenn wir in unseren Erwartungen enttäuscht werden, oder wenn uns unsere Theorien in Schwierigkeiten, in Widersprüche verwickeln; diese können entweder innerhalb einer Theorie oder zwischen zwei verschiedenen Theorien entstehen, oder dadurch, daß unsere Theorien und unsere Beobachtungen sich widersprechen. Darüber hinaus werden wir uns nur durch ein Problem der Tatsache bewußt, daß wir über eine Theorie verfügen. Es ist das Problem, das uns dann herausfordert zu lernen, unser Wissen zu erweitern, zu experimentieren und zu beobachten.

Also beginnt die Wissenschaft mit Problemen und nicht mit Beobachtungen; obwohl Beobachtungen ein Problem aufwerfen können, vor allem, wenn sie *unerwartet* sind; also dann, wenn sie im Widerspruch zu unseren Erwartungen oder Theorien stehen. Die Aufgabe, vor die sich der Wissenschaftler gestellt sieht, ist immer die Lösung eines Problems durch die Konstruktion einer Theorie, die das Problem löst; zum Beispiel dadurch, daß sie unerwartete und unerklärte Beobachtungen erklärt. Aber jede lohnende neue Theorie führt zu neuen Problemen, zum Beispiel, wie alles wieder in Einklang zu bringen ist, oder wie neue Beobachtungsprüfungen durchzuführen sind, an die man vorher noch nicht gedacht hatte. Und gerade solche neuen, von ihr hervorgerufenen Probleme machen eine Theorie fruchtbar.

So können wir sagen, daß der dauerhafteste Beitrag, den eine Theorie zum Wachstum der wissenschaftlichen Erkenntnis leisten kann, in den neuen Problemen besteht, die durch sie aufgedeckt werden. Wir werden also zu der Auffassung zurückgeführt, daß es die Probleme sind, mit denen die Wissenschaft und auch das Wachstum der Erkenntnis beginnt und wohl auch endet; Probleme von stets wachsender Tiefe und stets zunehmender Fruchtbarkeit im Aufdecken von neuen Problemen.

Text *14*

Wahrheit und Annäherung an die Wahrheit (1960)

I

[Im vorhergehenden Text] habe ich über die Wissenschaft, ihren Fortschritt und ihr Fortschrittskriterium gesprochen, ohne die *Wahrheit* überhaupt zu erwähnen. Vielleicht überrascht es Sie, daß man das tun kann, ohne dem Pragmatismus oder dem Instrumentalismus zu verfallen: Es ist nämlich durchaus möglich, den intuitiv befriedigenden Charakter des Fortschrittskriteriums in der Wissenschaft zu befürworten, ohne jemals die Wahrheit ihrer Theorien zu erwähnen. Bevor ich von Tarskis Theorie der Wahrheit[1] hörte, schien es mir in der Tat sicherer zu sein, das Fortschrittskriterium zu diskutieren, ohne allzusehr in das höchst umstrittene Problem verwickelt zu werden, das mit dem Gebrauch des Wortes ›wahr‹ zusammenhängt.

Meine damalige Einstellung war die folgende: Obwohl ich auch, wie fast alle Menschen, die objektive, absolute Theorie der Wahrheit anerkannte – Wahrheit als Übereinstimmung mit den Tatsachen, also die sogenannte Korrespondenztheorie der Wahrheit – so zog ich es doch vor, das Thema zu vermeiden. Denn es schien mir hoffnungslos, diese verblüffend ungreifbare Idee einer Übereinstimmung zwischen einem Satz (oder einer Aussage) und einer Tatsache klar zu verstehen.

Um uns zu erinnern, warum die Situation so hoffnungslos erschien, müssen wir uns nur als ein Beispiel unter vielen Wittgensteins *Tractatus* mit seiner so erstaunlich naiven Abbild- oder Projektionstheorie der Wahrheit ins Gedächtnis rufen. Dort wird ein Satz erklärt als ein Bild oder eine Projektion der Tatsache, die er beschreiben soll, und als strukturgleich mit dieser Tatsache (also von derselben ›Form‹ wie sie); geradeso wie eine Grammophonplatte tatsächlich ein Bild oder eine Projektion einer Folge von Tönen ist und einige ihrer strukturellen Eigenschaften teilt[2].

Ein anderer vergeblicher Versuch, diese Übereinstimmung zu erklären, geht zurück auf Schlick, der verschiedene Korrespondenztheorien, einschließlich der Abbildtheorie oder Projektionstheorie, klar und vernichtend kritisierte[3]. Aber leider vertrat er selbst eine

Korrespondenztheorie, die nicht besser war. Er interpretierte ›Korrespondenz‹ in diesem Zusammenhang als eine ein-eindeutige (umkehrbar-eindeutige) Zuordnung zwischen unseren Bezeichnungen und den bezeichneten Gegenständen; obwohl es viele Gegenbeispiele gibt (Bezeichnungen, die auf viele Gegenstände anwendbar sind, Gegenstände, auf die sich mehrere Bezeichnungen beziehen), die diese Interpretation widerlegen.

Dies alles wird meiner Meinung nach weggefegt durch Tarskis Theorie der Wahrheit und der Übereinstimmung der Tatsachen mit einem Satz (oder einer Aussage). Tarskis größte Leistung und die wahre Bedeutung seiner Theorie für die Philosophie der empirischen Wissenschaften besteht darin, daß er die Korrespondenztheorie der absoluten und objektiven Wahrheit rehabilitierte, die verdächtig geworden war. Er rechtfertigte den freien Gebrauch der intuitiven Idee der Wahrheit als Übereinstimmung mit den Tatsachen. (Die Ansicht, daß seine Theorie nur auf formalisierte Sprachen anwendbar ist, halte ich für falsch. Sie ist auf jede beliebige widerspruchsfreie und insbesondere auf ›natürliche‹ Sprachen durchaus anwendbar, wenn wir nur durch Tarskis Analyse lernen, wie gewisse Widersprüche vermieden werden können; was dann wohl zu einem gewissen Maß an ›Künstlichkeit‹ – oder Vorsicht – in ihrem Gebrauch führt.)

Obwohl ich vielleicht bei den hier Anwesenden eine gewisse Vertrautheit mit Tarskis Wahrheitstheorie voraussetzen kann, möchte ich doch erklären, wie sie von einem intuitiven Standpunkt aus als eine einfache Erläuterung der Vorstellung von der *Übereinstimmung einer Aussage mit den Tatsachen* angesehen werden kann. Ich muß diesen beinahe trivialen Punkt betonen, weil er trotz seiner Trivialität für mein Argument entscheidend ist.

Der höchst intuitive Charakter von Tarskis Ideen wird deutlicher (wie ich in Vorlesungen und Seminaren festgestellt habe), wenn wir uns zuerst ausdrücklich dafür entscheiden, ›Wahrheit‹ als ein Synonym für ›Übereinstimmung mit den Tatsachen‹ zu akzeptieren, und dann (indem wir zunächst ganz auf das Wort ›Wahrheit‹ verzichten) *dazu übergehen, den Gedanken der ›Übereinstimmung mit den Tatsachen‹ zu erklären.*

Wir werden also zuerst die folgenden beiden Formulierungen erwägen, die jede für sich in sehr einfacher Weise (in einer Metasprache) feststellen, unter welchen Bedingungen eine bestimmte Behauptung (einer Objektsprache) den Tatsachen entspricht.

(1) Der Satz oder die Behauptung ›*Der Neuschnee ist weiß*‹ stimmt

mit den Tatsachen überein, dann und nur dann, wenn der Neuschnee wirklich weiß ist.

(2) Der Satz oder die Behauptung ›*Das Gras ist rot*‹ stimmt mit den Tatsachen überein, dann und nur dann, wenn das Gras wirklich rot ist.

Diese Formulierungen (in denen das Wort ›wirklich‹ nur zur Auflockerung der Sprache gebraucht wird und weggelassen werden kann) klingen selbstverständlich ganz trivial. Aber Tarski blieb es vorbehalten zu entdecken, daß sie trotz ihrer offensichtlichen Trivialität die Lösung des Problems enthielten, die Übereinstimmung mit den Tatsachen zu erklären.

Der entscheidende Punkt ist Tarskis Entdeckung, daß, um von einer Übereinstimmung eines Satzes mit den Tatsachen zu sprechen, so wie es (1) und (2) tun, wir eine Metasprache benutzen müssen, in der wir *über zwei Arten von Dingen sprechen* können: über *Sätze* und *über die Tatsachen, auf die diese Sätze sich beziehen.* (Tarski nennt eine solche Metasprache ›semantisch‹; eine Metasprache, in der wir über eine Objektsprache sprechen können, nicht aber auch gleichzeitig über Tatsachen, auf die sie sich bezieht, wird ›syntaktisch‹ genannt.) Sobald wir die Notwendigkeit einer (semantischen) Metasprache erkannt haben, wird alles klar.

Es gibt eine einflußreiche philosophische Schule, die auf Anregungen von Frank Ramsey[4] zurückgeht und die behauptet, daß wir ohne den Wahrheitsbegriff auskommen können. (Ich nenne diese These die ›Redundanztheorie der Wahrheit‹). Die These stützt sich darauf, daß die beiden Sätze ›Es ist wahr, daß Schnee weiß ist‹ und ›Schnee ist weiß‹ offenbar in jeder Hinsicht logisch äquivalent sind. Daß der erste dieser Sätze mehr sagt, ist bloß Schein. Ich halte das für korrekt; die Phrase ›Es ist wahr, daß‹ ist in der Tat redundant.

Dieselbe Schule behauptet aber auch, daß das Wort ›wahr‹ als Prädikat, als Bezeichnung einer Eigenschaft von Aussagen oder Sätzen, ebenfalls als redundant nachgewiesen werden kann. Sie stützt sich dazu auf gewisse Überlegungen und Formulierungen von Tarski. So nehmen sie mit Tarski an, daß wenn wir von einem Satz aussagen, daß er wahr ist, wir einen Namen dieses Satzes brauchen; zum Beispiel ist *Matthäus 26, Vers 29* der Name eines Satzes. Für viele Zwecke ist ein Name wie dieser etwas umständlich, da ein Laie diesen Satz ja erst identifiziert, wenn er ihn nachgeschlagen hat. Eine bequemere Methode der Namengebung ist, daß man den Satz in Anführungszeichen zitiert. Den auf diese Weise entstandenen Namen kann man einen *Anführungsnamen* nennen (englisch ›*quotation name*‹).

Das von uns oben verwendete Beispiel ›»Schnee ist weiß« ist wahr, dann und nur dann, wenn Schnee weiß ist‹ verwendet einen solchen Anführungsnamen; und ähnliche Fälle werden von der erwähnten Schule der Redundanztheoretiker als Beispiele angeführt. In der Tat sagt ja der Satz ›»Schnee ist weiß« ist wahr‹ genauso viel und nicht mehr als der Satz ›Schnee ist weiß‹, in dem das Wort ›wahr‹ nicht verwendet wird.

Trotzdem ist der Begriff ›wahr‹ unentbehrlich in vielen und wichtigen Zusammenhängen, und aus diesem Grund ist die Redundanztheorie falsch. Wenn zum Beispiel vor Gericht gesagt wird: ›Die Zeugen können unmöglich beide die Wahrheit gesprochen haben, da sich ihre Aussagen widersprechen‹, so wird auf das allgemeine Prinzip zurückgegriffen, daß zwei sich widersprechende Aussagen nicht beide wahr sein können. Hier können wir nicht auf Anführungsnamen zurückgreifen, sondern wir müssen auf die Korrespondenztheorie zurückgreifen. Ähnlich ist die Situation in vielen allgemeinen Prinzipien, zum Beispiel wenn wir sagen: ›Falls die benutzte logische Ableitungsregel gültig ist und alle Prämissen wahr sind, so muß auch die Konklusion wahr sein.‹ In allen ähnlichen Fällen ist der Wahrheitsbegriff – oder das Prädikat ›ist wahr‹ – von großer Wichtigkeit und völlig unentbehrlich, und nur durch ein Synonym wie etwa ›stimmt mit den Tatsachen überein‹ ersetzbar. Mir ist nicht bekannt, daß die Redundanztheoretiker zu diesem Argument je etwas zu sagen hatten.

Ich habe gesagt, daß Schlicks Theorie falsch ist, doch meine ich, daß gewisse Bemerkungen, die er über seine eigene Theorie machte (*loc. cit.*), auch ein Licht auf Tarskis Theorie werfen. Schlick sagte nämlich, daß das Wahrheitsproblem das Schicksal mancher anderer Probleme teilte, deren Lösungen man deswegen nicht leicht sah, weil man sie irrtümlicherweise in außerordentlicher Tiefe vermutete, während sie in Wirklichkeit ziemlich einfach und auf den ersten Blick wenig eindrucksvoll sind. Tarskis Lösung könnte auch auf den ersten Blick wenig eindrucksvoll erscheinen. Aber sie ist fruchtbar und hat große erklärende Kraft.

II

Dank Tarskis Arbeit scheint die Idee der objektiven oder absoluten Wahrheit – das heißt der Wahrheit als Übereinstimmung mit den Tatsachen – heute von all denen voll akzeptiert zu werden, die sie verstehen. Die Schwierigkeiten, sie zu verstehen, haben anscheinend zwei

Quellen: erstens die Verbindung eines äußerst einfachen intuitiven Gedankens mit einem gewissen Maß an Kompliziertheit in der Ausführung des technischen Programms, zu dem er führt; zweitens das weitverbreitete aber falsche Dogma, daß eine anwendbare Wahrheitstheorie ein Kriterium liefern sollte für die *Wahrheit einer Überzeugung:* ein Kriterium für ein wohlbegründetes oder rationales Fürwahrhalten. Dieses Dogma ist wohl die Hauptquelle aller drei populären Theorien, die im Widerspruch mit Tarski stehen: Kohärenztheorie, die Widerspruchsfreiheit mit Wahrheit verwechselt; der Evidenztheorie, die ›als wahr bekannt‹ für ›wahr‹ hält; und der pragmatischen oder instrumentalistischen Theorie, die Nützlichkeit für Wahrheit hält – subjektive (oder ›epistemische‹) Wahrheitstheorien im Gegensatz zu Tarskis objektiver (oder ›metalogischer‹) Theorie. Sie sind subjektiv in dem Sinn, daß *sie alle von der grundlegend subjektivistischen Position ausgehen, die die Erkenntnis nur als eine besondere Art eines geistigen Zustandes begreifen kann, als eine Disposition oder eine spezielle Art des Fürwahrhaltens,* die zum Beispiel durch ihre Geschichte oder ihre Beziehung zu anderen Arten des *Fürwahrhaltens* charakterisiert wird.

Wenn wir von unserer subjektiven Erfahrung des Fürwahrhaltens ausgehen und deshalb in der Erkenntnis eine spezielle Art des Glaubens sehen, dann könnte es in der Tat sein, daß wir die Wahrheit– das heißt die wahre Erkenntnis – als eine noch speziellere Art des Fürwahrhaltens auffassen müßten: nämlich als eine, die wohlbegründet oder gerechtfertigt ist. Das würde bedeuten, daß es ein mehr oder minder wirksames – wenn auch nur ein partielles – Kriterium der Wohlbegründetheit geben sollte, wie etwa ein Symptom, mittels dessen wir zwischen der Erfahrung eines wohlbegründeten Fürwahrhaltens und anderen solchen Erfahrungen unterscheiden könnten. Es kann gezeigt werden, daß alle subjektiven Wahrheitstheorien ein solches Kriterium anstreben: sie versuchen die Wahrheit mit Hilfe von Quellen oder Ursprüngen unseres Fürwahrhaltens [siehe Text *3*, oben] zu definieren, mit Hilfe unserer Verifikationsoperationen, mit Hilfe bestimmter Anerkennungsregeln, oder einfach mit Hilfe der Qualität unserer subjektiven Überzeugungen. Sie alle sagen mehr oder minder, daß die Wahrheit das ist, was wir berechtigt sind, für wahr zu halten oder anzuerkennen, in Übereinstimmung mit bestimmten Regeln oder Kriterien, aber geschöpft aus den Ursprüngen oder Quellen unserer Erkenntnis, aus Verläßlichkeit, Stabilität, Erfolg, aus Überzeugungskraft, oder aus der Unfähigkeit, anders zu denken.

Die Theorie der objektiven Wahrheit führt zu einer ganz anderen Einstellung. Man kann dies aus der Tatsache ersehen, daß sie uns erlaubt, folgende Behauptungen aufzustellen : eine Theorie kann selbst dann wahr sein, wenn ihr niemand glaubt, und selbst dann, wenn wir keinen Grund haben, sie für wahr zu halten; und eine andere Theorie kann falsch sein, selbst dann, wenn wir vergleichsweise gute Gründe haben, sie anzuerkennen.

Offensichtlich erscheinen diese Behauptungen vom Standpunkt jeder subjektiven oder epistemischen Wahrheitstheorie aus als widerspruchsvoll. Aber innerhalb der objektiven Theorie sind sie nicht nur widerspruchsfrei, sondern auch ganz offensichtlich wahr.

Eine ähnliche Behauptung, die für die objektive Korrespondenztheorie ganz natürlich ist, lautet: selbst wenn wir auf eine wahre Theorie stoßen, haben wir sie in der Regel nur erraten, und es kann für uns sehr wohl unmöglich sein zu wissen, daß sie wahr *ist.*

Eine ähnliche Behauptung wurde anscheinend zum ersten Mal von Xenophanes aufgestellt, der vor 2500 Jahren lebte [siehe S. 11 oben]. Das zeigt, daß die objektive Wahrheitstheorie tatsächlich sehr alt ist – älter als Aristoteles, der auch an sie glaubte. Aber erst durch Tarskis Arbeit wurde der Verdacht beseitigt, die objektive Theorie der Wahrheit als Übereinstimmung mit den Tatsachen sei entweder widerspruchsvoll (wegen des Lügnerparadoxons), oder leer (wie Ramsey vorschlug), oder unfruchtbar, oder zumindest redundant in dem Sinne, daß wir auch ohne sie auskommen, (wie ich einst selber glaubte).

In meiner Theorie des wissenschaftlichen Fortschritts könnte ich vielleicht bis zu einem gewissen Grad ohne sie auskommen. Seit Tarski sehe ich jedoch keinen Grund mehr, warum ich sie vermeiden soll. Und wenn wir den Unterschied zwischen reiner und angewandter Wissenschaft zu klären suchen, den Unterschied zwischen der Suche nach Erkenntnis und der Suche nach Macht oder nach wirksamen Instrumenten, dann kommen wir ohne sie nicht aus. Denn der Unterschied ist der, daß wir bei der Suche nach Erkenntnis bestrebt sind, wahre Theorien zu finden oder zumindest solche, die der Wahrheit näher kommen als andere – die also mit den Tatsachen besser übereinstimmen; dagegen sind wir bei der Suche nach wirksamen Instrumenten vielfach mit Theorien recht gut bedient, von denen man weiß, daß sie falsch sind[5].

So besteht also ein großer Vorteil der Theorie der objektiven oder absoluten Wahrheit darin, daß sie uns erlaubt – mit Xenophanes – zu sagen, daß wir zwar nach der Wahrheit streben, möglicherweise aber nicht bemerken, wenn wir sie gefunden haben; daß wir zwar kein Wahrheitskriterium besitzen, aber dennoch von der Idee der Wahrheit als einem *regulativen Prinzip* geleitet werden (wie Kant oder Peirce gesagt haben könnten); und daß es zwar keine allgemeinen Kriterien gibt, mit deren Hilfe wir die Wahrheit erkennen können – vielleicht mit Ausnahme tautologischer Wahrheit –, es aber Kriterien des Fortschritts in Richtung auf die Wahrheit gibt (wie ich gleich erklären werde).

Der Status der Wahrheit im objektiven Sinn als Übereinstimmung mit den Tatsachen und ihre Rolle als regulatives Prinzip läßt sich mit einem Gipfel vergleichen, der meist von Wolken verhüllt ist. Der Bergsteiger wird nicht nur Schwierigkeiten haben, hinaufzugelangen – er wird nicht einmal bemerken, wenn er dort angekommen ist, denn in den Wolken kann er womöglich nicht zwischen dem Hauptgipfel und einer Nebenspitze unterscheiden. Die objektive Existenz des Gipfels wird dadurch jedoch nicht berührt; und wenn uns der Bergsteiger erzählt, ›ich zweifle, ob ich den wirklichen Gipfel erreicht habe‹, dann erkennt er implizit das objektive Vorhandensein des Gipfels an. Schon die bloße Vorstellung von Irrtum oder Zweifel (im ganz normalen Sinn) impliziert die Idee einer objektiven Wahrheit, die wir möglicherweise nicht erreichen.

Obwohl es für den Bergsteiger vielleicht unmöglich ist, jemals ganz sicher zu sein, daß er den Gipfel erreicht hat, so kann er doch oft leicht erkennen, daß er ihn nicht (oder noch nicht) erreicht hat – zum Beispiel dann, wenn er durch eine überhängende Wand zur Umkehr gezwungen wird. Ähnlich wird es Fälle geben, wo wir ganz sicher sind, daß wir die Wahrheit nicht erreicht haben. In diesem Sinne ist Kohärenz oder Widerspruchsfreiheit kein Kriterium der Wahrheit, und zwar deshalb nicht, weil selbst nachweislich widerspruchsfreie Systeme tatsächlich falsch sein können, aber Inkohärenz und Unvereinbarkeit sind Kriterien der Falschheit; mit etwas Glück können wir auf diese Weise die Falschheit einiger unserer Theorien aufdecken[6].

Im Jahre 1944, als Tarski den ersten Überblick über seine Untersuchungen zur Wahrheitstheorie (die er 1933 in Polen veröffentlicht hatte) in englischer Sprache publizierte, hätten es wenige Philosophen gewagt, Behauptungen wie die des Xenophanes zu machen; und es ist interessant, daß der Band, in dem Tarskis Artikel erschien, auch zwei subjektivistische Arbeiten über die Wahrheit enthielt[7].

Obwohl sich die Lage seither gebessert hat, blüht und gedeiht der Subjektivismus immer noch in der Wissenschaftslehre und vor allem auf dem Gebiet der Wahrscheinlichkeitstheorie. Die subjektivistische Wahrscheinlichkeitstheorie, die Wahrscheinlichkeitsgrade interpretiert als Grade des rationalen Glaubens, oder Fürwahrhaltens, ist eine direkte Folge der subjektivistischen Wahrheitstheorie – vor allem der Kohärenztheorie. Doch sie wird sogar von Philosophen vertreten, die Tarskis Wahrheitstheorie anerkannt haben. Zumindest bei manchen von ihnen habe ich den Verdacht, daß sie sich der Wahrscheinlichkeitstheorie in der Hoffnung zugewandt haben, sie würden von ihr das bekommen, was sie ursprünglich von einer subjektivistischen oder epistemologischen Theorie der Wahrheitsfindung *durch Verifizierung* erwartet hatten; nämlich eine Theorie des rationalen und gerechtfertigten Fürwahrhaltens auf der Grundlage beobachtbarer Fälle[8].

Das Peinliche an allen diesen subjektiven Theorien ist, daß sie unwiderlegbar sind (in dem Sinne, daß sie sich allzu leicht jeder Kritik entziehen können). Denn die Ansicht läßt sich immer vertreten, daß alles, was wir über die Welt sagen oder was wir über Logarithmen drucken, ersetzt werden sollte durch ›Glaubens‹-Aussagen. Demnach dürfen wir den Satz ›Der Schnee ist weiß‹ ersetzen durch ›Ich glaube, daß der Schnee weiß ist‹, oder gar durch ›Angesichts des gesamten verfügbaren Tatsachenmaterials glaube ich, es ist rational zu glauben, daß der Schnee weiß ist.‹ Daß wir (irgendwie) Behauptungen über die objektive Welt durch eine dieser subjektivistischen Umschreibungen ›ersetzen‹ können, ist trivial, wenn auch im Falle der in den Logarithmentafeln vorzufindenden Behauptungen – die sehr wohl maschinell erzeugt sein könnten – nicht sehr überzeugend. (Ganz nebenbei bemerkt, die subjektive Interpretation der logischen Wahrscheinlichkeit verbindet diese subjektivistischen Ersetzungen, genau wie im Falle der Kohärenztheorie der Wahrheit, mit einem Ansatz, der sich bei näherer Untersuchung im wesentlichen als ›syntaktisch‹ und nicht als ›semantisch‹ herausstellt, obwohl er innerhalb eines ›semantischen Systems‹ auftreten kann.)

Es dient vielleicht der Klarheit, wenn ich die Beziehungen zwischen den objektiven und den subjektiven Theorien der wissenschaftlichen Erkenntnis mit Hilfe einer kleinen Tabelle zusammenfasse:

objektive oder logische oder ontologische Theorien	*subjektive oder psychologische oder epistemologische Theorien*
Wahrheit als Übereinstimmung mit den Tatsachen	Wahrheit als Eigenschaft unseres geistigen Zustands – als Wissen oder Glaube
objektive Wahrscheinlichkeit (der Situation inhärent und nachprüfbar durch statistische Prüfungen)	subjektive Wahrscheinlichkeit (Grad des rationalen Fürwahrhaltens, auf unserem totalen Wissen beruhend)
objektive Regellosigkeit (statistisch prüfbar)	Mangel an Wissen
Gleichwahrscheinlichkeit (physikalische Symmetrie oder Symmetrie der Situation)	Mangel an Wissen

In allen diesen Fällen, finde ich, sollten diese beiden Ansätze unterschieden werden; und der subjektivistische Ansatz sollte erkannt werden als das, was er ist: als eine Entgleisung, die auf einem Fehler beruht – dem Anschein nach einem Fehler, der für viele verführerisch war. Es gibt aber eine ähnliche Tabelle, bei der die erkenntnistheoretische (rechte) Seite nicht auf einem Fehler beruht.

Wahrheit	Vermutung
Prüfbarkeit	empirische Nachprüfung
Erklärungskraft oder Voraussagekraft	Bewährungsgrad
›Wahrheitsähnlichkeit‹	(d.h., Bericht über Prüfungsergebnisse)

III

Wie viele andere Philosophen unterliege auch ich mitunter der Versuchung, die Philosophen in zwei Gruppen einzuteilen. In die, deren Ideen ich bekämpfe, und die, die mit mir übereinstimmen. Die einen sind natürlich die Verifikationisten, oder die Philosophen der Rechtfertigung des Wissens oder des Glaubens; und die anderen sind die Falsifikationisten oder Fallibilisten, die kritischen Philosophen des

Vermutungswissens. Nebenbei möchte ich noch eine dritte Gruppe erwähnen, mit deren Angehörigen ich auch nicht einer Meinung bin. Nennen wir sie die enttäuschten Rechtfertigungsphilosophen – die Irrationalisten und Skeptiker.

Die Mitglieder der ersten Gruppe, die Verifikationisten oder die Philosophen der Rechtfertigung, glauben so ungefähr, daß alles, was nicht durch positive Gründe gestützt werden kann, nicht wert ist, für wahr gehalten oder überhaupt ernsthaft in Betracht gezogen zu werden.

Andererseits sagen die Mitglieder der zweiten Gruppe – die Falsifikationisten oder Fallibilisten – etwa folgendes: das, was (zur Zeit) im Prinzip durch Kritik nicht widerlegt werden kann, ist (zur Zeit) nicht wert, ernsthaft in Betracht gezogen zu werden; während das, was im Prinzip so widerlegt werden kann, aber dennoch allen unseren kritischen Widerlegungsbemühungen widersteht, vielleicht zwar falsch, aber jedenfalls wert ist, ernsthaft in Betracht gezogen zu werden; es kann vielleicht sogar für wahr gehalten werden, wenn auch nur versuchsweise.

Die Verifikationisten, ich gebe es zu, pflegen oft mit Eifer die so wichtige Tradition des Rationalismus, den Kampf der Vernunft gegen Aberglauben und willkürliche Autorität. Denn sie verlangen, daß wir eine Meinung *nur dann* anerkennen, *wenn sie durch positive Tatsachen gerechtfertigt werden kann;* das heißt nur dann, wenn *gezeigt* werden kann, daß sie wahr ist – oder zumindest sehr wahrscheinlich. Mit anderen Worten, sie verlangen, daß wir eine Meinung nur dann anerkennen, wenn sie *verifiziert* oder durch die Wahrscheinlichkeitstheorie *bestätigt* werden kann.

Die Falsifikationisten oder Fallibilisten (zu denen ich gehöre) glauben – wie auch die meisten Irrationalisten – logische Argumente entdeckt zu haben, die zeigen, daß das Programm der ersten Gruppe undurchführbar ist: daß wir nie positive Gründe angeben können, die unseren Glauben an die Wahrheit einer Theorie rechtfertigen. Aber im Gegensatz zu den Irrationalisten glauben wir Falsifikationisten, daß wir auch einen Weg entdeckt haben, um dem alten Ideal getreu rationale Wissenschaft von den verschiedenen Formen des Aberglaubens zu unterscheiden, und zwar trotz des Zusammenbruchs des induktivistischen oder rechtfertigungstheoretischen Programms. Wir glauben, daß dieses Ideal sehr einfach verwirklicht werden kann, und zwar, indem wir anerkennen, daß die Rationalität der Wissenschaft ausschließlich in ihrer *kritischen Methode* besteht. Also nicht darin, daß sie sich auf empirische Beobachtungen beruft, um ihre Dogmen zu stützen – auch Astrologen tun das – sondern in einer kritischen Einstellung, die, zugegeben, auch die Berufung auf empirisches sogenanntes Beweismaterial respektiert, neben anderen Argumenten, aber immer in einem kritisch prüfenden Zusammenhang, der Dogmen zerstören, aber niemals deduzieren kann. Für uns hat die Wissenschaft deshalb nichts zu tun mit der Suche nach Gewißheit oder Sicherheit, oder auch Wahrscheinlichkeit oder Verläßlichkeit. Wir sind nicht daran interessiert, wissenschaftliche Theorien als sicher, gewiß oder wahrscheinlich nachzuweisen. Eingedenk unserer Fehlbarkeit sind wir nur daran interessiert, sie zu kritisieren und zu prüfen, wobei wir hoffen, die von uns gemachten Fehler zu entdecken, aus ihnen zu lernen, und, wenn wir Glück haben, zu besseren Theorien zu gelangen.

Wenn man ihre Ansichten über die positive oder negative Funktion von Argumenten in der Wissenschaft betrachtet, dann kann man der ersten Gruppe – den Theoretikern der Rechtfertigung – auch den Spitznamen ›Positivisten‹ verleihen und der zweiten Gruppe – der ich angehöre – den der Kritiker oder ›Negativisten‹. Das sind selbstverständlich nur Spitznamen. Trotzdem weisen sie vielleicht auf einige der Gründe hin, warum manche glauben, daß nur die Positivisten oder Verifikationisten ernstlich an der Wahrheit und an der Suche nach ihr interessiert sind, während sie von uns, den Kritikern oder Negativisten glauben, daß wir leichtfertig sind gegenüber der Wahrheitssuche und dazu neigen, unfruchtbare und destruktive Kritik zu üben und offenkundig paradoxe Ansichten zu äußern.

Schuld an diesem falschen Bild der Fallibilisten oder Falsifikationisten scheint das verifikationistische Programm zu sein, und darüber hinaus die irrige subjektivistische Einstellung zur Wahrheit, die ich beschrieben habe.

Tatsache ist, daß auch wir die Wissenschaft als Suche nach der Wahrheit sehen, und zumindest seit Tarski fürchten wir uns nicht mehr, das auch zu sagen. Nur im Hinblick auf dieses Ziel – die Entdeckung der Wahrheit – können wir sagen, daß wir, obwohl wir fehlbar sind, hoffen, aus unseren Fehlern zu lernen. Die Idee der Wahrheit allein ist es, die es uns erlaubt, vernünftig über Fehler und rationale Kritik zu sprechen, die uns rationale Diskussion ermöglicht – das heißt eine kritische Diskussion, die nach Fehlern sucht und dabei ernsthaft das Ziel verfolgt, möglichst viele dieser Fehler zu eliminieren, um der Wahrheit näher zu kommen. So bringt gerade die Idee des Irrtums – und der Fehlbarkeit – die Idee einer objektiven Wahrheit als des Ideals mit sich, das wir möglicherweise nie erreichen. (Es ist in diesem Sinn, daß wir von der Idee der Wahrheit als eine *regulative* Idee sprechen.)

Wir gehen also davon aus, daß es die Aufgabe der Wissenschaft ist, nach der Wahrheit zu suchen, das heißt, nach wahren Theorien (auch wenn wir, wie Xenophanes gezeigt hat, sie nicht finden sollten, oder wenn wir sie finden, nicht sicher wissen können, daß sie wahr sind). Wir betonen aber auch, daß die *Wahrheit nicht das einzige Ziel der Wissenschaft ist.* Wir wollen mehr als die bloße Wahrheit: Wir suchen nach *interessanter Wahrheit* – nach Wahrheit, an die schwer heranzukommen ist. Und in den Naturwissenschaften (im Unterschied zur Mathematik) suchen wir nach Wahrheit, die ein hohes Maß an Erklärungskraft besitzt, in einem Sinn, der impliziert, daß es sich um eine logisch unwahrscheinliche Wahrheit handelt.

Denn es ist vor allem klar, daß wir nicht bloß Wahrheit wollen – wir wollen mehr Wahrheit und neue Wahrheit. Wir geben uns mit ›Zwei mal zwei ist vier‹ nicht zufrieden, obwohl das wahr ist: Wir sagen nicht als letztes Hilfsmittel das Einmaleins auf, wenn wir vor einem schwierigen Problem in der Topologie oder in der Physik stehen. Wahrheit allein ist nicht genug; was wir suchen, sind *Antworten auf unsere Probleme.* Es war wohl dieser Gedanke, der von Wilhelm Busch (dessen *Max und Moritz* jeder kennt) in einem Reim für die erkenntnistheoretische Kinderstube brillant formuliert wurde[9].

> Zwei mal zwei gleich vier ist Wahrheit.
> Schade, daß sie leicht und leer ist,
> Denn ich wollte lieber Klarheit
> Über das, was voll und schwer ist.

Nur wenn sie ein Problem beantwortet – ein schwieriges, ein fruchtbares, ein interessantes Problem – nur dann kann eine Wahrheit, oder eine Hypothese, für die Wissenschaft relevant werden – oder vielleicht sogar ›voll und schwer‹. Das gilt für die reine Mathematik, genau wie für die Naturwissenschaften. Und in der letzteren haben wir so etwas wie einen logischen Maßstab, an dem wir messen, wie interessant oder bedeutend das Problem ist: die Zunahme der logischen Unwahrscheinlichkeit oder der Erklärungskraft der vorgeschlagenen neuen Antworten im Vergleich mit der besten Theorie oder Vermutung, die auf diesem Gebiet vorher angeboten wurde. Dieser logische Maßstab ist im Grunde dasselbe wie das, was ich oben als logisches Kriterium der potentiellen Güte und des Fortschritts beschrieben habe.

Meine Beschreibung dieser Situation könnte manche dazu verleiten, uns Negativisten nachzusagen, daß bei uns die Wahrheit letztlich doch keine sehr große Rolle spielt, nicht einmal als ein regulatives Prinzip. Es kann kein Zweifel bestehen, so werden sie sagen, daß Negativisten (wie ich) den Versuch, ein interessantes Problem durch eine kühne Vermutung zu lösen, der Aufzählung einer Reihe von wahren aber uninteressanten Behauptungen vorziehen, *selbst wenn diese Vermutung sich bald als falsch herausstellt.* Es sieht also eher so aus, als könnten wir Negativisten mit der Idee der Wahrheit nicht viel anfangen. Anscheinend haben unsere Vorstellungen von wissenschaftlichem Fortschritt und von Problemlösungsversuchen mit der Wahrheit nicht allzu viel zu tun.

Meiner Meinung nach wäre das aber eine völlig falsche Darstellung der Ziele unserer Gruppe. Möge man uns Negativisten nennen oder sonst etwas; aber man sollte begreifen, daß wir uns für die Wahrheit genauso interessieren wie jeder andere – genauso wie beispielsweise die Mitglieder eines Gerichtshofs. Wenn der Richter einen Zeugen auffordert, ›die Wahrheit, die *reine Wahrheit,* und nichts als die Wahrheit‹ zu sagen, dann sucht er nach so viel *relevanter Wahrheit,* wie der Zeuge zu geben vermag. Wenn der Zeuge dazu neigt, sich in der Schilderung irrelevanter Details zu verlieren, ist seine Aussage unbefriedigend, selbst wenn die von ihm geäußerten Belanglosigkeiten ganz richtig sind und daher Teile der ›ganzen Wahrheit‹. Offensichtlich möchte der Richter – oder wer auch immer – der die ›reine Wahrheit‹ verlangt, möglichst viel an *interessanter und relevanter* wahrer Information erhalten; und viele durchaus ehrliche Zeugen haben eine wichtige Information einfach deshalb nicht erwähnt, weil ihnen die Relevanz dieser Information für den Fall nicht bewußt war.

Wenn wir also mit Wilhelm Busch betonen, daß wir uns nicht für Wahrheit schlechthin interessieren, sondern für interessante und relevante Wahrheit, dann unterstreichen wir, wie ich behaupte, nur einen Grundsatz, den ohnedies jedermann anerkennt, der darüber nachgedacht hat. Denn wenn wir an kühnen Vermutungen interessiert sind, auch wenn sie sich bald als falsch erweisen sollten, so beruht dieses Interesse auf unserer methodologischen Überzeugung, daß wir nur mit Hilfe solcher kühnen Vermutungen hoffen können, interessante und relevante Wahrheiten zu entdecken.

Hier ist ein Punkt für einen Logiker. ›Interesse‹ oder ›Relevanz‹, so wie sie hier gemeint sind, klingen wie reine subjektive Begriffe; aber sie können *objektiv* analysiert werden. Sie hängen mit unseren Problemen zusammen, und mit dem logischen Gehalt der Probleme und der Lösungsversuche. Aber die logische Stärke des Gehalts kann durch die logische Unwahrscheinlichkeit der Information gemessen werden.

Ich will daher gerne zugeben, daß Falsifikationisten wie ich es vorziehen zu versuchen, ein interessantes Problem durch eine kühne Hypothese zu lösen, statt einen Katalog von irrelevanten Binsenwahrheiten zusammenzustellen, *auch dann, wenn der Versuch sich als schwierig erweist, oder geradezu als ein Fehlschlag.* Wir ziehen das vor, weil wir glauben, daß dies der Weg ist, um aus unseren Fehlern zu lernen; und daß wir durch die Entdeckung, daß unsere Vermutung falsch ist, viel über die Wahrheit gelernt haben und ihr näher gekommen sind.

Ich glaube deshalb, daß beide Gedanken – der Gedanke der Wahrheit im Sinne der Übereinstimmungen mit den Tatsachen und der Gedanke des Gehalts (der mit Hilfe desselben Maßstabes wie die Prüfbarkeit gemessen werden kann) – ungefähr gleich wichtige Rollen in unseren Überlegungen spielen; und daß beide viel Licht auf die Idee des Fortschritts in der Wissenschaft werfen können.

IV

Wenn man die Entwicklung der Wissenschaft näher betrachtet, so findet man wohl, daß wir zwar nicht wissen, wie nah oder wie weit entfernt von der Wahrheit wir sind, daß wir aber *immer näher und näher an die Wahrheit herankommen* können und das auch tun. Ich selbst habe in der Vergangenheit manchmal solche Dinge gesagt, aber immer mit leichten Gewissensbissen. Nicht daß ich meine, wir müßten viel Aufhebens um das machen, was wir sagen: im Gegenteil, solange wir uns nur möglichst klar ausdrücken und dabei nicht vorgeben, daß unsere Rede klarer ist als sie es ist, und solange wir nicht versuchen, scheinbar richtige Konsequenzen aus zweifelhaften oder vagen Prämissen zu ziehen, schadet weder eine gelegentliche Unklarheit, noch stört es, wenn wir hie und da unseren Gefühlen und allgemeinen, intuitiven Eindrücken über die Dinge Ausdruck geben. Aber jedesmal, wenn ich geschrieben oder gesagt hatte, daß die Wissenschaft der Wahrheit näher kommt oder eine Art Annäherung an die Wahrheit stattfindet, dann hatte ich das Gefühl, ich sollte »Wahrheit« in doppelten Anführungszeichen schreiben, um ganz klarzumachen, daß es sich hier um einen vagen und im höchsten Maße metaphysischen Begriff handelt, im Gegensatz zu Tarskis ›Wahrheit‹, die wir guten Gewissens ganz normal schreiben können[10].

Erst vor kurzem begann ich zu überlegen, ob die hier erörterte Idee der Wahrheit am Ende wirklich so gefährlich vage und metaphysisch ist. Sehr schnell fand ich heraus, daß das nicht der Fall ist, und daß es keine besondere Schwierigkeit macht, Tarskis grundlegende Idee auf sie anzuwenden.

Denn es gibt überhaupt keinen Grund, warum wir nicht sagen sollten, daß eine Theorie mit den Tatsachen besser übereinstimmt als eine andere. Dieser einfache erste Schritt macht alles klar: es gibt hier wirklich keine Schranke zwischen dem, was auf den ersten Blick als »Wahrheit« und was als Wahrheit im Sinn von Tarski erschien.

Aber können wir wirklich von *besserer* Übereinstimmung sprechen? Gibt es so etwas wie *Grade* der Wahrheit? Ist es nicht gefährlich und irreführend, wenn wir so tun, als ob die Wahrheit nach Tarski sich irgendwo in einer Art metrischem oder zumindest topologischem Raum befindet, wenn wir, mit dem Anspruch etwas Sinnvolles zu sagen, von zwei Theorien behaupten – beispielsweise von einer früheren *Theorie* t_1 und einer späteren t_2 – daß t_2 die frühere t_1 ersetzt hat oder über t_1 hinausgegangen ist, indem sie der Wahrheit näher gekommen ist als t_1?

Ich denke nicht, daß solche Äußerungen in irgendeiner Weise irreführend sind. Im Gegenteil, ich glaube, daß wir ohne eine solche Vorstellung einer besseren oder schlechteren Annäherung an die Wahrheit einfach nicht auskommen. Denn es gibt überhaupt keinen Zweifel, daß wir von einer Theorie t_2 sagen können und oft zu sagen wünschen, daß sie mit den Tatsachen besser übereinstimmt oder daß sie, soweit wir wissen, mit den Tatsachen besser übereinzustimmen scheint als eine andere Theorie t_1.

Ich gebe hier eine etwas unsystematische Liste von sechs typischen Fällen, in denen eine Theorie t_1 von t_2 überholt wurde; in dem Sinn, daß t_2 – so weit wir wissen – auf die eine oder andere Art besser mit den Tatsachen übereinstimmt als t_1.

(1) t_2 stellt präzisere Behauptungen auf als t_1, und diese präziseren Behauptungen überstehen präzisere Prüfungen.

(2) t_2 berücksichtigt und erklärt mehr Tatsachen als t_1 (wozu zum Beispiel der oben angeführte Fall zählt, bei dem, unter sonst gleichen Bedingungen, die Behauptungen von t_2 präziser sind).

(3) t_2 beschreibt oder erklärt die Tatsachen detaillierter als t_1.

(4) t_2 hat Prüfungen überstanden, die t_1 nicht bestanden hat.

(5) t_2 hat neue experimentelle Überprüfungen vorgeschlagen, die niemand erwogen hat, bevor t_2 entworfen wurde (und sie wurden von t_1 nicht inspiriert und waren vielleicht auch nicht einmal auf t_1 anwendbar); und t_2 hat diese Prüfungen bestanden.

(6) t_2 hat verschiedene bis dahin unzusammenhängende Probleme vereint oder verbunden.

Wenn wir diese Liste betrachten, können wir sehen, daß in ihr der *Gehalt* der Theorien t_1 und t_2 eine wichtige Rolle spielt. (Sie erinnern sich sicherlich, daß der *logische Gehalt* eines Satzes oder einer Theorie *a* die Klasse aller Sätze ist, die logisch aus *a* folgen; dagegen habe ich den *empirischen Gehalt* von *a* definiert als die Klasse aller Basissätze, die *a* widersprechen[11].) Denn in unserer Liste von sechs Fällen übersteigt der empirische Gehalt der Theorie t_2 den der Theorie t_1.

Das legt uns nahe, hier die Idee der Wahrheit und die des Gehaltes zu einer einzigen zu verbinden – nämlich zur Idee des Grades der besseren (oder schlechteren) Übereinstimmung mit der Wahrheit oder der größeren (oder geringeren) Gleichheit oder Ähnlichkeit mit der Wahrheit, oder, um einen schon oben benutzten Ausdruck zu verwenden, (im Unterschied zur Wahrscheinlichkeit), zur Idee von (Graden der) *Wahrheitsähnlichkeit.*

Dabei ist folgendes zu beachten: der Gedanke, daß jeder Satz oder jede Theorie nicht nur entweder wahr oder falsch ist, sondern unabhängig vom Wahrheitswert einen Grad von Wahrheitsähnlichkeit hat, sollte nicht zu einer mehrwertigen Logik führen – das heißt zu einem logischen System, das mehr als die zwei Wahrheitswerte ›wahr‹ und ›falsch‹ hat; obwohl einiges von dem, wonach es die Verteidiger der mehrwertigen Logik gelüstet, anscheinend in der Theorie der Wahrheitsähnlichkeit zu finden ist. (Dasselbe gilt für verwandte Theorien.)

V

Sobald ich einmal das Problem gesehen hatte, kam ich auch schnell bis hierher. Aber seltsamerweise brauchte ich dann lange, um daraus meine Schlüsse zu ziehen und um zu etwas wie einer einfachen *Definition der Wahrheitsähnlichkeit* oder *Wahrheitsnähe zu kommem,* und zwar formuliert mit Hilfe der Begriffe *Wahrheit* und *Gehalt.* (Wir können entweder den logischen oder den empirischen Gehalt benutzen und so zwei nah verwandte Ideen der Wahrheitsähnlichkeit erhalten; sie verschmelzen jedoch zu einer einzigen, wenn wir hier nur empirische Theorien oder empirische Aspekte von Theorien berücksichtigen.)

Betrachten wir nun den *Gehalt* eines Satzes *a,* das heißt die Klasse aller logischen Folgerungen von *a.* Wenn *a* wahr ist, dann kann diese Klasse nur aus wahren Sätzen bestehen, weil Wahrheit immer von einer Prämisse auf alle ihre Konklusionen übertragen wird. Wenn aber *a* falsch ist, dann wird sein Gehalt immer sowohl aus wahren als auch aus falschen Konklusionen bestehen. (Beispiel: ›An Sonntagen regnet es immer‹ ist falsch, aber die Konklusion, daß es am vorigen Sonntag geregnet hat, ist zufällig wahr.) Ein Satz, gleichgültig ob er wahr ist oder falsch, *kann* folglich *mehr oder weniger Wahrheit enthalten in dem, was er sagt,* je nachdem, ob sein Gehalt aus einer größeren oder kleineren Anzahl von wahren Sätzen besteht.

Nennen wir also die Klasse der wahren logischen Folgerungen aus *a* den ›Wahrheitsgehalt‹ von *a* (der Ausdruck ›*Wahrheitsgehalt*‹ – der an den Satz ›Es ist Wahrheit in dem, was du sagst‹ erinnert – wird seit langem intuitiv verwendet); und nennen wir die Klasse der falschen Folgerungen aus *a* – aber nur diese – den ›Falschheitsgehalt‹ von *a.* (Der Falschheitsgehalt ist genaugenommen kein ›Gehalt‹, weil er keine der wahren Folgerungen jener falschen Sätze enthält, die seine Elemente bilden. Dennoch ist es möglich sein *Maß* mit Hilfe zweier Gehalte zu definieren.) Diese Ausdrücke sind genauso objektiv wie die Ausdrükke ›wahr‹ oder ›falsch‹ und ›Gehalt‹ selbst. Wir können nun folgendes sagen:

Angenommen, Wahrheitsgehalt und Falschheitsgehalt von zwei Theorien t_1 *und* t_2 *sind vergleichbar, so können wir sagen, daß* t_2 *eine größere Ähnlichkeit mit der Wahrheit hat oder mit den Tatsachen besser übereinstimmt als* t_1*, dann und nur dann, wenn entweder*

(a) der Wahrheitsgehalt, aber nicht der Falschheitsgehalt von t_2 *den von* t_1 *übersteigt; oder*

(b) der Falschheitsgehalt von t_1*, aber nicht der Wahrheitsgehalt, den von* t_2 *übersteigt.*

Wenn wir nun mit der (vielleicht fiktiven) Annahme arbeiten, daß der Gehalt und Wahrheitsgehalt einer Theorie *a* im Prinzip *meßbar* sind, dann könnten wir über diese Definition etwas hinausgehen und könnten *Vs(a)* definieren, das heißt ein Maß der ›*verisimilitude*‹ oder *Wahrheitsähnlichkeit* von *a.* Die einfachste Definition scheint

$$Vs(a) = Ct_T(a) - Ct_F(a)$$

zu sein, wobei $Ct_T(a)$ ein Maß des Wahrheitsgehalts *(›truth-content‹)* von a und $Ct_F(a)$ ein Maß des Falschheitsgehalts *(›falsity-content‹)* von a ist. (Eine etwas kompliziertere Definition, die aber in mancher Hinsicht vorzuziehen ist, kann auch formuliert werden[12].)

Es ist offensichtlich, daß *Vs(a)* unsere beiden Wünsche befriedigt, denen zufolge *Vs* (a) zunehmen sollte

(a) wenn $Ct_T(a)$ zunimmt, wogegen $Ct_F(a)$ es nicht tut, und
(b) wenn $Ct_F(a)$ abnimmt, wogegen $Ct_T(a)$ es nicht tut.

VI

Ich möchte drei nicht-technische Punkte diskutieren. Mein erster Punkt ist der folgende. Unsere Idee der Annäherung an die Wahrheit oder der Wahrheitsähnlichkeit hat denselben objektiven Charakter und denselben idealen oder regulativen Charakter wie die Idee der objektiven oder absoluten *Wahrheit.* Sie ist *keine erkenntnistheoretische* oder *epistemische Idee* – genauso wenig wie ›Wahrheit‹ oder ›Gehalt‹. (In Tarskis Terminologie ist sie offensichtlich ein ›semantischer‹ Begriff wie ›Wahrheit‹ oder wie ›logische Folgerung‹ und deshalb auch wie ›Gehalt‹.) Entsprechend müssen wir hier wieder unterscheiden zwischen der Frage ›Was willst du sagen, wenn du sagst, daß die Theorie t_2 einen höheren Grad der Wahrheitsähnlichkeit hat als die Theorie t_1?‹ und der Frage ›Woher weißt du, daß die Theorie t_2 einen höheren Grad der Wahrheitsähnlichkeit hat als die Theorie t_1?‹

Bis jetzt haben wir nur die erste Frage beantwortet. Die Antwort auf die zweite Frage wird schon von der ersten Frage nahegelegt; sie entspricht genau der folgenden Antwort (einer absoluten, nicht einer vergleichenden Antwort) hinsichtlich der Wahrheit: ›Ich weiß sie eben *nicht* – ich *rate:* ich vermute. Aber ich kann meine Vermutung kritisch untersuchen; und wenn sie meiner strengen Kritik und der Kritik von anderen standhält, dann kann diese Tatsache als ein recht guter kritischer Grund für die Wahrheit meiner Vermutung angesehen werden.‹

Mein zweiter Punkt lautet: die Wahrheitsähnlichkeit ist so definiert, daß eine Theorie das Maximum der Wahrheitsähnlichkeit nur dann erreicht, wenn sie nicht nur wahr ist, sondern auch umfassend wahr ist: wenn sie sozusagen *allen relevanten* Tatsachen entspricht, und natürlich nur *wirklichen* Tatsachen. Das ist selbstverständlich ein viel weiter entferntes und schwerer erreichbares Ideal als eine bloße Übereinstimmung mit *einigen* Tatsachen (wie zum Beispiel in ›Gewöhnlich ist der Neuschnee weiß‹).

Aber das alles gilt nur für den maximalen Grad der Wahrheitsähnlichkeit, nicht für den *Vergleich von Theorien hinsichtlich ihres Grades der Wahrheitsähnlichkeit.* Diese vergleichende Anwendung ist aber das Entscheidende. Die Idee eines höheren oder niedrigeren Grades der Wahrheitsähnlichkeit ist, so scheint es, weniger abgelegen, besser anwendbar und deshalb für die Analyse wissenschaftlicher Methoden vielleicht wichtiger als die Idee der absoluten Wahrheit, die an sich weit grundlegender ist.

Das bringt mich zu meinem dritten Punkt. Dazu möchte ich eines vorweg sagen. Ich glaube nicht, daß die ausdrückliche Einführung der Idee der Wahrheitsähnlichkeit zu irgendwelchen Änderungen der Methodenlehre führen wird. Im Gegenteil, ich denke, daß meine Theorie der Prüfbarkeit oder Bewährung durch empirische Nachprüfungen das geeignete methodologische Gegenstück zu der neu vorgeschlagenen, metalogischen Idee ist. Die einzige Verbesserung besteht in einer Klarstellung. So habe ich oft gesagt, daß wir die Theorie t_2, die bestimmte strenge Prüfungen bestanden hat, der Theorie t_1 vorziehen, die diese Prüfungen nicht bestanden hat; denn eine falsche Theorie ist sicher schlechter als eine, die nach allem, was wir wissen, sehr wohl wahr sein kann.

Dazu können wir noch folgendes hinzufügen: auch wenn t_2 widerlegt wird, können wir noch immer sagen, daß sie besser ist als t_1; denn obwohl sich beide als falsch herausgestellt haben, kann die Tatsache, daß t_2 gewisse Prüfungen bestanden hat, die t_1 nicht bestanden hat, ein guter Hinweis dafür sein, daß der Falschheitsgehalt von t_1 größer ist als der von t_2 (aber nicht ihr Wahrheitsgehalt). So können wir t_2 selbst nach ihrer Falsifizierung noch immer vorziehen; denn wir haben Grund zu der Annahme, daß sie besser mit den Tatsachen übereinstimmt, als t_1 es getan hat.

Es scheint, daß alle Fälle, in denen wir t_2 aufgrund von Experimenten akzeptieren, die zwischen t_2 und t_1 entscheiden sollten, von dieser Art sind. Wir versuchen, mit Hilfe der Theorie t_2 für unsere Experimente Fälle heranzuziehen, die uns erlauben, t_1 zu widerlegen. So machte Newtons Theorie es uns möglich, gewisse Abweichungen von Keplers Gesetzen vorauszusagen. Ihr Erfolg auf diesem Gebiet hat gezeigt, daß sie in jenen Fällen nicht versagt, die Keplers Theorie widerlegten: zumindest war der Falschheitsgehalt von Keplers Theorie nicht ein Teil der Theorie Newtons; dabei war es ziemlich klar, daß deren Wahrheitsgehalt und Erklärungskraft sich nicht verringert haben konnten, da Keplers Theorie aus der Newtonischen logisch folgt (in ›erster Annäherung‹).

Ähnlich können wir jetzt auch zeigen, daß eine Theorie t_2, die präziser ist als t_1 – immer unter der Voraussetzung, ihr Falschheitsgehalt übersteigt nicht den von t_1 – einen höheren Grad der Wahrheitsähnlichkeit hat als t_1. Dasselbe muß für eine t_2 gelten, deren numerische Behauptungen (auch wenn sie falsch sind) den wahren numerischen Werten näher kommen als die von t_1.

Letzten Endes ist die Idee der Wahrheitsähnlichkeit in solchen Fällen am wichtigsten, wo wir wissen, daß wir mit Theorien arbeiten müssen, die *bestenfalls* Annäherungen sind – das heißt mit Theorien, von denen wir bereits wissen, daß sie nicht wahr sein können. (Das ist oft der Fall in den Sozialwissenschaften.) In diesen Fällen können wir aber noch immer von besseren oder schlechteren Annäherungen an die Wahrheit sprechen (und wir sind deshalb nicht gezwungen, diese Fälle im instrumentalistischen Sinne zu interpretieren).

VII

Natürlich bleibt bei der relativen Beurteilung von zwei Theorien immer die Möglichkeit offen, daß wir uns irren: die Beurteilung wird oft strittig sein. Diesen Umstand kann man gar nicht genug betonen. Und doch ist es auch wichtig festzuhalten, daß eine gute relative Beurteilung unserer beiden Theorien t_1 und t_2 im Prinzip stabil bleiben wird, jedenfalls solange es in unserem Hintergrundwissen nicht zu revolutionären Änderungen kommt. Insbesondere brauchen wir, wie wir gesehen haben, unsere Bewertungen nicht zu ändern, wenn wir später einmal die bessere der beiden Theorien widerlegen. Newtons Dynamik zum Beispiel hat natürlich, obwohl wir sie als widerlegt betrachten können, ihre Überlegenheit gegenüber den Theorien von Kepler und Galilei behalten. Der Grund dafür ist ihr größerer Gehalt und ihre größere Erklärungskraft. Nach wie vor erklärt Newtons Theorie mehr Tatsachen als die beiden anderen; nach wie vor erklärt sie sie mit größerer Präzision und vereint die vorher nicht verbundenen Probleme der himmlischen und der irdischen Mechanik. Der Grund für die Stabilität von solchen relativen Beurteilungen ist ganz einfach: die logische Beziehung zwischen den Theorien ist erstens durch die erwähnten entscheidenden Experimente gekennzeichnet, die zuungunsten von Newtons Vorgängern ausfielen. Zweitens ist diese Beziehung dadurch gekennzeichnet, daß die spätere Überholung der Newtonischen Theorie die älteren Theorien nicht unterstützen konnte: man könnte wohl sagen, daß Keplers Theorie (ebenso wie Newtons) durch die Perihelbewegung des Merkur widerlegt wird.

Ich hoffe, daß ich die Idee der besseren Übereinstimmung mit den Tatsachen oder der Grade der Wahrheitsähnlichkeit für den Zweck dieses kurzen Überblicks hinreichend klargemacht habe.

Text *15*

Propensitäten, Wahrscheinlichkeiten und die Quantentheorie (1957)

In diesem Aufsatz möchte ich kurz die folgenden Thesen aufstellen; zudem möchte ich diese Thesen erklären und zeigen, wie man sie verteidigen kann.

(*1*) Die Lösung des Problems der Interpretation der Wahrscheinlichkeitstheorie ist grundlegend für die Interpretation der Quantentheorie; denn die Quantentheorie ist eine probabilistische Theorie.

(*2*) Die Idee einer statistischen Interpretation ist korrekt, aber es fehlt ihr an Klarheit.

(*3*) Als Folge dieses Mangels an Klarheit *oszilliert* die übliche Interpretation der Wahrscheinlichkeit in der Physik zwischen zwei Extremen: einer *objektivistischen,* rein statistischen Interpretation und einer *subjektivistischen* Interpretation im Sinne der Unvollkommenheit unserer Erkenntnis oder der zur Verfügung stehenden Information.

(*4*) In der orthodoxen Kopenhagener Interpretation der Quantentheorie finden wir dieselbe Oszillation zwischen einer objektivistischen und einer subjektivistischen Interpretation: *die berühmte Einmischung des Beobachters in die Physik.*

(*5*) Im Gegensatz zu all dem schlage ich hier eine revidierte und erneuerte statistische Interpretation vor. Ich bezeichne sie als die *Propensitätsinterpretation der Wahrscheinlichkeit.*

(*6*) Die Propensitätsinterpretation ist eine rein objektivistische Interpretation. Sie verwirft die Oszillation zwischen objektivistischen und subjektivistischen Interpretationen und damit die Einmischung des Subjekts in die Physik.

(*7*) Die Idee der Propensitäten ist genau in dem Sinne ›metaphysisch‹, wie Kräfte oder Kraftfelder metaphysisch sind.

(*8*) Sie ist auch in einem anderen Sinne ›metaphysisch‹: nämlich in dem Sinne, daß sie ein kohärentes Programm für die physikalische Forschung liefert.

Das sind meine Thesen. Ich fange damit an, die Propensitätsinterpretation der Wahrscheinlichkeitstheorie, wie ich sie nenne, zu erklären[1].

I. Objektivistische und subjektivistische Wahrscheinlichkeitsinterpretationen

Nehmen wir an, wir haben zwei Würfel: einen *regulären* Würfel aus homogenem Material und einen zweiten, der so *gewichtet* ist, daß in langen Folgen von Würfen die mit ›6‹ bezeichnete Seite in ungefähr 1/4 der Würfe nach oben zu liegen kommt. In diesem Fall sagen wir, daß die Wahrscheinlichkeit, eine 6 zu werfen, 1/4 ist.

Nun scheint die folgende Argumentation verlockend.

Wir fragen, was wir *meinen,* wenn wir sagen, daß die Wahrscheinlichkeit 1/4 ist; und vielleicht kommen wir auf die Antwort: wir *meinen* genau, daß die relative Häufigkeit, oder die statistische Häufigkeit der Ergebnisse in langen Folgen 1/4 ist. Wahrscheinlichkeit ist also relative Häufigkeit auf lange Sicht. Das ist die statistische Interpretation.

Man hat die statistische Interpretation oft kritisiert, weil der Ausdruck ›auf lange Sicht‹ schwierig ist. Ich werde diese Frage *nicht* diskutieren[2]. Statt dessen werde ich *die Wahrscheinlichkeit eines einzelnen Ereignisses* diskutieren. Diese Frage ist im Zusammenhang mit der Quantentheorie von Bedeutung, weil die ψ-Funktion die Wahrscheinlichkeit festlegt, mit der ein *einzelnes Elektron* unter bestimmten Bedingungen einen bestimmten Zustand annimmt.

Wir fragen uns also jetzt, was es *bedeutet,* wenn wir sagen, ›die Wahrscheinlichkeit, daß wir mit diesem gewichteten Würfel *im nächsten Wurf* eine 6 werfen, ist 1/4‹.

Vom Standpunkt der *statistischen Interpretation* aus kann das nur eines bedeuten: ›der nächste Wurf ist ein *Glied einer Folge* von Würfen, und die relative Häufigkeit innerhalb dieser Folge ist 1/4.‹

Auf den ersten Blick scheint diese Antwort befriedigend zu sein. Wir können jedoch folgende unbequeme Frage stellen.

Wie sieht es aus, wenn sich die Folge aus Würfen mit einem *gewichteten* Würfel und aus ein oder zwei zwischendurch auftretenden Würfen mit dem *regulären* Würfel zusammensetzt? Natürlich werden wir von den Würfen mit dem regulären Würfel sagen, daß ihre Wahrscheinlichkeit von 1/4 abweicht, trotz der Tatsache, daß diese Würfe Glieder einer Folge von Würfen mit der Häufigkeit 1/4 sind.

Dieser einfache Einwand ist von grundlegender Bedeutung. Es gibt verschiedene Antworten darauf. Ich werde zwei dieser Antworten erwähnen; die eine führt zu einer *subjektivistischen Interpretation,* die andere zur *Propensitätsinterpretation.*

Die erste oder subjektivistische Antwort ist folgende. ›In deiner Frage bist du davon ausgegangen‹, so spricht mich etwa der Subjektivist an, ›daß *wir wissen,* daß der eine Würfel gewichtet und der andere regulär ist, und daß *wir wissen,* welcher der beiden Würfel an einem bestimmten Punkt in der Folge von Würfen verwendet wird. Wegen dieses Wissens werden wir natürlich den verschiedenen einzelnen Würfen die richtigen Wahrscheinlichkeiten zuschreiben. Denn die Wahrscheinlichkeit ist, wie dein eigener Einwand zeigt, nicht einfach eine Häufigkeit in einer Folge. Zugegebenermaßen sind beobachtete Häufigkeiten wichtig, weil sie uns wertvolle *Informationen* verschaffen. Aber wir müssen *alle* unsere Informationen verwenden. Die Wahrscheinlichkeit ist unsere Einschätzung der realistischen Gewinnquote im Lichte *all dessen, was wir wissen.* Sie ist ein Maß, das im wesentlichen von unserer unvollständigen Information abhängt, und *sie ist ein Maß der Unvollständigkeit unserer Information.* Wenn wir hinreichend genaue Informationen über die Bedingungen hätten, unter denen der Würfel geworfen wird, würde der sicheren Voraussage des Ergebnisses keine Schwierigkeit im Wege stehen.‹

Das ist die Antwort des Subjektivisten, und ich werde sie als eine Charakterisierung der subjektivistischen Position auffassen, die ich in diesem Aufsatz nicht weiter diskutieren möchte, obwohl ich sie an verschiedenen Stellen erwähnen werde[3].

Was wird nun der Verteidiger einer objektivistischen Interpretation zu unserem grundsätzlichen Einwand sagen? Höchstwahrscheinlich wird er folgendes sagen (wie ich selbst lange Zeit zu sagen gewohnt war).

›Eine Aussage über die Wahrscheinlichkeit machen heißt eine *Hypothese* vorschlagen, und zwar eine Hypothese über Häufigkeiten in einer Ereignisfolge. Für einen solchen Vorschlag können wir uns verschiedener Mittel bedienen – der vergangenen Erfahrung, der Inspiration: es ist nicht wichtig, *wie wir zu einer Hypothese kommen:* worauf es ankommt ist, *wie wir sie überprüfen.* Nun sind wir uns in dem erwähnten Falle alle über die Häufigkeitshypothese einig, und wir sind uns einig, daß die Häufigkeit von 1/4 nicht berührt wird, wenn wir zwischen den Würfen, die wir mit einem gewichteten Würfel machen, ein oder zweimal mit einem regulären Würfel werfen. Was die regulären Würfe anbelangt, müssen wir ihnen, so seltsam es klingt, die Wahrscheinlichkeit von 1/4 zuschreiben, *wenn* wir sie so betrachten, daß sie einfach zu dieser Folge gehören, obwohl es sich um Würfe mit einem regulären Würfel handelt. Schreiben wir ihnen andererseits die

Wahrscheinlichkeit von 1/6 zu, dann tun wir das aufgrund der Hypothese, daß die Häufigkeit in *einer anderen* Folge – einer Folge von Würfen mit dem regulären Würfel – 1/6 sein wird.‹

Das ist die Verteidigung der rein statistischen Interpretation (oder der Häufigkeitsinterpretation) des Objektivisten, und ich bin *soweit* immer noch damit einverstanden.

Aber es kommt mir jetzt seltsam vor, daß ich nicht weiter auf meiner Frage bestand. Denn jetzt scheint mir klar, daß diese Antwort, oder die Antwort des Objektivisten, folgendes impliziert. Wenn wir Folgen Wahrscheinlichkeiten zuschreiben, betrachten wir die *Bedingungen, unter denen die Folge zustande kommt,* als entscheidend. Wenn wir annehmen, daß eine Folge von Würfen mit einem gewichteten Würfel sich von einer Folge von Würfen mit einem regulären Würfel unterscheidet, schreiben wir die Wahrscheinlichkeit den *experimentellen Bedingungen* zu. Das führt jedoch zu dem folgenden Ergebnis.

Selbst wenn man sagen kann, daß Wahrscheinlichkeiten Häufigkeiten sind, glauben wir, daß diese *Häufigkeiten von der experimentellen Anordnung abhängen werden.*

Aber hiermit kommen wir zu einer neuen Fassung der objektivistischen Interpretation. Sie lautet wie folgt.

Jede experimentelle Anordnung *kann* eine Folge mit Häufigkeiten *hervorbringen,* die von dieser bestimmten experimentellen Anordnung abhängen, wenn wir das Experiment sehr oft wiederholen. Diese virtuellen Häufigkeiten können als Wahrscheinlichkeiten bezeichnet werden. Aber da die Wahrscheinlichkeiten sich als abhängig von der experimentellen Anordnung erweisen, kann man sie als *Merkmale dieser Anordnung* betrachten. *Sie charakterisieren die Neigung oder die Propensität* der experimentellen Anordnung, bestimmte typische Häufigkeiten zu verursachen, *wenn das Experiment oft wiederholt wird.*

II. Die Propensitätsinterpretation

So kommen wir zu der Propensitätsinterpretation der Wahrscheinlichkeit[4]. Sie unterscheidet sich von der rein statistischen oder der Häufigkeitsinterpretation nur dadurch, daß sie die Wahrscheinlichkeit als charakteristisches Merkmal der experimentellen Anordnung betrachtet, und nicht als ein Merkmal einer Folge.

Die Hauptsache dieser Änderung ist, daß wir jetzt *die Wahrscheinlichkeit des Ergebnisses eines einzelnen Experiments* in bezug auf seine *Bedingungen* für grundlegend halten und nicht die Häufigkeit von Ergebnissen in einer Experimentenfolge. Zugegebenermaßen müssen wir, wenn wir eine Wahrscheinlichkeitsaussage *überpüfen* wollen, eine experimentelle Folge überprüfen. Aber jetzt ist die Wahrscheinlichkeitsaussage nicht eine Aussage *über* diese Folge: sie ist eine Aussage *über* bestimmte Merkmale der experimentellen Bedingungen, der experimentellen Anordnung. (Mathematisch entspricht die Änderung einem Übergang von der Häufigkeitstheorie zu einem maßtheoretischen Ansatz.)

Eine Aussage über Propensitäten kann mit einer Aussage über ein elektrisches Feld verglichen werden. Wir können diese Aussage nur überprüfen, wenn wir einen Testkörper einführen und die Wirkung des Feldes auf diesen Körper messen. Aber die Aussage, die wir überpüfen, ist eine Aussage über das Feld und nicht über den Körper. Sie spricht über bestimmte *dispositionale Merkmale* des Feldes. Und genau so, wie wir das Feld als physisch wirklich betrachten können, können wir die Propensitäten als physisch wirklich betrachten. Sie sind *relationale* Merkmale der experimentellen Anordnung. Zum Beispiel *ist* die Propensität 1/4 *nicht ein Merkmal unseres gewichteten Würfels*. Das können wir gleich erkennen, wenn wir überlegen, daß die Gewichtung in einem sehr schwachen Gravitationsfeld wenig Wirkung haben wird – die Propensität, eine 6 zu werfen, kann von 1/4 zu fast 1/6 abnehmen. In einem starken Gravitationsfeld wird die Gewichtung wirkungsvoller sein, und derselbe Würfel wird eine Propensität von 1/3 oder 1/2 aufweisen. Die Tendenz (oder Neigung, oder Propensität) ist – als ein relationales Merkmal der experimentellen Anordnung – deshalb etwas Abstrakteres als zum Beispiel eine Newtonische Kraft mit ihren einfachen Regeln der vektorialen Addition. *Die Propensitätsverteilung schreibt allen möglichen Ergebnissen des Experiments Gewichte zu.* Sie kann natürlich durch einen Vektor in dem *Raume der Möglichkeiten* dargestellt werden.

III. Propensität und Quantentheorie

Die Hauptsache an der Propensitätsinterpretation ist, daß *sie die Quantentheorie entmystifiziert, während sie ihr die Wahrscheinlichkeit und den Indeterminismus läßt.* Dabei macht sie auf die Tatsache aufmerksam, daß all die scheinbaren Rätsel *genauso* auf geworfene Würfel oder Münzen zutreffen müßten wie auf Elektronen. Mit anderen Worten: sie zeigt, daß die Quantentheorie eine Wahrscheinlichkeitstheorie ist, wie irgendeine Theorie irgendeines anderen Glücksspiels, zum Beispiel des Tivoli.

In unserer Interpretation bestimmt Schrödingers ψ-Funktion die Propensitäten der Zustände des Elektrons. Wir haben deshalb keinen ›Dualismus‹ von Teilchen und Wellen. Das Elektron ist ein Teilchen, aber seine Wellentheorie ist eine Propensitätstheorie, die den möglichen Zuständen des Elektrons Gewichte zuschreibt. Die Wellen im Konfigurationsraum sind Wellen von Gewichten, oder Wellen von Propensitäten.

Betrachten wir nun Diracs Beispiel eines Photons und eines Polarisierers. Nach Dirac müssen wir sagen, daß das Photon gleichzeitig in beiden möglichen Zuständen ist, zur Hälfte in jedem, und zwar obwohl es unteilbar ist, und obwohl wir es nur in dem einen seiner möglichen Zustände finden oder beobachten können.

Wir können das wie folgt übersetzen. Die Theorie beschreibt alle möglichen Zustände und schreibt allen möglichen Zuständen – zwei in unserem Fall – Gewichte zu. Das Photon befindet sich nur in einem Zustand. Die Situation ist genau die gleiche wie bei einer hochgeworfenen Münze. Nehmen wir an, wir haben die Münze hochgeworfen und wir sind kurzsichtig und müssen uns bücken, bevor wir sehen können, welche Seite oben liegt. Der Wahrscheinlichkeitsformalismus sagt uns dann, daß jeder der möglichen Zustände eine Wahrscheinlichkeit von 1/2 hat. Wir können also sagen, daß die Münze zur Hälfte in dem einen, zur Hälfte in dem anderen Zustand ist. Und wenn wir uns bücken, um sie besser sehen zu können, wird der Kopenhagener Geist die Münze dazu inspirieren, einen Quantensprung in den einen ihrer zwei Zustände zu machen. Denn heutzutage soll ein Quantensprung – so will es Heisenberg – dasselbe sein wie eine Reduktion des Wellenpakets. Und durch das ›Beobachten‹ der Münze führen wir genau das herbei, was man in Kopenhagen eine ›Reduktion des Wellenpakets‹ nennt.

Das berühmte Zwei-Spalten-Experiment ermöglicht genau die gleiche Analyse. Wenn wir einen Spalt schließen, stören wir die Möglichkeiten und erhalten deshalb eine andere ψ-Funktion und eine andere Wahrscheinlichkeitsverteilung der möglichen Ergebnisse. *Jede Änderung in der experimentellen Anordnung, wie zum Beispiel das Schließen eines Spaltes, wird dazu führen, daß man die Gewichte anders auf die Möglichkeiten verteilt* (wie wenn man eine Figur auf einem Brettspiel verschiebt). Das heißt, wir erhalten eine andere ψ-Funktion, die eine andere Verteilung der Propensitäten festlegt.

Es ist nichts besonders Auffallendes an der Rolle des Beobachters: er spielt nämlich überhaupt keine Rolle. Was die ψ-Funktion ›stört‹, sind nur Änderungen der experimentellen Anordnungen.

Der gegenteilige Eindruck ist auf eine Oszillation zwischen einer objektivistischen und einer subjektivistischen Interpretation der Wahrscheinlichkeit zurückzuführen. Die subjektivistische Interpretation bringt unser Wissen und seine Veränderungen aufs Tapet, während wir nur von experimentellen Anordnungen und den Ergebnissen von Experimenten sprechen sollten.

IV. Metaphysische Überlegungen

Ich habe betont, daß die Propensitäten nicht nur ebenso objektiv sind wie die experimentellen Anordnungen, sondern auch *physisch wirklich* – in dem Sinne, wie Kräfte und Kraftfelder *physisch wirklich* sind. Trotzdem sind sie *keine* Führungswellen im gewöhnlichen Raume, sondern Gewichtsfunktionen von Möglichkeiten, das heißt, Vektoren im Möglichkeitsraum. (Bohms ›Quantenpotential‹ würde hier eine Propensität zur Beschleunigung werden und nicht eine beschleunigende Kraft. Das würde der Pauli/Einstein-Kritik der Führungswellentheorie von de Broglie und Bohm ihr volles Gewicht geben.) Wir sind an die Tatsache gewöhnt, daß so abstrakte Dinge wie zum Beispiel Grade der Freiheit einen sehr realen Einfluß auf unsere Ergebnisse haben und insofern etwas physisch Wirkliches sind. Oder denken wir an die Tatsache, daß die Massen der Planeten, verglichen mit der Masse der Sonne, unerheblich sind und daß die Massen der Monde, verglichen mit denen der Planeten, ebenso unerheblich sind. Das ist eine abstrakte, eine relationale Tatsache, die keinem Planeten und keinem Punkt im Raume zugeschrieben werden kann und die doch ein relationales Merkmal des ganzen Sonnensystems ist. Es gibt gute Gründe anzunehmen, daß sie eine der ›Ursachen‹ der Stabilität des Sonnensystems ist. Abstrakte relationale Tatsachen können also ›Ursachen‹ und in diesem Sinne physisch wirklich sein.

Wenn wir betonen, daß die ψ-Funktion physische Wirklichkeiten beschreibt, können wir vielleicht, so scheint es mir, die Kluft überbrücken zwischen jenen, die richtigerweise den statistischen Charakter der modernen Physik betonen und jenen, die, wie Einstein und Schrödinger, darauf beharren, daß die Physik eine objektive physische Realität beschreiben muß. Die beiden Standpunkte sind unvereinbar, wenn man von der subjektivistischen Voraussetzung ausgeht, daß statistische Gesetze unseren eigenen unvollkommenen Wissensstand beschreiben. Sie werden miteinander vereinbar, wenn wir nur einsehen, das diese statistischen Gesetze Propensitäten beschreiben, das heißt, objektive relationale Merkmale der physischen Welt.

Darüber hinaus scheint die Propensitätsinterpretation eine neue metaphyische Interpretation der Physik zu ermöglichen (und nebenbei bemerkt der Biologie und der Psychologie). Denn wir können sagen, daß alle physischen (und psychologischen) Merkmale dispositional sind. Daß eine Fläche rot ist, heißt, daß sie die Disposition hat, Licht einer bestimmten Wellenlänge zu reflektieren. Daß ein Lichtstrahl eine bestimme Wellenlänge hat, heißt, daß er geneigt ist, sich in einer bestimmten Weise zu verhalten, wenn Flächen verschiedener Farben (oder Prismen, oder Spektrographen, oder Trennwände mit Schlitzen, etc.) in seine Bahn gebracht werden.

Aristoteles legte die Propensitäten als Potentialitäten *in* die Dinge. Die Newtonische Theorie war die erste *relationale* Theorie physischer Dispositionen, und seine Gravitationstheorie führte fast unvermeidlich zu einer Theorie von Feldern und Kräften. Ich glaube, daß die Propensitätsinterpretation der Wahrscheinlichkeit diese Entwicklung einen Schritt weiterbringen kann.

Teil *III*

Metaphysik

Text *16*

Metaphysik und Kritisierbarkeit (1958)

Um von Anfang an zu vermeiden, daß wir uns in Allgemeinheiten verlieren, ist es wohl am besten, sofort – mit Hilfe von fünf Beispielen – zu erklären, was ich meine, wenn ich von einer *philosophischen oder metaphysischen Theorie* spreche.

Ein typisches Beispiel einer philosophischen Theorie ist die Lehre vom *Determinismus der Erfahrungswelt* in Kants Formulierung. Obwohl Kant ein Indeterminist war, so behauptet er in der *Kritik der praktischen Vernunft*[1] doch folgendes: Eine hinreichend exakte Kenntnis des psychologischen und physiologischen Zustandes eines Menschen und seiner Umgebung würde es uns ermöglichen, sein zukünftiges Verhalten mit derselben Gewißheit zu berechnen, mit der wir eine Mond- oder Sonnenfinsternis berechnen können.

Etwas allgemeiner kann dieser Determinismus folgendermaßen formuliert werden [siehe auch Text *20*, Abschnitt *II* unten]: *Die Zukunft der empirischen Welt (oder der Erfahrungswelt) ist durch ihren gegenwärtigen Zustand in allen Einzelheiten vollständig bestimmt.*

Ein zweites Beispiel ist der *Idealismus* in Berkeleys oder in Schopenhauers Form, also etwa die These: ›Die Erfahrungswelt ist meine Vorstellung‹ oder ›*Die Welt ist mein Traum*‹. [Siehe auch Text *17* unten.]

Ein drittes Beispiel einer philosophischen Theorie – und eines, das heute sehr wichtig ist – ist der erkenntnistheoretische *Irrationalismus*, den man vielleicht folgendermaßen erklären könnte:

Da wir von Kant wissen, daß unsere menschliche Vernunft unfähig ist, die Welt der Dinge an sich zu erkennen, so müssen wir entweder die Hoffnung ganz aufgeben, diese Welt zu erkennen, oder wir müssen versuchen, sie mit anderen Mitteln als denen der Vernunft zu erfassen; und da wir jene Hoffnung weder aufgeben können noch wollen, so müssen wir es eben mit un-vernünftigen oder über-vernünftigen Mitteln versuchen – mit Hilfe von Instinkten, dichterischen Inspirationen, Stimmungen oder Gefühlen.

Das ist deshalb möglich, so sagt der Irrationalismus, weil wir selbst ja schließlich Dinge an sich sind; wenn wir also ganz unmittelbar erfassen, was wir selbst sind, so wissen wir dann auch, was die Dinge an sich sind.

Dieser sehr einfache Gedankengang des Irrationalismus ist überaus charakteristisch für die meisten Nachkantianer des 19. Jahrhunderts, zum Beispiel für den brillanten und geistvollen Schopenhauer, der auf diese Weise herausfand, daß wir selbst, als Ding an sich, *Wille* sind und daß deshalb der *Wille* das Ding an sich sein muß. Als Ding an sich ist die Welt *Wille;* und als Erscheinung ist sie *Vorstellung.* Es ist bemerkenswert, daß diese doch schon etwas veraltete Philosophie – in neuen Kleidern – heute wieder so einflußreich ist, obwohl, oder vielleicht gerade weil, ihre frappierende Ähnlichkeit mit den Ideen der alten Nachkantianer der neuen Kleider wegen verhüllt blieb (sofern überhaupt etwas verhüllt bleiben kann unter des Kaisers neuen Kleidern). Schopenhauers Philosophie wird heute in dunklen und beeindruckenden Worten vorgetragen, und seine Selbsterkenntnis, daß wir als Ding an sich im Grunde *Wille* sind, wird durch die neue Selbsterkenntnis ersetzt, daß wir uns selbst so langweilen können, daß diese unsere Langeweile dann beweist, daß das Ding an sich das Nichts ist. Die Originalität dieser existentialistischen Variante von Schopenhauers Philosophie möchte ich sicher nicht bestreiten; der beste Beweis dafür, daß sie originell ist, ist wohl der, daß Schopenhauer eine recht hohe Meinung von seiner Gabe hatte, sich selbst zu unterhalten. Was er in sich selbst entdeckte, war der unbändige Wille, die Willensanspannung – so ungefähr das Gegenteil zu der bodenlosen existentiellen Langeweile eines sich selbst bodenlos langweilenden Nichts-an-sich. Aber Schopenhauers Voluntarismus ist heute eben nicht mehr in Mode: Die große europäische Mode unseres nach-kantischen und nach-rationalistischen Zeitalters ist vielmehr das, was der alte Nietzsche (»vorahnend schon, und voll Mißtrauen gegen den eigenen Sohn«) den ›europäischen Nihilismus‹ genannt hat[2].

Das sind jedoch nur Nebenbemerkungen. Wir haben jetzt die folgende Liste von fünf Beispielen philosophischer Theorien vor uns:

Erstens – Der Determinismus: Die Zukunft ist insofern in der Gegenwart enthalten, als sie durch die Gegenwart vollständig und in allen Einzelheiten bestimmt ist.

Zweitens – Der Idealismus: Die Welt ist mein Traum.

Drittens – Der Irrationalismus: Es gibt un-vernünftige oder übervernünftige Erlebnisse, durch die wir uns selbst als Dinge an sich erleben und so die Dinge an sich erkennen können.

Viertens – Der Voluntarismus: Wir erkennen uns selbst im Wollen als Wille. Das Ding an sich ist der Wille.

Fünftens – Der Nihilismus: Wir erkennen uns selbst in der Langeweile als Nichtse. Das Ding an sich ist das Nichts.

Das ist unsere Liste. Ich habe meine Beispiele darin so ausgewählt, daß ich von jeder einzelnen dieser fünf philosophischen Theorien mit bestem Gewissen sagen kann: Ich bin überzeugt, daß diese Theorie falsch ist. Oder ausführlicher: Ich bin *erstens* ein Indeterminist, *zweitens* ein Realist und *drittens* ein Rationalist; und was die Punkte vier und fünf betrifft, so bin ich gerne zu dem Zugeständnis bereit – ebenso wie Kant und andere kritische Rationalisten –, daß wir die wirkliche Welt, mit ihrem unendlichen Reichtum und ihrer unergründlichen Schönheit, weder durch die Physik noch durch irgendeine andere Wissenschaft ganz erfassen können. Ich glaube aber nicht, daß die Formel der Voluntaristen, ›Die Welt ist Wille‹, uns dabei helfen kann. Und was die sich selbst (und uns) so langweilenden Nihilisten betrifft, so kann ich sie nur aufrichtig bedauern, denn die Ärmsten sind ja mit Blindheit und Taubheit geschlagen. Sie reden von der Welt wie der Blinde von den Farben Peruginos oder wie der Taube von Mozarts Musik.

Warum habe ich also für meine Liste gerade solche philosophischen Theorien ausgewählt, an die ich nicht glaube? Weil ich damit das Problem deutlicher machen wollte, das in dem folgenden wichtigen Satz enthalten ist:

Obwohl ich jede dieser fünf Theorien für *falsch* halte, bin ich doch überzeugt, daß jede dieser Theorien *unwiderlegbar* ist.

Wenn Sie diesen Satz hören, werden Sie wohl mit Recht fragen, wie es denn möglich ist, daß ich davon überzeugt sein kann, daß eine Theorie *falscb und zugleich unwiderleglich* ist, noch dazu, wenn ich mich als einen Rationalisten deklariert habe! Denn wie kann ein Rationalist eine Theorie gleichzeitig für falsch und unwiderleglich erklären? Ist er nicht verpflichtet – als Rationalist –, eine Theorie zu *widerlegen,* bevor er sie als falsch erklärt? Und ist er nicht daher verpflichtet, wenn er eine Theorie als *unwiderlegbar* bezeichnet, zuzugeben, daß sie wahr ist?

Diese Fragen bringen mich endlich zu unserem Problem.

Die letzte Frage läßt sich verhältnismäßig leicht beantworten. Viele Denker haben in der Tat geglaubt, daß aus der Unwiderlegbarkeit einer Theorie ihre Wahrheit folgt. Das ist jedoch ein offenbarer Denkfehler. Denn wir können sehr wohl zwei einander widersprechende Theorien haben, die beide unwiderleglich sind – zum Beispiel den Determinismus, wie in unserem ersten Beispiel, und seinen Gegensatz, den Indeterminismus. Da zwei einander widersprechende Theorien nicht beide wahr sein können, so ergibt sich aus der Unwiderleglichkeit beider Theorien, daß die Unwiderleglichkeit nicht die Wahrheit zur Folge hat.

Der Schluß von der Unwiderleglichkeit auf die Wahrheit einer Theorie ist daher unzulässig, wie immer wir auch die Unwiderleglichkeit interpretieren. Im wesentlichen gibt es nämlich zwei Bedeutungen der Unwiderleglichkeit:

Die erste bezieht sich auf rein logische Widerlegungen, so daß ›unwiderlegbar‹ hier soviel bedeutet wie ›mit rein logischen Mitteln nicht widerlegbar‹; das bedeutet aber nicht mehr als ›widerspruchsfrei‹. Daß wir aber aus der Widerspruchsfreiheit einer Theorie nicht auf ihre Wahrheit schließen dürfen, ist wohl klar.

Die zweite Bedeutung von ›unwiderlegbar‹ bezieht sich auf Widerlegungen, die nicht nur mit logischen (oder analytischen), sondern auch mit empirischen (oder synthetischen) Voraussetzungen arbeiten – mit anderen Worten, auf empirische Widerlegungen. ›Unwiderlegbar‹ im zweiten Sinn heißt also soviel wie ›empirisch nicht widerlegbar‹, genauer: ›keinem möglichen Erfahrungssatz widersprechend‹, oder ›mit jeder möglichen Erfahrung vereinbar‹.

Sowohl die logische wie auch die empirische Unwiderleglichkeit eines Satzes oder einer Theorie sind mit der Falschheit dieses Satzes vereinbar. Das läßt sich für die logische Unwiderleglichkeit sehr leicht durch Beispiele zeigen: Jeder empirische Satz und auch seine Negation müssen ja beide *logisch* unwiderleglich sein. Die beiden Sätze ›Heute ist Montag‹ und ›Heute ist nicht Montag‹ sind beide logisch unwiderleglich, woraus folgt, daß es falsche Sätze gibt, die logisch unwiderleglich sind.

Mit der empirischen Unwiderleglichkeit liegt die Sache etwas anders. Die einfachsten Beispiele für empirisch unwiderlegbare Sätze sind sogenannte reine Existentialsätze. Ein reiner Existentialsatz ist zum Beispiel: ›Es gibt eine Perle, die zehnmal so groß ist wie die nächstgrößte Perle.‹ Wenn wir in diesem Satz ›Es gibt‹ raum-zeitlich beschränken, dann kann der Satz natürlich widerlegbar sein; der folgende Satz zum Beispiel ist offenbar empirisch widerlegbar: ›Es gibt jetzt in dieser Schachtel hier mindestens zwei Perlen, und eine von ihnen ist zehnmal so groß wie die nächstgrößte in dieser Schachtel.‹

Aber dieser Satz ist kein reiner Existentialsatz, sondern ein *beschränkter* Existentialsatz. Der reine Existentialsatz bezieht sich auf die ganze Welt. Und er ist für uns unwiderleglich, weil es keine Methode gibt, ihn zu widerlegen. Sogar wenn wir die ganze Welt absuchten, würde es ja unseren Es-gibt-Satz nicht widerlegen, wenn wir die Perle nicht finden; denn die Perle könnte sich ja immer dort verbergen, wo wir gerade nicht suchen.

Für unsere Zwecke interessantere Beispiele von empirisch unwiderleglichen Existentialsätzen sind die folgenden:

›Es gibt ein vollkommenes Heilmittel gegen Krebs, oder genauer: eine chemische Verbindung, die man ohne Schaden einnehmen kann und die den Krebs heilt.‹ Dieser Satz besagt natürlich nicht, daß diese chemische Verbindung jetzt *bekannt* ist oder daß sie binnen eines bestimmten Zeitraumes gefunden werden wird.

Ähnliche Beispiele sind: ›Es gibt eine Medizin, die alle Infektionskrankheiten heilt.‹ Oder: ›Es gibt eine lateinische Formel, die, wenn sie mit den richtigen Zeremonien ausgesprochen wird, alle Krankheiten heilt.‹

Hier haben wir eine empirisch unwiderlegbare Aussage, an die heute wohl kein Mensch glauben dürfte. Die Aussage ist unwiderlegbar, weil es offenbar unmöglich ist, *alle* möglichen lateinischen Formeln, begleitet von *allen* möglichen Zeremonien, auszuprobieren. Es bleibt daher immer die logische Möglichkeit offen, daß es dennoch eine lateinische Zauberformel gibt, die die Macht hat, alle Krankheiten zu heilen.

Andererseits sind wir sehr wohl berechtigt, diese unwiderlegliche Existentialaussage für falsch zu halten. Wir können zwar ihre Falschheit nicht *beweisen* ; aber alles, was wir über Krankheiten wissen, scheint gegen sie zu sprechen. Mit anderen Worten, obwohl wir sie nicht als falsch erweisen können, ist doch die Annahme, daß es keine solche lateinische Zauberformel gibt, viel vernünftiger als die unwiderlegbare Annahme, daß es eine solche Zauberformel gibt.

Ich brauche hier wohl kaum hinzuzusetzen, daß gelehrte Männer fast zweitausend Jahre lang an die Wahrheit eines solchen Existentialsatzes geglaubt und die Formel für den Stein der Weisen gesucht haben. Ihr Mißerfolg beweist nichts, da ja die Existentialaussage unwiderlegbar ist.

Wir sehen also, daß die logische und empirische Unwiderleglichkeit einer Theorie bestimmt kein hinreichender Grund ist, die Theorie für wahr zu halten; und ich war daher durchaus berechtigt, gleichzeitig an die Unwiderleglichkeit jener fünf philosophischen Theorien und an ihre Falschheit zu glauben.

Ich habe vor etwa 25 Jahren vorgeschlagen, empirische oder empirisch-wissenschaftliche Theorien von nicht-empirischen oder nicht-empirisch wissenschaftlichen Theorien gerade dadurch zu unterscheiden, daß wir die empirischen als die widerlegbaren definieren und die nicht-empirischen als die unwiderlegbaren. Meine Gründe hierfür waren folgende: Jede ernste *Überprüfung* einer Theorie besteht darin, daß man sie zu widerlegen sucht. Prüfbarkeit ist daher dasselbe wie Widerlegbarkeit (oder Falsifizierbarkeit). Da wir aber eine Theorie nur dann als ›empirisch‹ (oder empirisch-wissenschaftlich) bezeichnen werden, wenn sie empirisch überprüft werden kann, so kommen wir zu dem Schluß, daß es die Möglichkeit der empirischen Widerlegung ist, die die empirisch-wissenschaftlichen Theorien auszeichnet. [Siehe Text *8*, oben].

Wenn dieses ›Kriterium der Widerlegbarkeit‹ angenommen wird, dann sehen wir sofort, daß *philosophische* Theorien, oder metaphysische Theorien, *per definitionem unwiderlegbar* sind.

Damit wird meine Behauptung, daß unsere fünf philosophischen Theorien unwiderlegbar sind, fast trivial. Und es wird auch klar, daß ich, obwohl ich ein Rationalist bin, nicht verpflichtet bin, diese Theorien zu widerlegen, bevor ich sie als ›falsch‹ bezeichne. Aber damit wird auch die ganze Schwierigkeit unseres Problems klar:

Wenn philosophische Theorien unwiderlegbar sind, wie können wir dann zwischen wahren und falschen philosophischen Theorien unterscheiden?

Das ist das ernste Problem, das durch die *Unwiderleglichkeit philosophischer Theorien* aufgeworfen wird.

Um das Problem klarer zu stellen, möchte ich es folgendermaßen neu formulieren:

Wir können für unsere Zwecke drei Arten von Theorien unterscheiden:

erstens logisch-mathematische Theorien,
zweitens empirisch-wissenschaftliche Theorien,
drittens philosophische oder metaphysische Theorien.

Wie können wir in jeder dieser Gruppen zwischen wahren und falschen Theorien unterscheiden ?

In der ersten Gruppe ist die Situation klar. Wenn wir eine mathematische Theorie vor uns haben, von der wir nicht wissen, ob sie wahr oder falsch ist, dann prüfen wir sie, zunächst oberflächlich und dann etwas ernster, indem wir sie zu widerlegen suchen. Wenn uns das nicht gelingt, versuchen wir sie zu beweisen oder ihre Negation zu widerlegen. Wenn uns das auch nicht gelingt, so werden vielleicht wieder Zweifel an der Wahrheit der Theorie auftreten, und wir versuchen sie wieder zu widerlegen, und so weiter, bis wir eine Entscheidung erzwingen oder aber das Problem als zu schwierig aufgeben.

Man kann die Situation auch folgendermaßen beschreiben: Unser Problem besteht darin, zwei (oder auch mehrere) miteinander im Wettbewerb stehende Theorien zu überprüfen oder kritisch zu durchdenken. Wir tun das, indem wir einmal die eine und dann wieder die andere zu widerlegen versuchen, bis wir zu einer Entscheidung kommen. In der Mathematik – aber nur hier – sind solche Entscheidungen in der Regel *endgültig:* Beweisfehler, die nicht sofort bemerkt werden, sind sehr selten.

Wenn wir nun zu den empirischen Theorien übergehen, so finden wir, daß wir grundsätzlich dasselbe Verfahren einschlagen. Wieder ist es das Prüfen, das kritische Denken, das wir anwenden: Wir versuchen, die Theorien zu widerlegen. Der wesentliche Unterschied besteht nur darin, daß wir jetzt in unserer Kritik auch empirische Gründe verwenden. Aber diese empirischen Gründe treten nur im Zusammenhang mit anderen kritischen Überlegungen auf. Das kritische Denken als solches bleibt die Hauptsache. Beobachtungen werden nur verwendet, insofern sie in unsere kritische Diskussion hineinpassen.

Wenn wir nun diese Überlegungen auf die philosophischen Theorien anwenden, so führen sie zu der folgenden Neuformulierung unseres Problems:

Ist es möglich, die nichtwiderlegbaren philosophischen Theorien *kritisch* zu diskutieren? Und worin kann denn eine *kritische* Diskussion einer Theorie bestehen, wenn nicht in *Versuchen, die Theorie zu widerlegen?*

Mit anderen Worten, ist es möglich, eine unwiderlegbare Theorie rational, das heißt kritisch, zu beurteilen? Und was für vernünftige Argumente können wir für und gegen eine Theorie vorbringen, von der wir von vornherein wissen, daß sie weder beweisbar noch widerlegbar ist ?

Um alle diese Formulierungen unseres Problems noch durch Beispiele zu erläutern, können wir zuerst wieder auf das Problem des Determinismus hinweisen. Kant wußte sehr wohl, daß wir die zukünftigen Handlungen eines Menschen nicht so gut vorhersagen können wie eine Sonnenfinsternis; aber er erklärte unseren Mißerfolg durch die Annahme, daß wir über den gegenwärtigen Zustand eines Menschen – über seine Wünsche und Befürchtungen, seine Gefühle und seine Motive – viel schlechter informiert sind als über den Zustand des Sonnensystems. Aber in dieser Annahme ist die folgende Hypothese implizit enthalten:

›*Es gibt* eine wahre Beschreibung des gegenwärtigen Zustandes dieses Menschen, die (in Verbindung mit wahren Naturgesetzen) hinreichen würde, seine zukünftigen Handlungen vorauszuberechnen.‹

Das ist wieder ein Es-gibt-Satz, und er ist unwiderleglich. Können wir trotzdem Kants Argumentation rational und kritisch diskutieren?

Nehmen wir als ein zweites Beispiel die These: ›Die Welt ist mein Traum‹. Diese These ist offenbar unwiderleglich; trotzdem glaubt kaum jemand ernstlich an ihre Wahrheit. Aber können wir sie rational und kritisch diskutieren? Ist nicht ihre Unwiderleglichkeit ein unüberwindliches Hindernis für eine kritische Diskussion?

Man könnte versuchen, eine kritische Diskussion der deterministischen These Kants damit anzufangen, daß wir folgendes zu ihm sagen: ›Lieber Kant, es genügt nicht, daß du behauptest, *es gebe* eine wahre Beschreibung, die für Voraussagen hinreichend detailliert ist; du mußt uns auch genau angeben, worin diese Information besteht, damit wir deine Theorie empirisch überprüfen können.‹ Eine solche Rede wäre jedoch gleichbedeutend mit der Annahme, daß man philosophische, das heißt unwiderlegbare Theorien eben nicht diskutieren kann, und daß ein verantwortlicher Denker sie durch empirische Theorien ersetzen *muß*, um sie diskutabel zu machen.

Ich hoffe, daß unser *Problem* nun hinreichend klargeworden ist; und ich möchte nun daran gehen, eine *Lösung vorzuschlagen.*

Meine Lösung ist die: Wenn eine philosophische Theorie bloß eine Behauptung über die Welt wäre, die man uns ohne den geringsten Zusammenhang und ohne uns irgendwelche Gründe zu geben, warum wir diese Behauptung ernst nehmen sollen, an den Kopf wirft, dann wäre sie in der Tat undiskutierbar. Aber dasselbe gilt auch für empirische Theorien. Würde uns jemand Newtons Gleichungen vorsetzen oder sogar seine Argumentation, ohne uns erst etwas über die Resultate Galileis und Keplers zu erzählen – über die Probleme, die durch diese Resultate gelöst wurden, und über Newtons Problem, Galileis und Keplers Resultate ihrerseits durch eine einheitliche Theorie zu erklären –, dann wäre Newtons Theorie für uns ebensowenig diskutierbar wie nur irgendeine philosophische Theorie. Mit anderen Worten, jede *vernünftige* Theorie, ob nun wissenschaftlich oder philosophisch, ist insofern vernünftig, als sie versucht, *gewisse Probleme zu lösen.* Sie ist nur im Zusammenhang mit einer *Poblemsituation* verständlich und vernünftig; und sie kann nur im Zummenhang mit einer *Problemsituation* vernünftig, das heißt kritisch, diskutiert werden.

Wenn wir also die Theorie als Vorschlag zu einer Lösung eines Problems oder mehrerer Probleme betrachten, dann gibt es unmittelbar Möglichkeiten für eine kritische Diskussion – sogar dann, wenn die Theorie nicht-empirisch oder unwiderlegbar ist. Denn wir können fragen: Löst die Theorie ihr Problem? Löst sie es besser als andere Theorien? Verschiebt sie es vielleicht nur? Ist die Lösung einfach? Ist sie fruchtbar? Widerspricht sie vielleicht anderen philosophischen Theorien, die wir zur Lösung anderer Probleme brauchen?

Fragen dieser Art zeigen, daß eine kritische Diskussion auch unwiderlegbarer Theorien recht gut möglich sein kann.

Um wieder ein Beispiel heranzuziehen: Es ist bemerkenswert, daß dem Idealismus Berkeleys und Humes (den ich zur Vereinfachung auf die Formel ›Die Welt ist mein Traum‹ gebracht habe) kaum die Absicht zugrunde lag, eine extravagante oder gar unglaubwürdige Theorie darzubieten. Das sieht man daraus, daß Berkeley sehr oft betonte, daß seine Therorien recht eigentlich mit denen des gesunden Menschenverstandes übereinstimmten[3]. Wenn wir nun versuchen, die *Problemsituation* zu verstehen, die zu dieser Theorie führte, so finden wir, daß beide daran glaubten, daß unser Wissen nur aus unseren *Sinneseindrücken* bestehen könne und aus Assoziationen zwischen den *Erinnerungsbildern solcher Sinneseindrücke.* Dieser Ausgangspunkt führte diese beiden Philosophen ihren Intentionen zum Trotz zum Idealismus, wie es insbesondere im Falle Humes sehr klar ist. Hume war nur insofern ein Idealist, als es ihm mißlang, den Realismus auf sensualistischer Basis zu begründen.

Es ist daher eine durchaus *vernünftige* Kritik an Humes Idealismus, wenn man zeigt, daß seine sensualistische Theorie unseres Wissens und Lernens ohnehin unzulänglich ist, und daß es eine weniger unzulängliche Theorie des Lernens gibt, die keine unerwünschten idealistischen Konsequenzen hat.

In ähnlicher Weise könnten wir nun auch den Determinismus Kants rational und kritisch diskutieren. Kant war, in seiner Grundeinstellung, ein Indeterminist; und obwohl er glaubte, daß der Determinismus der Erscheinungswelt eine unabweisbare Folge der Theorie Newtons war, blieb er doch dabei, daß der Mensch als moralisches

Wesen nicht determiniert sein kann. Den daraus entstehenden Konflikt zwischen seiner theoretischen und seiner praktischen Philosophie konnte er niemals in einer Weise lösen, die ihn ganz befriedigte, und er gab es auf, jemals eine solche Lösung zu finden.

In dieser *Problemsituation* ist es möglich, den Determinismus Kants zu kritisieren. Folgt er wirklich, so können wir fragen, aus Newtons Theorie? Nehmen wir für einen Augenblick an, daß der Determinismus nicht aus Newtons Theorie folgt. [Siehe Text *20,* Abschnitt *III,* unten.] Ich zweifle nicht daran, daß ein klarer Beweis dieser Annahme Kant dazu gebracht hätte, seine Lehre vom Determinismus der Erscheinungswelt aufzugeben – obwohl diese Lehre unwiderlegbar ist und Kant sie daher nicht hätte aufgeben *müssen.*

Ähnlich steht es mit dem Irrationalismus. Er zieht zuerst mit Hume in die rationale Philosophie ein – und wer Hume gelesen hat, den gelassenen Analytiker, der kann nicht daran zweifeln, daß es nicht mit Absicht geschah. Der Irrationalismus war die unbeabsichtigte Konsequenz von Humes Überzeugung, daß wir *tatsächlich* durch die Baconschen Induktionen lernen, verbunden mit Humes logischem Beweis, daß *es unmöglich ist, die Induktion rational zu rechtfertigen.* ›Um so schlimmer für die Vernunft‹, war die Folgerung, die Hume mit Notwendigkeit aus dieser Situation ziehen mußte. Er akzeptierte diese irrationalistische Folgerung mit der Integrität des echten Rationalisten, der auch unerwünschte Folgerungen zieht, wenn sie ihm unvermeidlich erscheinen.

In diesem Fall waren sie jedoch nicht unvermeidlich, obwohl es Hume so zu sein schien. Wir sind keineswegs, wie er glaubte, Baconsche Induktionsapparate. Die Gewohnheit spielt nicht die Rolle im Lernprozeß, die er ihr zuschreibt. Damit entfällt das Problem – und Humes irrationalistische Folgerung.

Mit dem Irrationalismus der Nachkantianer steht es ähnlich. Insbesondere Schopenhauer war ein echter Gegner des Irrationalismus. Er schrieb mit dem *einen* Wunsch: voll und ganz verstanden zu werden, und er schrieb verständlicher als irgendein anderer deutscher Philosoph. Sein Streben, verständlich zu sein, machte ihn zu einem der ganz wenigen großen Meister der deutschen Sprache.

Aber Schopenhauers Probleme waren die der Kantischen Metaphysik: das Problem des Determinismus der Erscheinungswelt, das Problem des Dinges an sich und das Problem unserer Zugehörigkeit zu einer Welt der Dinge an sich. Diese Probleme, *die alle möglichen Erfahrungen überschreiten,* löste er auf seine typisch rationale Art. Aber die Lösung *mußte* irrational sein, denn Schopenhauer war ein Kantianer und glaubte an die Kantischen Grenzen der Vernunft, – er glaubte daran, *daß die Grenzen der Vernunft mit denen möglicher Erfahrung übereinstimmen.*

Aber auch hier gibt es andere Lösungen. Kants Probleme können und müssen revidiert werden; und seine fundamentale Idee eines kritischen oder selbstkritischen Rationalismus weist auch hier den Weg. Die Entdeckung eines philosophischen Problems kann etwas Endgültiges sein, sie wird ein für allemal gemacht. Dagegen ist die Lösung eines philosophischen Problems nie endgültig. Sie kann weder aus einem endgültigen Beweis bestehen noch aus einer endgültigen Widerlegung: Das ist eben die Folge der Unwiderlegbarkeit von philosophischen Theorien. Auch beruht die Lösung nicht auf den nichtssagenden Beschwörungsformeln von inspirierten (oder sich langweilenden) philosophischen Propheten; aber sie kann auf einer gewissenhaften und kritischen Prüfung der Problemsituation und ihrer Voraussetzungen beruhen und auf der Kritik der verschiedenen möglichen Lösungsversuche.

Text *17*

Der Realismus (1970)

Der Realismus ist ein wichtiger Bestandteil des Alltagsverstands. Der (aufgeklärte) Alltagsverstand unterscheidet zwischen Erscheinung und Wirklichkeit. (Das zeigt sich an Beispielen wie: ›Heute ist die Luft so klar, daß die Berge viel näher erscheinen, als sie wirklich sind‹, oder vielleicht: ›Scheinbar tut er es ganz mühelos, aber er hat mir verraten, daß die Spannung fast unerträglich sei.‹) Der Alltagsverstand erkennt aber auch, daß Erscheinungen (zum Beispiel ein Reflex auf einer Linse) eine Art Wirklichkeit haben; oder, anders ausgedrückt, es kann eine Tiefen- und eine Oberflächenwirklichkeit – das heißt eine Erscheinung – geben. Darüber hinaus gibt es viele Arten von wirklichen Dingen. Die nächstliegende sind Nahrungsmittel (mir scheint, daß diese die Grundlage des Wirklichkeitsgefühls schaffen) oder festere Objekte (lateinisch *obiectum* = was uns im Wege liegt) wie Steine, Bäume und Menschen. Es gibt aber auch viele ganz andere Arten von Wirklichkeit wie etwa unsere subjektive Entschlüsselung unserer Erfahrungen mit Nahrungsmitteln, Steinen, Bäumen und menschlichen Körpern. Geschmack und Gewicht von Nahrungsmitteln und Steinen sind eine weitere Art der Wirklichkeit, ebenso die Eigenschaften von Bäumen und menschlichen Körpern. Weitere Beispiele aus diesem reichhaltigen Universum sind: ein Zahnschmerz, ein Wort, eine Sprache, ein Verkehrszeichen, ein Roman, eine Regierungsentscheidung; ein gültiger oder ungültiger Beweis; vielleicht Kräfte, Kraftfelder, Dispositionen, Strukturen; Regelmäßigkeiten. (Ich lasse hier völlig offen, ob und welche Beziehungen diese vielen Arten von Gegenständen zueinander haben.)

Ich behaupte, daß der Realismus weder beweisbar noch widerlegbar ist. Wie alles außerhalb der Logik und elementaren Arithmetik ist er nicht beweisbar; doch während empirische wissenschaftliche Theorien widerlegbar sind [siehe Text *8*, oben], ist der Realismus nicht einmal widerlegbar. (Diese Eigenschaft hat er mit vielen philosophischen oder ›metaphysischen‹ Theorien gemeinsam, insbesondere auch mit dem Idealismus [wie Text *16* zeigt].) Aber man kann für ihn argumentieren, und die Argumente sprechen überwältigend für ihn.

Der Alltagsverstand steht unzweifelhaft auf der Seite des Realismus; natürlich gab es schon vor Descartes – eigentlich immer seit Heraklit – gewisse Zweifel, ob nicht *unsere Alltagswelt bloß ein Traum sein könnte.* Doch selbst Descartes und Locke waren Realisten. Eine philosophische Theorie, die sich dem Realismus ernsthaft entgegenstellte, kam erst mit Berkeley, Hume und Kant auf[1]. Übrigens lieferte sogar Kant einen Beweis für den Realismus, der freilich nicht stichhaltig war; und ich halte es für wichtig, sich klarzumachen, warum es keinen stichhaltigen Beweis für den Realismus geben kann.

Der Idealismus behauptet in seiner einfachsten Form: die Welt (auch meine augenblicklichen Zuhörer) ist bloß mein Traum. Offenbar ist diese Theorie (obwohl man weiß, daß sie falsch ist) nicht widerlegbar: was auch immer meine Zuhörer unternehmen mögen – mit mir sprechen, einen Brief schreiben, oder vielleicht mich schlagen –, es kann grundsätzlich keine Widerlegung sein; ich würde weiterhin sagen, ich träume, daß man mit mir spricht, daß ich einen Brief bekomme, daß ich einen Schlag empfinde. (Man könnte diese Antworten alle zu verschiedenartigen Immunisierungsstrategien erklären [wie sie auf S. 111 beschrieben wird]. Das ist richtig und ein starkes Argument gegen den Idealismus. Aber daß er eine sich selbst immunisierende Theorie ist, widerlegt ihn nicht.)

Der Idealismus ist also unwiderlegbar; und das bedeutet natürlich, daß der Realismus unbeweisbar ist. Ich bin aber bereit, zuzugeben, daß der Realismus nicht nur unbeweisbar, sondern wie der Idealismus auch unwiderlegbar ist, daß kein beschreibbares Ereignis, keine denkbare Erfahrung als effektive Widerlegung des Realismus gelten könnte[2]. In dieser Sache gibt es also, wie in so vielen anderen, kein entscheidendes Argument. *Doch es gibt viele Argumente zugunsten des Realismus* oder vielmehr *gegen den Idealismus.*

(*1*) Das vielleicht stärkste Argument besteht aus der Verbindung zweier Argumente: (*a*) der Realismus ist Teil des Alltagsverstands, und (*b*) alle angeblichen *Argumente* gegen ihn sind nicht nur philosophisch im schlechtesten Sinne des Wortes, sondern stützen sich auch auf einen unkritisch akzeptierten Teil des Alltagsverstandes, nämlich auf den falschen Teil der Erkenntnistheorie des Alltagsverstands, den ich die ›Kübeltheorie des Geistes‹ genannt habe; [siehe Text *7*, Abschnitt *IV*, oben].

(*2*) Die Wissenschaft ist zwar heute bei manchen etwas aus der Mode gekommen – aus Gründen, die leider durchaus nicht irrelevant sind –, doch man sollte ihre Bedeutung für den Realismus nicht übersehen, obwohl es Wissenschaftler gibt, die keine Realisten sind, wie Ernst Mach oder in der Gegenwart Eugene P. Wigner[3]; ihre Argumente fallen eindeutig in die unter *(1) (b)* charakterisierte Klasse. Vergessen wir einen Augenblick die Atomphysik (Quantemechanik). Dann können wir sagen, daß so gut wie alle physikalischen, chemischen und biologischen Theorien den Realismus implizieren, in dem Sinne, daß, wenn sie wahr sind, der Realismus wahr sein muß. Aus diesem Grunde sprechen einige von ›wissenschaftlichem Realismus‹. Es ist ein recht guter Grund. Wegen seiner (anscheinenden) Unprüfbarkeit nenne ich freilich den Realismus lieber ›metaphysisch‹ als ›wissenschaftlich‹[4].

Wie man auch dazu stehen mag, es gibt sehr gute Gründe dafür, zu sagen, *die Wissenschaft versuche, die Wirklichkeit zu beschreiben und (so weit wie möglich) zu erklären*, und zwar mittels vermuteter Theorien, das heißt solcher, von denen wir hoffen, daß sie wahr (oder annähernd wahr) seien, die wir aber nicht als sicher oder auch nur als wahrscheinlich (im Sinne der Wahrscheinlichkeitsrechnung) erweisen können, obwohl es die besten Theorien sind, die wir aufstellen können, weshalb man sie ›wahrscheinlich‹ nennen könnte, solange dieser Ausdruck nichts mit der Wahrscheinlichkeitsrechnung zu tun hat.

Wir können noch in einem anderen, eng verwandten und sehr vernünftigen Sinne von ›wissenschaftlichem Realismus‹ sprechen: unser Verfahren führt zum Erfolg (solange es nicht zum Erliegen kommt, etwa wegen antirationaler Einstellungen) in dem Sinne, daß unsere vermuteten Theorien der Tendenz nach der Wahrheit immer näher kommen, das heißt, der wahren Beschreibung bestimmter Tatsachen oder Seiten der Wirklichkeit.

(3) Auch wenn wir alle auf die Wissenschaft bezüglichen Argumente fallenlassen würden, bleiben die Argumente im Zusammenhang mit der Sprache. Alle Diskussionen über den Realismus, insbesondere alle Argumente gegen ihn, müssen in einer Sprache formuliert werden. Doch die menschliche Sprache ist wesentlich deskriptiv (und argumentativ)[5], und eine eindeutige Beschreibung ist stets realistisch: sie beschreibt *etwas* – einen Sachverhalt, der wirklich oder unwirklich sein kann. Ist nun der Sachverhalt unwirklich, so ist die Beschreibung einfach falsch, und ihre Negation ist eine wahre Beschreibung der Wirklichkeit in Tarskis Sinne. Damit ist der Idealismus oder Solipsismus logisch nicht widerlegt, aber jedenfalls irrelevant geworden. Rationalität, Sprache, Beschreibung, Argument – alle handeln von einer Wirklichkeit und wenden sich an ein Publikum. All das setzt den Rea-

lismus voraus. Logisch ist dieses Argument für den Realismus natürlich nicht zwingender als irgendein anderes; ich könnte ja bloß träumen, daß ich eine deskriptive Sprache und Argumente gebrauche; doch dieses Argument für den Realismus ist trotzdem stark und *rational*. Es ist so stark wie die Vernunft selbst.

(*4*) Für mich ist der Idealismus absurd, denn aus ihm folgt so etwas wie dies: daß mein Bewußtsein diese schöne Welt geschaffen hat. Aber ich weiß, daß ich nicht ihr Schöpfer bin. Die berühmte Bemerkung ›Die Schönheit liegt im Auge des Betrachters‹ besagt schließlich nichts weiter, als daß es ein Problem der *Reaktion* auf die Schönheit gibt. Ich weiß, daß die Schönheit der Selbstportraits Rembrandts nicht in meinem Auge, die der Passionen Bachs nicht in meinem Ohr liegt. Vielmehr kann ich mich durch Öffnen und Schließen meiner Augen und Ohren davon überzeugen, daß diese gar nicht die ganze Schönheit aufnehmen können. Außerdem gibt es andere Menschen, die die Schönheit von Malerei und Musik besser schätzen können als ich. Die Leugnung des Realismus kommt dem Größenwahn gleich (der verbreitetsten Berufskrankheit der Fachphilosophen).

(*5*) Von den vielen weiteren schwerwiegenden, wenn auch nicht zwingenden Argumenten möchte ich nur eines erwähnen: Ist der Realismus wahr – genauer: etwas, was dem wissenschaftlichen Realismus nahekommt –, dann liegt der Grund für seine Unbeweisbarkeit auf der Hand. Denn unser subjektives Wissen, auch das auf Wahrnehmung beruhende, besteht aus Handlungsdispositionen und ist damit eine Art Anpassungsversuch an die Wirklichkeit; dabei sind wir bestenfalls Suchende, und jedenfalls können wir irren. Es gibt keine Garantie gegen Irrtümer. Gleichzeitig wird die ganze Frage der Wahrheit oder Falschheit unserer Meinungen und Theorien einfach gegenstandslos, wenn es keine Wirklichkeit gibt, sondern nur Träume und Täuschungen.

Ich fasse zusammen: Ich schlage vor, den Realismus als die einzige vernünftige Hypothese zu akzeptieren – als eine Vermutung, zu der noch nie eine vernünftige Alternative angegeben worden ist. Ich möchte in dieser Sache nicht dogmatischer sein als in irgendeiner anderen. Ich glaube aber, daß ich die ganzen erkenntnistheoretischen Argumente kenne – es sind hauptsächlich subjektivistische –, die zugunsten von Alternativen zum Realismus angeführt worden sind wie des Positivismus, des Idealismus, des Phänomenalismus, der Phänomenologie und so weiter, und obwohl ich kein Feind von Diskussionen über Ismen in der Philosophie bin, halte ich doch alle mir bekannten philosophischen *Argumente* für einen dieser Ismen für eindeutig falsch. Die meisten entspringen aus der abwegigen Suche nach Gewißheit, nach sicheren Grundlagen. Und alle sind typisch philosophische Fehler im schlechtesten Sinne des Wortes: sie leiten sich alle aus einer falschen Erkenntnistheorie des Alltagsvertands ab, die keiner ernsthaften Kritik standhält.

Ich möchte diesen Abschnitt mit den Ansichten der beiden Menschen abschließen, die ich für die größten unserer Zeit halte: Albert Einstein und Winston Churchill.

»Ich erkenne«, schreibt Einstein, »keinerlei ›metaphysische Gefahr‹ in der Anerkennung der Dinge – das heißt, der Gegenstände der Physik ... zusammen mit den zu ihnen gehörenden raumzeitlichen Strukturen.«[6]

Das war Einsteins Ansicht nach seiner sorgfältigen und einfühlsamen Analyse eines glänzenden Versuchs Bertrand Russells, den naiven Realismus zu widerlegen.

Winston Churchills Ansichten sind sehr ausgeprägt, und ich halte sie für einen sehr gerechten Kommentar zu einer Philosophie, die sich seitdem vielleicht vom Idealismus zum Realismus gewandelt hat, aber immer noch gleich nichtssagend ist: »Einige meiner Vettern, die den großen Vorzug einer Universitätsausbildung genossen«, schreibt Churchill, »zogen mich gern mit Argumenten auf, die beweisen sollten, daß nichts existiert außer in Form unserer Gedanken ...« Er fährt fort[7]: »Ich berief mich immer auf folgendes Argument, das ich mir selbst viele Jahre früher einmal klargemacht hatte ... Da ist die riesige Sonne, die scheinbar auf keiner festeren Grundlage steht als unseren Empfindungen. Doch glücklicherweise gibt es eine Methode zur Nachprüfung der Wirklichkeit der Sonne, die überhaupt nichts mit unseren Empfindungen zu tun hat ... Die Astronomen sagen mittels [der Mathematik und] des reinen Verstandes voraus, daß an einem bestimmten Tag ein dunkler Fleck vor der Sonne vorüberziehen wird. Man ... schaut nach, und der Gesichtssinn sagt einem unmittelbar, daß die Berechnung richtig war ... *Wir haben etwas gemacht, was in der militärischen Kartographie Kontrollpeilung heißt.* Wir haben uns ein *unabhängiges Zeugnis* für die Wirklichkeit der Sonne verschafft. *Wenn mir meine metaphysischen Freunde sagen, die Daten, die in die Berechnungen der Astronomen eingingen, beruhten notwendigerweise ursprünglich auf Sinneswahrnehmungen, so sage ich ›nein‹. Sie könnten, jedenfalls theoretisch, aus automatischen Rechenmaschinen stammen, die vom darauffallenden Licht in Gang gesetzt werden, ohne daß die menschliche Sinneswahrnehmung irgendwo eingeschaltet wäre* ... Ich ... sage noch einmal mit allem Nachdruck ... die Sonne ist wirklich, auch heiß – heiß wie die Hölle, und wenn die Metaphysiker das anzweifeln, sollten sie hingehen und sich überzeugen.«

Ich möchte anfügen, daß ich Churchills Argument, besonders die von mir hervorgehobenen Passagen, nicht nur als zutreffende Kritik der idealistischen und subjektivistischen Argumente betrachte, sondern als das philosophisch vernünftigste und klügste Argument gegen die subjektivistische Erkenntnistheorie, das ich kenne. Mir ist kein Philosoph bekannt, der dieses Argument nicht ignoriert hätte (abgesehen von einigen meiner Studenten, die ich darauf hingewiesen habe). Das Argument ist höchst selbständig; 1930 zuerst veröffentlicht, war es eins der ersten philosophischen Argumente, das sich auf die Möglichkeit automatischer Beobachtungsstationen und Rechenmaschinen stützt (die gemäß der Newtonischen Theorie funktionieren sollten). Trotzdem ist Winston Churchill vierzig Jahre nach der Veröffentlichung als Erkenntnistheoretiker völlig unbekannt: sein Name taucht in den vielen Anthologien auf dem Gebiet der Erkenntnistheorie nirgends auf, ja nicht einmal in der *Encyclopedia of Philosophy.*

Natürlich ist Churchills Argument nur eine ausgezeichnete Widerlegung der subjektivistischen Scheinargumente; *es beweist nicht den Realismus.* Denn der Idealist kann immer sagen, er oder wir träumen die ganze Diskussion, die Rechenmaschinen und alles andere. Doch ich halte dieses Argument für dumm, wegen seiner uneingeschränkten Anwendbarkeit. Wie dem auch sei, ehe ein Philosoph ein völlig neues Argument vorführt, schlage ich vor, den Subjektivismus und den Idealismus in Zukunft ad acta zu legen.

Text *18*

Kosmologie und Veränderung (1958)

I

Ich spreche in diesem Vortrag als Amateur, als Liebhaber der bewundernswerten Geschichte der Vorsokratiker. Ich bin weder Spezialist noch Experte: ich bin hilflos, wenn ein Experte anfängt, darüber zu argumentieren, welche Wörter oder Redewendungen Heraklit möglicherweise verwendet haben könnte und welche nicht. Doch wenn so ein Experte glaubt, eine wunderschöne Geschichte, die noch dazu dem ältesten uns zur Verfügung stehenden Text entstammt, durch eine Version ersetzen zu können, in der – für mich jedenfalls – ihre Pointe verlorengeht, dann darf vielleicht auch ein Amateur aufstehen, um eine alte Überlieferung zu verteidigen. So werde ich also die Argumente der Experten zumindest daraufhin prüfen, ob sie sich nicht widersprechen. Das ist wohl eine harmlose Beschäftigung; und wenn ein Experte oder sonst jemand sich der Mühe unterziehen sollte, meine Kritik zu widerlegen, dann wird mich das nur freuen und ehren[1].

Ich möchte mich mit den kosmologischen Theorien der Vorsokratiker befassen, und ich will mich darauf beschränken, wie sich denn aus ihnen das entwickeln konnte, was ich das *Problem der Veränderung* (oder kürzer, *Änderung*) nenne, und weiter, wie sie an das Problem der Erkenntnis herangingen – und zwar sowohl praktisch als auch theoretisch. Denn es ist recht interessant zu sehen, wie ihre Erkenntnispraxis und ihre Erkenntnistheorie verbunden sind mit ihren kosmologischen und theologischen Fragestellungen. Ihre Art von Erkenntnistheorie begann eben nicht mit der Frage: ›Woher weiß ich, daß hier vor mir ein Apfel liegt?‹, oder etwa: ›Woher weiß ich, daß der Gegenstand, den ich jetzt wahrnehme, ein Apfel ist?‹ Ihre Erkenntnistheorie ging vielmehr von Problemen wie den folgenden aus: ›Woher wissen wir, daß die ganze Welt aus Wasser besteht?‹, ›Woher wissen wir, daß die Welt voll von Göttern ist?‹, oder: ›Können wir etwas über die Götter wissen?‹

Es gibt da einen weit verbreiteten Glauben, vermutlich unter dem entfernten Einfluß von Francis Bacon, man solle erkenntnistheoretische Probleme besser an unserem Wissen über Äpfel studieren als an unserem Wissen über das Weltall. Ich bin anderer Meinung, und ich will Ihnen im folgenden meine Gründe dafür vortragen. Jedenfalls ist es ganz gut, wenn wir uns von Zeit zu Zeit daran erinnern, daß unsere abendländische Wissenschaft – und eine bessere gibt es wohl kaum – nicht mit dem Sammeln von Beobachtungen über Äpfel begann, sondern mit kühnen Theorien über die Welt.

II

Die empiristische Tradition in der Erkenntnistheorie und die der Historiographie stehen beide unter dem Einfluß des Baconschen Mythos, der uns erzählt, daß jede Wissenschaft mit Beobachtungen beginnt und dann langsam und vorsichtig zu Theorien fortschreitet. Daß diese Ansicht mit den Tatsachen nicht übereinstimmt, lehrt uns das Studium der frühen Vorsokratiker. Da begegnen wir kühnen, faszinierenden Ideen, frei erfunden, um Tatsachen zu erklären; und einige von diesen Ideen nehmen in erstaunlicher, ja verblüffender Weise moderne Ergebnisse vorweg. Viele andere, wie wir heute sehen, haben einfach danebengeschossen. Doch die meisten dieser Ideen – und die besten unter ihnen – haben nichts mit neuen Beobachtungen zu tun. Betrachten wir zum Beispiel die Theorien über die Form der Erde und ihre Verankerung. Der Überlieferung nach hat Thales erklärt, »daß die Erde vom Wasser getragen wird, auf dem sie reitet, ähnlich wie ein Schiff; und wenn wir sagen, daß die Erde bebt, dann wird sie durch die Bewegung des Wassers geschaukelt«. Ohne Zweifel hat Thales Erdbeben beobachtet und auch das Rollen eines Schiffes, ehe er zu seiner Theorie kam. Aber das Besondere seiner Theorie bestand darin, daß sie das eine durch das andere *erklärte;* daß sie *erklärte,* was die Erde stützt, und zugleich, wie es zu Erdbeben kommt, und zwar beides durch die Vermutung, daß die Erde auf dem Wasser schwimmt. Für eine solche Vermutung (sie nimmt übrigens in erstaunlicher Weise die moderne Theorie der Kontinentalverschiebungen vorweg) konnte er keinen Anhaltspunkt in seinen Beobachtungen gefunden haben.

Wir dürfen nicht vergessen, daß der Baconsche Mythos eine Erklärung dafür liefern will, warum wissenschaftliche Sätze *wahr* sind, nämlich, indem er darauf besteht, daß die Beobachtung die *›wahre Quelle‹* unserer wissenschaftlichen Erkenntnis ist. Wenn wir aber erst einmal erkannt haben, daß alle wissenschaftlichen Sätze Hypothesen sind – also Vermutungen – und daß sich bei weitem die meisten davon als falsch erwiesen haben (einschließlich der Vermutungen von Bacon), dann wird der Baconsche Mythos unwichtig. Denn es führt zu nichts, wenn wir behaupten, daß alle naturwissenschaftlichen Vermutungen – jene, die sich als falsch erwiesen haben, wie auch jene, mit denen wir noch immer arbeiten – von Beobachtungen abgeleitet wurden.

Wie dem auch sei, die schöne Theorie von Thales, die erklärt, was die Erde stützt oder hält und wie es zu Erdbeben kommt, beruht in keiner Weise auf Beobachtung, sie wurde aber zumindest angeregt durch einen Analogieschluß aus wohlbekannten Erfahrungen und Beobachtungen. Aber nicht einmal das kann man von der Theorie seines großen Schülers Anaximander sagen. Denn Anaximanders Theorie darüber, was die Erde hält, ist zwar höchst anschaulich, hat aber nichts mehr mit Ideen zu tun, die aus der Beobachtung geschöpft sind. Man kann geradezu sagen, daß sie aller Beobachtung und Erfahrung widerspricht. Denn nach Anaximanders Theorie wird »die Erde ... von nichts gehalten, aber sie bleibt dadurch an ihrem Ort, daß sie von allen Dingen den gleichen Abstand hat. Ihre Form ist die einer Trommel ... Auf einer ihrer flachen Seiten gehen wir; und die andere Seite liegt gegenüber.« Das Bild von der Trommel ist natürlich eine aus der Beobachtung geschöpfte Analogie. Aber die Vorstellung, daß die Erde frei im Raum schwebt, und die Erklärung darüber, daß sie dennoch an ihrem Platz bleibt, hat keinen Anhaltspunkt im gesamten Bereich der beobachtbaren Tatsachen.

Ich halte diese Theorie von Anaximander für eine der kühnsten, revolutionärsten und am weitesten vorausgreifenden Theorien in der ganzen Geschichte des menschlichen Denkens. Sie ist es, die die Theorien des Aristarch und des Kopernikus möglich machte. Dabei war der Schritt, den Anaximander machte, weit schwieriger und kühner als die Schritte von Aristarch und Kopernikus. Die Idee, daß die Erde ganz frei mitten im Raum schwebt, und »daß sie bewegungslos bleibt dank ihrer Äquidistanz ihres Gleichgewichts« (wie Aristoteles die Theorie Anaximanders umschreibt), das nimmt sogar ein Stück vorweg von Newtons Theorie der nicht-materiellen und nicht-sichtbaren Gravitationskräfte[2].

III

Wie kam Anaximander zu einer so erstaunlichen Theorie? Bestimmt nicht durch Beobachtung, sondern durch Nachdenken. Seine Theorie ist ein Versuch, eines der Probleme zu lösen, für die vor ihm schon sein Verwandter und Lehrer Thales, der Begründer der Milesischen oder Ionischen Schule, eine Lösung vorgeschlagen hatte. Ich vermute deshalb, daß Anaximander zu seiner Theorie kam, indem er die Theorie von Thales kritisierte. Diese Vermutung kann ich stützen, glaube ich, indem ich den Aufbau von Anaximanders Theorie nachzuvollziehen versuche.

Anaximander hat gegen die Theorie von Thales (wonach die Erde auf dem Wasser schwimmt) wahrscheinlich folgendermaßen argumentiert: Die Theorie von Thales ist ein Musterbeispiel jener Art von Theorie, die, folgerichtig zu Ende gedacht, zu einem unendlichen Regreß führt. Wenn wir die stabile Lage der Erde durch die Annahme erklären, daß sie vom Wasser getragen wird – daß sie auf dem Meer schwimmt –, müssen wir dann nicht fragen, wie die stabile Lage des Meeres zu erklären ist (also wovon das Meer getragen wird)? Und müssen wir das nicht durch eine analoge Hypothese erklären? Das hieße dann, etwas zu suchen, was das Meer trägt, und dann wieder etwas, was diesen Träger trägt. Diese Methode der Erklärung ist unbefriedigend: erstens, weil wir unser Problem lösen, indem wir ein diesem genau analoges neues Problem schaffen; und zweitens aus dem weniger formalen und eher intuitiven Grund, daß bei jedem derartigen System von Trägern oder Stützen die Unsicherheit auch nur einer der unteren Stützen zum Zusammenbruch des ganzen Gefüges führen muß.

Dieser Gedankengang zeigt, daß die stabile Lage der Welt nicht auf ein System von Trägern oder Stützen angewiesen sein kann. Anaximander läßt sie deshalb einfach weg. An Stelle dessen beruft er sich auf die interne oder strukturelle Symmetrie der Welt, die ihrerseits dafür sorgt, daß es keine bevorzugte Richtung für einen möglichen Zusammenbruch gibt. Er wendet dabei das Prinzip an, daß es keine Veränderung geben kann, wo es keine Unterschiede gibt. So kommt er dazu, die stabile Lage der Erde zu erklären mit ihrer gleichen Entfernung von allen anderen Dingen.

Das dürfte Anaximanders Argumentation gewesen sein. Wir müssen uns klarmachen, daß er damit, wenn auch vielleicht nicht ganz bewußt und konsequent, die Vorstellung einer absoluten Richtung aufgibt – und damit die absolute Bedeutung von ›oben‹ und ›unten‹. Das läuft aber nicht nur aller Erfahrung zuwider, sondern es ist auch überaus schwer zu begreifen. Anaximenes scheint diese Theorie seines Lehrers ignoriert zu haben, und auch Anaximander selbst hat sie anscheinend nicht völlig begriffen. Denn die Idee der allseitigen Symmetrie – der gleichen Entfernung zu allen anderen Dingen – hätte ihn eigentlich zu der Theorie führen müssen, daß die Erde kugelförmig ist. Statt dessen glaubte er, daß sie trommelförmig ist, mit einer oberen und unteren flachen Seite. Die Bemerkung, »Auf einer ihrer beiden flachen Seiten gehen wir, und die andere Seite liegt gegenüber«, scheint aber anzudeuten, daß es keine absolut obere Seite gibt, daß wir vielmehr diejenige Seite als die obere *bezeichnen,* auf der wir eben gehen.

Was hat Anaximander davon abgehalten, gleich zu einer Theorie zu kommen, daß die Erde eine Kugel ist und eben nicht eine Trommel? Kein Zweifel: Es war die *Beobachtung,* die ihn lehrte, daß die Oberfläche der Erde im großen und ganzen flach ist. Es war also seine spekulative und kritische Argumentation, die abstrakte und kritische Diskussion der Theorie von Thales, die ihn beinahe zu der wahren Theorie von der Gestalt der Erde führte; und es war die Erfahrung, die Beobachtung, die ihn in die Irre führte!

IV

Es gibt einen offensichtlichen Einwand gegen Anaximanders Theorie der Symmetrie, die behauptet, daß die Erde von allen anderen Dingen gleich weit entfernt ist. Die Asymmetrie des Universums kann man nämlich leicht erkennen an der Existenz von Sonne und Mond und besonders daran, daß Sonne und Mond manchmal nicht weit voneinander entfernt sind und somit auf derselben Seite der Erde sichtbar werden, während auf der anderen Seite nichts ist, das als Gegengewicht dient. Anaximander scheint diesem Einwand mit einer anderen kühnen Theorie begegnet zu sein: mit seiner Theorie von der verborgenen Natur der Sonne, des Mondes und der anderen Himmelskörper.

Er stellte sich nämlich vor, daß die Radkränze zweier riesiger Wagenräder um die Erde rotieren. Eines davon hat die siebenundzwanzigfache und das andere die achtzehnfache Größe des Durchmessers der Erde. Im Inneren dieser beiden hohlen Felgen oder runden Röhren lodern Flammen, und jede hat ein rundes Luftloch, durch das die Flammen sichtbar sind. Diese runden Öffnungen nennen wir Sonne und Mond. Der Rest des Rades ist unsichtbar, wohl weil es dunkel ist (oder vernebelt) und sehr weit. Die Fixsterne (und vermutlich die Planeten) sind gleichfalls Öffnungen in Rädern, die der Erde näher liegen als die Räder der Sonne und des Mondes. Die Räder aller Fixsterne rotieren um eine gemeinsame Achse (heute nennen wir sie Erdachse), und sie bilden zusammen die Innenseite einer Kugelschale mit der Erde in ihrem Zentrum, so daß das grundlegende Postulat vom gleichen Abstand von der Erde (ungefähr) erfüllt ist. Das macht Anaximander zu einem Begründer der Kugelschalentheorie (*›Sphärentheorie‹*) des Himmels.[3]

V

Es kann keinen Zweifel darüber geben, daß Anaximanders Theorien kritisch und spekulativ sind und nicht empirisch, und als Annäherungen an die Wahrheit dienten ihm seine kritischen und abstrakten Konstruktionen und Spekulationen besser als seine auf Beobachtungen und Erfahrungen gestützten Analogien.

Aber, könnte da ein Anhänger Bacons einwenden, genau deshalb war Anaximander eben kein Naturwissenschaftler. Genau deshalb sprechen wir auch von einer frühen griechischen *Philosophie* und nicht von einer frühen griechischen *Naturwissenschaft.* Die Philosophie ist spekulativ, das weiß doch ein jeder. Und wie ein jeder weiß, beginnt Wissenschaft dann, wenn die spekulative Methode durch die Methode der Beobachtung ersetzt wird, und die Deduktion durch die Induktion. Aber von den Vorsokratikern führt, so behaupte ich, eine vollkommen kontinuierliche Entwicklungslinie zu den späteren Theorien in der Physik. Ob wir sie Philosophen nennen, vorwissenschaftliche Denker oder Naturwissenschaftler, ist ziemlich gleichgültig. Aber ich behaupte, daß Anaximanders Theorie den Weg geebnet hat für die Theorien von Aristarch, Kopernikus, Kepler und Galilei. Es ist eben nicht so, daß er diese späteren Denker lediglich ›beeinflußt‹ hat; ›Einfluß‹ ist ein sehr blasser Ausdruck. [Siehe auch S. 43, oben] Ich würde es eher so sagen: Anaximanders Leistung hat ihren eigenen Wert, genau wie ein Kunstwerk. Darüber hinaus aber hat seine Leistung jene anderen Leistungen möglich gemacht, und darunter die jener großen Wissenschaftler.

Aber sind nicht Anaximanders Theorien falsch und deshalb unwissenschaftlich? Sie sind falsch, das gebe ich natürlich zu; aber das gilt genauso für viele andere Theorien, die sich auf zahllose Experimente stützen, die die moderne Wissenschaft bis vor kurzem anerkannte und deren Wissenschaftlichkeit zu leugnen sich niemand träumen ließe, obwohl wir sie jetzt für falsch halten. (Ein Beispiel dafür ist die Theorie, daß die typischen chemischen Eigenschaften des Wasserstoffs nur *einer* bestimmten Art von Atomen zugeordnet sind – dem leichtesten aller Atome.) Es gab Wissenschaftshistoriker, die alle Ansichten für unwissenschaftlich hielten (oder gar für abergläubisch), die in ihrer Zeit nicht mehr akzeptiert wurden. Aber das ist ein unhaltbarer Standpunkt. Eine falsche Theorie kann eine ebenso große wissenschaftliche Leistung sein wie eine wahre; und viele falsche Theorien förderten unsere Suche nach Wahrheit mehr als so manche der weniger interessanten Theorien, die wir heute noch akzeptieren. Denn falsche Theorien können auf vielerlei Art wertvoll sein; sie können zum Beispiel zu mehr oder weniger radikalen Modifikationen führen, und sie können zur Kritik anregen. So tauchte die Idee von Thales, daß die Erde auf dem Wasser schwimmt, in modifizierter Form wieder auf bei Anaximenes und in neuerer Zeit in Wegeners Theorie der Kontinentalverschiebung. Wie Thales' Theorie Anaximanders Kritik anregte, wurde schon gezeigt.

Anaximanders Theorie führte ihrerseits zu einer modifizierten Theorie – zunächst zur Theorie einer Erdkugel, frei schwebend im Mittelpunkt des Weltalls und umgeben von Sphären, an denen die leuchtenden Himmelskörper befestigt sind. Und ihre Kritik führte wiederum zur Theorie, daß das Mondlicht reflektiertes Licht ist, und weiter zu Pythagoras' Theorie eines zentralen Feuers, und schließlich zum heliozentrischen Weltsystem von Aristarch und Kopernikus.

VI

Ich glaube, daß die Milesier, ähnlich wie ihre orientalischen Vorläufer, die die Welt als ein Zelt ansahen, sich die Welt als eine Art Haus vorstellten, als das Heim aller Geschöpfe – als unser Zuhause. Deshalb hatten sie kein Interesse an der Frage, wozu die Welt gut ist. Dagegen hatten sie ein echtes Bedürfnis, ihre Architektur zu ergründen. Die Fragen nach ihrer Bauweise, ihrem Grundriß und ihrem Baumaterial waren die drei Hauptprobleme der milesischen Kosmologie. Außerdem gab es noch ein spekulatives Interesse an dem Ursprung der Welt, an der Frage der Kosmogonie. Aber es scheint mir, daß das kosmologische Interesse der Milesier größer war als ihr kosmogonisches Interesse, insbesondere wenn wir an die weit ältere kosmogonische Tradition denken und an den fast unwiderstehlichen Drang, ein Ding dadurch zu beschreiben, daß man von seinem Ursprung erzählt – also einen kosmologischen Entwurf in die Form einer Kosmogonie bringt. Das kosmologische Interesse an einer Theorie muß also sehr stark sein, damit sie auch nur einigermaßen frei von kosmogonischen Aufmachungen dargestellt werden kann.

Ich glaube, daß Thales der erste war, der die Architektur des Weltalls überhaupt zur Diskussion stellte – seine Bauweise, seinen Grundriß, sein Baumaterial, und seine Stabilität. Bei Anaximander finden wir dann Antworten auf alle vier Fragen. Seine Antwort auf die Frage nach der Bauweise habe ich kurz erwähnt. Was die Frage nach dem Grundriß der Welt angeht, so hat er auch sie untersucht und erläutert: der Überlieferung nach hat er die erste Weltkarte entworfen. Selbstverständlich hatte er auch eine Theorie über ihr Baumaterial – das ›Endlose‹, ›Grenzenlose‹, oder ›Ungeformte‹ – das ›*Apeiron*‹.

In der Welt des Anaximander gingen allerlei *Änderungen* vor sich. Es gab ein himmlisches Feuer, das Luft brauchte, und Löcher für die Zufuhr von Luft; Löcher zum ›Einatmen‹ und ›Ausatmen‹. Und manchmal waren diese Löcher verstopft, so daß das Feuer erstickt wurde[4]: das war seine Theorie der Finsternisse und der Phasen des Mondes . Es gab Winde, die verantwortlich waren für die Wetteränderungen. Und es gab Dämpfe, das Ergebnis des Austrocknens von Wasser und Luft, die die Ursache der Winde waren und des Wechsels der Jahreszeiten (Sonnenwende) und auch der Wende des Mondes.

Hier haben wir den ersten Hinweis auf etwas, das bald auftauchte: *das allgemeine Problem der Änderung* wurde zum zentralen Problem der griechischen Kosmologie und führte später mit Leukipps und Demokrits Atomtheorie zu einer *allgemeinen Theorie der Änderung*, die von der modernen Wissenschaft akzeptiert wurde bis zum Anfang des zwanzigsten Jahrhunderts. (Sie wurde erst aufgegeben, als das Maxwellsche Äthermodell zusammenbrach; ein historisches Ereignis, das vor 1905 kaum beachtet wurde.)

Dieses *allgemeine Problem der Änderung* ist ein philosophisches Problem. In den Händen von Parmenides und Zenon wurde es fast ein logisches Problem. *Wie ist Änderung möglich* – nämlich logisch möglich? Wie kann ein Ding sich verändern, ohne seine Identität zu verlieren? Bleibt es dasselbe Ding, dann kann es sich nicht verändert haben; verliert es aber seine Identität, so ist das Ding, das sich verändert hat, nicht mehr dasselbe Ding.

VII

Die aufregende Geschichte der Entwicklung des Problems der Änderung ist, wie mir scheint, in Gefahr, völlig begraben zu werden unter der wachsenden Häufung von textkritischen Details und ihrer Diskussion. Diese Geschichte kann natürlich in meinem kurzen Referat nicht erzählt werden und noch viel weniger in einem seiner vielen Abschnitte. Aber in ganz groben Zügen lautet sie so:

Für Anaximander war unsere Welt, unser kosmisches Gebäude, nur eine aus einer unendlichen Anzahl von Welten – einer Unendlichkeit ohne Grenzen in Raum und Zeit. Dieses System von Welten bestand schon ewig, und ebenso die Bewegung. Daher war es nicht nötig, Bewegung zu erklären, nicht nötig, eine *allgemeine* Theorie der Änderung aufzustellen (in dem Sinn, in welchem wir bei Heraklit das allgemeine Problem und eine allgemeine Theorie der Änderung finden; siehe unten). Es war aber nötig, gewisse wohlbekannte Änderungen zu erklären, die in unserer Welt dauernd vorkommen. Die offensichtlichen Änderungen der Wechsel von Tag und Nacht, von Wind und Wetter, der Wechsel der Jahreszeiten, der Wechsel von Saat und Ernte, die Änderung durch Wachstum bei Pflanzen, Tieren und Menschen – das alles hing mit den Temperaturunterschieden, mit dem Gegensatz zwischen heiß und kalt zusammen und mit dem zwischen trocken und feucht. So heißt es in den Berichten über Anaximander: »Lebewesen sind entstanden aus der Feuchtigkeit, die durch Sonnenwärme verdunstet«; und Hitze und Kälte spielten auch bei der Entstehung unseres Weltgebäudes eine Rolle. Hitze und Kälte waren auch verantwortlich für die Dämpfe und Winde, die ihrerseits als die treibenden Kräfte für fast alle anderen Änderungen gesehen wurden.

Anaximenes, Schüler und Nachfolger von Anaximander, baute dessen Ideen in vielen Einzelheiten aus. Wie Anaximander interessierte auch ihn der Gegensatz von Hitze und Kälte und von Feuchtigkeit und Trockenheit, und er erklärte den Übergang von dem einen in den entgegengesetzten Zustand mit einer Theorie der Kondensation und der Verflüchtigung. Wie Anaximander glaubte auch er an eine immerwährende Bewegung und an die Wirkung der Winde; und es scheint mir nicht undenkbar, daß eine von seinen zwei wesentlichen Abweichungen gegenüber Anaximander aus einer Kritik entstand: wie kam etwas völlig Grenzenloses und Formloses (wie das Anaximandrische *Apeiron)* in Bewegung? Jedenfalls setzte er an die Stelle des *Apeiron* die Luft – etwas, das ja *fast* grenzenlos und formlos war, das aber nach Anaximanders alter Theorie der Dämpfe nicht nur der Bewegung fähig war, sondern die vielleicht wichtigste Ursache von Bewegung und Veränderung. Eine ähnliche Zusammenführung unterschiedlicher Vorstellungen erreichte Anaximenes mit seiner überlieferten Theorie, daß »die Sonne aus Erde besteht und daß sie sehr heiß wird infolge der Schnelligkeit ihrer Bewegung«.

Anaximenes' Vergröberung der abstrakten Theorie des grenzenlosen *Apeiron,* die er durch die weniger abstrakte und dem Alltagsdenken nähere Theorie der Luft ersetzt, hat ihr Gegenstück in seiner Vergröberung von Anaximanders kühner Theorie der stabilen Lage der Erde, die er durch eine nüchterne Theorie ersetzt, die an Thales erinnert. Denn Anaximenes sagt von der Erde, daß ihre »Flachheit für ihre Stabilität verantwortlich ist: denn sie ... bedeckt wie ein Deckel die unter ihr liegende Luft.« So schwebt also die Erde auf der Luft wie der Deckel eines Topfes auf dem Dampf, oder wie ein Schiff auf dem Wasser: Die Frage des Thales und seine Antwort werden beide wieder aufgegriffen, und Anaximanders epochemachender Gedanke ist unverstanden. Anaximenes war ein Eklektiker, ein Mann systematischer Zusammenführungen, ein Empiriker und ein Mann des gesunden Menschenverstandes. Von den drei großen Milesiern sind seine Ideen am wenigsten revolutionär. Auch philosophisch ist er am wenigsten interessant.

Alle drei Milesier betrachteten unsere Welt als unser Zuhause. Es gab Bewegung und Änderung in diesem Heim, Hitze und Kälte, Feuer und Feuchtigkeit. Ein Feuer brannte im Herd, darauf stand ein Kessel mit Wasser. Das Haus war den Winden ausgesetzt und wohl etwas zugig; aber es war ein Heim, und das bedeutete eine gewisse Sicherheit und Stabilität. Für Heraklit aber stand das Haus in Flammen.

Es gibt keine Stabilität mehr in der Welt des Heraklit. »Alles fließt, und nichts steht still.« *Alles* ist in Fluß, alles ändert sich, sogar die Balken, die Bretter und das Baumaterial, aus dem die Welt gemacht ist: Erde und Felsen, auch die Bronze des Kessels – sie alle fließen. Die Balken verrotten, die Erde wird weggeschwemmt und weggeweht, selbst die Felsen zerreißen und verwittern, der bronzene Kessel setzt grüne Patina oder Grünspan an: »Alle Dinge sind allzeit in Bewegung, auch wenn ... das unserer Sinneswahrnehmung entgeht«, so hat Aristoteles das wiedergegeben. Unwissende und Gedankenlose meinen, daß nur das Öl verbrennt, während die Schale, in dem es brennt, unverändert bleibt[5]; denn wir sehen die Schale nicht brennen. Und doch verbrennt sie; sie wird verzehrt von dem Feuer, das in ihr brennt. Wir *sehen* nicht, wie unsere Kinder heranwachsen, sich verändern und alt werden; aber sie tun es.

Es gibt also keine wirklich festen Körper. Die Dinge sind nicht wirklich Dinge, sondern Prozesse: sie sind in Fluß. Sie sind wie Feuer, wie eine Flamme; die Flamme mag eine Zeitlang eine beständige Form haben, und doch ist sie ein Prozeß, ein Strom von Materie, ein Fluß. Alle Dinge sind Flammen: Feuer ist der eigentliche Baustoff unserer Welt; und die scheinbare Stabilität der Dinge ergibt sich bloß aus den Gesetzen, aus den Maßen, denen die Prozesse in unserer Welt unterworfen sind.

Das ist, wie ich glaube, was Heraklit uns erzählt; es ist seine ›Botschaft‹, das ›wahre Wort‹ (der Logos), auf das wir hören sollten: »Wer nicht mich [als Autorität] vernimmt, sondern die wahre Botschaft selbst, der wird, wenn er weise ist, zustimmen: Alles ist eins.« Es ist »ein ewig lebendiges Feuer, aufflammend nach Maßen und verglimmend nach Maßen«.

Ich weiß sehr wohl, daß eine sich an die Tradition anlehnende Interpretation von Heraklits Philosophie, wie ich sie hier skizziere, heute keineswegs allgemein akzeptiert wird. Aber die Kritiker haben sie durch nichts ersetzt – jedenfalls nicht durch ein philosophisch interessantes Weltbild[6]. Hier will ich nur betonen, daß Heraklits Philosophie, mit ihrem Appell an das Denken, an das Wort, an das Argument, an die Vernunft, und mit ihrem Hinweis darauf, daß wir in einer Welt von Dingen leben, deren Änderungen unseren Sinnen entgehen, obwohl wir *wissen,* daß sie sich sehr wohl verändern – daß diese Philosophie des Heraklit zwei neue Probleme schuf: das *Problem der Änderung* und das *Problem der Erkenntnis.* Diese Probleme stellten sich um so dringlicher, als Heraklits Darstellung schwer zu verstehen war. Aber das hat, meine ich, damit zu tun, daß er klarer als seine Vorgänger gesehen hat, welche Schwierigkeiten schon in der bloßen Idee der Änderung stecken.

Denn jede Änderung ist eine Änderung *von etwas*: Änderung setzt ein Etwas voraus, das sich ändert. Und sie setzt voraus, daß dieses Etwas, während es sich ändert, dasselbe Etwas bleibt. Wir können sagen, daß ein grünes Blatt sich verändert, wenn es braun wird; aber wir sagen nicht, daß das grüne Blatt sich verändert, wenn wir es durch ein braunes Blatt ersetzen. Es ist eine Grundvoraussetzung für die Vorstellung von Änderung, daß das sich ändernde Ding seine Identität beibehält, während es sich ändert. Und dennoch muß es zu etwas anderem werden; es war grün und es wird braun; es war feucht und es wird trocken; es war heiß und es wird kalt.

So ist jede Änderung der Übergang eines Dinges in etwas, das in gewisser Weise entgegengesetzte Eigenschaften hat (wie Anaximander und Anaximenes gesehen hatten). Und doch: während es sich ändert, muß das sich ändernde Ding mit sich selbst identisch bleiben.

Das ist das Problem der Änderung. Es führte Heraklit zu einer Theorie, die zwischen Wirklichkeit und Erscheinung unterscheidet. (Er nimmt damit teilweise Parmenides vorweg.) »Die wirkliche Natur der Dinge liebt es, sich zu verbergen. Eine verborgene Harmonie ist stärker als eine offenbare.« Dinge sind *dem Anschein nach* (und für uns) Gegensätze; in Wahrheit (und für Gott) aber sind alle Dinge eins[7].

> Leben und Tod, Wachsein und Schlaf, Jugend und Alter, sie alle sind dasselbe ... denn kehrt man das eine um, so ist es das andere, und kehrt man das andere um, so ist es das erste ... Der Weg hinauf und der Weg hinab ist derselbe Weg... Gut und Böse sind ein und dasselbe ... Vor Gott sind alle Dinge schön, gut und gerecht, aber die Menschen halten manche Dinge für ungerecht und andere für gerecht ... Es liegt nicht in der Natur oder im Charakter des Menschen, wahres Wissen zu besitzen; aber es liegt in der göttlichen Natur.

In Wahrheit (und vor Gott) sind anscheinende Gegensätze also identisch; nur dem Menschen erscheinen sie als nicht identisch. Und alle Dinge sind eins – sie alle sind Teile des Weltprozesses, des immerwährenden Feuers.

Diese Theorie der Änderung beruft sich auf den *Logos,* das ›wahre Wort‹, die Vernunft; nichts ist wirklicher für Heraklit als die Änderung, der Weltprozeß. Aber seine Lehre vom Einssein der Welt, von der Identität der Gegensätze und von Erscheinung und Wirklichkeit bedroht seine Theorie von der Wirklichkeit der Änderung.

Denn Änderung ist der Übergang von einem Zustand zu einem gegensätzlichen Zustand. Wenn daher in Wirklichkeit Gegensätze identisch sind, obwohl sie verschieden erscheinen, ist dann nicht die Änderung nur scheinbar? Wenn in Wahrheit und vor Gott alle Dinge eins sind, dann gibt es wohl in Wirklichkeit überhaupt keine Änderung.

Diese Folgerung zog Parmenides. Er war ein Schüler (ohne Burnet und anderen nahetreten zu wollen) des Monotheisten Xenophanes, des Dichters, der von dem einen Gott sang:

Ein Gott nur ist der größte, allein unter Göttern und Menschen,
Nicht an Gestalt den Sterblichen gleich, noch in seinen Gedanken.

Stets am selbigen Ort verharrt er, ohne Bewegung,
Und es geziemt ihm auch nicht, bald hierhin, bald dorthin zu wandern.

Müh'los regiert er das All, allein durch sein Wissen und Wollen.
Ganz ist er Sehen; ganz Denken und Planen; und ganz ist er Hören[8]

Parmenides, der Schüler des Xenophanes, lehrte, daß die wirkliche Welt, die Wirklichkeit, eins ist und daß sie stets am selbigen Ort verharrt, ohne Bewegung. Es geziemt seiner Welt nicht, bald hierhin, bald dorthin zu wandern. Sie ähnelt in keiner Weise dem Bild, das die sterblichen Menschen sich von ihr machen. Die Welt ist eins, ein ungeteiltes Ganzes, ohne Einzelteile, homogen und bewegungslos: Bewegung und daher Änderung sind unmöglich in einer solchen Welt. In Wahrheit gibt es keine Änderung in ihr. Die Welt der Änderungen ist eine Illusion.

Parmenides stützte seine Theorie von einer unveränderlichen Wirklichkeit auf einen logischen Beweis; ein Beweis, der als Ableitung aus einer einzigen Prämisse dargestellt werden kann: ›Was nicht ist, ist nicht.‹ Es folgt, daß das Nichts – das, was nicht ist – nicht existiert; ein Ergebnis, das Parmenides in dem Sinn interpretiert, daß es keinen leeren Raum gibt. Also ist die Welt voll: sie muß aus einem vollen, ungeteilten Block bestehen, da Einzelteile durch leere Zwischenräume getrennt sein müßten. (Das ist die ›wohlgerundete Wahrheit‹, die die Göttin dem Parmenides enthüllt hat.) In dieser vollen Welt ist für Bewegung kein Platz.

Nur der trügerische Glaube an die Realität der Gegensätze – der Glaube, daß nicht nur das existiert, *was ist,* sondern auch das, *was nicht ist* – führt zu der Illusion einer sich ändernden Welt.

Die Theorie des Parmenides kann man als die erste hypothetisch-deduktive Theorie der Welt beschreiben. Die Atomisten haben sie so aufgefaßt; und sie erklärten sie widerlegt durch die Erfahrung, da es ja Bewegung tatsächlich gibt. Sie akzeptierten die formale Gültigkeit von Parmenides' Argumentation, und sie schlossen von der Falschheit seines Schlußsatzes auf die Falschheit einer seiner Prämissen. Aber das bedeutet, daß das Nichts – das Leere oder der leere Raum – existiert. Folglich bestand kein logischer Zwang mehr zu der monistischen Annahme, daß das, ›was ist‹ – also das Volle, das Raumfüllende – keine Teile hat; denn nun konnten ja die Teile durch das Leere getrennt sein. Nach den Atomisten gibt es eine Anzahl von solchen Teilen, von denen jeder ›voll‹ ist und daher unteilbar *(atomos).* Es gibt volle Atome in der Welt, sie sind getrennt durch leeren Raum, und sie können sich im leeren Raum bewegen; jedes von ihnen ist ›voll‹, ungeteilt, unteilbar und unveränderlich. Was existiert, ist dualistisch: *die Atome* und *das Leere.* Auf diese Weise kamen die Atomisten zu einer *Theorie der Änderung.* Es ist eine Theorie, die das wissenschaftliche Denken von etwa 400 v. Chr. bis etwa zum Jahr 1900 beherrschte. Es ist die Theorie, daß *alle Änderung und insbesondere auch qualitative Änderungen aus der räumlichen Bewegung unveränderlicher Materieteilchen zu erklären sind – aus der Bewegung von Atomen im leeren Raum.*

Der nächste große Schritt in unserer Kosmologie und in der Theorie der Änderung wurde dann von Maxwell gemacht. Er entwickelte gewisse Ideen Faradays und setzte an Stelle der alten Theorie eine Theorie eines Kraftfeldes, in dem sich Störungen fortsetzen können, ähnlich wie sich Störungen auf einer Wasseroberfläche in der Form von Wellen fortpflanzen.

Text *19*

Die natürliche Selektion und ihr wissenschaftlicher Status (1977)

I. Natürliche Selektion oder Natürliche Theologie?

Die erste Ausgabe von Darwins Buch *The Origin of Species* erschien 1859. In einer Antwort auf einen Brief von John Lubbock, der Darwin für einen Vorabdruck seines Buches gedankt hatte, machte Darwin eine interessante Bemerkung über William Paleys Buch *Natural Theology,* das ein halbes Jahrhundert vorher erschienen war. Darwin schrieb: »Ich glaube nicht, daß mich ein Buch je mehr beeindruckt hat als Paleys ›Natural Theology‹. Früher konnte ich es fast auswendig.« Jahre später schrieb Darwin in seiner Autobiographie über Paley, daß »die sorgfältige Lektüre [seiner] Werke ... die einzige Seite des akademischen Studiums [in Cambridge] war, die ... überhaupt zur Bildung meines Geistes beitrug[1].«

Ich habe mit diesen Zitaten begonnen, weil das von Paley aufgeworfene Problem zu einem der wichtigsten Probleme für Darwin wurde. Es war *das Problem des göttlichen Planes.*

Der berühmte *teleologische Gottesbeweis* bildete den Kern des Theismus von Paley. Wenn man eine Armbanduhr findet, argumentierte Paley, wird man kaum daran zweifeln, daß sie von einem Uhrmacher entworfen wurde. Wenn man nun an einen höheren Organismus denkt, mit seinen komplizierten und zweckgerichteten Organen, wie zum Beispiel den Augen, muß man folgern, argumentierte Paley weiter, daß er nur von einem intelligenten Schöpfer entworfen worden sein kann. Das ist Paleys teleologischer Beweis. Vor Darwin hatten viele der besten Wissenschaftler die Theorie der besonderen Schöpfung – die Theorie, daß jede Spezies vom Schöpfer gesondert entworfen wurde – akzeptiert, und zwar nicht nur an der Universität von Cambridge, sondern auch anderswo. Natürlich gab es andere Theorien, wie diejenige von Lamarck; und Hume hatte schon früher den teleologischen Gottesbeweis angegriffen, wenn auch etwas zaghaft; aber es war Paleys Theorie, die zu jener Zeit von den meisten seriösen Wissenschaftlern ernsthaft erwogen wurde.

Es ist schwer zu glauben, wie stark sich das Klima verändert hat als Folge der Veröffentlichung von *The Origin of Species* im Jahre 1859. An die Stelle eines Beweises ohne die geringste wissenschaftliche Basis ist eine riesige Anzahl höchst eindrucksvoller und gut-geprüfter wissenschaftlicher Ergebnisse getreten. Unsere ganze Einstellung zum Leben, unser Bild vom Universum haben sich wie nie zuvor verändert. Obwohl Darwin Paleys teleologischen Gottesbeweis zerstörte, als er zeigte, daß das, was Paley als eine zweckgerichtete Ordnung betrachtete, auch als Resultat des Zufalls und der natürlichen Selektion erklärt werden konnte, waren seine Behauptungen höchst bescheiden und undogmatisch. Er führte eine Korrespondenz über die göttliche Ordnung mit Asa Gray von Harvard und schrieb an Gray ein Jahr nach dem Erscheinen von *The Origin of Species*: »... zur zweckgerichteten Ordnung. Ich bin mir bewußt, daß sie mich hoffnungslos durcheinanderbringt. Ich kann mir nicht vorstellen, daß die Welt, wie wir sie wahrnehmen, das Ergebnis des Zufalls ist; und doch kann ich nicht jedes einzelne Ding als ein Ergebnis des Waltens Gottes sehen.« Und ein Jahr später schrieb Darwin an Gray: »Was die zweckgerichtete Ordnung anbelangt, neige ich eher dazu, das weiße Fähnchen zu hissen, als einen Schuß abzufeuern. ... Sie schreiben, daß Sie sich im Dunst bewegen; ich tappe in dichtem Nebel; ... und doch läßt mich die Frage nicht in Ruhe[2].«

Vielleicht, so scheint es mir jedenfalls, liegt die Frage gar nicht im Bereich der Wissenschaft. Und doch glaube ich, daß die Wissenschaft uns vieles über die Entwicklung des Universums gelehrt hat, was im Hinblick auf das Problem eines schöpferischen Planes, wie Paley und Darwin es sahen, von großem Interesse ist.

Ich glaube, daß die Wissenschaft (natürlich sehr vorsichtig) das Bild eines erfinderischen[3] oder sogar schöpferischen Universums andeutet; eines Universums, in dem *neue Dinge* auf *neuen Ebenen* entstehen.

Die Theorie der Entstehung schwerer Atomkerne in der Mitte großer Sterne liegt auf der ersten Ebene; auf einer höheren Ebene finden wir die Tatsache des Aufkommens organischer Moleküle irgendwo im Raum.

Auf der nächsten Ebene liegt die Entstehung des Lebens. Selbst, wenn es eines Tages gelingen sollte, den Ursprung des Lebens im Labor zu reproduzieren, bringt das Leben etwas völlig Neues im Universum hervor: nämlich die den Organismen eigene Aktivität, besonders die oft zielgerichteten Handlungen der Tiere; sowie das Problemlösen der Tiere. Alle Organismen sind ständige Problemlöser; obwohl sie sich der meisten Probleme, die sie zu lösen versuchen, nicht bewußt sind.

Der große Schritt auf der nächsten Ebene ist die Entstehung bewußter Zustände. Mit der Unterscheidung zwischen bewußten Zuständen und unbewußten Zuständen tritt wieder etwas völlig Neues von größter Bedeutung im Universum auf. Eine neue Welt entfaltet sich: die Welt bewußter Erfahrung.

Darauf folgt auf der nächsten Ebene die Entstehung der Produkte des menschlichen Geistes, wie zum Beispiel die Kunstwerke und die Werke der Wissenschaft; besonders die wissenschaftlichen Theorien.

Ich glaube, daß auch sehr skeptische Wissenschaftler zugeben müssen, daß das Universum (oder die Natur, oder wie immer wir es nennen) kreativ ist. Denn es hat kreative Menschen hervorgebracht: es hat Shakespeare und Michelangelo und Mozart, und so indirekt ihre Werke hervorgebracht. Es hat Darwin hervorgebracht und so die Theorie der natürlichen Selektion geschaffen. Die natürliche Selektion hat den Beweis für das wunderbare Eingreifen des Schöpfers zerstört. Aber sie öffnet uns die Augen für das Wunder der Kreativität des Universums, des Lebens und des menschlichen Geistes. Obwohl die Wissenschaft nichts zu einem personalen Schöpfer zu sagen hat, kann sie die Tatsache der Entstehung des Neuen und der Kreativität kaum leugnen. Ich glaube, auch Darwin (den ›die Frage nicht in Ruhe ließ‹) hätte zugegeben, daß die natürliche Selektion das Wunder der Kreativität nicht aus dem Bild des wissenschaftlichen Universums verbannte, obwohl es sich dabei um eine Idee handelt, die eine neue Welt für die Wissenschaft öffnete; sie verbannte auch das Wunder der Freiheit nicht: der Freiheit, schöpferisch zu sein; und der Freiheit, unsere eigenen Zwecke und Ziele zu wählen.

II. Die natürliche Selektion und ihr wissenschaftlicher Status

Wenn ich hier vom Darwinismus spreche, meine ich immer die heutige Theorie – das heißt Darwins eigene Theorie der natürlichen Selektion, erhärtet durch die Mendelsche Vererbungsstheorie, durch die Theorie der Mutation und Neukombination von Genen in einem Genpool und durch den entschlüsselten genetischen Code. Das ist eine enorm eindrucksvolle und einflußreiche Theorie. Die Behauptung, daß sie die Evolution restlos erklärt, ist natürlich eine kühne Behauptung und ganz und gar nicht nachgewiesen. Alle wissenschaftlichen Theorien sind Vermutungen, sogar jene, die viele strenge und verschiedenartige Prüfungen erfolgreich bestanden haben. Die Mendelsche Untermauerung des modernen Darwinismus ist gut überprüft worden; ebenso die Evolutionstheorie, die besagt, daß alles Leben auf der Erde sich aus einigen primitiven einzelligen Organismen entwikkelt hat, möglicherweise sogar aus einem einzigen Organismus.

Jedoch ist Darwins eigener, höchst bedeutender Beitrag zur Evolutionstheorie – seine Theorie der natürlichen Selektion – schwierig zu überprüfen. Es gibt einige Prüfungen, sogar einige experimentelle Prüfungen; und in einigen Fällen, wie zum Beispiel bei dem berühmten, als ›industrieller Melanismus‹ bekannten Phänomen, können wir sehen, wie die natürliche Selektion sozusagen unter unseren eigenen Augen stattfindet. Trotzdem sind wirklich strenge Prüfungen der Evolutionstheorie schwer zu finden, viel schwerer als Prüfungen von sonst vergleichbaren Theorien in der Physik oder Chemie.

Die Tatsache, daß die Theorie der natürlichen Selektion schwer zu überprüfen ist, hat einige Leute – Anti-Darwinisten und sogar einige überzeugte Darwinisten – zu der Behauptung bewogen, sie sei eine Tautologie. Eine Tautologie wie ›alle Tische sind Tische‹ ist natürlich nicht überprüfbar; sie hat auch keine Erklärungskraft. Es ist daher höchst erstaunlich zu hören, daß sogar einige der bekanntesten Darwinisten der Gegenwart die Theorie so formulieren, daß sie auf die Tautologie hinausläuft, daß jene Organismen, die am meisten Abkömmlinge hinterlassen, am meisten Abkömmlinge hinterlassen. C. H. Waddington sagt irgendwo (und er verteidigt seine Ansicht anderswo), daß die »Natürliche Selektion ... sich als ... eine Tautologie erweist[4]«. Jedoch schreibt er der Theorie an derselben Stelle eine »enorme ... Erklärungskraft« zu. Da die erklärende Kraft einer Tautologie offensichtlich gleich Null ist, kann hier etwas nicht stimmen.

Und doch kann man in den Werken so großer Darwinisten wie Ronald Fisher, J. B. S. Haldane und George Gaylord Simpson und anderen ähnliche Stellen finden.

Ich erwähne dieses Problem, denn ich gehöre auch zu den Schuldigen. Beeinflußt von dem, was diese Autoritäten sagen, habe ich früher die Theorie als ›fast tautologisch‹ bezeichnet, und ich habe versucht zu erklären, wie es möglich ist, daß die Theorie der natürlichen Selektion unüberprüfbar (wie eine Tautologie) und doch von großem wissenschaftlichen Interesse ist. Meine Lösung war, daß die Lehre der natürlichen Selektion ein höchst erfolgreiches metaphysisches Forschungsprogramm ist. Sie wirft auf vielen Gebieten detaillierte Probleme auf, und sie zeigt uns, was wir von einer annehmbaren Lösung dieser Probleme erwarten würden[5].

Ich glaube immer noch, daß die natürliche Selektion als Forschungsprogramm auf diese Weise funktioniert. Trotzdem sehe ich jetzt die Überprüfbarkeit und die logische Stellung der Theorie der natürlichen Selektion anders; und ich freue mich über die Gelegenheit, meine Sinnesänderung einzugestehen. Sie kann, hoffe ich, ein wenig zum Verständnis der Stellung der natürlichen Selektion beitragen.

Wichtig ist, sich der erklärenden Aufgabe der natürlichen Selektion bewußt zu werden; und insbesondere zu erfahren suchen, *was ohne* die Theorie der natürlichen Selektion erklärt werden kann.

Wir können von der Bemerkung ausgehen, daß die Mendelsche Gentheorie und die Theorie der Mutation und Neukombination zusammengenommen ausreichen, für hinreichend kleine und in reproduktiver Hinsicht isolierte Bevölkerungen *ohne natürliche Selektion* vorauszusagen, was man als ›genetische Abweichung‹ bezeichnet hat. Wenn man eine kleine Anzahl von Individuen von der Hauptbevölkerung isoliert, und wenn man verhindert, daß sie sich mit der Hauptbevölkerung kreuzen, dann wird nach einiger Zeit die Verteilung der Gene im Genpool der neuen Bevölkerung sich etwas von derjenigen der ursprünglichen Bevölkerung unterscheiden. Das wird geschehen, selbst wenn gar keine Selektionszwänge vorhanden sind.

Moritz Wagner, ein Zeitgenosse von Darwin und natürlich ein Vor-Mendelianer, war sich dieser Situation bewußt. Er führte daher eine Theorie der *Evolution durch genetische Abweichung* ein, die durch reproduktive Isolierung mittels geographische Trennung ermöglicht wird.

Um die Aufgabe der natürlichen Selektion zu verstehen, ist es gut, sich an Darwins Antwort an Wagner zu erinnern[6]. Der wesentliche Punkt seiner Antwort an Wagner war: Wenn wir keine natürliche Selektion haben, können wir die Evolution von anscheinend zweckgerichteten Organen, wie des Auges, nicht erklären. Oder, mit anderen Worten, ohne natürliche Selektion können wir Paleys Problem nicht lösen.

In ihrer kühnsten und radikalsten Form würde die Theorie der natürlichen Selektion behaupten, daß sich *alle* Organismen, und besonders *all* jene hochkomplexen Organe, deren Existenz als Beweis einer zweckgerichteten Ordnung gedeutet werden könnte, und außerdem *alle* Formen des Tierverhaltens, als das Ergebnis der natürlichen Selektion entwickelt haben; das heißt, als das Ergebnis zufälliger, vererbbarer Variationen, von denen die unbrauchbaren ausgesondert werden, so daß nur die brauchbaren bleiben. Wenn die Theorie so radikal formuliert wird, ist sie nicht nur widerlegbar, sondern wirklich widerlegt. Denn *nicht alle* Organe dienen einem *nützlichen* Zweck: wie Darwin selbst zeigt, gibt es Organe, wie zum Beispiel den Schwanz eines Pfaus, und Verhaltensprogramme, wie zum Beispiel die Zurschaustellung des Schwanzes beim Pfau, die nicht mit ihrer *Nützlichkeit*, und daher nicht mit der natürlichen Selektion, erklärt werden können. Darwin erklärte sie mit der Vorliebe des anderen Geschlechts, das heißt, mit der sexuellen Selektion. Natürlich kann man diese Widerlegung mit Hilfe irgendeines verbalen Manövers umgehen: man kann jede Widerlegung jeder Theorie umgehen. Nur macht man dann die Theorie wirklich fast tautologisch. Es scheint weit besser zuzugeben, daß *nicht* alles, was sich entwickelt, *nützlich* ist (obwohl es erstaunlicherweise oft genug der Fall ist); und daß wir, wenn wir über die *Nützlichkeit* eines Organs oder eines Verhaltensprogramms mutmaßen, Vermutungen über eine mögliche Erklärung durch die natürliche Selektion anstellen: *warum* es sich so und nicht anders entwickelt hat, und vielleicht sogar *wie* es sich entwickelte. Mit anderen Worten: die Evolution durch die natürliche Selektion scheint mir, wie so viele Theorien in der Biologie, nicht streng universal zu sein, obwohl sie für eine riesige Anzahl wichtiger Fälle zuzutreffen scheint.

Nach der Theorie Darwins können hinreichend invariante Selektionszwänge die sonst zufällige genetische Abweichung so verwandeln, daß sie zielgerichtet scheint. Auf diese Weise werden die Selektionszwänge (wenn es sie gibt) ihre Prägung auf dem genetischen Material hinterlassen. (Man muß jedoch erwähnen, daß es Selektionszwänge gibt, die über sehr kurze Zeiträume wirksam sind: es ist möglich, daß eine schwere Epidemie nur jene verschont, die genetisch immun sind.)

Ich möchte jetzt kurz zusammenfassen, was ich so weit über Darwins Theorie der natürlichen Selektion sagte.

Man kann die Theorie der natürlichen Selektion so formulieren, daß sie ganz und gar nicht tautologisch ist. In diesem Fall ist sie nicht nur überprüfbar, sondern sie erweist sich als nicht streng allgemeingültig. Es scheint Ausnahmen zu geben, wie das bei so vielen biologischen Theorien der Fall ist; und wenn man den Zufallscharakter der Variationen bedenkt, an denen die natürliche Selektion wirkt, ist das

Vorkommen von Ausnahmen nicht überraschend. Die natürliche Selektion allein erklärt also nicht alle Phänomene der Evolution. Jedoch ist es in jedem besonderen Fall ein herausforderndes Forschungsprogramm zu zeigen, wie weit es möglich ist, die natürliche Selektion für die Evolution eines bestimmten Organs oder Verhaltensprogramms verantwortlich zu machen.

Es ist von beträchtlichem Interesse, daß die Idee der natürlichen Selektion verallgemeinert werden kann. In diesem Zusammenhang ist es nützlich, die Beziehung zwischen Selektion und Instruktion zu diskutieren. Während Darwins Theorie selektionistisch ist, ist die theistische Theorie Paleys instruktionistisch. Der Schöpfer formt die Materie nach Seinem Plan und instruiert sie, welche Form sie annehmen soll. Man kann Darwins selektionistische Theorie also als eine Theorie betrachten, die etwas, was wie Instruktion aussieht, mit der Selektion erklärt. Bestimmte invariante Merkmale der Umgebung hinterlassen ihre Prägung auf dem genetischen Material als ob sie es geformt hätten; in Wirklichkeit wählten sie es jedoch aus.

Vor vielen Jahren besuchte ich Bertrand Russell in seinem Arbeitszimmer im Trinity College, und er zeigte mir eines seiner Manuskripte, in dem über viele Seiten keine einzige Korrektur zu finden war. Mit Hilfe seiner Feder hatte er das Papier instruiert. Sicher ist das etwas ganz anderes als was ich mache. Meine eigenen Manuskripte sind voller Korrekturen – so voll, daß man leicht feststellen kann, daß meine Arbeitsmethode so etwas wie Versuch und Irrtum ist; eine Methode, bei der ich aus mehr oder weniger zufälligen Fluktuationen auswähle, was mir passend scheint. Wir können die Frage stellen, ob Russell nicht ähnlich vorging, wenn vielleicht auch nur in seinem Geiste und möglicherweise ganz unbewußt, auf alle Fälle aber sehr schnell. Denn das, was wie Instruktion aussieht, beruht häufig auf einem umständlichen Selektionsmechanismus, wie Darwins Antwort auf das von Paley gestellte Problem zeigt.

Ich schlage vor, daß wir einmal mit der Vermutung operieren, daß etwas Derartiges in vielen Fällen geschieht. So können wir wirklich vermuten, daß Bertrand Russell fast so viele Versuchsformulierungen produzierte wie ich, daß sein Geist jedoch beim Ausprobieren dieser Formulierungen und dem Verwerfen der nicht passenden Kandidaten schneller funktionierte als meiner. Einstein schreibt irgendwo, daß er eine enorme Anzahl von Hypothesen aufstellte und verwarf, bevor er auf die Gleichungen der allgemeinen Relativitätstheorie stieß (die er zuerst auch verwarf). Es ist klar, daß die Methode der Erzeugung und

Selektion auf der Basis von negativen Rückwirkungen funktioniert. [Siehe auch S. 66–68, oben.]

Einer der wichtigen Punkte im Hinblick auf diesen umständlichen Selektionsmechanismus ist, daß er Licht in das Problem der Verursachung nach unten bringt, auf das Donald Campbell und Roger Sperry aufmerksam gemacht haben[7].

Wir können von der Verursachung nach unten immer dann sprechen, wenn eine höhere Struktur kausal auf ihre Substruktur einwirkt. Die Schwierigkeit mit dem Verständnis der Verursachung nach unten ist folgende. Wir glauben, daß wir verstehen können, wie die Substrukturen eines Systems zusammenarbeiten, um auf das ganze System zu wirken; das heißt, wir glauben, daß wir die Verursachung nach oben verstehen. Aber das Gegenteil ist sehr schwer vorstellbar. Denn es scheint, daß es auf alle Fälle eine kausale Wechselwirkung zwischen den Substrukturen gibt, und daß für eine von oben kommende Einmischung kein Platz, keine Öffnung bleibt. Das ist es, was zu der heuristischen Forderung führt, alles im Sinne von molekularen oder anderen elementaren Partikeln zu erklären (einer Forderung, die manchmal als ›Reduktionismus‹ bezeichnet wird).

Ich schlage vor, daß die Verursachung nach unten wenigstens manchmal als *Selektion* erklärt werden kann, die sich auf die willkürlich fluktuierenden elementaren Partikel auswirkt. Die Willkürlichkeit der Bewegungen der elementaren Partikel – oft als ›molekulares Chaos‹ bezeichnet – sorgt sozusagen für die Öffnung, durch die die Struktur der höheren Ebenen sich einmischen kann. Eine Zufallsbewegung wird dann akzeptiert, wenn sie in die höhere Struktur paßt; sonst wird sie zurückgewiesen.

Meiner Ansicht nach sagen uns diese Überlegungen eine Menge über die natürliche Selektion. Darwin machte sich noch darüber Sorgen, daß er Variationen nicht erklären konnte, und es beunruhigte ihn, sie als zufällig betrachten zu müssen; wir aber können jetzt sehen, daß der Zufallscharakter von Mutationen (der möglicherweise auf die Quantenunbestimmtheit zurückgeht) erklärt, wie die abstrakten Invarianzen der Umgebung (die etwas abstrakten Selektionszwänge) mittels Selektion eine Wirkung nach unten auf den konkreten, lebenden Organismus haben können – eine Wirkung, die möglicherweise von einer langen, durch Vererbung verbundenen Generationenreihe verstärkt wird.

Die Selektion einer Verhaltensweise aus einem willkürlich angebotenen Repertoire kann eine Wahl, ja, eine Tat des freien Willens sein.

Ich bin Indeterminist; und wenn ich den Indeterminismus diskutiere, mache ich oft darauf aufmerksam [zum Beispiel in Text *20*, Abschnitt *VII*, unten], daß die quantentheoretische Unbestimmtheit uns nicht weiterzuhelfen scheint; denn die Verstärkung von etwas wie zum Beispiel radioaktiven Zerfallserscheinungen würde nicht zu menschlichem Handeln, nicht einmal zu tierischem Handeln führen, sondern nur zu willkürlichen Bewegungen. Ich habe meine Meinung in diesem Punkt geändert[8]. Ein Wahlvorgang kann ein Selektionsvorgang sein, und die *Selektion* kann aus einem Repertoire von Zufallsereignissen erfolgen, *ohne ihrerseits zufällig zu sein.* Hier scheint mir eine vielversprechende Lösung für eines unserer schwierigsten Probleme zu liegen, und zwar eine Lösung mit Hilfe der Verursachung nach unten.

Text *20*

Indeterminismus und menschliche Freiheit (1965)

I. Über Wolken und Uhren

Der Hauptzweck meiner Vorlesung ist, Ihnen diese alten Probleme, die im Titel meiner Vorlesung vorkommen, einfach und eindringlich vorzustellen. Doch zunächst muß ich etwas über die *Wolken* und *Uhren* sagen.

Meine Wolken sollen für physikalische Systeme stehen, die wie Gase in hohem Maße ungeordnet und mehr oder weniger unvoraussagbar sind. Stellen wir uns ein Schema vor, in dem links eine sehr ungeordnete Wolke steht. Rechts, ans andere Extrem, können wir eine sehr zuverlässige Pendeluhr setzen, ein Chronometer; es soll für regelhafte, geordnete und in ihrem Verhalten in hohem Maße voraussagbare physikalische Systeme stehen.

Nach dem, was man die Alltagsauffassung der Dinge nennen könnte, sind manche Naturerscheinungen wie das Wetter oder das Kommen und Gehen der Wolken schwer voraussagbar: wir sprechen von den ›Launen des Wetters‹. Andererseits sprechen wir von der ›Genauigkeit eines Uhrwerks‹, wenn wir eine höchst regelmäßige und voraussagbare Erscheinung beschreiben möchten.

Es gibt viele Dinge, Naturerscheinungen und Naturvorgänge, die man zwischen diesen beiden Extremen anordnen kann – den Wolken auf der linken und den Uhren auf der rechten Seite. Der Wechsel der Jahreszeiten ist eine nicht ganz zuverlässige Uhr und könnte daher auf der rechten Seite angeordnet werden, aber nicht zu weit rechts. Ich glaube, wir können uns leicht darauf einigen, daß Tiere nicht weit von den Wolken auf die linke Seite gehören, Pflanzen etwas näher zu den Uhren. Unter den Tieren wird ein junger Hund weiter links stehen müssen als ein alter. Autos bekommen je nach ihrer Zuverlässigkeit einen Platz in unserem Schema: ein Cadillac steht wohl ziemlich weit rechts, ein Rolls-Royce noch weiter; er wird nicht weit von den besten Uhren entfernt sein. Am weitesten rechts sollte vielleicht das *Sonnensystem* stehen[1].

Als typisches und interessantes Beispiel für eine Wolke möchte ich hier einen Mückenschwarm anführen. Wie die einzelnen Moleküle eines Gases bewegen sich die einzelnen Mücken des Schwarmes erstaunlich unregelmäßig. Es ist fast unmöglich, den Flug einer einzelnen Mücke zu verfolgen, obwohl jede einzelne durchaus groß genug sein kann, um deutlich sichtbar zu sein.

Abgesehen davon, daß die Geschwindigkeit der Mücken nicht sehr verschieden sind, veranschaulichen die Mücken ausgezeichnet die unregelmäßige Bewegung der Moleküle in einer Gaswolke oder der winzigen Wassertröpfchen in einer Gewitterwolke. Natürlich gibt es Unterschiede. Der Schwarm bleibt recht gut beisammen, er löst sich nicht auf, diffundiert nicht. Das ist erstaunlich angesichts der ungeordneten Bewegung der einzelnen Mücken; doch es gibt eine Parallele: eine hinreichend große Gaswolke (wie unsere Atmosphäre oder die Sonne), die durch die Gravitation zusammengehalten wird. Das Zusammenbleiben der Mücken ist nun leicht erklärlich, wenn man annimmt, daß sie zwar ganz unregelmäßig in alle Richtungen fliegen, aber sich wieder in Richtung auf den dichtesten Teil des Schwarmes wenden, wenn sie bemerken, daß sie von ihm abkommen.

Diese Annahme erklärt, daß der Schwarm beisammenbleibt, obwohl er keinen Führer und keine Struktur hat – nur eine statistische Zufallsverteilung, die sich daraus ergibt, daß jede Mücke genau das tut, was sie will, und zwar nicht-gesetzmäßig, das heißt zufällig, in Verbindung mit der Tatsache, daß sie sich nicht zu weit von ihren Kameraden entfernen möchte.

Ich könnte mir denken, daß eine philosophische Mücke behaupten würde, die Mückengesellschaft sei eine große oder mindestens eine gute Gesellschaft, da sie die egalitärste, freieste und demokratischste Gesellschaft sei, die man sich vorstellen könne.

Doch als Verfasser eines Buches über die offene Gesellschaft möchte ich bestreiten, daß die Mückengesellschaft eine offene Gesellschaft ist. Denn ich halte es für eines der Kennzeichen einer offenen Gesellschaft, daß sie neben einer demokratischen Regierungsform die Vereinigungsfreiheit pflegt und die Bildung freier Subsysteme schützt, ja fördert, die alle verschiedene Meinungen haben. Doch jede vernünftige Mücke müßte zugeben, daß in ihrer Gesellschaft dieser Pluralismus fehlt.

Heute möchte ich aber keine sozialen oder politischen Fragen diskutieren, die mit dem Problem der Freiheit zusammenhängen; und den Mückenschwarm möchte ich nicht als Beispiel für ein *soziales* System benützen, sondern als mein Hauptbeispiel für ein wolkenähnliches *physikalisches* System, als Beispiel für eine höchst ungeordnete oder regellose Wolke.

Wie viele physikalische, biologische und soziale Systeme läßt sich der Mückenschwarm als ein ›Ganzes‹ beschreiben. Unsere Vermutung ist, daß er von einer Art Anziehung zusammengehalten wird, die sein dichtester Teil auf die einzelnen Mücken ausübt, wenn sie sich zu weit von ihm entfernt haben; das zeigt, daß dieses ›Ganze‹ sogar eine Art Wirkung oder Kontrolle über seine Elemente oder Teile ausübt. [Siehe die Bemerkungen über die Kausalität nach unten auf S. 232–233, oben.] Trotzdem kann dieses ›Ganze‹ den verbreiteten ›holistischen‹ Glauben widerlegen, ein ›Ganzes‹ sei *immer* mehr als die bloße Summe seiner Teile. Ich bestreite nicht, daß das manchmal der Fall sein kann[2]. Doch der Mückenschwarm ist ein Beispiel für ein Ganzes, das nicht mehr als die Summe seiner Teile ist – und zwar in einem sehr genauen Sinne; er ist nicht nur mit der Beschreibung der Bewegungen der einzelnen Mücken vollständig beschrieben, sondern die Bewegung des Ganzen ist (in diesem Falle) genau die (vektorielle) Summe der Bewegungen seiner Bestandteile, dividiert durch ihre Anzahl.

Ein (in vieler Hinsicht ähnliches) Beispiel für ein biologisches System oder ›Ganzes‹, das einen Einfluß auf die höchst unregelmäßigen Bewegungen seiner Teile ausübt, wäre eine Familie – Eltern, Kinder und ein Hund –, die eine stundenlange Wanderung im Wald macht, aber sich nie weit von ihrem Auto entfernt (das gewissermaßen wie ein Mittelpunkt der Anziehung wirkt). Dieses System ist wohl noch wolkenähnlicher – das heißt, weniger regelmäßig in der Bewegung seiner Teile – als unser Mückenschwarm.

Ich hoffe, Sie haben jetzt eine Vorstellung von meinen beiden Beispielen oder Prototypen, den Wolken auf der linken und den Uhren auf der rechten Seite, und davon, wie man viele Arten von Dingen oder Systemen zwischen ihnen anordnen kann. Ich bin sicher, daß Sie eine vage, allgemeine Vorstellung von dieser Anordnung gewonnen haben, und es macht nichts, wenn sie noch etwas nebelhaft oder wolkenhaft ist.

II. Der physikalische Determinismus

Die beschriebene Anordnung dürfte dem Alltagsverstand durchaus annehmbar sein, und in jüngster Zeit ist sie sogar für die Physik annehmbar geworden. Das war sie in den letzten 250 Jahren nicht: die

Newtonische Revolution, eine der größten Revolutionen der Geschichte, führte zur Ablehnung der Anordnung, die ich Ihnen darzustellen versucht habe. Denn fast jedermann[3] hielt folgende verblüffende Behauptung für durch die Newtonische Revolution erwiesen:

Alle Wolken sind Uhren – auch die allertypischsten Wolken.

Die Aussage ›alle Wolken sind Uhren‹ kann als kurze Formulierung der Auffassung betrachtet werden, die ich ›physikalischen Determinismus‹ nennen möchte.

Der physikalische Determinist, der behauptet, alle Wolken seien Uhren, wird auch behaupten, unsere Anordnung mit den Wolken auf der linken und den Uhren auf der rechten Seite sei irreführend; *alles* gehöre auf die äußerste rechte Seite. Er wird sagen, mit allem unserem gesunden Menschenverstand hätten wir die Dinge *nicht nach ihrer Natur, sondern nur nach unserer Unwissenheit* angeordnet. Unsere Anordnung, so wird er sagen, gibt nur die Tatsache wieder, daß wir ziemlich genau wissen, wie die Teile einer Uhr oder das Sonnensystem funktionieren, daß wir aber nicht *im einzelnen* wissen, wie die Teilchen zusammenwirken, die eine Gaswolke oder einen Organismus bilden. Und er wird behaupten, wenn wir einmal diese Kenntnisse erlangt hätten, dann würden wir finden, daß Gaswolken und Organismen so uhrenähnlich sind wie das Sonnensystem.

Die Newtonische Theorie behauptet das natürlich nicht. Sie beschäftigte sich überhaupt nicht mit Wolken. Sie beschäftigte sich hauptsächlich mit Planeten, deren Bewegungen sie mit einigen sehr einfachen Naturgesetzen erklärte; ferner mit Kanonenkugeln und mit den Gezeiten. Doch ihr ungeheurer Erfolg auf diesen Gebieten verdrehte den Physikern den Kopf, und das sicher nicht ohne Grund.

Vor Newton und seinem Vorgänger Kepler hatten die Bewegungen der Planeten vielen Versuchen widerstanden, sie zu erklären oder auch nur vollständig zu beschreiben. Offenbar nahmen sie irgendwie an der unveränderlichen allgemeinen Bewegung des starren Systems der Fixsterne teil; doch sie wichen von der Bewegung dieses Systems fast so ab wie einzelne Mücken von der allgemeinen Bewegung des Mückenschwarms. So schienen die Planeten ähnlich wie Lebewesen zwischen den Wolken und den Uhren zu stehen. Doch der Erfolg der Keplerschen und noch mehr der Newtonischen Theorie gab den Denkern recht, die die Planeten trotzdem für vollkommene Uhren gehalten hatten. Denn ihre Bewegungen stellten sich als mit der Newtonischen Theorie genau voraussagbar heraus, und zwar in allen Einzelheiten, die vorher die Astronomen durch ihre scheinbare Unregelmäßigkeit verwirrt hatten.

Die Newtonische Theorie war die erste wirklich erfolgreiche wissenschaftliche Theorie in der menschlichen Geschichte, und sie war ungeheuer erfolgreich. Das war wirkliche Erkenntnis, die die kühnsten Träume der kühnsten Geister noch übertraf. Das war eine Theorie, die nicht nur die Bewegungen *aller* Sterne genau erklärte, sondern ebenso genau auch die Bewegung von Körpern auf der Erde wie fallenden Äpfeln, Geschossen oder Pendeluhren. Sie erklärte sogar die Gezeiten.

Alle aufgeschlossenen Menschen – alle lernbegierigen, am Erkenntnisfortschritt interessierten – bekehrten sich zu der neuen Theorie. Alle aufgeschlossenen Menschen, insbesondere die meisten Wissenschaftler, glaubten, sie würde schließlich alles erklären, nicht nur die Elektrizität und den Magnetismus, sondern auch Wolken und sogar lebende Organismen. Der physikalische Determinismus – die Lehre, daß alle Wolken Uhren seien – wurde zum herrschenden Glauben der aufgeklärten Menschen; jeder, der diesen neuen Glauben nicht annahm, galt als Obskurantist oder Reaktionär[4].

III. Der Indeterminismus

Unter den wenigen Abweichlern[5] befand sich Charles Sanders Peirce, der große amerikanische Mathematiker und Physiker und, wie ich glaube, einer der größten Philosophen aller Zeiten. Er stellte die Newtonische Theorie nicht in Frage; doch schon 1892 zeigte er, daß uns diese Theorie, auch wenn sie wahr ist, keinen stichhaltigen Grund für die Ansicht liefert, daß Wolken vollkommene Uhren seien. Er glaubte zwar wie alle übrigen Physiker seiner Zeit, die Welt sei eine Uhr, die nach den Newtonischen Gesetzen läuft, aber er hielt diese Uhr wie auch jede andere nicht für *vollkommen* bis in alle Einzelheiten. Er zeigte, daß man jedenfalls in der Erfahrung keine vollkommene Uhr aufweisen könne, ja nicht einmal etwas, was der absoluten Vollkommenheit, die der physikalische Determinismus annahm, auch nur entfernt entspräche. Ich möchte eine von Peirces glänzenden Bemerkungen zitieren: »... wer hinter die Kulissen schaut« (Peirce spricht hier als Experimentator) »... weiß, daß die genauesten Vergleiche [selbst] von Massen [und] Längen, ... die an Genauigkeit alle anderen [physikalischen] Messungen weit übertreffen, ... weniger genau sind als die Buchführung eines Bankkontos, und daß die ... Bestimmungen physikalischer Konstanten ... ungefähr vergleichbar sind mit der Messung von Teppichen und Vorhängen durch einen Dekorateur ...«[6]. Daraus schloß Peirce, man könne vermuten, daß alle Uhren mit einer gewissen *Ungenauigkeit oder Unvollkommenheit* behaftet seien, wodurch ein *Element des Zufalls* hereinkomme. So vermutete Peirce, die Welt werde nicht nur von den *strengen Newtonischen Gesetzen* beherrscht, sondern gleichzeitig auch von *Zufallsgesetzen*, die sich auf die Unordnung beziehen: von statistischen *Wahrscheinlichkeits*gesetzen. Damit wäre die Welt ein Gefüge von Wolken und Uhren, und auch die beste Uhr wäre *in ihrer Molekularstruktur* in gewissem Grade wolkenähnlich. Soviel ich weiß, war Peirce der erste nach-Newtonische Physiker und Philosoph, der es wagte, zu behaupten, in gewissem Grade seien *alle Uhren Wolken*; oder, mit anderen Worten, *es gebe nur Wolken* mit sehr verschiedenen Graden der Wolkenhaftigkeit.

Peirce führte für diese Auffassung an – und das ist zweifellos richtig – alle physikalischen Körper, auch die Rubine in einer Uhr, seien der molekularen Wärmebewegung unterworfen[7], die der Bewegung von Gasmolekülen ähnelt oder der der einzelnen Mücken in einem Mückenschwarm.

Diese Betrachtungen von Peirce stießen bei seinen Zeitgenossen auf geringes Interesse. Nur ein Philosoph scheint sie zur Kenntnis genommen zu haben, und er griff sie an[8]. Die Physiker scheinen sie ignoriert zu haben; und noch heute glauben die meisten Physiker, wenn die klassische Newtonische Mechanik wahr wäre, müßte man den physikalischen Determinismus annehmen und damit die Behauptung, alle Wolken seien Uhren. Erst mit dem Zusammenbruch der klassischen Physik und dem Aufstieg der neuen Quantentheorie waren die Physiker bereit, den physikalischen Determinismus aufzugeben.

Jetzt wendete sich das Blatt. Der Indeterminismus, der bis 1927 mit Obskurantismus gleichgesetzt worden war, wurde zur herrschenden Mode; einige große Wissenschaftler wie Max Planck, Erwin Schrödinger und Albert Einstein, die den Determinismus nicht ohne weiteres aufgeben wollten, wurden als altmodische Figuren betrachtet[9], obwohl sie führend an der Entwicklung der Quantentheorie beteiligt gewesen waren. Ich hörte einmal einen hervorragenden jungen Physiker von Einstein, der damals noch am Leben und sehr tätig war, sagen, er sei ›vorsintflutlich‹. Die Sintflut, die Einstein weggeschwemmt haben sollte, war die neue Quantentheorie, die 1925–1927 entstanden war, und zu der mindestens sieben Menschen Beiträge geleistet hatten, die denen Einsteins vergleichbar waren.

IV. Der Alptraum des physikalischen Deterministen

Arthur Holly Compton war unter den ersten, die die neue Quantentheorie und Heisenbergs neuen physikalischen Indeterminismus von 1927 begrüßten.

Im Jahre 1931 untersuchte Compton als einer der ersten die menschlichen und allgemeiner die biologischen Konsequenzen des neuen Indeterminismus in der Physik[10]. Jetzt wurde klar, warum er die neue Theorie so begeistert begrüßt hatte: sie löste für ihn nicht nur physikalische, sondern auch biologische und philosophische Probleme, insbesondere Probleme, die mit der Ethik zusammenhingen.

Um das zu zeigen, möchte ich jetzt die bemerkenswerte Anfangspassage von Comptons Buch *The Freedom of Man* zitieren:

»Die Grundfrage der Moral, ein wichtiges Problem in der Religion und ein Gegenstand lebhafter Forschung in der Wissenschaft: kann der Mensch frei handeln?

Wenn ... die Atome in unserem Körper so unveränderlichen physikalischen Gesetzen folgen wie die Bewegungen der Planeten, warum sollte man sich dann anstrengen? Welchen Unterschied kann unser Bemühen machen, wenn unsere Handlungen schon durch mechanische Gesetze vorherbestimmt sind ...?«

Compton beschreibt hier das, was ich ›*den Alptraum des physikalischen Deterministen*‹ nennen möchte. Ein deterministisches physikalisches Uhrwerk ist vor allem völlig in sich abgeschlossen: in der vollkommenen deterministischen physikalischen Welt gibt es einfach keinen Platz für irgendeine Einwirkung von außen. Alles, was in einer solchen Welt geschieht, ist physikalisch vorherbestimmt, auch alle unsere Bewegungen und damit alle unsere Handlungen. Also können alle unsere Gedanken, Gefühle und Anstrengungen keinen praktischen Einfluß darauf haben, was in der physikalischen Welt geschieht: sie sind, wenn nicht bloße Einbildungen, bestenfalls überflüssige Nebenprodukte (›Epiphänomene‹) der physikalischen Ereignisse.

So drohte der Tagtraum des Newtonischen Physikers, der zu beweisen hoffte, daß alle Wolken Uhren seien, in einen Alptraum umzuschlagen; und der Versuch, das beiseitezuschieben, führte zu einer Art intellektueller gespaltener Persönlichkeit. Compton war, so scheint mir, der neuen Quantentheorie dafür dankbar, daß sie ihn aus dieser schwierigen geistigen Situation gerettet hatte. So schreibt er in *The Freedom of Man*: »Der Physiker hat sich selten ... mit der Tatsache abgegeben, daß, wenn ... völlig deterministische ... Gesetze ... für die menschlichen Handlungen gelten, er selbst ein Automat ist.« Und in *The Human Meaning of Science* drückte er seine Erleichterung aus:

»Mit meinem eigenen Denken über diesen entscheidend wichtigen Gegenstand bin ich also in einer viel befriedigenderen Lage, als es an irgendeinem früheren Punkt der Wissenschaftsentwicklung möglich gewesen wäre. Setzt man voraus, daß die physikalischen Gesetze richtig formuliert sind, so hätte man (wie es die meisten Philosophen getan haben) annehmen müssen, das Gefühl der Freiheit sei eine Täuschung; oder wenn man die Willensfreiheit als gegeben betrachtet hätte, dann hätten die physikalischen Gesetze ... nicht richtig sein können. Das war ein schwieriges Dilemma ...«

Später im gleichen Buch faßt Compton die Situation prägnant mit folgenden Worten zusammen: »... es ist nicht mehr gerechtfertigt, die physikalischen Gesetze als Grund gegen die menschliche Freiheit anzuführen.«

Diese Compton-Zitate zeigen deutlich, daß er vor der Heisenbergschen Wende vom Alptraum des physikalischen Deterministen geplagt worden war, und daß er ihm durch Enwicklung einer gewissermaßen intellektuell gespaltenen Persönlichkeit zu entgehen versucht hatte. Er selbst drückt es so aus: »Wir [Physiker] haben es vorgezogen, die Schwierigkeiten einfach nicht zu beachten ...«[11] Compton begrüßte die neue Theorie, die ihn von alledem befreite.

Mir scheint, die einzige ernsthaft diskutierenswerte Form des Determinismusproblems ist genau Comptons Problem; es entsteht aufgrund einer physikalischen Theorie, die die Welt als *physikalisch vollständiges* oder *physikalisch abgeschlossenes* System beschreibt[12]. Unter einem physikalisch abgeschlossenen System verstehe ich eine Menge oder ein System physikalischer Gegenstände wie Atome oder Elementarteilchen oder physikalische Kräfte oder Kraftfelder, die aufeinander – und zwar *nur* aufeinander – nach bestimmten Gesetzen wirken, die keinen Platz für Wechselwirkungen mit oder Einflüsse von außerhalb dieses abgeschlossenen Systems physikalischer Gegenstände lassen. Diese ›Abgeschlossenheit‹ des Systems erzeugt den deterministischen Alptraum[13].

V. Der psychologische Determinismus

Ich möchte hier für einen Augenblick abschweifen, um dem Problem des physikalischen Determinismus, dem ich die größte Bedeutung beimesse, das ganz unbedeutende Problem gegenüberzustellen, das viele Philosophen und Psychologen im Anschluß an Hume an seine Stelle gesetzt haben.

Hume verstand unter dem Determinismus (den er ›die Lehre von der Notwendigkeit‹ oder ›die Lehre von der konstanten Verknüpfung‹ nannte) die Lehre, daß ›gleiche Ursachen stets gleiche Wirkungen hervorrufen‹ und daß ›gleiche Wirkungen notwendig aus gleichen Ursachen entspringen‹. Hinsichtlich des menschlichen Handelns und Wollens glaubt er: »ein Beobachter kann gewöhnlich unsere Handlungen aus unseren Motiven und unserem Charakter ableiten; und wo er es nicht kann, glaubt er doch ganz allgemein, daß er es könnte, wenn er alle Bedingungen unserer Situation und unserer Stimmung und die geheimsten Quellen unserer ... Neigung vollständig kennen würde. Dies ist das eigentliche Wesen der Notwendigkeit ...«[14] Humes Nachfolger faßten das so: unser Handeln, unser Wollen, unser Geschmack, unsere Vorlieben werden *psychologisch* ›verursacht‹ durch vorhergehende Erlebnisse (›Motive‹) und letzten Endes durch Erbanlagen und Umwelt.

Doch diese Lehre, die man *philosophischen* oder *psychologischen* Determinismus nennen könnte, unterscheidet sich nicht nur stark vom *physikalischen* Determinismus, sondern sie kann von einem physikalischen Deterministen, der überhaupt etwas von dieser Sache versteht, kaum ernst genommen werden. Denn die These des philosophischen Determinismus ›Gleiche Wirkungen haben gleiche Ursachen‹ oder ›Jedes Ereignis hat eine Ursache‹ sind so unbestimmt, daß sie ohne weiteres mit dem physikalischen *In*determinismus vereinbar sind.

Der *Indeterminismus* – oder genauer der physikalische Indeterminismus – ist nichts als die Lehre, daß *nicht alle* Ereignisse in der physikalischen Welt völlig genau in allen ihren kleinsten Einzelheiten vorherbestimmt sind. Davon abgesehen ist er mit praktisch jedem beliebigem Grad der Regelmäßigkeit vereinbar, und daher folgt aus ihm nicht, daß es ›Ereignisse ohne Ursache‹ gebe, einfach weil die Ausdrücke ›Ereignis‹ und ›Ursache‹ unbestimmt genug sind, um die Lehre, daß jedes Ereignis eine Ursache habe, mit dem physikalischen Indeterminismus vereinbar zu machen. Der physikalische Determinismus verlangt vollständige und unendlich genaue physikalische Vorherbestimmung ohne *jede* Ausnahme; der physikalische Indeterminismus behauptet nicht mehr als daß der Determinismus falsch ist, daß es da oder dort *wenigstens einige* Ausnahmen von der genauen Vorherbestimmung gibt.

Selbst die Formel ›Jedes beobachtbare oder meßbare *physikalische* Ereignis hat eine beobachtbare oder meßbare *physikalische* Ursache‹ ist noch mit dem physikalischen Indeterminismus vereinbar, einfach weil keine Messung unendlich genau sein kann: der springende Punkt beim physikalischen Determinismus ist ja, daß er auf der Grundlage der Newtonischen Dynamik die Existenz einer Welt von absoluter mathematischer Präzision behauptet. Und obwohl er damit über den Bereich der möglichen Beobachtung hinausgeht (was Peirce erkannte), ist er doch grundsätzlich mit jedem beliebigen Grad von Genauigkeit prüfbar; und er hat tatsächlich erstaunlich genaue Prüfungen bestanden.

Im Gegensatz dazu sagt die Formel ›Jedes Ereignis hat eine Ursache‹ nichts über die Genauigkeit; und wenn wir etwa die Gesetze der Psychologie betrachten, gibt es nicht einmal eine Andeutung von Präzision. Das gilt für eine ›behaviouristische‹ Psychologie so gut wie für eine ›introspektive‹ oder ›mentalistische‹. Für die mentalistische Psychologie ist das offensichtlich. Doch auch ein Behaviourist kann *bestenfalls* voraussagen, daß eine Ratte unter bestimmten Bedingungen 20–22 Sekunden braucht, um durch ein Labyrinth durchzukommen; es gibt für ihn keine Möglichkeit, durch Herstellung immer genauerer experimenteller Bedingungen immer genauere Voraussagen zu machen, die *prinzipiell unbegrenzt genau* wären. Das liegt daran, daß die behaviouristischen ›Gesetze‹ nicht, wie die der Newtonschen Physik, Differentialgleichungen sind, und weil jeder Versuch, solche Differentialgleichungen einzuführen, über den Behaviourismus hinaus in die Physiologie führen würde und damit letzten Endes in die Physik; wir würden also auf das Problem des *physikalischen Determinismus* zurückgeführt.

Wie Laplace bemerkte, folgt aus dem physikalischen Determinismus, daß jedes physikalische Ereignis in ferner Zukunft (oder in weiter Vergangenheit) mit jedem beliebigen Grad von Genauigkeit voraussagbar (oder rückwärts voraussagbar) ist, falls man nur genügend Kenntnisse über den gegenwärtigen Zustand der physikalischen Welt hat. Der philosophische (oder psychologische) Determinismus vom Schlage Humes behauptet andererseits selbst in seiner stärksten Fassung nicht mehr als daß jeder *beobachtbare* Unterschied zwischen zwei Ereignissen durch ein vielleicht noch unbekanntes Gesetz mit einem – vielleicht beobachtbaren – Unterschied im vorhergehenden Zustand der Welt zusammenhängt; das ist offensichtlich eine viel schwächere Behauptung, die man übrigens auch dann aufrechterhalten könnte, wenn die meisten Experimente, die unter *anscheinend* ›völlig gleichen‹ Bedingungen durchgeführt wurden, zu verschiedenen Ergebnissen führen würden. Das sprach Hume selbst deutlich aus. »Auch wenn diese entgegengesetzten Experimente völlig gleich sind«, so schreibt er, »lassen wir nicht den Begriff der Ursache und der Notwendigkeit fallen, sondern ... schließen, daß der [scheinbare] Zufall ... nur in ... unserem unvollkommenen Wissen liegt, nicht in den Dingen selbst, die in jedem Falle gleich notwendig [das heißt determiniert] sind, nur der Erscheinung nach nicht völlig gleichbleibend und sicher.«[15]

Daher fehlt einem Humeschen philosophischen Determinismus und noch mehr einem psychologischen Determinismus der Stachel des physikalischen Determinismus. Denn in der Newtonischen Physik sah es tatsächlich so aus, als wäre jede scheinbare Unbestimmtheit in einem System nur unserem Unwissen zuzuschreiben und würde verschwinden, wenn man vollständige Kenntnisse über das System hätte. Die Psychologie dagegen hatte nie diesen Charakter.

Der physikalische Determinismus, so könnte man rückblickend sagen, war ein Tagtraum der Allwissenheit, der mit jedem Fortschritt der Physik wirklicher zu werden schien, bis er zu einem scheinbar unausweichlichen Alptraum wurde. Doch die entsprechenden Tagträume der Psychologen waren nie mehr als Luftschlösser: es waren utopische Träume, es der Physik gleichzutun mit ihren mathematischen Methoden und ihren weitreichenden Anwendungen; vielleicht sogar sie zu übertreffen, indem man Menschen und Gesellschaften veränderte. (Diese totalitären Träume sind zwar wissenschaftlich nicht ernst zu nehmen, aber politisch sehr gefährlich [siehe besonders die Texte *23* und *24*, unten][16].

VI. Die Kritik des physikalischen Determinismus

Ich habe den physikalischen Determinismus einen Alptraum genannt. Das ist er, weil er die ganze Welt mit allem, was darinnen ist, zu einem riesigen Automaten erklärt und uns zu nichts als Rädchen oder bestenfalls kleinen Teilautomaten.

Damit zerstört er insbesondere den Gedanken des Schöpferischen. Er macht den Gedanken zu einer reinen Täuschung, ich hätte bei der Vorbereitung dieser Vorlesung mit meinem Gehirn *etwas Neues* geschaffen. Nach dem physikalischen Determinismus lag nicht mehr vor, als daß gewisse Teile meines Körpers schwarze Zeichen auf weißes Papier setzten: Jeder Physiker mit genügend genauen Informationen hätte meine Vorlesung einfach dadurch schreiben könne, daß er genau vorausgesagt hätte, wie im einzelnen das physikalische System aus meinem Körper (natürlich einschließlich des Gehirns und der Finger) und der Feder die schwarzen Zeichen hinsetzen würde.

Ein eindrücklicheres Beispiel ist vielleicht: Wenn der physikalische Determinismus recht hat, dann könnte ein völlig tauber Physiker, der nie einen Ton Musik gehört hat, sämtliche Sinfonien und Konzerte von Mozart und Beethoven schreiben, indem er einfach den genauen physikalischen Zustand ihres Körpers untersucht und voraussagt, wo sie schwarze Zeichen auf ihr liniertes Papier machen würden. Unser tauber Physiker könnte sogar noch mehr tun: durch hinreichend genaue Untersuchung des Körpers von Mozart und Beethoven könnte er Partituren schreiben, die Mozart und Beethoven nie tatsächlich geschrieben haben, nur weil dem bestimmte äußere Lebensumstände nicht günstig waren; die sie geschrieben hätten, wenn sie zum Beispiel Hammelfleisch statt Hühnerfleisch gegessen oder Tee statt Kaffee getrunken hätten.

All das könnte unser tauber Physiker tun, wenn er eine genügende Kenntnis der rein physikalischen Bedingungen hätte. Er brauchte die Musiktheorie nicht zu kennen – er könnte aber voraussagen, welche Antworten Mozart und Beethoven hingeschrieben hätten, wenn sie über die Theorie des Kontrapunkts geprüft worden wären.

Ich halte das alles für absurd[17]; die Absurdität wird, so scheint mir, noch offensichtlicher, wenn man diese Methode der physikalischen Voraussage auf einen Deterministen anwendet.

Denn nach dem Determinismus glaubt jemand an Theorien – etwa an den Determinismus – wegen einer bestimmten physikalischen Struktur etwa seines Gehirns. Wir täuschen uns also (und sind dazu physikalisch vorherbestimmt), wenn wir glauben, es gäbe so etwas wie Argumente oder Gründe, die uns an den Determinismus glauben machen. Oder mit anderen Worten, der physikalische Determinismus ist eine Theorie, über die man, wenn sie wahr ist, nicht argumentieren kann, denn sie führt alle unsere Reaktionen, auch das, was uns als auf

Argumente gegründete Überzeugung erscheint, auf *rein physikalische Bedingungen* zurück. Rein physikalische Bedingungen, zu denen unsere physikalische Umgebung gehört, veranlassen uns, zu sagen oder zu akzeptieren, was wir sagen oder akzeptieren; und ein fähiger Physiker, der kein Französisch kann und nie etwas vom Determinismus gehört hat, könnte voraussagen, was ein französischer Determinist auf Französisch in einer Diskussion über den Determinismus sagen würde, und natürlich auch, was sein indeterministischer Gegner sagen würde. Doch das bedeutet: wenn wir glauben, wir hätten eine Theorie wie den Determinismus wegen der logischen Kraft bestimmter Argumente angenommen, dann täuschen wir uns nach der Behauptung des physikalischen Determinismus; oder genauer: wir befinden uns in einem physikalischen Zustand, der uns dazu bestimmt, uns zu täuschen.

Hume erkannte davon vieles, aber er scheint nicht ganz erkannt zu haben, was das für seine eigenen Argumente bedeutet; denn er beschränkte sich darauf, den Determinismus *›unserer Urteile‹* mit dem *›unserer Handlungen‹* zu vergleichen, mit dem Ergebnis, daß *›wir nicht mehr Freiheit in dem einen oder dem anderen haben‹*[18].

Überlegungen wie diese sind vielleicht der Grund, warum sich so viele Philosophen nicht dem Problem des Determinismus stellen und es als ›Popanz‹ abtun[19]. Doch die Lehre, daß der *Mensch eine Maschine sei*, wurde höchst nachdrücklich und ernsthaft 1751 von de Lamettrie vertreten, lange bevor die Entwicklungstheorie sich allgemein durchsetzte; und die Entwicklungstheorie spitzte das Problem noch zu, indem sie behauptete, es gebe keinen klaren Unterschied zwischen lebender und toter Materie[20]. Und trotz des Sieges der neuen Quantentheorie und der Bekehrung so vieler Physiker zum Indeterminismus hat de Lamettries Lehre, der Mensch sei eine Maschine, heute vielleicht mehr Anhänger unter den Physikern, Biologen und Philosophen denn je, besonders in Form der These, der Mensch sei eine informationsverarbeitende Maschine[21].

Denn wenn man eine Entwicklungstheorie (etwa die Darwinische) annimmt, so kann man selbst dann, wenn man hinsichtlich der Theorie, daß das Leben aus anorganischer Materie entstanden sei, Zweifel hat, doch kaum bestreiten, daß es eine Zeit gegeben haben muß, zu der es abstrakte nichtphysikalische Gegenstände wie Gründe und Argumente und wissenschaftliche Erkenntnisse sowie abstrakte Regeln etwa für den Bau von Eisenbahnen oder Baggern oder Satelliten und schließlich Regeln etwa der Grammatik oder des Kontrapunkts nicht gab oder sie mindestens keine Wirkung auf die physikalische Welt ausübten. Man kann sich nur schwer vorstellen, wie die physikalische Welt abstrakte Gegenstände wie Regeln erzeugen und dann unter den Einfluß dieser Regeln geraten könnte, so daß diese Regeln ihrerseits sehr spürbare Wirkungen auf die physikalische Welt ausüben könnten. [Siehe Abschn. *III*, Text *4*, oben]

Es gibt aber mindestens einen Ausweg aus dieser Schwierigkeit, der das Problem vielleicht etwas umgeht, aber jedenfalls recht einfach ist. Man kann einfach bestreiten, daß es diese abstrakten Gegenstände gibt, und daß sie die physikalische Welt beeinflussen können. Man kann behaupten, daß es Gehirne gibt, und daß diese wie informationsverarbeitende Maschinen arbeiten; daß die angeblichen abstrakten Regeln physikalische Gegenstände seien, ganz wie die konkreten physikalischen Lochkarten, mit denen wir unsere Rechenmaschinen ›programmieren‹; und daß die Existenz von irgend etwas Nichtphysikalischem vielleicht nur ›eine Illusion‹, jedenfalls aber unwesentlich sei, weil alles wie gewöhnlich weitergehen würde, auch wenn es keine solchen Illusionen gäbe.

Bei diesem Ausweg brauchen wir uns über den ›psychischen‹ Status dieser Illusionen keine Gedanken zu machen. Sie könnten bei allen Gegenständen vorhanden sein; der Stein, den ich werfe, könnte die Illusion haben, daß er fliegt, genau wie ich die Illusion habe, daß ich ihn werfe; und meine Feder oder meine Rechenmaschine könnte die Illusion haben, daß sie aus Interesse an den Problemen tätig ist, die sie – und ich – zu lösen glaubt, während in Wirklichkeit nichts irgendwie Bedeutendes vor sich geht außer rein physikalischen Wechselwirkungen.

An alledem kann man erkennen, daß das Problem des physikalischen Determinismus, das Compton zu schaffen machte, wirklich ein ernstes Problem ist. Es ist nicht bloß ein philosophisches Rätsel, sondern es betrifft mindestens Physiker, Biologen, Behaviouristen, Psychologen und Informatiker.

Es ist zuzugeben, daß eine ganze Reihe von Philosophen (im Anschluß an Hume oder Schlick) zu zeigen versucht haben, es handle sich nur um ein verbales Problem bezüglich des Gebrauchs des Wortes ›Freiheit‹. Doch diese Philosophen haben kaum den Unterschied zwischen dem Problem des physikalischen und des philosophischen Determinismus gesehen; sie sind entweder Deterministen wie Hume, was erklärt, warum für sie ›Freiheit‹ ›bloß ein Wort‹ ist, oder sie haben nie engeren Kontakt mit den Naturwissenschaften oder der Informatik gehabt, was ihnen gezeigt hätte, daß man es mit mehr als einem bloß verbalen Problem zu tun hat.

VII. Der Indeterminismus genügt nicht

Wie Compton gehöre ich zu denen, die das Problem des physikalischen Determinismus ernst nehmen, und wie Compton glaube ich nicht, daß wir reine informationsverarbeitende Maschinen sind (obwohl ich bereitwillig zugebe, daß man eine Menge von ihnen lernen kann – auch über uns selbst). Ich bin also wie Compton ein *physikalischer Indeterminist*: der physikalische Indeterminismus ist für mich eine notwendige Voraussetzung für jede Lösung unseres Problems. Man muß Indeterminist sein; doch ich werde zu zeigen versuchen, daß das nicht genug ist.

Mit dieser Aussage, daß *der Indeterminismus nicht genügt*, bin ich nicht nur an einem neuen Punkt, sondern am Kern meines Problems angekommen.

Das Problem läßt sich folgendermaßen darstellen:

Wenn der Determinismus wahr ist, dann ist die ganze Welt eine fehlerlose, vollkommen gehende Uhr, einschließlich aller Wolken, Organismen, Tiere und Menschen. Ist andererseits die Peircesche oder die Heisenbergsche oder eine andere Form des Indeterminismus wahr, dann spielt der reine *Zufall* in unserer physikalischen Welt eine große Rolle. *Ist aber der Zufall wirklich befriedigender als der Determinismus?*

Das Problem ist wohlbekannt. Deterministen wie Schlick haben es so formuliert: »... Handelsfreiheit, Verantwortung und Zurechnungsfähigkeit reichen nur so weit, wie die Kausalität reicht; sie hören auf, wo der Zufall im Spiel ist ... ein höherer Grad von Zufälligkeit ... [bedeutet einfach] einen höheren Grad von Verantwortungslosigkeit.«[22]

Vielleicht kann ich diesen Gedanken Schlicks mit einem oben benützten Beispiel erläutern: daß die schwarzen Zeichen auf weißem Papier, die ich zur Vorbereitung dieser Vorlesung erzeugt habe, einfach ein Ergebnis des *Zufalls* seien, ist kaum befriedigender als zu sagen, sie seien physikalisch vorherbestimmt. Es ist sogar weniger befriedigend. Denn manche wären wohl durchaus bereit, zu glauben, der Text meiner Vorlesung sei im Prinzip vollständig erklärbar aus meinen physischen Erbanlagen, meiner physischen Umgebung einschließlich meiner Erziehung, der Bücher, die ich gelesen, und der Gespräche, an denen ich teilgenommen habe; doch kaum jemand würde glauben wollen, das, was ich vortrage, sei das Ergebnis reinen Zufalls – eine bloße Zufallsauswahl von Wörtern oder vielleicht Buchstaben, ohne jeden Zweck oder Plan, jede Überlegung oder Absicht zusammengestellt.

Den Gedanken, die einzige Möglichkeit neben dem Determinismus sei der reine Zufall, übernahm Schlick ebenso wie viele andere seiner Ansichten über diesen Gegenstand von Hume, der behauptete, ›das Aufgeben‹ dessen, was er ›physikalische Notwendigkeit‹ nannte, müsse stets zum *›Zufall‹* führen. »Da die Dinge entweder verknüpft sein müssen oder nicht, ... kann es zwischen Zufall und absoluter Notwendigkeit nichts geben.«[23]

Ich werde mich später gegen diese wichtige Lehre wenden, nach der es neben dem Determinismus nur den reinen Zufall gibt. Ich muß aber zugeben, daß sie für die quantentheoretischen Modelle zu gelten scheint, die man aufgestellt hat, um die Möglichkeit der menschlichen Freiheit zu erklären oder mindestens zu veranschaulichen. Dies scheint der Grund zu sein, warum diese Modelle so unbefriedigend sind.

Compton selbst stellte ein solches Modell auf, hatte es aber nicht besonders gerne. Es nimmt die quantentheoretische Unbestimmtheit und die Unvoraussagbarkeit eines Quantensprungs als Modell für eine wichtige menschliche Entscheidung. Es besteht aus einem Verstärker, der die Wirkungen eines einzelnen Quantensprungs so verstärkt, daß entweder eine Explosion hervorgerufen oder das Relais für ihre Zündung zerstört wird. So kann einem einzelnen Quantensprung eine weittragende Entscheidung entsprechen. Doch nach meiner Auffassung hat das Modell keinerlei Ähnlichkeit mit einer *vernünftigen Entscheidung*. Es ist viel eher ein Modell für eine Entscheidung, wo jemand, der sich nicht entscheiden kann, eine Münze wirft. Der ganze Verstärkermechanismus für den Quantensprung erscheint ziemlich überflüssig: wenn man eine Münze wirft und dementsprechend einen Hebel betätigt oder nicht, läuft es auf dasselbe hinaus. Und es gibt natürlich Rechenmaschinen mit Programmen zur Erzeugung von Zufallszahlen, die Münzenwürfen entsprechen.

Man kann vielleicht sagen, manche unserer Entscheidungen seien wirklich Münzenwürfen ähnlich: plötzliche Entscheidungen, die ohne Überlegung getroffen werden, da wir oft zur Überlegung nicht genug Zeit haben. Autofahrer oder Flugzeugführer müssen manchmal solche plötzliche Entscheidungen fällen; sind sie geübt, oder haben sie Glück, so kann das Ergebnis gut sein; anderenfalls eben nicht.

Ich gestehe zu, daß das Quantensprungmodell für solche plötzlichen Entscheidungen brauchbar sein kann; ich gestehe sogar zu, daß man sich vorstellen kann, daß so etwas wie eine Verstärkung eines Quantensprungs tatsächlich in unserem Gehirn vor sich geht, wenn wir eine plötzliche Entscheidung treffen. Aber sind solche plötzliche Entscheidungen wirklich so interessant? Sind sie für das menschliche Verhalten kennzeichnend – für das *vernünftige* menschliche Verhalten?

Ich glaube nicht; und ich glaube nicht, daß man mit den Quantensprüngen viel weiter kommt. Sie sind Beispiele, die die These von Hume und Schlick zu stützen scheinen, daß der reine Zufall die einzige Möglichkeit außer dem Determinismus sei. Zum Verständnis des vernünftigen menschlichen Verhaltens – und auch des Tierverhaltens – brauchen wir etwas *zwischen* reinem Zufall und reinem Determinismus – etwas zwischen vollkommenen Wolken und vollkommenen Uhren.

Humes und Schlicks ontologische These, es könne nichts zwischen Zufall und Determinismus eben, erscheint mir nicht nur als höchst dogmatisch (um nicht zu sagen doktrinär), sondern als eindeutig absurd; und sie ist nur verständlich unter der Annahme, daß sie an einen vollständigen Determinismus glaubten, in dem der Zufall nur als Zeichen unseres Nichtwissens einen Platz hat. (Doch auch dann erscheint sie mir noch als absurd, denn es gibt ja offenbar so etwas wie teilweises Wissen oder Nichtwissen.) Denn wir wissen, daß auch äußerst zuverlässige Uhren nicht ganz vollkommen sind, und Schlick (wenn nicht Hume) mußte wissen, daß das hauptsächlich auf Einflüsse wie die Reibung zurückzuführen ist – das heißt, auf statistische oder zufällige Einflüsse. Und wir wissen auch, daß unsere Wolken nicht vollkommen zufällig sind, denn man kann das Wetter oft ganz erfolgreich voraussagen, mindestens für kürzere Zeiträume.

VIII. Comptons Problem

Wir müssen also zu unserer alten Anordnung mit den Wolken auf der linken und den Uhren auf der rechten Seite zurückkehren, wo Tiere und Menschen einen Platz dazwischen einnehmen.

Doch auch dann (und es gibt einige Probleme zu lösen, ehe wir sagen können, diese Anordnung entspreche der heutigen Physik) auch dann haben wir bestenfalls erst Raum für unsere Hauptfrage geschaffen.

Wir möchten ja wissen, wie nichtphysikalische Dinge wie *Zwecke, Überlegungen, Pläne, Entscheidungen, Theorien, Absichten und Werte* physikalische Änderungen in der physikalischen Welt mit herbeiführen können. Daß das der Fall ist, scheint – gegen Hume, Laplace und Schlick – auf der Hand zu liegen. Es ist einfach nicht wahr, daß alle jene ungeheuren physikalischen Veränderungen, die stündlich von unseren Federn und Bleistiften oder unseren Baggern hervorgebracht werden, rein physikalisch erklärbar wären, sei es durch eine deterministische physikalische Theorie oder (durch eine stochastische Theorie) als zufallsbedingt.

Compton war sich dieses Problems sehr wohl bewußt, wie die folgende reizende Passage aus seinen Terry-Vorlesungen zeigt[24]:

»Vor einiger Zeit schrieb ich an die Verwaltung der Yale University, ich sei bereit, am 10. November um 17 Uhr eine Vorlesung zu halten. Man vertraute mir dermaßen, daß die Veranstaltung öffentlich angekündigt wurde, und die Zuhörer vertrauten dem so stark, daß sie sich zur angegebenen Zeit in dem Hörsaal einfanden. Doch man halte sich vor Augen, wie unwahrscheinlich es physikalisch war, daß ihr Vertrauen gerechtfertigt würde. In der Zwischenzeit mußte ich mich im Rahmen meiner Arbeit in die Rocky Mountains und in das sonnige Italien begeben. Ein phototroper Organismus [wie ich es zufällig bin, würde sich nicht leicht] ... von dort losreißen und sich in das kalte New Haven begeben. Es gab unendlich viele Möglichkeiten, wo ich mich in diesem Augenblick sonst hätte befinden können. Als physikalisches Ereignis betrachtet, wäre die Wahrscheinlichkeit, daß ich die Verabredung einhalten würde, unvorstellbar klein gewesen. Warum war trotzdem das Vertrauen der Zuhörer gerechtfertigt? ... Sie kannten meine Absicht, und diese sorgte dafür, daß ich da sein würde.«

Compton zeigt hier sehr schön, daß der bloße physikalische Indeterminismus nicht genügt. Sicherlich müssen wir Indeterministen sein; aber wir müssen auch versuchen, zu verstehen, wie Menschen und vielleicht auch Tiere von Dingen wie Zielen, Zwecken, Regeln oder Vereinbarungen ›beeinflußt‹ oder ›gesteuert‹ werden können.

Das also ist unser Hauptproblem[25].

Text *21*

Das Leib-Seele-Problem (1977)

I. Welt 3 und das Leib-Seele-Problem

Es ist die Grundannahme von *Das Ich und sein Gehirn*, daß die Überlegungen zu Welt 3 [siehe Text *4*, oben] neues Licht auf das Leib-Seele-Problem werfen können. Ich möchte kurz drei Argumente dafür vorbringen.

Das erste Argument lautet folgendermaßen:

(*1*) Gegenstände der Welt 3 sind abstrakt (noch abstrakter als physikalische Kräfte), aber nichtsdestoweniger wirklich; denn sie sind mächtige Werkzeuge zur Veränderung von Welt 1. (Ich möchte nicht behaupten, das sei der einzige Grund, sie wirklich zu nennen, auch nicht, daß sie nichts anderes als Werkzeuge sind.)

(*2*) Gegenstände der Welt 3 haben nur durch das Eingreifen des Menschen eine Wirkung auf Welt 1, durch das Eingreifen derer, die sie machen, ganz besonders dadurch, daß sie erfaßt werden; das ist ein Prozeß der Welt 2, ein psychischer Prozeß oder, noch deutlicher, ein Prozeß, bei dem Welt 2 und Welt 3 in Wechselwirkung treten.

(*3*) Wir müssen daher zugeben, daß sowohl Gegenstände der Welt 3 als auch die Prozesse der Welt 2 wirklich sind – auch wenn uns dieses Zugeständnis, etwa mit Rücksicht auf die große Tradition des Materialismus, nicht gefallen mag.

Ich glaube, das ist ein annehmbares Argument – obwohl es natürlich jedem frei steht, alle seine Voraussetzungen zu bestreiten. Er kann bestreiten, daß Theorien abstrakt sind, oder daß sie eine Wirkung auf Welt 1 haben, oder er kann fordern, abstrakte Theorien müßten die physikalische Welt direkt beeinflussen können. (Ich glaube allerdings, daß er einen schweren Stand haben wird, diese Ansichten zu verteidigen.)

Das zweite Argument beruht teilweise auf dem ersten. Wenn wir die Wechselwirkung der drei Welten zugeben und somit ihre Wirklichkeit, dann kann uns vielleicht die Wechselwirkung zwischen den Welten 2 und 3, die wir bis zu einem gewissen Grade verstehen, zu einem besseren Verständnis der Wechselwirkung zwischen den Welten 1 und 2 verhelfen, ein Problem, das zum Leib-Seele-Problem gehört.

Denn eine Art von Wechselwirkung zwischen den Welten 2 und 3 (›Erfassen‹) kann als ein Machen (*making*) von Gegenständen der Welt 3 und als ihr Passendmachen (*matching*) durch kritische Auslese interpretiert werden; ähnliches scheint für die visuelle Wahrnehmung eines Gegenstandes der Welt 1 zu gelten. Das bedeutet, daß wir Welt 2 als aktiv – als produktiv und kritisch (making and matching) betrachten sollen. Doch wir haben Grund zu der Annahme, daß auch einige unbewußte neurophysiologische Prozesse genau das erreichen. Dadurch ›versteht‹ man vielleicht etwas leichter, daß bewußte Prozesse auf ähnliche Weise ablaufen: es ist bis zu einem gewissen Maße ›verständlich‹, daß bewußte Prozesse ähnliche Aufgaben durchführen, wie sie die Nervenprozesse leisten.

Ein drittes Argument, das sich auf das Leib-Seele-Problem bezieht, hängt mit der Stellung der menschlichen Sprache zusammen.

Die Fähigkeit zum Erlernen einer Sprache – und auch das starke Bedürfnis, eine Sprache zu erlernen – ist anscheinend Teil der genetischen Ausstattung des Menschen. Im Gegensatz dazu ist das faktische Erlernen einer bestimmten Sprache, auch wenn es durch unbewußte angeborene Bedürfnisse und Motive beeinflußt ist, kein gengesteuerter Prozeß und daher kein natürlicher, sondern ein kultureller, ein durch Welt 3 gesteuerter Prozeß. Demnach ist das Erlernen einer Sprache ein Prozeß, in dem genetisch verankerte Dispositionen, durch natürliche Auslese entwickelt, sich etwas überlappen und mit bewußten Prozessen der Erforschung und des Lernens, die auf kultureller Evolution beruhen, in Wechselwirkung treten. Das stützt die These von der Wechselwirkung zwischen Welt 3 und Welt 1 und, im Hinblick auf unsere früheren Argumente, auch die Existenz von Welt 2.

Mehrere ausgezeichnete Biologen[1] haben die Beziehungen zwischen genetischer und kultureller Evolution behandelt. Die kulturelle Evolution, so könnte man sagen, setzt die genetische Evolution mit anderen Mitteln fort: mit Mitteln der Gegenstände von Welt 3.

Es wird oft und zu Recht gesagt, der Mensch sei ein werkzeugherstellendes Lebewesen. Das stimmt. Wenn mit Werkzeugen materielle physische Gegenstände gemeint sind, ist es allerdings von erheblichem Interesse festzustellen, daß keines der menschlichen Werkzeuge, nicht einmal ein Stock, genetisch determiniert ist. Das einzige Werkzeug, das eine genetische Grundlage zu haben scheint, ist die

Sprache. Sprache ist nicht-materiell und erscheint in den vielfältigsten physikalischen Formen – nämlich in Gestalt höchst verschiedener Systeme physikalischer Laute.

Es gibt Behavioristen, die nicht gern von ›Sprache‹ reden wollen, sondern nur von ›Sprechenden‹ dieser oder jener besonderen Sprache. Doch das bedeutet mehr als nur das. Alle normalen Menschen sprechen; und Sprechen ist für sie von größter Bedeutung, so sehr, daß sogar ein taubstummes und blindes kleines Mädchen wie Helen Keller sich rasch und mit Begeisterung einen Ersatz für das Sprechen schuf, einen Ersatz, durch den dieses Mädchen es zu wahrer Meisterschaft in der englischen Sprache und Literatur brachte. Physikalisch war ihre Sprache völlig verschieden vom gesprochenen Englisch; doch sie hatte eine eindeutige Entsprechung zum geschriebenen oder gedruckten Englisch. Ohne Zweifel hätte Helen Keller sich statt Englisch jede andere Sprache aneignen können. Ihr starkes, wenn auch unbewußtes Bedürfnis galt der Sprache – Sprache an sich.

Wie die Anzahl und die Unterschiede der verschiedenen Sprachen zeigen, sind sie Menschenwerk: Sie sind kulturelle Gegenstände der Welt 3, obwohl sie durch genetisch festgelegte Fähigkeiten, Bedürfnisse und Ziele ermöglicht werden. Jedes normale Kind erwirbt eine Sprache durch viel Übung, vergnügliche und vielleicht auch schmerzliche. Die damit verbundene intellektuelle Leistung ist außerordentlich. Diese Leistung hat natürlich einen starken Rückkoppelungseffekt auf die Persönlichkeit des Kindes, auf seine Beziehungen zu anderen Personen sowie auf seine Beziehungen zu seiner materiellen Umwelt.

Man kann also sagen, daß die Persönlichkeit des Kindes teilweise das Ergebnis seiner Leistungen ist. Es ist bis zu einem gewissen Grade selbst ein Produkt der Welt 3. In dem Maße, in dem die Beherrschung und die bewußte Auffassung der materiellen Umwelt des Kindes durch seine neu erworbene Sprachfähigkeit erweitert wird, erweitert sich auch das Bewußtsein seiner selbst. Das Ich, die Persönlichkeit, bildet sich in Wechselwirkung mit dem Ich anderer sowie mit den Erzeugnissen und Dingen seiner Umwelt. Das alles wird durch den Erwerb des Sprechens stark beeinflußt, besonders wenn das Kind sich seines Namens bewußt wird und lernt, seine Körperteile zu benennen; vor allem, wenn es lernt, Personalpronomina zu gebrauchen.

Ein vollkommen menschliches Wesen zu werden beruht auf einem Reifeprozeß, in dem der Spracherwerb eine außerordentliche Rolle spielt. Man lernt nicht nur wahrnehmen und seine Wahrnehmungen interpretieren, sondern auch eine Person, ein Ich sein. Ich halte die Ansicht, daß uns unsere Wahrnehmungen ›gegeben‹ sind, für falsch: Sie werden von uns ›gemacht‹, sie sind das Ergebnis aktiver Tätigkeit. Ich halte es ebenfalls für einen Irrtum, wenn man nicht sieht, daß das berühmte Descartessche Argument ›ich denke, also bin ich‹ Sprache voraussetzt sowie die Fähigkeit, das Pronomen zu gebrauchen (gar nicht zu reden von der Formulierung des höchst komplizierten Problems, das dieses Argument lösen soll). Wenn Kant [1787] annahm, daß der Gedanke ›ich denke‹ imstande sein muß, alle unsere Wahrnehmungen und Erlebnisse zu begleiten, hatte er anscheinend nicht an ein Kind (oder an sich selbst) in seiner vorsprachlichen oder vorphilosophischen Phase gedacht[2].

II. Der Materialismus und die autonome Welt 3

Wie zeigt sich Welt 3 vom materialistischen Standpunkt aus? Offensichtlich stellt die bloße Existenz von Flugzeugen, Flughäfen, Fahrrädern, Büchern, Plattenspielern, Gebäuden, Autos, Computern, Vorlesungen, Manuskripten, Gemälden, Skulpturen und Telefonen gar kein Problem für jeglichen Physikalismus oder Materialismus dar. Während das alles für den Pluralisten materielle Beispiele sind, Materialisationen von Gegenständen der Welt 3, hält sie der Materialist bloß für Teile von Welt 1.

Doch was ist mit den objektiven logischen Beziehungen, die zwischen Theorien (ob schriftlich fixiert oder nicht) bestehen, etwa der Unverträglichkeit, der wechselseitigen Ableitbarkeit, der teilweisen Überlappung etc? Der radikale Materialist ersetzt Gegenstände der Welt 2 (subjektive Erlebnisse) durch Hirnprozesse. Unter diesen sind Dispositionen für verbales Verhalten besonders wichtig: Disposition der Zustimmung oder Ablehnung, der Bestätigung oder Widerlegung oder der bloßen Überlegung – der Erprobung der Pros und Contras. Wie die meisten, die Gegenstände der Welt 2 akzeptieren (die ›Mentalisten‹), interpretieren Materialisten gewöhnlich die Gehalte der Welt 3 so, als handelte es sich um ›Vorstellungen in unserem Bewußtsein‹: Doch die radikalen Materialisten wollen darüber hinaus ›Vorstellungen in unserem Bewußtsein‹ – und somit auch Gegenstände der Welt 3 – als im Gehirn verankerte Dispositionen zu verbalem Verhalten interpretieren.

Doch weder der Mentalist noch der Materialist kann damit den Gegenständen der Welt 3 gerecht werden, insbesondere den Gehalten von Theorien und ihren objektiven logischen Beziehungen.

Gegenstände der Welt 3 sind nicht bloß ›Vorstellungen in unserem Bewußtsein‹, auch nicht Dispositionen des Gehirns für verbales Verhalten. Und es hilft nicht, wenn man diesen Dispositionen die Materialisationen der Welt 3 hinzufügt, wie schon im ersten Paragraphen dieses Abschnitts erwähnt. Denn nichts davon deckt sich angemessen mit dem *abstrakten* Charakter der Gegenstände von Welt 3, vor allem nicht mit den *logischen Beziehungen* zwischen ihnen[3].

Freges Buch *Grundgesetze* war beispielsweise schon geschrieben und bereits teilweise gedruckt, als er einem Brief Bertrand Russells entnehmen mußte, daß ein Selbstwiderspruch in seiner Grundannahme steckte. Dieser Selbstwiderspruch bestand objektiv seit Jahren. Frege hatte ihn nicht bemerkt: Er war nicht ›in seinem Bewußtsein‹. Russell bemerkte das Problem (im Zusammenhang mit einer ganz anderen Arbeit) erst, als Freges Manuskript schon abgeschlossen war. Es gab also seit Jahren eine Theorie Freges (und eine ähnliche, jüngere von Russell), die objektiv widersprüchlich war, ohne daß irgend jemand eine Ahnung davon hatte, oder ohne daß jemandes Gehirnzustand ihn dazu disponiert hätte, den Hinweis ernstzunehmen: ›Dieses Manuskript enthält eine widersprüchliche Theorie‹.

Ich fasse zusammen: Gegenstände der Welt 3, ihre Eigenschaften und Beziehungen können nicht auf Gegenstände der Welt 2 reduziert werden. Sie können auch nicht auf Hirnzustände oder Dispositionen reduziert werden; nicht einmal dann, wenn wir zugeben müßten, daß alle psychischen Zustände und Prozesse auf Hirnzustände und Hirnprozesse reduziert werden können. Das ist so, ungeachtet der Tatsache, daß wir Welt 3 als Produkt des menschlichen Bewußtseins ansehen können.

Russell hat die Unverträglichkeit nicht erfunden oder geschaffen, sondern *entdeckt.* (Er erfand oder schuf einen Weg, um zu zeigen oder zu beweisen, daß diese Unverträglichkeit bestand.) Wäre Freges Theorie nicht objektiv widersprüchlich gewesen, dann hätte er Russells Unverträglichkeits-Beweis nicht darauf anwenden und sich folglich nicht von ihrer Unhaltbarkeit überzeugen können. So war der Geistes- oder Bewußtseinszustand Freges (und zweifellos auch ein Gehirn-Zustand Freges) wenigstens teilweise die Folge der objektiven Tatsache, daß diese Theorie widersprüchlich war: Er war zutiefst erregt und erschüttert, als er diese Tatsache entdeckte. Das wiederum veranlaßte ihn zur Niederschrift der Worte (ein Vorgang der physikalischen Welt 1): »*Die Arithmetik ist ins Schwanken geraten*«. Es besteht also eine Wechselwirkung zwischen (*a*) dem physikalischen, oder teilweise physikalischen Vorgang, daß Frege einen Brief von Russell erhielt; (*b*) der bis dahin unbemerkten, objektiven Tatsache – die zu Welt 3 gehört –, daß eine Unverträglichkeit, ein Widerspruch, in Freges Theorie steckte; und (*c*) dem physikalischen oder teilweise physikalischen Vorgang, daß Frege einen Kommentar zur (Welt 3) Situation der Arithmetik schrieb.

Das sind einige der Gründe, warum ich Welt 1 nicht für kausal abgeschlossen halte, und warum ich behaupte, daß eine Wechselwirkung (wenn auch eine indirekte) zwischen Welt 1 und Welt 3 besteht. Für mich ist klar, daß diese Wechselwirkung durch psychische und teilweise bewußte Vorgänge der Welt 2 vermittelt ist.

Der Physikalist kann natürlich nichts davon zugeben.

Ich glaube, daß dem Physikalisten auch die Lösung eines anderen Problems verbaut ist: Er kann den höheren Funktionen der Sprache nicht gerecht werden.

Diese Kritik des Physikalismus bezieht sich auf die Analyse der Sprachfunktionen, die von meinem Lehrer, Karl Bühler, eingeführt wurde. Er unterschied drei Funktionen der Sprache: (*1*) die Ausdrucksfunktion, (*2*) die Signal- oder Auslösefunktion und (*3*) die Darstellungsfunktion. Ich habe Bühlers Theorie verschiedentlich behandelt [z.B. in Abschnitt *IV* von Text *4*, oben] und seinen drei Funktionen eine vierte hinzugefügt – (*4*) die argumentative Funktion. Nun habe ich andernorts[4] erwähnt, daß der Physikalist sich nur mit der ersten und zweiten dieser Funktionen auseinandersetzen kann. Daraus ergibt sich, daß der Physikalist, wenn er es mit den darstellenden und den argumentativen Funktionen der Sprache zu tun hat, immer nur die beiden ersten Funktionen sehen wird (die ja auch immer präsent sind), und zwar mit verheerenden Ergebnissen.

Um zu verstehen, worum es geht, muß die Theorie der Sprachfunktionen behandelt werden.

In Bühlers Analyse des Sprechaktes unterscheidet er zwischen dem *Sprecher* (oder dem *Sender*, wie ihn Bühler auch nennt) und der angesprochenen Person, dem *Zuhörer* (oder dem *Empfänger*). In bestimmten speziellen (›entarteten‹) Fällen kann der Empfänger fehlen, oder er kann mit dem Sender identisch sein. Die hier aufgeführten vier Funktionen (es gibt noch andere, wie Befehls-, Ermahnungs-, Ratgeberfunktionen – siehe auch John Austins ›performative Äußerungen‹[5]) beruhen auf Beziehungen zwischen (*a*) dem Sender, (*b*) dem

Empfänger, (*c*) anderen Dingen oder Vorgängen, die in entarteten Fällen identisch mit (*a*) oder (*b*) sein können. Ich habe eine Tabelle der Funktionen aufgestellt, in der die Funktionen in aufsteigender Rangfolge von tiefer stehenden zu höher stehenden angeordnet sind.

	Funktionen	Werte	
	(4) argumentative Funktion	Gültigkeit/ Ungültigkeit	Menschen
	(3) Darstellungs-Funktion	Falschheit Wahrheit	Menschen
vielleicht Bienen[6]	(2) Signal-Funktion	Wirksamkeit/ Unwirksamkeit	Menschen
Tiere, Pflanzen	(1) Ausdrucks-Funktion	auslösend nicht auslösend	Menschen

Zu dieser Tabelle können folgende Anmerkungen gemacht werden:

(*1*)Die Ausdrucksfunktion beruht auf einem nach außen gerichteten Ausdruck eines inneren Zustandes. In diesem Sinne ›drücken‹ selbst einfache Instrumente wie ein Thermometer oder eine Verkehrsampel ihre Zustände ›aus‹. Aber nicht nur Instrumente, auch Tiere (manchmal auch Pflanzen) drücken ihren inneren Zustand durch ihr Verhalten aus und natürlich auch Menschen. Eigentlich ist jede unserer Handlungen, nicht bloß der Sprachgebrauch, eine Form des Selbstausdrucks.

(*2*) Die Signalfunktion (Bühler nennt sie auch die ›Auslöse-Funktion‹) setzt die Ausdrucksfunktion voraus und steht daher auf einer höheren Stufe. Das Thermometer kann uns ›signalisieren‹, daß es sehr kalt ist. Die Verkehrsampel ist ein Signalinstrument (auch wenn sie stundenlang ohne Autoverkehr in Betrieb ist). Tiere, vor allem Vögel, geben Gefahrsignale von sich; sogar Pflanzen signalisieren (zum Beispiel an Insekten); und wenn unser Selbstausdruck (sprachlicher oder anderer) zu einer Reaktion bei einem Tier oder einem Menschen führt, dann können wir sagen, daß er als Signal verstanden wurde.

(*3*) Die Darstellungsfunktion der Sprache setzt die beiden niedereren Funktionen voraus. Was sie indes kennzeichnet, ist, daß sie über die Ausdrucks- und Kommunikationsfunktion (die zu ganz unwichtigen Aspekten einer Situation herabsinken können) hinaus Aussagen macht, die *wahr* oder *falsch* sein können: Damit werden die Werte der Wahrheit und Falschheit eingeführt. Wir können auch eine niedere

Hälfte der Darstellungsfunktion unterscheiden, bei der falsche Darstellungen jenseits des Abstraktionsvermögens des Lebewesens – der Biene? – liegen. Dazu gehört auch der Thermograph, denn er zeigt, solange er intakt ist, die Wahrheit an.

(*4*) Die argumentative Funktion fügt den drei niedereren Funktionen das Argument mit den Werten der *Gültigkeit* und *Ungültigkeit* hinzu.

Nun sind die Funktionen (*1*) und (*2*) in der menschlichen Sprache fast immer präsent; doch meist sind sie unwichtig, zumindest im Vergleich mit der darstellenden und der argumentativen Funktion.

Wenn sich jedoch der radikale Physikalist und der radikale Behaviorist mit der Analyse der menschlichen Sprache beschäftigen, können sie nicht über die ersten beiden Funktionen hinauskommen[7]. Der Physikalist wird eine physikalische Erklärung – eine kausale Erklärung – des Sprachphänomens zu geben versuchen. Das ist gleichbedeutend mit einer Interpretation der Sprache als Ausdruck des Zustandes des Sprechers und folglich alleine der Ausdrucksfunktion. Der Behaviorist hingegen wird sich auch mit dem sozialen Aspekt der Sprache beschäftigen – doch der wird im wesentlichen als etwas angesehen, was das Verhalten anderer berührt, als ›Kommunikation‹, um ein Modewort zu gebrauchen, als die Art, in der Sprecher untereinander auf ein ›Verbalverhalten‹ reagieren. Das läuft darauf hinaus, Sprache als Ausdruck und Kommunikation zu betrachten.

Doch die Folgen davon sind verheerend. Denn wenn die gesamte Sprache bloß für Ausdruck und Kommunikation gehalten wird, dann läßt man all das außer acht, was für die menschliche Sprache im großen Unterschied zur tierischen Sprache charakteristisch ist: Ihre Fähigkeit, wahre und falsche Aussagen zu machen und gültige und ungültige Argumente vorzubringen. Das wiederum hat zur Folge, daß der Physikalist nicht in der Lage ist, dem Unterschied zwischen Propaganda, verbaler Einschüchterung und rationaler Argumentation Rechnung zu tragen.

III. Der Epiphänomenalismus

Vom darwinistischen Standpunkt aus können wir über den Überlebenswert psychischer Prozesse nur spekulieren. Zum Beispiel könnten wir Schmerz als Warnsignal betrachten. Allgemeiner müssen Darwinisten ›das Bewußtsein‹, als psychische Prozesse und Dispositionen für psychische Handlungen und Reaktionen, wie ein körperliches Organ (vermutlich eng mit dem Gehirn verknüpft) betrachten, das sich unter dem Druck natürlicher Auslese entwickelt hat. Es funktioniert, indem es die Anpassung des Organismus unterstützt[8]. Der darwinistische Standpunkt muß der sein: Bewußtsein und, allgemeiner, die psychischen Prozesse sind als Produkt der Evolution aufgrund natürlicher Auslese anzusehen (und wenn möglich zu erklären).

Die darwinistische Auffassung braucht man insbesondere für ein Verständnis intellektueller Prozesse. Intelligente Handlungen sind an vorhersehbare Ereignisse angepaßte Handlungen. Sie beruhen auf Voraussicht, auf Erwartung, gewöhnlich auf Kurzzeit- *und* Langzeiterwartung sowie auf einem Vergleich der erwarteten Ergebnisse mehrerer möglicher Züge und Gegenzüge. Hier kommt die *Präferenz* ins Spiel und damit das Treffen von Entscheidungen, von denen viele instinkthaft verankert sind. Vielleicht gelangen so auch Emotionen in die Welt 2 der psychischen Prozesse und Erlebnisse, das erklärt vielleicht auch, warum sie manchmal ›bewußt werden‹ und manchmal nicht.

Die darwinistische Ansicht erklärt wenigstens teilweise auch das erstmalige Auftauchen einer Welt 3 mit den Produkten des menschlichen Geistes oder des Bewußtseins: die Welt der Werkzeuge, der Instrumente, der Sprachen, der Mythen und der Theorien. (Soviel können natürlich auch die zugestehen, die sich sträuben oder die zögern, Dingen wie Problemen und Theorien ›Realität‹ zuzuschreiben, oder jene, die Welt 3 als Teil von Welt 1 und/oder von Welt 2 ansehen.) Die Tatsache der kulturellen Welt 3 und der kulturellen Evolution kann unsere Aufmerksamkeit darauf lenken, daß es einen beachtlichen systematischen Zusammenhang innerhalb Welt 2 wie Welt 3 gibt, und daß das – teilweise – als das systematische Ergebnis von Selektionsdruck erklärt werden kann. Zum Beispiel kann die Evolution der Sprache wohl nur erklärt werden, wenn wir annehmen, daß selbst eine primitive Sprache im Kampf ums Überleben hilfreich ist, und daß die Emergenz der Sprache einen Rückkoppelungseffekt hat: Sprachliche Fähigkeiten stehen miteinander in Wettbewerb; sie werden nach ihrer biologischen Wirksamkeit ausgelesen, was wiederum zu einer höheren Stufe in der Evolution der Sprache führt.

Wir können das zu den folgenden vier Prinzipien zusammenfassen, von denen die ersten beiden, wie mir scheint, vor allem von denjenigen akzeptiert werden müssen, die zum Physikalismus oder Materialismus neigen.

(*1*) Die Theorie der natürlichen Auslese ist die einzige gegenwärtig bekannte Theorie, die die Emergenz zweckgerichteter Prozesse in der Welt und vor allem die Evolution der höheren Lebensformen erklären kann.

(*2*) Die natürliche Auslese hat es mit *physischem Überleben* (mit der Häufigkeitsverteilung konkurrierender Gene in einer Population) zu tun. Sie hat es demnach im wesentlichen mit der Erklärung der Wirkungen von Welt 1 zu tun.

(*3*) Wenn die natürliche Auslese die Emergenz der Welt 2 der subjektiven oder psychischen Erlebnisse erklären soll, muß die Theorie die Art und Weise erklären, in der die Evolution der Welt 2 (und der Welt 3) uns systematisch mit Instrumenten zum Überleben versieht.

(*4*) Jede Erklärung in Begriffen der natürlichen Auslese ist einseitig und unvollständig, denn sie muß stets das Vorhandensein vieler (und teilweise unbekannter) konkurrierender Mutationen und häufigen (teilweise unbekannten) Selektionsdruck annehmen.

Diese vier Prinzipien können kurz als der darwinistische Standpunkt bezeichnet werden. Ich werde hier zu zeigen versuchen, daß der darwinistische Standpunkt mit der gemeinhin ›Epiphänomenalismus‹ genannten Lehre in Widerspruch steht.

Der Epiphänomenalismus gibt die Existenz psychischer Vorgänge oder Erlebnisse zu – das heißt einer Welt 2 –, aber er behauptet, diese psychischen oder subjektiven Erlebnisse seien kausal unwirksame Nebenprodukte physiologischer Prozesse, die allein kausal wirksam sind. So kann der Epiphänomenalist das physikalistische Prinzip von der Abgeschlossenheit der Welt 1 zusammen mit der Existenz einer Welt 2 akzeptieren. Der Epiphänomenalist muß nun darauf bestehen, daß Welt 2 tatsächlich unbedeutend ist, daß nur physische Prozesse zählen: Wenn jemand ein Buch liest, dann ist es nicht entscheidend, daß es seine Meinung beeinflußt und ihm Information liefert. Das alles sind unwichtige Epiphänomene. Was zählt ist ausschließlich die Veränderung in seiner Gehirnstruktur, die auf seine Handlungs-Dispositionen einwirkt. Diese Dispositionen sind tatsächlich, so wird der Epiphänomenalist sagen, von größter Bedeutung für das Überleben: Und erst hier kommt der Darwinismus ins Spiel. Die subjektiven Erlebnisse des Lesens und Denkens sind da, aber sie spielen nicht die Rolle, die wir ihnen gewöhnlich zuschreiben. Was wir ihnen da fälschlich zuschreiben, ist vielmehr die Folge unseres Ungeschicks, zwischen unseren Erlebnissen und dem entscheidenden Einfluß des Lesens auf die dispositionellen Eigenschaften der Struktur des Gehirns zu unterscheiden. Die subjektiven erlebnismäßigen Aspekte unserer Wahrnehmungen während des Lesens zählen nicht; auch nicht die emotionalen Aspekte. Das alles ist zufällig, eher beiläufig als kausal.

Es ist klar, daß diese epiphänomenalistische Auffassung unbefriedigend ist. Sie gesteht die Existenz einer Welt 2 zu, macht ihr aber jegliche biologische Funktion streitig. Sie kann daher die Evolution der Welt 2 nicht in darwinistischen Begriffen erklären. Und sie ist gezwungen, die schlechthin wichtigste Tatsache zu leugnen – den ungeheuren Einfluß dieser Evolution (und der Evolution der Welt 3) auf Welt 1.

Ich halte dieses Argument für entscheidend.

Um es in biologischen Begriffen auszudrücken, es gibt mehrere, engverwandte Kontrollsysteme in höheren Organismen: das Immunsystem, das endokrine System, das Zentralnervensystem sowie das, was wir das ›mentale oder psychische System‹ nennen können. Es besteht kaum ein Zweifel, daß die beiden letzten Systeme eng miteinander verknüpft sind. Doch das sind die anderen auch, wenn auch vielleicht weniger eng. Das psychische System hat eindeutig seine evolutionäre und funktionelle Geschichte, und seine Funktionen haben mit der Evolution der niedereren zu den höheren Organismen zugenommen. Es muß folglich mit dem darwinistischen Standpunkt zusammengebracht werden. Doch das kann der Epiphänomenalismus nicht leisten.

Text 22

Das Ich (1977)

I. Vorstellungen vom Ich

Bevor ich mit meinen Bemerkungen über das Ich beginne, möchte ich klar und unzweideutig feststellen, daß ich davon überzeugt bin, daß es ein *Ich gibt.*

Diese Feststellung mag in einer Welt überflüssig erscheinen, in der die Überbevölkerung eines der größten sozialen und moralischen Probleme darstellt. Offensichtlich *gibt* es Menschen; und jeder von ihnen ist ein individuelles Ich, mit Gefühlen, Hoffnungen und Ängsten, Sorgen und Freuden, Furcht und Träumen, die wir nur erraten können, da sie ja nur dem einzelnen selbst bekannt sind.

Das alles ist fast zu offenkundig, um es zu erwähnen. Doch es muß gesagt werden. Denn einige große Philosophen haben es bestritten. David Hume war einer der ersten, der an der Existenz seines eigenen Ich zu zweifeln begann; und er hatte viele Nachfolger.

Hume kam zu dieser recht seltsamen Einstellung durch seine empirische Erkenntnistheorie. Er machte sich die alltagsverständliche Auffassung (die ich für falsch halte, [siehe Text *7,* Abschnitt *IV,* oben]) zu eigen, daß unser ganzes Wissen das Ergebnis von Sinneserfahrungen sei. (Dabei wird die ungeheure Menge an Wissen, die wir ererben und die in unsere Sinnesorgane und unser Nervensystem eingebaut ist, übersehen, unser Wissen nämlich, wie wir reagieren sollen, wie wir uns entwickeln und wie wir reifen[1].) Humes Empirismus brachte ihn zu der These, daß wir allein unsere Sinneseindrücke und die aus den Sinneseindrücken abgeleiteten ›Vorstellungen‹ erkennen können. Demgemäß argumentierte er, daß *wir keine Vorstellung des Ich haben können,* und daß es daher so etwas wie ein Ich nicht geben kann.

So wendet er sich in dem Abschnitt ›*Of Personal Identity*‹ seines *Treatise*[2] gegen »einige Philosophen, die denken, daß wir uns in jedem Augenblick dessen unmittelbar bewußt sind, was wir unser *ICH* nennen«; und er sagt von diesen Philosophen, daß »aber zum Unglück all diese Behauptungen im Widerspruch zu eben dieser Erfahrung stehen, die man zu ihrer Unterstützung anführt, denn wir haben ja keine Vorstellung vom *Ich* ... Denn von welchen Sinneseindrücken könnte diese Vorstellung abgeleitet werden? Es ist unmöglich, diese Frage ohne offensichtlichen Widerspruch und ohne Absurdität zu beantworten ...«.

Das sind starke Worte, und sie haben einen starken Eindruck auf die Philosophen gemacht: Von Hume bis in unsere Zeit gilt die Existenz eines Ich als höchst problematisch.

Aber Hume selbst vertrat in einem anderen Zusammenhang die Existenz des Ich ebenso nachdrücklich wie er sie hier bestreitet. So schreibt er in Buch II des *Treatise:*[3]

»Es ist evident, daß die Vorstellung oder vielmehr der Sinneseindruck von uns selbst uns immer unmittelbar gegenwärtig ist und daß unser Bewußtsein uns einen so lebendigen Begriff von unserer eigenen Person gibt, daß es gar nicht möglich ist, zu denken, daß irgend etwas darin darüber hinausgehen kann.«

Diese ausdrückliche Erklärung Humes läuft auf die gleiche Einstellung hinaus, die er in der berühmteren, zuvor zitierten negativen Stelle ›einigen Philosophen‹ zuschreibt, und die er dort nachdrücklich für offensichtlich widersprüchlich und absurd erklärt.

Es finden sich aber zahlreiche andere Stellen bei Hume, die die Vorstellung oder Idee des Ich, vornehmlich unter dem Namen ›Charakter‹ stützen. So lesen wir:[4]

»Es gibt auch Charaktere, die verschiedenen ... Personen eigen sind ... Die Kenntnis dieser Charaktere gründet sich auf die Beobachtung von typischen Handlungen, die wir auf den Charakter zurückführen ...«.

Humes offizielle Theorie (wenn ich sie so nennen darf) ist die, daß das Ich nichts anderes als die Gesamtsumme (das Bündel) seiner Erfahrungen ist. [Für eine Kritik dieser Theorie siehe Abschnitt *IV*, unten.] Er argumentiert – meiner Ansicht nach richtig –, daß die Rede von ›einem substantiellen‹ Ich uns nicht viel hilft. Doch er bezeichnet immer wieder Handlungen als etwas, das aus dem Charakter einer Person ›fließt‹. Meiner Meinung nach brauchen wir nicht mehr, um von einem Ich sprechen zu können.

Hume und andere nehmen an, daß wir, wenn wir vom Ich als einer Substanz sprechen, die Eigenschaften (und die Erlebnisse) des Ich ihm ›innewohnend‹ nennen könnten. Ich stimme denen zu, die diese Redeweise nicht für erhellend halten. Wir können freilich von ›unseren‹ Erlebnissen sprechen, indem wir das Possessivpronomen verwenden. Das scheint mir ganz natürlich, und braucht keinen Spekulationen über ein Besitzverhältnis Auftrieb zu geben. Ich kann von meiner Katze sagen, sie ›hat‹ einen starken Charakter, ohne zu meinen, daß diese Redeweise ein Besitzverhältnis ausdrückt (anders als wenn ich von ›meinem‹ Körper spreche). Manche Theorien – wie die Besitztheorie – sind in unserer Sprache verankert. Wir müssen jedoch die Theorien, die in unserer Sprache verankert sind, nicht als wahr hinnehmen, auch wenn diese Tatsache es schwermachen mag, sie zu kritisieren. Wenn wir zu dem Schluß kommen, daß sie ernstlich irreführend sind, sind wir zur Änderung des in Frage stehenden Aspektes unserer Sprache angehalten; ansonsten können wir ihn weiterverwenden und einfach im Auge behalten, daß er nicht zu buchstäblich genommen werden darf (zum Beispiel der ›Neu‹-Mond). Das alles sollte uns allerdings nicht davon abhalten, stets eine möglichst einfache Sprache zu gebrauchen.

II. Lernen ein Ich zu sein

In diesem Abschnitt lautet meine These, daß wir – das heißt unsere Persönlichkeit, unser Ich – in allen drei Welten verankert sind, vor allem aber in der Welt 3.

Es erscheint mir von erheblicher Bedeutung, daß wir nicht als Ich geboren werden, sondern daß wir lernen müssen, daß wir ein Ich haben; ja, wir müssen erst lernen, ein Ich zu sein. Bei diesem Lernprozeß lernen wir etwas über Welt 1, Welt 2 und vor allem über Welt 3.

Zur Frage, ob man sein Ich beobachten kann, wurde (von Hume, Kant, Ryle und vielen anderen) viel geschrieben. Ich halte die Frage für schlecht formuliert. Wir können – und das ist wichtig – ziemlich viel über unser Ich wissen; aber Wissen, wie ich schon erwähnt habe, beruht nicht immer (wie so viele glauben) auf Beobachtung. Sowohl vorwissenschaftliche Erkenntnis wie wissenschaftliches Erkennen beruhen weitgehend auf Handeln und auf Denken: auf Problemlösen. Beobachtungen spielen allerdings eine Rolle, doch diese Rolle besteht darin, uns Probleme zu stellen und uns zu helfen, unsere Annahmen auszuprobieren und auszumerzen.

Außerdem ist unser Beobachtungsvermögen primär auf unsere Umwelt gerichtet. Sogar bei Experimenten mit optischen Täuschungen[5] ist das, was wir beobachten, ein Umweltobjekt, und zu unserer Überraschung entdecken wir, daß es gewisse Eigenschaften zu haben *scheint*, während wir doch *wissen*, daß es sie nicht hat. Wir wissen das in einem Sinn von ›wissen‹, der zu Welt 3 gehört: wir haben gut getestete Theorien von Welt 3, die uns zum Beispiel sagen, daß sich ein gedrucktes Bild beim Betrachten physikalisch nicht verändert. Wir können sagen, daß das Hintergrundwissen, das wir anlagemäßig besitzen, eine wichtige Rolle dabei spielt, wie wir unsere Beobachtungserlebnisse interpretieren. Es ist auch durch Experimente gezeigt worden, daß einiges von diesem Hintergrundwissen kulturell erworben ist.[6]

Darum ist das Ergebnis gewöhnlich so mager, wenn wir versuchen, das Gebot ›Beobachte dich selbst!‹ zu erfüllen. Der Grund ist nicht in erster Linie eine gewisse Ungreifbarkeit des Ich (auch wenn, wie wir gesehen haben, Ryles Behauptung[7] sicher stimmt, daß es fast unmöglich ist, sich selbst, wie man ›jetzt‹ ist, zu beobachten). Denn auch wenn man aufgefordert wird, ›Beobachte das Zimmer, in dem du sitzst‹ oder ›Beobachte deinen Körper‹, ist das Ergebnis wahrscheinlich ebenfalls ziemlich mager.

Wie erlangen wir ein Wissen von uns selbst? Nicht durch Selbstbeobachtung, meine ich, sondern dadurch, daß man ein Ich wird, und daß man Theorien über sich selbst entwickelt. Lange bevor wir Bewußtsein und Kenntnis von uns selbst gewinnen, sind wir uns normalerweise anderer Personen, meist unserer Eltern, bewußt geworden. Es scheint so etwas wie ein angeborenes Interesse am menschlichen Gesicht zu geben. Experimente von R. L. Fanz[8] haben gezeigt, daß sogar sehr junge Säuglinge die schematische Darstellung eines Gesichts längere Zeit festhalten als eine ähnliche, doch ›bedeutungslose‹ Darstellung. Diese und andere Ergebnisse legen die Vermutung nahe, daß sehr junge Kinder ein Interesse an anderen Personen und eine Art von Verstehen anderer entwickeln. Ich nehme an, daß sich ein Bewußtsein des Ich durch das Medium anderer Personen zu entwickeln anfängt: Genau so, wie wir uns selbst im Spiegel sehen lernen, so wird sich das Kind dadurch seiner selbst bewußt, daß es sein Spiegelbild im Spiegel des Bewußtseins, das andere von ihm haben, spürt. (Ich bin sehr kritisch gegenüber der Psychoanalyse, doch es scheint mir, daß Freuds Betonung des prägenden Einflusses sozialer Erlebnisse in der frühen Kindheit richtig war.) Ich möchte zum Beispiel behaupten, daß es ein Teil dieses Lernprozesses ist, wenn das Kind lebhaft versucht, ›die Aufmerksamkeit auf sich zu lenken‹. Es scheint, daß Kinder und vielleicht Primitive ein ›animistisches‹ oder ›hylozoistisches‹ Stadium durchleben, in dem sie dazu neigen, einen physikalischen

Körper für beseelt zu halten, für eine Person[9] – bis diese Theorie durch die Passivität des Dings widerlegt wird.

Ein wenig anders ausgedrückt: das Kind lernt, seine Umwelt zu erkennen; Personen aber sind die wichtigsten Dinge in seiner Umwelt; und durch deren Interesse an ihm – und dadurch, daß es etwas über seinen eigenen Körper lernt – lernt es mit der Zeit, daß es selbst eine Person ist.

Das ist ein Prozeß, dessen spätere Stadien stark von der Sprache abhängen. Doch noch bevor das Kind eine Sprache beherrschen lernt, lernt es, bei seinem Namen gerufen und gelobt oder getadelt zu werden. Und da Lob und Tadel weitgehend kultureller Art oder etwas der Welt 3 Zugehöriges sind, kann man sogar sagen, daß die sehr frühe und anscheinend angeborene Reaktion des Kindes auf ein Lächeln bereits den primitiven vorsprachlichen Beginn seiner Verwurzelung in Welt 3 darstellt.

Um ein Ich zu sein, muß man viel lernen; insbesondere das Zeitgefühl, daß man sich in die Vergangenheit (wenigstens in das ›Gestern‹) und in die Zukunft (wenigstens in das ›Morgen‹) erstreckt. Doch das setzt *Theorie* voraus, zumindest in der rudimentären Form der Erwartung[10]: Es gibt kein Ich ohne theoretische Orientierung, sowohl in einem primitiven Raum, als auch in einer primitiven Zeit. Das Ich ist also teilweise das Ergebnis der aktiven Erkundung der Umwelt und des Erfassens eines üblichen Zeitablaufs, der auf dem Tag- und Nacht-Zyklus beruht. (Das ist zweifellos bei Eskimokindern anders.)[11]

Der Schluß aus alledem ist, daß ich mich der Theorie des ›reinen Ich‹ nicht anschließen kann. Der philosophische Begriff ›rein‹ geht auf Kant zurück und meint etwas wie ›vor der Erfahrung liegend‹ oder ›frei von (der Vermengung mit) Erfahrung‹; und so meint auch der Begriff ›reines Ich‹ eine Theorie, die ich für falsch halte: daß das Ich der Erfahrung vorausging, so daß alle Erlebnisse von Anfang an von dem Descartesschen und Kantischen ›Ich denke‹ (oder vielleicht ›Ich denke gerade‹, jedenfalls von einer Kantischen ›reinen Apperzeption‹) begleitet waren. Dagegen behaupte ich, daß ein Ich zu sein teils das Ergebnis angeborener Dispositionen und teils das Ergebnis von Erfahrungen ist, besonders sozialer Erfahrungen. Das neugeborene Kind hat viele angeborene Handlungs- und Reaktionsweisen und viele angeborene Tendenzen zur Entfaltung neuer Reaktionen und neuer Aktivitäten. Unter diesen Tendenzen ist auch die Tendenz, sich zu einer ihrer selbst bewußten Person zu entwickeln. Aber um das zu erreichen, muß viel geschehen. Ein in sozialer Isolation aufgewachsenes Kind wird kein volles Bewußtsein seiner selbst erlangen.[12]

Ich behaupte also, daß nicht nur Wahrnehmung und Sprache – aktiv – erlernt werden müssen, sondern auch noch die Aufgabe, eine Person zu sein; und ich behaupte ferner, daß das nicht nur einen engen Kontakt mit der Welt 2 anderer Personen, sondern auch einen engen Kontakt mit der Welt 3 der Sprache und der Theorien, etwa einer Theorie der Zeit (oder etwas Entsprechendes) einschließt.[13]

Was würde mit einem Kind geschehen, das ohne *aktive* Teilnahme an sozialen Beziehungen, ohne andere Menschen und ohne Sprache aufwächst? Einige solcher tragischen Fälle sind bekannt. Als indirekte Antwort auf diese Frage möchte ich auf einen Bericht von Eccles über ein sehr wichtiges Experiment von R. Held und A. Hein hinweisen, das die Erlebnisse eines aktiven und eines unaktiven Kätzchens vergleicht. Das unaktive Kätzchen lernt nichts. Ich glaube, das gleiche muß mit einem Kind geschehen, das von einem aktiven, tätigen Erleben in der sozialen Welt ausgeschlossen wird.[14]

Darüber gibt es eine äußerst interessante neuere Untersuchung. Wissenschaftler der Universität von Berkeley (California) arbeiteten mit zwei Gruppen von Ratten, von denen die eine Gruppe in einer reichhaltigen Umgebung, die andere in einer ärmlichen Umgebung lebte. Die erste wurde in einem großen Käfig gehalten, in sozialen Gruppen zu zwölft, mit einer Auswahl von täglich neuem Spielzeug. Die andere Gruppe lebte einzeln in Standardlaborkäfigen. Das wichtigste Ergebnis war, daß die Tiere, die in einer reichhaltigen Umgebung lebten, eine schwerere Gehirnrinde hatten als die aus der ärmlichen Umgebung. Es erwies sich, daß das Gehirn durch Aktivität, dadurch also, daß Probleme aktiv zu lösen waren, wächst.[15] (Der Zuwachs bestand in einer Wucherung von Dendriten an Rinden- und Gliazellen.)

III. Die biologische Funktion bewußter und intelligenter Tätigkeit

Ich schlage vor, die Evolution des Bewußtseins und bewußter intelligenter Anstrengung, dann die Evolution der Sprache und des Denkens – und der Welt 3 – teleologisch zu betrachten, so wie wir auch die Evolution körperlicher Organe teleologisch betrachten, nämlich als bestimmten Zwecken dienend und als etwas, was sich unter bestimmten Selektionsdrucken entwickelt hat. [Vergleiche Abschnitt *III* des vorhergehenden Textes.]

Das Problem kann folgendermaßen formuliert werden. Ein Großteil unseres zweckgerichteten Verhaltens und vermutlich auch des zweckgerichteten Verhaltens von Tieren vollzieht sich ohne Einmischung des Bewußtseins.[16] Welche biologischen Leistungen werden dann aber vom Bewußtsein unterstützt?

Ich schlage als eine erste Antwort vor: die Lösung von *Problemen nicht-routinemäßiger Art.* Probleme, die durch Routine gelöst werden, erfordern kein Bewußtsein. Das erklärt, warum intelligentes Sprechen (oder noch besser Schreiben) ein so gutes Beispiel für eine bewußte Leistung ist (natürlich hat diese unbewußte Wurzeln). Wie oft hervorgehoben wurde, ist es eines der Kennzeichen menschlicher Sprache, daß wir fortlaufend neue *Sätze* produzieren – nie zuvor formulierte Sätze – und daß wir sie verstehen. Im Gegensatz zu dieser größeren Leistung benutzen wir fortgesetzt *Worte* (und natürlich Phoneme), die routinemäßig immer wieder verwendet werden, wenn auch in einem höchst vielfältigen Zusammenhang. Wer fließend spricht, produziert die meisten Worte unbewußt, ohne ihnen Aufmerksamkeit zu schenken, ausgenommen da, wo die Wahl des besten Wortes ein Problem darstellt – ein neues Problem, das nicht durch Routine zu lösen ist. »Tatsache ist nur, daß *Neu*situationen und die auf sie folgenden *Neu*reaktionen im Lichte des Bewußtseins stehen«, schreibt Erwin Schrödinger, »alteingeübte dagegen nicht mehr.«[17]

Eine ganz ähnliche Vorstellung von der Funktion des Bewußtseins ist die folgende: Bewußtsein ist nötig, damit neue Ansichten oder Theorien kritisch ausgelesen werden – wenigstens auf einer gewissen Abstraktionsstufe. Wenn irgendeine Ansicht oder Theorie unter bestimmten Bedingungen unverändert erfolgreich ist, dann wird ihre Anwendung nach einer gewissen Zeit zu einer Routineangelegenheit und unbewußt. Ein unerwartetes Ereignis aber zieht die Aufmerksamkeit auf sich und regt damit Bewußtsein an. Wir merken das Tikken einer Uhr oft gar nicht, aber wir ›hören‹, wenn sie aufhört zu tikken.

Wir können natürlich nicht wissen, inwieweit Tiere bewußt sind. Aber etwas Neuartiges kann auch ihre Aufmerksamkeit erregen, oder genauer, es kann ein Verhalten hervorrufen, das viele wegen seiner Ähnlichkeit mit menschlichem Verhalten als ›Aufmerksamkeit‹ beschreiben und als bewußt deuten.

Aber die Rolle des Bewußtseins ist vielleicht da am klarsten, wo ein Ziel oder Zweck (vielleicht nur ein unbewußtes oder instinktives Ziel oder ein instinktiver Zweck) durch *alternative Mittel* erreicht werden kann und wenn zwei oder mehrere Mittel nach reiflicher Überlegung ausprobiert werden. Das ist ein Fall einer neuen Entscheidung. Der klassische Fall ist natürlich Köhlers Schimpanse ›Sultan›, der einen Bambusstock in einen anderen steckte, um nach vielen Versuchen das Problem zu lösen, eine außer seiner Reichweite liegende Frucht zu erreichen: eine Umwegstrategie beim Problemlösen. Eine ähnliche Situation ist die Wahl eines Programms außerhalb der Routine oder eines neuen Ziels, wie der Entschluß, die Einladung zu einer Vorlesung außer den vielen vorliegenden Arbeiten anzunehmen oder nicht anzunehmen. Die Zusage und der Eintrag in den Terminkalender sind Gegenstände der Welt 3, die unser Handlungsprogramm festlegen; und die allgemeinen Prinzipien, die wir vielleicht für die Zu- oder Absage solcher Einladungen entwickelt haben, sind ebenfalls Programme, die auch zu Welt 3 gehören, wenn auch womöglich auf einer höheren hierarchischen Stufe.

IV. Die integrative Einheit des Bewußtseins

Vom biologischen Standpunkt aus ist es, besonders im Fall höherer Tiere, der individuelle Organismus, der um sein Dasein kämpft, sich entspannt, neue Erfahrungen und Fertigkeiten erwirbt, der leidet und endlich stirbt. Bei höheren Tieren ›integriert‹ (um Sherringtons Ausdruck zu verwenden[18]) das Zentralnervensystem alle Aktivitäten des einzelnen Tieres und, wenn ich so sagen darf, all seine ›Passivitäten‹, die *einige* ›Reflexe‹ einschließen. Sherringtons berühmte Theorie von »der einheitstiftenden Tätigkeit des Nervensystem« wird vielleicht am besten durch die zahllosen Nervenvorgänge veranschaulicht, die zusammenwirken müssen, damit ein Mensch ruhig aufrecht stehen kann.

Sehr viele dieser integrativen Vorgänge oder Tätigkeiten laufen automatisch und unbewußt ab. Einige jedoch nicht. Zu diesen gehört vor allem die Wahl der Mittel für bestimmte, oft unbewußte Zwecke; also das Fällen von Entscheidungen, die Auswahl der Programme.

Das Entscheiden oder Programmieren ist zweifellos eine biologisch wichtige Funktion jener Instanz, die das Verhalten von Tieren oder Menschen regelt oder kontrolliert. Es ist im wesentlichen eine einheitstiftende Tätigkeit im Sinne Sherringtons: Es verbindet das Verhalten in verschiedenen Augenblicken mit Erwartungen oder Absichten, oder anders gesagt: Es stellt eine Beziehung her zwischen gegenwärtigem Verhalten und bevorstehendem oder zukünftigem Verhalten. Und es leitet die Aufmerksamkeit dadurch, daß es auswählt, was wichtig ist und was zu vernachlässigen ist.

Meine erste Vermutung ist, daß das Bewußtsein aus vier biologischen Funktionen hervorgeht: aus Schmerz, Lust, Aufmerksamkeit und Erwartung. Vielleicht entsteht Aufmerksamkeit aus primitiven Erlebnissen von Schmerz und Vergnügen. Aber Aufmerksamkeit ist als Phänomen fast identisch mit dem Bewußtsein: Selbst Schmerzen können manchmal verschwinden, wenn die Aufmerksamkeit abgelenkt und auf etwas anderes gerichtet wird.

Die Frage erhebt sich: Inwieweit können wir die individuelle Einheit unseres Bewußtseins oder unseres Ichseins durch die biologische Situation erklären? Also durch den Hinweis auf die Tatsache, daß wir Lebewesen sind, Tiere, in denen sich sowohl der Instinkt für individuelles Überleben als auch natürlich ein Instinkt für kollektives Überleben entwickelt haben.

Konrad Lorenz schreibt über den Seeigel: »Der Mangel einer höheren Kommandostelle macht es für solche Wesen unmöglich, eine von mehreren potentiell möglichen Verhaltensweisen total unter Hemmung zu setzen und sich zu einer anderen zu ›entschließen‹. Eben dies ist aber, wie Erich von Holst am Regenwurm so überzeugend demonstriert hat, die ursprünglichste und wichtigste Leistung eines ›gehirnähnlichen‹ Zentrums.«[19] Dazu muß die entsprechende Situation dem zentralen Organ auf eine gemäße Weise signalisiert werden (das heißt sowohl in realistischer als auch – durch Unterdrückung der unwichtigen Aspekte der Situation – in idealisierender Weise). So muß ein einheitliches Zentrum einige der möglichen Verhaltensweisen hemmen und nur jeweils eine einzige Verhaltensweise zum Zuge kommen lassen: eine Verhaltensweise, so sagt Lorenz, »die unter den augenblicklich obwaltenden Umständen ihre Arterhaltungsleistung entfalten kann ... Je mehr Verhaltensmöglichkeiten einem Wesen zur Verfügung stehen, desto vielseitigere und ›höhere‹ Leistungen werden naturgemäß von dem sie gewissermaßen verwaltenden Zentralorgan gefordert.«

(*1*) Der individuelle Organismus – das Lebewesen – ist also eine Einheit;

(2) jede der verschiedenen Verhaltensweisen – d.h. die einzelnen

Bestandteile des Verhaltensrepertoires – ist eine Einheit, während das gesamte Repertoire eine Gruppe sich gegenseitig ausschließender Alternativen bildet;

(*3*) das zentrale Kontrollorgan muß als eine Einheit wirken (oder vielmehr, es wird als solche erfolgreicher sein).

Diese drei Punkte zusammen, (*1*), (*2*) und (*3*), machen selbst aus einem Tier einen aktiven, problemlösenden *Handlungsträger.* Das Tier versucht stets aktiv seine Umwelt zu kontrollieren, entweder in einem positiven Sinn oder, wenn es ›passiv‹ ist, in einem negativen Sinn. Im letzteren Fall unterwirft es sich den Einwirkungen einer (oft feindlichen) Umwelt, die weitgehend außerhalb seiner Kontrolle liegt; oft hat es nur die Möglichkeit, diese zu erleiden. Doch selbst wenn es sich nur betrachtend verhält, ist es aktiv betrachtend. Es ist niemals nur die Summe seiner Eindrücke oder seiner Erlebnisse. Unser Bewußtsein (und ich wage zu sagen, auch das Bewußtsein der Tiere) ist niemals nur ein ›Bewußtseinsstrom‹, ein Strom von Erlebnissen. Unsere aktive Aufmerksamkeit ist vielmehr in jedem Augenblick genau auf die wesentlichen Aspekte der Situation gerichtet, die durch unseren Wahrnehmungsapparat, dem ein Selektionsprogramm einverleibt ist, ausgewählt und abstrahiert werden; ein Programm, das dem uns verfügbaren Repertoire von Verhaltensreaktionen angepaßt ist.

Bei der Besprechung Humes [Abschnitt *I*, oben] stießen wir auf die Auffassung, daß es kein Ich außerhalb des Stroms unserer Erlebnisse gibt, so daß das Ich nichts als ein Bündel von Erlebnissen darstellt. Diese Theorie halte ich nicht nur für unwahr, sondern durch die Experimente von Penfield[20] eigentlich für widerlegt. Penfield stimulierte in seinen Patienten, was er als die ›interpretierende Hirnrinde‹ des freigelegten Gehirns bezeichnete und konnte sie so einige ihrer vergangenen Erfahrungen höchst lebendig wiedererleben lassen. Trotzdem behielten die Patienten ganz das Bewußtsein bei, daß sie auf dem Operationstisch in Montreal lagen. Ihr Selbstbewußtsein wurde nicht von den wachgerufenen Wahrnehmungserlebnissen, sondern vom momentanen Standort bestimmt.

Die Bedeutung dieses Standorts (der Frage ›Wo bin ich?‹ beim Zusichkommen nach einem Anfall) ist etwas, ohne das wir nicht zusammenhängend handeln können. Daß wir wissen wollen, wo wir in Raum und Zeit sind, daß wir uns auf unsere Vergangenheit und die unmittelbare Zukunft mit ihren Zielen und Zwecken beziehen und daß wir versuchen, uns im Raum zu orientieren, ist Teil unserer Ich-Identität.

Das ist von einem biologischen Standpunkt aus alles gut verständlich. Das Zentralnervensystem hatte von Anfang an die Hauptfunktion, den sich bewegenden Organismus zu *steuern* oder zu *leiten.* Das Wissen um seinen Standort (die Lage seines Körperbildes) im Verhältnis zu den biologisch bedeutsamsten Aspekten der Umwelt ist eine unerläßliche Vorbedingung für diese Leitfunktion des Zentralnervensystems. Eine andere derartige Vorbedingung ist die zentralisierte Einheit des Steuerorgans, des Entscheidungsträgers, der, nach Möglichkeit, einige seiner Aufgaben auf eine hierarchisch niedere Verantwortungsstufe, auf einen der vielen unbewußten einheitschaffenden Mechanismen abwälzt. Zu diesen abgeschobenen Aufgaben gehören nicht nur exekutive Aufgaben (etwa die, die Körperbalance aufrecht zu erhalten), sondern auch der Informationserwerb: Information wird selektiv gefiltert, bevor sie zum Bewußtsein zugelassen wird[21]. Ein Beispiel dafür ist die Auslese der Wahrnehmung; ein anderes die Selektivität des Gedächtnisses.

Ich glaube nicht, daß das, was ich hier oder in den vorangegangenen Abschnitten gesagt habe, irgendein Geheimnis enthüllt; aber ich glaube, daß wir weder die Individualität noch die Einheit oder die Einmaligkeit des Ich oder unsere persönliche Identität für geheimnisvoll halten müssen; jedenfalls nicht für geheimnisvoller als die Existenz des Bewußtseins, die Existenz des Lebens und der individualisierten Organismen. Die Emergenz eines vollen, der Selbstreflexion fähigen Bewußtseins, das anscheinend mit dem menschlichen Gehirn und der Darstellungsfunktion der Sprache verbunden ist, ist eigentlich eines der größten Wunder. Wenn wir aber auf die lange Entwicklung der Individuation und der Individualität blicken, auf die Entwicklung eines Zentralnervensystems und auf die Einmaligkeit der Individuen (teils aufgrund genetischer Einmaligkeit, teils wegen der Einmaligkeit ihrer Erfahrung), dann erscheint die Tatsache, daß Bewußtsein, Intelligenz und Einheit mit dem biologischen individuellen Organismus (statt etwa mit dem Keimplasma) gekoppelt sind, nicht so überraschend. Denn es liegt am individuellen Organismus, ob das Keimplasma – das Genom, das Programm für das Leben – den Prüfungen standhält.

Teil *IV*

Sozialphilosophie

Text *23*

Der Historizismus (1936)

I. Die Methoden der Sozialwissenschaften

Die wissenschaftliche Beschäftigung mit sozialen und politischen Fragen ist kaum jünger als das wissenschaftliche Interesse an Kosmologie und Physik. Es gab in der Antike sogar Zeiten (ich denke da an Platons Theorie der Politik und die Sammlung von Verfassungen, die Aristoteles anlegte), da man hätte meinen können, daß die Sozialwissenschaft größere Fortschritte gemacht habe als die Naturwissenschaft. Doch mit Galilei und Newton errang die Physik ganz unerwartete Erfolge und übertraf alle anderen Wissenschaften, und seit Pasteur, dem Galilei der Biologie, sind die biologischen Wissenschaften fast ebenso erfolgreich. Die Sozialwissenschaften aber haben, wie es scheint, ihren Galilei noch immer nicht gefunden.

Dieser Sachlage entsprechend sind die Wissenschaftler, die in den einzelnen Sozialwissenschaften arbeiten, stark mit Methodenfragen beschäftigt und orientieren sich bei der Diskussion dieser Probleme oft an den Methoden der erfolgreicheren Wissenschaften, insbesondere der Physik. So führte etwa ein bewußter Versuch, die experimentellen Methoden der Physik nachzuahmen, die Generation Wilhelm Wundts zu einer Reform der Psychologie; so wie seit Mill wiederholt versucht worden war, in ähnlicher Richtung die Methode der Sozialwissenschaften zu reformieren. In der Psychologie haben diese Reformbestrebungen möglicherweise ein gewisses Maß an Erfolg gezeitigt, wenn es auch sehr viele Enttäuschungen gegeben hat. In den theoretischen Sozialwissenschaften, mit Ausnahme der Wirtschaftswissenschaft, ist bei diesen Versuchen überhaupt wenig mehr herausgekommen als Enttäuschung. Wenn man diese Mißerfolge diskutierte, erhob sich bald die Frage, ob die Methoden der Physik denn überhaupt auf die Sozialwissenschaften anwendbar seien. War nicht vielleicht gerade der hartnäckige Glaube an die Anwendbarkeit dieser Methoden die Ursache des vielbeklagten Zustands dieser Forschungsgebiete?

Diese Frage legt eine einfache Klassifikation der Richtungen nahe, die sich mit den Methoden der weniger erfolgreichen Wissenschaften beschäftigen. Je nach ihrer Haltung in der Frage der Anwendbarkeit der physikalischen Methoden können wir diese Richtungen in *pronaturalistische* und *antinaturalistische* einteilen: wir bezeichnen eine Richtung als ›pronaturalistisch‹ oder ›positiv‹, wenn sie die Anwendung physikalischer Methoden in den Sozialwissenschaften befürwortet, und als ›antinaturalistisch‹ oder ›negativ‹, wenn sie sich gegen die Verwendung dieser Methoden wendet.

Ob ein Methodologe antinaturalistische oder pronaturalistische Doktrinen oder etwa eine Kombination aus beiden Arten vertreten wird, wird weitgehend von seinen Ansichten über den Charakter der betreffenden Wissenschaft und den Charakter ihrer Gegenstände abhängen. Doch wird seine Haltung auch durch seine Auffassung von den Methoden der Physik bedingt sein. Diesen Punkt halte ich wohl für den allerwichtigsten; und ich vermute, daß die entscheidenden Fehler in den meisten methodologischen Diskussionen aus einigen sehr weitverbreiteten Mißverständnissen bezüglich der Methoden der Physik entstehen. Insbesondere entstehen sie meiner Ansicht nach aus einer Fehlinterpretation der logischen Form physikalischer Theorien, der auf diese anzuwendenden Prüfungsmethoden sowie der logischen Funktion der Beobachtung und des Experiments in der Physik[1]. Ich behaupte, daß diese Mißverständnisse schwerwiegende Folgen haben, daß verschiedene und einander manchmal entgegengesetzte Argumentationen und Theorien sowohl antinaturalistischer als auch pronaturalistischer Art tatsächlich auf einem Mißverständnis bezüglich der Methoden der Physik beruhen. Hier will ich mich jedoch auf die Darstellung gewisser antinaturalistischer und pronaturalistischer Doktrinen beschränken, die zu einer charakteristischen Einstellung gehören, in der sich beide Arten von Doktrinen vereinen.

Diese Einstellung, die ich zunächst darstellen und erst später [und in Text *24*] kritisieren möchte, nenne ich ›Historizismus‹. Man begegnet dem Historizismus häufig in Diskussionen über die Methode der Sozialwissenschaften. Oft tritt er ohne kritische Besinnung auf oder wird sogar für selbstverständlich genommen. Was ich unter ›Historizismus‹ verstehe, wird in der vorliegenden Studie ausführlich erklärt. Hier genügt es, wenn ich sage, daß ich unter ›Historizismus‹ jene Einstellung zu den Sozialwissenschaften verstehe, die annimmt, daß *historische Voraussage* deren Hauptziel bildet und daß sich dieses Ziel dadurch erreichen läßt, daß man die ›Rhythmen‹ oder ›Patterns‹, die

›Gesetze‹ oder ›Trends‹ entdeckt, die der geschichtlichen Entwicklung zugrunde liegen. Da ich davon überzeugt bin, daß solche historizistischen Methodenlehren letztlich an dem unbefriedigenden Zustand der theoretischen Sozialwissenschaften (mit Ausnahme der Wirtschaftswissenschaft) schuld sind, ist meine Darstellung zweifellos nicht unvoreingenommen. Ich habe mich aber sehr bemüht, alle denkbaren Argumente, die sich für den Historizismus vorbringen lassen, zu sammeln, um meiner auf die Darstellung folgenden Kritik eine sinnvolle Aufgabe zu stellen. Ich habe mich bemüht, den Historizismus als wohldurchdachte und differenzierte Philosophie darzustellen. Dabei habe ich nicht gezögert, Gedankengänge zur Stützung des Historizismus zu konstruieren, die meines Wissens von den Historizisten selbst nie vorgebracht wurden. Ich hoffe, daß es mir dadurch gelungen ist, einen Standpunkt zu konstruieren, den anzugreifen sich wirklich lohnt. Ich habe mit anderen Worten versucht, eine Theorie zu vervollkommnen, die oft vertreten worden ist, aber vielleicht nie in voll entwickelter Form. Deshalb habe ich auch absichtlich die etwas ungebräuchliche Etikette ›Historizismus‹ gewählt. Durch Einführung dieses Ausdrucks hoffe ich, Wortklaubereien auszuschalten: es wird, hoffe ich, niemand in Versuchung kommen, die Frage zu stellen, ob irgendeiner der hier besprochenen Gedankengänge wirklich oder eigentlich oder essentiell historizistisch ist, oder was das Wort ›Historizismus‹ wirklich oder eigentlich oder essentiell bedeutet[2].

II. Historische Gesetze

Die nichtexperimentelle Beobachtungsbasis einer Wissenschaft hat in gewissem Sinne immer ›historischen‹ Charakter. Selbst bei der Beobachtungsbasis der Astronomie ist dies so. Die Tatsachen, auf die sich die Astronomie stützt, sind in den Aufzeichnungen des Observatoriums enthalten, die uns etwa darüber Auskunft geben, daß zu dem und dem Zeitpunkt (Stunde, Sekunde) der Planet Merkur von Herrn X in einer bestimmten Stellung beobachtet wurde. Kurz, sie geben uns »ein Register von zeitlich geordneten Ereignissen«, eine Chronik von Beobachtungen.

Ähnlich kann die Beobachtungsbasis der Soziologie nur die Form einer chronologischen Aufzählung von Ereignissen, nämlich von politischen und sozialen Ereignissen, haben. Diese Chronik der politischen und anderen wichtigen Ereignisse im sozialen Leben nennt man gewöhnlich ›Geschichte‹. Geschichte in diesem engen Sinn bildet die Grundlage der Soziologie.

Es wäre lächerlich, die Bedeutung der Geschichte in diesem engen Sinn als empirische Basis der Sozialwissenschaft zu leugnen. Doch eine der charakteristischen Behauptungen des Historizismus, die mit seiner Leugnung der Anwendbarkeit der experimentellen Methode eng zusammenhängt [siehe auch Abschnitt *III* des nächsten Textes] ist, daß die Geschichte – die politische und Sozialgeschichte – die *einzige* empirische Quelle der Soziologie ist. Der Historizist stellt sich also die Soziologie als theoretisch-empirische Disziplin vor, deren empirische Basis allein von einer Chronik der geschichtlichen Fakten gebildet wird und deren Ziel es ist, Voraussagen, möglichst Großprognosen, zu formulieren. Es ist klar, daß *diese Voraussagen auch historischen Charakter haben müssen,* denn ihre erfahrungsmäßige Prüfung, ihre Verifikation oder Widerlegung, muß der zukünftigen Geschichte überlassen werden. Somit sieht der Historizismus die Aufgabe der Soziologie in der Aufstellung und Prüfung historischer Großprognosen. Kurz, der Historizist behauptet, daß *die Soziologie die theoretische Geschichtswissenschaft ist.*

Gleichzeitig meint jedoch der Historizist, daß die verallgemeinernde Methode in der Sozialwissenschaft nicht anwendbar ist und daß wir nicht annehmen dürfen, daß Gleichförmigkeiten des sozialen Lebens in Raum und Zeit unverändert gelten, denn gewöhnlich ist ihre Gültigkeit auf eine bestimmte kulturelle oder geschichtliche Epoche beschränkt. Daher müssen soziale Gesetze – wenn es wirkliche soziale Gesetze überhaupt gibt – eine etwas andere Struktur haben als die gewöhnlichen, auf Gleichförmigkeiten beruhenden Verallgemeinerungen. Wirkliche gesellschaftliche Gesetze müßten ›allgemeingültig‹ sein. Dies kann aber nur bedeuten, daß sie für die gesamte Geschichte der Menschheit gelten, für alle ihre Zeitalter, und nicht bloß für einige von diesen. Nun kann es aber keine sozialen Gleichförmigkeiten geben, die über einzelne Epochen hinaus gelten. Daher müssen die einzigen allgemeingültigen Gesetze der Gesellschaft jene sein, welche *die aufeinanderfolgenden Epochen verbinden.* Es müssen *historische Entwicklungsgesetze* sein, die den Übergang von einer Epoche zur anderen bestimmen. Das ist es, was die Historizisten meinen, wenn sie sagen, daß die einzigen wirklichen Gesetze der Soziologie historische Gesetze sind.

III. Geschichtsprophetie oder Sozialtechnik?

Wie schon angedeutet, würden diese historischen Gesetze (wenn man sie entdecken könnte) die Voraussage auch sehr entfernter Ereignisse erlauben, allerdings nicht mit höchster Genauigkeit in den Einzelheiten. Somit führt die Lehre, daß die eigentlichen soziologischen Gesetze historische Gesetze sind (was hauptsächlich aus der beschränkten Gültigkeit sozialer Gleichförmigkeiten abgeleitet wird), unabhängig von jedem Versuch, es der Astronomie gleichzutun, zurück zur Idee der ›Großprognosen‹. Dadurch wird diese Idee konkretisiert, denn es zeigt sich, daß diese Voraussagen den Charakter geschichtlicher Prophezeiungen haben.

Die Soziologie wird so für den Historizisten zu einem Versuch, das alte Problem der Vorhersage der Zukunft zu lösen, und zwar nicht so sehr der des Individuums wie der von Gruppen und der gesamten Menschheit. Soziologie ist die Wissenschaft von der Zukunft, von den bevorstehenden Entwicklungen. Gelänge der Versuch, uns politisches Vorauswissen von wissenschaftlicher Stringenz in die Hand zu geben, dann wäre die Soziologie von höchstem Wert für Politiker, besonders für diejenigen, deren Blickfeld über die Forderungen der Tagespolitik hinausreicht und die einen Sinn für geschichtliches Schicksal haben. Manche Historizisten begnügen sich zwar damit, die nächsten Stadien des Weges der Menschheit vorherzusagen und selbst das nur in sehr vorsichtiger Ausdrucksweise. Aber alle Historizisten haben eine Idee gemeinsam: daß die soziologische Forschung zur Enthüllung der politischen Zukunft beitragen soll und daß sie dadurch zum wichtigsten Instrument einer weitblickenden praktischen Politik werden könnte.

Vom Standpunkt der praktischen Nützlichkeit der Wissenschaft ist die Bedeutung wissenschaftlicher Prognosen ziemlich klar. Man bedenkt jedoch nicht immer, daß man in der Wissenschaft zwei verschiedene Arten der Vorhersage und daher auch zwei Arten praktisch wertvoller Prognosen unterscheiden kann. Wir können (*a*) das Auftreten eines Taifuns vorhersagen, und diese Prognose kann praktisch von höchstem Wert sein, weil dank ihr die Menschen etwa rechtzeitig einen Schutzraum aufsuchen können; wir können aber (*b*) auch vorhersagen, daß ein Schutzraum, wenn er dem Taifun widerstehen soll, auf bestimmte Art gebaut sein muß, daß er beispielsweise Eisenbetonstützen auf der Nordseite haben muß.

Diese beiden Arten von Prognosen sind offensichtlich sehr verschieden, obwohl sie beide wichtig sind und uralte Träume des Menschen erfüllen. Im ersten Falle erfahren wir etwas über ein Ereignis, das wir auf keinerlei Weise verhindern können. Ich will eine solche Prognose eine ›*Prophezeiung*‹ nennen. Ihr praktischer Wert liegt darin, daß sie uns vor dem prognostizierten Ereignis warnt, so daß wir ihm ausweichen oder vorbereitet entgegentreten können. (Vorbereitet haben wir uns vielleicht mit Hilfe von Prognosen der anderen Art.)

Diesen Prophezeiungen stehen Prognosen der zweiten Art gegenüber, die wir als *technologische* Prognosen bezeichnen können, da Voraussagen dieser Art eine Grundlage der *Technik* bilden. Sie sind sozusagen konstruktiv und teilen uns mit, welche Maßnahmen wir ergreifen können, *wenn* wir bestimmte Resultate erzielen wollen. Der größere Teil der Physik (fast das gesamte Gebiet dieser Wissenschaft mit Ausnahme der Astronomie und der Meteorologie) stellt Voraussagen auf, die man auf Grund ihrer Form vom praktischen Standpunkt aus als technologische Prognosen bezeichnen kann. Der Unterschied zwischen diesen beiden Arten von Vorhersagen entspricht ungefähr der größeren oder geringeren Bedeutung, die in einer Wissenschaft dem geplanten Experiment im Gegensatz zur bloßen geduldigen Beobachtung zukommt. Die typischen Experimentalwissenschaften sind in der Lage, technologische Prognosen zu geben, während diejenigen Disziplinen, in denen vorwiegend nichtexperimentelle Beobachtungen verwendet werden, Prophezeiungen hervorbringen.

Ich will damit nicht sagen, daß alle Wissenschaften, ja nicht einmal, daß alle wissenschaftlichen Prognosen grundsätzlich praktischen Charakter haben, daß sie notwendig entweder prophetisch oder technologisch sind und sonst nichts sein können. Ich will nur auf einen Unterschied zwischen zwei Arten von Prognosen und die ihnen entsprechenden Wissenschaften aufmerksam machen. Dadurch, daß ich die Ausdrücke ›prophetisch‹ und ›technologisch‹ verwende, will ich allerdings auf eine Eigenschaft hinweisen, die vom praktischen Standpunkt aus sichtbar wird; doch soll die Verwendung dieser Terminologie weder bedeuten, daß der praktische Standpunkt notwendig allen anderen überlegen ist, noch daß es der Wissenschaft ausschließlich um praktisch bedeutsame Prophezeiungen und Prognosen technologisten Charakters geht. Wenn wir etwa an die Astronomie denken, dann müssen wir zugeben, daß ihre Ergebnisse vorwiegend theoretisch interessant sind, obwohl sie auch vom praktischen Standpunkt nicht ganz ohne Wert sind. Als ›Prophezeiungen‹ aber sind alle astronomischen Vorhersagen denen der Meteorologie verwandt, deren Wert für die Praxis auf der Hand liegt.

Es ist zu beachten, daß diese Unterscheidung zwischen prophetischen und technologischen Wissenschaften dem Unterschied zwischen langfristigen und kurzfristigen Prognosen nicht parallel geht. Zwar sind die meisten technologischen Prognosen kurzfristig, aber es gibt auch langfristige technologische Vorhersagen, z.B. jene, die sich auf die Lebensdauer einer Maschine beziehen. Andererseits können astronomische Prophezeiungen kurz- oder langfristig sein, und die meisten meteorologischen Prophezeiungen sind verhältnismäßig kurzfristig.

Der Unterschied zwischen diesen beiden praktischen Zielen – der Prophezeiung und der Technik – und der entsprechende Unterschied in der Struktur der betreffenden wissenschaftlichen Theorien ist, wie man später sehen wird, eines der Hauptmomente unserer methodologischen Analyse. Vorderhand möchte ich nur darauf hinweisen, daß die Historizisten in vollem Einklang mit ihrer Überzeugung, daß soziologische Experimente nutzlos und unmöglich sind, in historischen Prophezeiungen – Prophezeiungen sozialer, politischer und institutioneller Entwicklungen – das praktische Ziel der Sozialwissenschaften sehen wollen, und nicht in der Sozialtechnik. Eine Sozialtechnik, also die Planung und Konstruktion von Institutionen, die etwa den Zweck haben, herannahende soziale Entwicklungen zum Stehen zu bringen, zu lenken oder zu beschleunigen, eine solche Sozialtechnik erscheint manchen Historizisten möglich. Für andere Historizisten wäre dies ein fast unmögliches Unterfangen, ein Versuch, der die Tatsache übersieht, daß politische Planung wie alles gesellschaftliche Handeln zwangsläufig unter dem beherrschenden Einfluß geschichtlicher Kräfte steht. [Siehe insbesondere Text *26.*]

IV. Die Theorie der historischen Entwicklung

Diese Überlegungen haben uns zum Kernstück des Gedankengebäudes geführt, das ich als ›Historizismus‹ bezeichnen möchte, und sie rechtfertigen die Wahl dieser Bezeichnung. Die Sozialwissenschaft ist nichts als die Wissenschaft von der Geschichte, das ist die These. Freilich nicht Geschichte im traditionellen Sinn als bloße chronologische Aufzählung historischer Fakten. Die Art von Geschichtswissenschaft, mit der die Historizisten die Soziologie identifizieren wollen, blickte nicht nur zurück in die Vergangenheit, sondern auch nach vorne in die Zukunft. Sie ist die Erforschung der Wirkkräfte und vor allem der Gesetze der Sozialentwicklung. Dementsprechend könnte sie als Geschichtstheorie oder theoretische Geschichtswissenschaft bezeichnet werden, da, wie schon festgestellt wurde, die einzigen allgemeingültigen sozialen Gesetze historische Gesetze sind. Es müssen dies Gesetze des Prozesses, der Veränderung, der Entwicklung sein – nicht die Pseudogesetze scheinbarer Konstanten und Gleichförmigkeiten. Nach Ansicht der Historizisten müssen die Soziologen versuchen, sich einen allgemeinen Begriff von den *großen Tendenzen* zu verschaffen, denen der Wandel sozialer Strukturen gehorcht. Aber darüber hinaus sollen sie sich bemühen, die Ursachen dieses Prozesses zu verstehen, die Wirkweise der Kräfte, auf welche der Wandel zurückzuführen ist. Sie sollen versuchen, Hypothesen über jene allgemeinen Trends aufzustellen, die der sozialen Entwicklung zugrunde liegen, damit sich die Menschen durch Ableitung von Prophezeiungen aus diesen Gesetzen den bevorstehenden Umwälzungen anpassen können.

Der Begriff, den sich der Historizist von der Soziologie macht, läßt sich dadurch noch weiter erläutern, daß man auf meine Unterscheidung zwischen den zwei Arten der Voraussage und auf die verwandte Unterscheidung zwischen zwei Klassen von Wissenschaften zurückgeht. Im Gegensatz zur historizistischen Methodologie wäre eine Methodologie denkbar, deren Ziel eine *technologische Sozialwissenschaft* ist. Eine solche Methodologie würde zur Erforschung der allgemeinen Gesetze des sozialen Lebens führen und es sich zum Ziel setzen, alle jene Tatsachen zu finden, die jedem Reformer gesellschaftlicher Einrichtungen als unentbehrliche Grundlage dienen würden. Zweifellos existieren solche Tatsachen. Wir kennen zum Beispiel viele utopische Systeme, die einfach deshalb undurchführbar sind, weil sie solche Tatsachen nicht genügend berücksichtigen. Die technologische Methodologie, die uns vorschwebt, würde darauf abzielen, Mittel zur Vermeidung solcher unrealistischen Konstruktionen zu schaffen. Sie wäre antihistorizistisch, aber keineswegs antihistorisch. Die geschichtliche Erfahrung wäre ihr eine höchst wichtige Informationsquelle. Doch anstatt zu versuchen, Gesetze der sozialen Entwicklung zu finden, würde sie nach den verschiedenartigen Gesetzen suchen, die der Konstruktion sozialer Institutionen Grenzen setzen, oder auch nach anderen Gleichförmigkeiten (trotz der Überzeugung des Historizismus, daß diese überhaupt nicht existieren).

Außer durch Gegenargumente der bereits diskutierten Art könnte der Historizist noch auf andere Weise die Möglichkeit und den Nutzen einer solchen Sozialtechnologie in Frage stellen. Nehmen wir an, könnte er sagen, daß ein Sozialingenieur den Plan einer neuen Sozialstruktur ausgearbeitet hat, wobei er sich auf die Ihnen vorschwebende Art von Soziologie stützt. Von diesem Plan nehmen wir an, er sei sowohl praktisch als auch realistisch in dem Sinn, daß er mit den bekannten Tatsachen und Gesetzen des Gesellschaftslebens nicht in Widerspruch steht. Wir nehmen ferner sogar an, daß dieser Plan durch einen ebenso ausführbaren weiteren Plan gestützt wird, auf Grund dessen die gegenwärtige Gesellschaft in die neue Struktur verwandelt werden kann. Trotzdem kann man vom Standpunkt des Historizismus ausgehend zeigen, daß ein solcher Plan nicht ernst zu nehmen wäre. Er würde trotz allem ein unrealistischer und utopischer Traum bleiben, eben weil er die Gesetze der geschichtlichen Entwicklung nicht berücksichtigt. Soziale Revolutionen werden nicht durch rationale Pläne, sondern durch soziale Kräfte herbeigeführt, etwa durch Interessenkonflikte. Die alte Idee eines mächtigen Philosophen-Königs, der irgendwelche sorgfältig ausgedachten Pläne verwirklicht, war ein Märchen, das im Interesse einer Grundbesitzeraristokratie erfunden wurde. Das demokratische Gegenstück zu diesem Märchen ist der Aberglaube, daß man durch rationale Argumente eine genügend große Anzahl von Menschen guten Willens dazu bringen könnte, nach einem vorgefaßten Plan zu handeln. Die Geschichte zeigt, daß die Realität des gesellschaftlichen Lebens ganz anders ist. Der Ablauf der geschichtlichen Entwicklung wird niemals von theoretischen Konstruktionen bestimmt, so vortrefflich sie auch sein mögen, wenn auch allerdings solche Gedankengebilde ohne Zweifel neben anderen, weniger rationalen (ja sogar völlig irrationalen) Faktoren einen gewissen Einfluß ausüben mögen. Selbst wenn ein solcher rationaler Plan mit den Interessen mächtiger Gruppen übereinstimmt, wird er nie in der Form verwirklicht werden, in der er konzipiert wurde, obwohl der Kampf um seine Verwirklichung dann ein gewichtiger Faktor im Geschichtsprozeß wäre. Das Endresultat wird sich von der rationalen Konstruktion immer sehr unterscheiden. Es wird immer die Resultate aus der jeweiligen Konstellation rivalisierender Kräfte sein. Außerdem könnte das Ergebnis rationaler Planung unter keinen Umständen eine stabile Struktur werden, denn das Gleichgewicht der Kräfte wird sich zwangsläufig verändern. Jede Sozialtechnik – soviel sie sich auch auf ihren Realismus und ihren Wissenschaftscharakter zugute hält – ist dazu verurteilt, ein utopischer Traum zu bleiben.

Bisher, würde der Historizist fortfahren, richteten sich meine Einwände gegen die praktische Möglichkeit einer Sozialtechnik, die auf einer theoretischen Sozialwissenschaft basiert, und nicht gegen die Idee einer solchen Wissenschaft an sich. Man kann diese Einwände jedoch leicht so erweitern, daß sie die Unmöglichkeit jeder theoretischen Sozialwissenschaft technologischer Art beweisen. Wir haben gesehen, daß in der Praxis sozialtechnische Versuche auf Grund höchst bedeutsamer Tatsachen und Gesetze notwendig zum Scheitern verurteilt sind. Dies aber impliziert nicht nur, daß ein solches Unterfangen keinen praktischen Wert hat, sondern auch, daß es theoretisch auf schwachen Füßen steht, da es die einzigen wirklich bedeutsamen sozialen Gesetze übersieht, nämlich die Entwicklungsgesetze. Die ›Wissenschaft‹, auf der das Unternehmen angeblich fußte, muß diese Gesetze auch übersehen haben, sonst hätte sie nie die Grundlage zu einem so unrealistischen Bau geboten. Jede Sozialwissenschaft, die nicht die Unmöglichkeit rationaler Sozialkonstruktionen lehrt, steht den wichtigsten Tatsachen des gesellschaftlichen Lebens völlig blind gegenüber und übersieht zwangsläufig die einzigen Gesetze gesellschaftlicher Strukturen, die wirklichen Wert und wirkliche Bedeutung haben. Sozialwissenschaften, die eine Grundlage für Sozialtechnik sein wollen, können daher keine wahren Beschreibungen der Tatsachen sein. Sie sind an sich unmöglich.

Der Historizist wird behaupten, daß es neben diesem entscheidenden Einwand noch andere Argumente gibt, mit denen man die technologischen Soziologien angreifen kann. Eines dieser Argumente ist beispielsweise, daß sie Aspekte der Sozialentwicklung wie das Auftreten neuer Phänomene ignorieren. Der Gedanke, daß wir neue Sozialstrukturen rational und wissenschaftlich konstruieren können, impliziert die Behauptung, daß wir eine neue Epoche der gesellschaftlichen Entwicklung mehr oder minder in genau der Form herbeiführen können, in der wir sie geplant haben. Wenn aber der Plan auf einer Wissenschaft beruht, die sich auf soziale Tatsachen bezieht, dann kann er essentiell neue Phänomene nicht einbeziehen, sondern nur die Neuheit der Anordnung[3]. Nun wissen wir aber, daß eine neue Epoche immer ihre besondere wesenhafte Neuheit haben wird, und daraus ergibt sich, daß jede Detailplanung sinnlos und jede Wissenschaft, auf der eine solche aufbaut, unwahr wird.

Diese historizistischen Überlegungen lassen sich auf alle Sozialwissenschaften einschließlich der Wirtschaftswissenschaft anwenden. Daher kann uns die Wirtschaftswissenschaft auch keinerlei Informationen liefern, die für eine Sozialreform von Wert wären. Nur eine Pseudowissenschaft von der Wirtschaft kann sich vornehmen, eine Grundlage für rationale Wirtschaftsplanung zu schaffen. Eine wahrhaft wissenschaftliche Wirtschaftsforschung kann nur zur Enthüllung der Triebkräfte der Wirtschaftsentwicklung in den verschiedenen Geschichtsepochen beitragen. Sie kann uns vielleicht helfen, zukünftige Epochen in ihren Grundlinien vorauszusehen, nicht aber zur Entwicklung und Verwirklichung eines detaillierten Planes für irgendeine zukünftige Epoche beitragen. Was für die anderen Sozialwissenschaften gilt, muß auch für die Wirtschaftswissenschaft gelten. Ihr höchstes und letztes Ziel kann nur sein, »das ökonomische Bewegungsgesetz der menschlichen Gesellschaft zu enthüllen« (Marx).

V. Kritik des Historizismus: Gibt es ein Entwicklungsgesetz?

Man könnte die Auffassung, daß die Aufgabe der Sozialwissenschaften in der Entdeckung des *Entwicklungsgesetzes der Gesellschaft* besteht, um ihre Zukunft vorauszusagen, als die zentrale Doktrin des Historizismus bezeichnen. Denn aus diesem Bild einer Gesellschaft, die sich durch eine Reihe von Epochen bewegt, entsteht einerseits die Gegenüberstellung von sich wandelnder sozialer und unwandelbarer natürlicher Welt, und somit der Antinaturalismus. Andererseits entsteht aus der gleichen Auffassung der pronaturalistische – und szientistische – Glaube an sogenannte ›natürliche Sukzessionsgesetze‹, der sich zur Zeit Comtes und Mills auf die langfristigen Prognosen der Astronomie und in neuerer Zeit auf den Darwinismus berufen konnte. Man könnte sogar den seit einiger Zeit zur Mode gewordenen Historizismus einfach als eine Teilströmung der evolutionistischen Modephilosophie betrachten, die ihre Wirkung weitgehend dem unter etwas sensationshaften Umständen erfolgten Zusammenstoß einer brillanten wissenschaftlichen Hypothese über die Geschichte der verschiedenen Pflanzen- und Tierarten der Erde mit einer älteren metaphysischen Theorie verdankt, die zufällig Bestandteil eines sozial festverankerten religiösen Glaubens war[4].

Die Evolutionshypothese als solche ist der Versuch, eine Unzahl biologischer und paläontologischer Beobachtungen – etwa von Ähnlichkeiten zwischen verschiedenen Arten und Gattungen – durch die Annahme zu erklären, daß ähnliche Formen gemeinsame Vorfahren haben[5]. Diese Hypothese ist kein universales Gesetz, obwohl bestimmte allgemeine Naturgesetze wie die Gesetze der Vererbung, der Segregation und der Mutation mit ihr zusammen Bestandteile der Erklärung sind. Sie hat vielmehr den Charakter eines besonderen (singulären) historischen Satzes. (Sie hat den gleichen Charakter wie der historische Satz: ›Charles Darwin und Francis Galton hatten einen gemeinsamen Großvater.‹) Die Tatsache, daß die Evolutionshypothese also solche kein universales Naturgesetz ist, sondern lediglich ein singulärer historischer Satz über die Abstammung einer Anzahl irdischer Pflanzen und Tiere, wird dadurch etwas verdunkelt, daß der Ausdruck ›Hypothese‹ so oft zur Bezeichnung des logischen Charakters allgemeiner Naturgesetze verwendet wird. Wir sollten aber nicht vergessen, daß wir diesen Ausdruck ziemlich häufig in einem anderen Sinn verwenden. Es wäre zum Beispiel sicher korrekt, eine vorläufige medizinische Diagnose als Hypothese zu bezeichnen, obwohl eine solche Hypothese kein allgemeines Gesetz ist, sondern singulärhistorischen Charakter hat. Mit anderen Worten, die Tatsache, daß alle Naturgesetze Hypothesen sind, darf uns nicht davon ablenken, daß nicht alle Hypothesen Gesetze sind, und daß insbesondere historische Hypothesen in der Regel nicht universale, sondern singuläre Sätze über ein Einzelereignis oder eine Anzahl solcher Ereignisse sind.

Kann es aber ein *Gesetz* der Evolution geben? Kann es ein wissenschaftliches Gesetz geben, wie es T. H. Huxley vorschwebte, als er schrieb: »... der muß ein wenig mutiger Forscher sein, der ... bezweifelt, daß die Wissenschaft früher oder später ... das Gesetz der Entwicklung organischer Formen besitzen wird – die unabänderliche Ordnung jener großen Kette von Ursachen und Wirkungen, deren Glieder alle organischen Formen, die alten und die neuen, sind ...«[6]?

Ich bin der Ansicht, daß diese Frage mit ›Nein‹ beantwortet werden muß und daß die Suche nach dem Gesetz der ›unabänderlichen Ordnung‹ der Entwicklung keineswegs in den Aufgabenbereich der wissenschaftlichen Methode fallen kann, gleichgültig, ob es sich um die Biologie oder die Soziologie handelt. Meine Gründe dafür sind sehr einfach. Die Entwicklung des Lebens auf der Erde und der menschlichen Gesellschaft ist ein einzigartiger historischer Prozeß. Wie wir annehmen können, spielt sich ein solcher Prozeß gemäß einer ganzen Anzahl verschiedener kausaler Gesetze ab, etwa nach den Gesetzen der Mechanik, der Chemie, der Vererbung und Segregation, der natürlichen Zuchtwahl usw. Seine Beschreibung ist jedoch kein Gesetz, sondern nur ein singulärer historischer Satz. Universale Gesetze machen Aussagen über eine unabänderliche Ordnung, wie Huxley es ausdrückt, d.h. über alle Vorgänge einer bestimmten Art. Nun gibt es zwar keinen Grund, warum die Beobachtung eines einzigen Falles uns nicht dazu anregen sollte, ein universales Gesetz aufzustellen, und warum wir, wenn wir Glück haben, nicht sogar die Wahrheit treffen sollten, aber es ist klar, daß jedes Gesetz, das auf diese oder irgendeine andere Weise formuliert wurde, an neuen Fällen *geprüft* werden muß, bevor es wissenschaftlich ernst zu nehmen ist. Wir können aber nicht hoffen, eine universale Hypothese prüfen und ein für die Wissenschaft annehmbares Naturgesetz finden zu können, wenn wir dauernd auf die Beobachtung eines einzigartigen Prozesses beschränkt sind. Auch kann uns die Beobachtung eines einzigartigen Prozesses nicht bei der Voraussicht seiner zukünftigen Entwicklung helfen. Selbst nach aufmerksamster Beobachtung *einer* sich entwickelnden Raupe werden wir nicht in der Lage sein, ihre Verwandlung in einen Schmetterling vorherzusagen. Die Anwendung dieses Gedankens auf die Geschichte der menschlichen Gesellschaft – und mit diesem Gebiet haben wir es ja hier hauptsächlich zu tun – hat H. A. L. Fisher wie folgt formuliert: »Die Menschen ... haben in der Geschichte einen Plan, einen Rhythmus, eine von allem Anfang feststehende Struktur gesehen ... Ich sehe nur, wie ein Phänomen auf das andere folgt ..., *nur eine einzige große Tatsache, in bezug auf die es, da sie einzigartig ist, keine Verallgemeinerungen geben kann.*«[7]

Was kann man diesem Einwand entgegenhalten? Wer an ein Entwicklungsgesetz glaubt, kann im wesentlichen zwei Standpunkte einnehmen. Er kann (*a*) unsere These, daß der Entwicklungsprozeß einzigartig ist, bestreiten oder (*b*) behaupten, daß wir an einem Entwicklungsprozeß, selbst wenn er einzigartig ist, einen Trend, eine Tendenz, eine Richtung feststellen können, daß wir eine Hypothese, die diese Tendenz aussagt, aufstellen und diese Hypothese an der zukünftigen Erfahrung prüfen können. Die Standpunkte (*a*) und (*b*) schließen einander nicht aus.

Standpunkt (*a*) geht auf eine sehr alte Idee zurück, nämlich auf die Idee, daß der Lebenszyklus von Geburt, Kindheit und Tod nicht nur für individuelle Tiere und Pflanzen gilt, sondern auch für Gesellschaften, Rassen und vielleicht sogar für ›die ganze Welt‹. Über diese Lehre möchte ich nur sagen, daß sie nur einer der vielen Fälle ist, in denen metaphysische Theorien scheinbar durch Tatsachen bestätigt werden – durch Tatsachen, von denen sich bei näherem Hinsehen herausstellt, daß sie im Lichte eben jener Theorien ausgesucht wurden, die sie prüfen sollen[8].

Wenden wir uns nun dem Standpunkt (*b*) zu, also der Ansicht, daß wir die Tendenz, die Richtung einer evolutionären Bewegung feststellen und extrapolieren können. Zunächst ist zu erwähnen, daß diese Ansicht einige der zyklischen Theorien, die Standpunkt (*a*) repräsentieren, beeinflußt hat und zu ihrer Untermauerung verwendet worden ist. Die Idee einer Bewegung der Gesellschaft selbst, die Vorstellung, daß sich die Gesellschaft wie ein physikalischer Körper *als Ganzes* auf einer bestimmten Bahn und in eine bestimmte Richtung bewegen kann, ist nichts als ein verworrenes holistisches Hirngespinst[9].

Insbesondere ist die Hoffnung, wir könnten eines Tages die ›Bewegungsgesetze der Gesellschaft‹ finden, wie Newton die Bewegungsgesetze der physikalischen Körper fand, nichts als das Ergebnis dieser Mißverständnisse. Da es keine Bewegung der Gesellschaft gibt, die der Bewegung physikalischer Körper in irgendeinem Sinne ähnlich oder analog wäre, kann es auch keine solchen Gesetze geben.

Aber, wird man einwenden, die Existenz von Trends oder Tendenzen des sozialen Wandels kann kaum in Frage gestellt werden: jeder Statistiker kann solche Trends errechnen. Sind diese Trends nicht dem Trägheitsgesetz Newtons vergleichbar? Die Antwort lautet: Trends gibt es, oder genauer gesagt, die Annahme von Trends ist oft ein nützliches statistisches Hilfsmittel. *Aber Trends sind keine Gesetze.* Ein Satz, der die Existenz eines Trends behauptet, ist ein Es-gibt-Satz, kein All-Satz. (Andererseits stellt ein allgemeines Gesetz keine Existenzbehauptungen auf. Im Gegenteil: wie in Abschnitt *I,* Text *24* gezeigt wird, behauptet es die Unmöglichkeit irgendeines Sachverhalts[10].) Ein Satz, der die Existenz eines Trends zu einer bestimmten Zeit und an einem bestimmten Ort aussagt, wäre also ein singulärer historischer Satz und kein universales Gesetz. Die praktische Bedeutung dieser logischen Situation ist beträchtlich: wir können zwar Gesetze, nicht aber die bloße Existenz von Trends zur Grundlage wissenschaftlicher Prognosen machen (wie jeder vorsichtige Statistiker weiß). Ein Trend – und hier läßt sich wieder das Bevölkerungswachstum als Beispiel heranziehen –, der durch Jahrhunderte und sogar Jahrtausende anhielt, kann sich innerhalb eines Jahrhunderts oder noch schneller ändern.

Es ist wichtig, darauf hinzuweisen, daß sich *Gesetze und Trends ra-*

dikal voneinander unterscheiden. (Ein Gesetz kann jedoch aussagen, daß unter bestimmten Umständen (Randbedingungen) bestimmte Trends zu finden sein werden. Außerdem kann man, nachdem ein Trend so erklärt worden ist, ein diesem Trend entsprechendes Gesetz formulieren.) Es ist kaum zu bezweifeln, daß die Angewohnheit, Trends mit Gesetzen zu verwechseln, in Verbindung mit der intuitiven Beobachtung von Trends (wie etwa des technischen Fortschritts) die zentralen Thesen des Evolutionismus und Historizismus inspiriert hat – die Lehre von den irreversiblen Gesetzen der biologischen Entwicklung und die Lehre von den irreversiblen Bewegungsgesetzen der Gesellschaft. Dieselben Verwechslungen und Intuitionen inspirierten auch Comtes Lehre von den Sukzessionsgesetzen – eine Lehre, die noch immer sehr einflußreich ist.

Die seit Comte und Mill berühmte Unterscheidung zwischen *Koexistenzgesetzen*, die angeblich der Statik entsprechen, und *Sukzessionsgesetzen*, die angeblich der Dynamik entsprechen, kann freilich vernünftig interpretiert werden, nämlich als Unterscheidung zwischen Gesetzen, bei denen der Begriff der *Zeit* keine Rolle spielt, und solchen, in deren Formulierung die *Zeit* enthalten ist (etwa Gesetze, die von Geschwindigkeiten sprechen)[11]. Aber das ist nicht ganz, was Comte und seinen Anhängern vorschwebte. Wenn Comte von Sukzessionsgesetzen sprach, dachte er an Gesetze, welche die Abfolge einer ›dynamischen‹ Reihe von Phänomenen in der Ordnung bestimmen, in der wir sie beobachten. Es ist nun eine wichtige Tatsache, daß ›dynamische‹ Sukzessionsgesetze, wie Comte sie sich dachte, nicht existieren. Ganz bestimmt existieren sie nicht innerhalb der Dynamik (und damit meine ich die *wirkliche Dynamik).* In den Naturwissenschaften kommen ihnen noch am ehesten natürliche Periodizitäten nahe, etwa die Jahreszeiten, die Mondphasen, die wiederkehrenden Eklipsen, vielleicht die Schwingungen eines Pendels – und daran dachte Comte wahrscheinlich auch. Doch diese Periodizitäten, die man in der Physik als dynamisch (aber stationär) bezeichnen würde, wären nach der Terminologie Comtes ›statisch‹, nicht ›dynamisch‹, und können jedenfalls kaum als Gesetze bezeichnet werden (denn sie beruhen auf den Sonderbedingungen, die im Sonnensystem herrschen). Ich will sie ›Quasi-Gesetze der Sukzession‹ nennen.

Entscheidend ist folgendes: obwohl man annehmen darf, daß jede tatsächliche Abfolge von Phänomenen nach den Naturgesetzen stattfindet, muß man sich darüber im klaren sein, daß praktisch *keine Folge von beispielsweise drei oder mehr kausal verknüpften Ereignissen nach einem einzigen Naturgesetz abläuft.* Wenn der Wind einen Baum schüttelt und Newtons Apfel zu Boden fällt, dann wird niemand leugnen, daß diese Ereignisse mit Hilfe von Kausalgesetzen beschrieben werden können. Es gibt jedoch nicht *ein* Gesetz wie das der Schwerkraft, nicht einmal *ein* bestimmtes System von Gesetzen, das die tatsächliche, konkrete Sukzession kausal verknüpfter Ereignisse beschreiben würde. Außer der Schwerkraft müßten wir die Gesetze des Winddrucks berücksichtigen, dazu noch die Schüttelbewegungen des Zweiges, die Spannung im Stengel des Apfels, die Quetschung des Apfels beim Aufprall, die chemischen Prozesse, die aus der Quetschung des Apfels resultieren usw. Die Vorstellung, daß (außer in Fällen wie dem der Pendelbewegung oder eines Sonnensystems) irgendeine konkrete Abfolge von Ereignissen durch *ein* Gesetz oder *ein* bestimmtes System von Gesetzen beschrieben oder erklärt werden könnte, ist einfach falsch. Es gibt weder Sukzessions- noch Entwicklungsgesetze.

Und doch dachten sich Comte und Mill ihre historischen Sukzessionsgesetze als Gesetze, die eine Reihe von geschichtlichen Ereignissen in der Ordnung ihres tatsächlichen Auftretens determinieren. Dies ist daraus zu ersehen, daß Mill von einer Methode spricht, die »in dem Versuch besteht, durch Studium und Analyse der allgemeinen Tatsachen der Geschichte ... das Gesetz des Fortschritts zu entdekken; und dieses Gesetz, sobald wir es einmal gefunden haben, muß ... uns in die Lage versetzen, künftige Ereignisse so vorherzusagen, *wie wir in der Algebra nach Angabe einiger Glieder einer unendlichen Folge das Prinzip der Regelmäßigkeit ihrer Bildung entdecken und den Rest der Folge bis zu einer beliebigen Stellenzahl voraussagen können«*. Mill selbst steht dieser Methode kritisch gegenüber. Aber in seiner Kritik gibt er durchaus die Möglichkeit zu, Sukzessionsgesetze zu finden, die denen einer mathematischen Folge analog sind, obgleich er bezweifelt, ob ›die Ordnung der Abfolge ..., die uns die Geschichte darbietet‹ in genügendem Maße ›starr gleichförmig‹ ist, um mit einer mathematischen Folge vergleichbar zu sein.[12]

Nun haben wir gesehen, daß es keine *Gesetze* gibt, welche die Abfolge einer solchen ›dynamischen‹ Reihe von Ereignissen bestimmen würden[13]. Andererseits kann es *Trends* geben, die diesen ›dynamischen‹ Charakter haben, z.B. das Bevölkerungswachstum. Man kann deshalb vermuten, daß Mill an solche Trends dachte, wenn er von ›Sukzessionsgesetzen‹ sprach. Und dieser Verdacht wird von Mill selbst bestätigt, wenn er sein historisches Gesetz des Fortschritts als

Tendenz bezeichnet. Im Laufe seiner Besprechung dieses Gesetzes erklärt er, es sei seine »Überzeugung ..., daß die allgemeine *Tendenz*, abgesehen von gelegentlichen und vorübergehenden Ausnahmen, eine Tendenz zum Besseren ist und weiterhin sein wird – *eine Tendenz zu einem glücklicheren und besseren Zustand.* Dies ... ist ... ein Lehrsatz der Wissenschaft« (nämlich der Sozialwissenschaft). Daß Mill ernsthaft die Frage diskutiert, ob ›die Phänomene der menschlichen Gesellschaft‹ sich ›in einer Kreisbahn‹ bewegen, oder ob sie sich progressiv in ›einer Wurfbahn‹ bewegen[14], paßt zu seiner grundsätzlichen Verwechslung von Gesetzen und Trends und auch zu der holistischen Vorstellung, daß sich die Gesellschaft als Ganzes bewegen kann – so wie etwa ein Planet.

Um Mißverständnisse zu vermeiden, möchte ich ganz klar sagen, daß meiner Meinung nach sowohl Comte als auch Mill Bedeutendes zur Philosophie und Methodologie der Wissenschaft beigetragen haben. Ich denke dabei besonders an die wichtige Rolle, die Comte den Gesetzen und der wissenschaftlichen Vorhersage zuschreibt, sowie an seine Kritik der essentialistischen Theorie der Kausalität und an die von ihm und Mill vertretene Lehre von der Einheit der wissenschaftlichen Methode. Aber ihre Lehre von den geschichtlichen Sukzessionsgesetzen ist meiner Ansicht nach wenig mehr als eine Sammlung von schlecht angebrachten Metaphern.

Text *24*

Stückwerk-Sozialtechnik (1944)

I. Die technologisch orientierte Soziologie

Obwohl das Thema der vorliegenden Studie der Historizismus ist, eine Methodologie, die ich ablehne, und nicht jene Methoden, die sich meiner Meinung nach als erfolgreich erwiesen haben, und deren weitere und bewußtere Entwicklung ich befürworte, wird es nützlich sein, zunächst die erfolgreichen Methoden kurz zu behandeln, so daß der Leser sich über meine eigenen Vorurteile in diesen Fragen und den Standpunkt, von dem meine Kritik ausgeht, ein Bild machen kann. Der Einfachheit halber will ich diese Methoden als ›*Stückwerk-Technologie*‹ bezeichnen.

Der Terminus ›Sozialtechnologie‹ (und noch mehr der Ausdruck ›Sozialtechnik‹, den der nächste Abschnitt einführt) wird Mißtrauen erregen und diejenigen abstoßen, die er an die Sozialpläne der Kollektivisten oder gar der ›Technokraten‹ erinnert. Ich bin mir dieser Gefahr bewußt und habe deshalb ›Stückwerk-‹ eingefügt, sowohl um unerwünschte Assoziationen auszuschalten als auch um meiner Überzeugung Ausdruck zu geben, daß Methoden, die sich bewußt als ›Stückwerk‹ und ›Herumbasteln‹ verstehen, in Verbindung mit kritischer Analyse das beste Mittel zur Erlangung praktischer Resultate in den Sozial- wie in den Naturwissenschaften sind. Die Sozialwissenschaften verdanken ihre Entwicklung in sehr großem Maße der Kritik sozialer Verbesserungsvorschläge, genauer gesagt, Versuchen, festzustellen, ob damit zu rechnen ist, daß eine bestimmte wirtschaftliche oder politische Handlungsweise ein erwartetes oder erwünschtes Ergebnis herbeiführen wird[1]. An diese Einstellung, die man mit Recht die klassische nennen könnte, denke ich, wenn ich von technologisch orientierter Sozialwissenschaft oder ›Stückwerk-Sozialtechnologie‹ spreche.

Technologische Probleme auf dem Gebiet der Sozialwissenschaften können ›privater‹ oder ›öffentlicher‹ Natur sein. Untersuchungen über Techniken der Unternehmensplanung oder über die Auswirkungen verbesserter Arbeitsbedingungen auf die Produktion gehören beispielsweise zur ersten Gruppe. Untersuchungen über die Auswirkungen einer Gefängnisreform oder der allgemeinen Krankenversicherung oder der Preisstabilisierung mit Hilfe von Schiedsgerichten oder neuer Einfuhrzölle usw. etwa auf den Ausgleich der Einkommen gehören zur zweiten Gruppe. Dasselbe gilt für einige der dringlichsten praktischen Tagesfragen wie etwa das Problem der Möglichkeit der Konjunkturpolitik und der Verhinderung von Wirtschaftskrisen, die Frage, ob eine zentrale ›Planwirtschaft‹ im Sinne staatlicher Produktionslenkung mit einer wirksamen demokratischen Kontrolle der Verwaltung vereinbar ist, und die Frage, wie man die Demokratie in den Nahen Osten exportieren kann.

Wenn ich die Bedeutung der praktisch-technologischen Einstellung hervorhebe, will ich damit nicht sagen, daß irgendeines der theoretischen Probleme, die sich vielleicht aus der Analyse der praktischen Probleme ergeben, ausgeschlossen werden soll. Im Gegenteil, eine meiner Hauptthesen ist die Vermutung, daß die technologische Orientierung sich als fruchtbar erweisen wird, indem sie bedeutsame Probleme rein theoretischer Art aufwirft. Sie hilft uns aber nicht nur bei der fundamentalen Aufgabe der Problemauswahl, sondern sie diszipliniert auch unsere spekulativen Neigungen (die uns besonders auf dem Gebiet der Soziologie im engeren Sinn leicht in metaphysische Regionen führen), denn sie zwingt uns dazu, unsere Theorien eindeutigen Maßstäben wie dem der Klarheit und der praktischen Prüfbarkeit zu unterwerfen. Was ich mit der technologischen Orientierung der Sozialforschung will, läßt sich vielleicht am besten so ausdrücken: die Soziologie (und vielleicht sogar die Sozialwissenschaften im allgemeinen) soll nicht nach »ihrem Newton oder ihrem Darwin«[2] suchen, sondern vielmehr nach ihrem Galilei oder ihrem Pasteur.

Dieser und meine früheren Hinweise [in Text *23*, Abschnitt *I*] auf eine Analogie zwischen den Methoden der Sozialwissenschaften und denen der Naturwissenschaften werden vermutlich auf ebensoviel Widerstand stoßen wie z.B. die von mir gewählten Ausdrücke ›Sozialtechnologie‹ und ›Sozialtechnik‹ (und zwar trotz der wichtigen Modifikation ›Stückwerk-‹). Daher ist es wohl nützlich, wenn ich hier betone, daß ich die Wichtigkeit des Kampfes gegen einen dogmatischen methodologischen Naturalismus oder ›Szientismus‹, wie Hayek sagt, keineswegs unterschätze. Trotzdem sehe ich nicht ein, warum wir diese Analogie nicht ausnützen sollten, soweit sie fruchtbar ist, auch wenn wir uns dessen bewußt sind, daß sie von gewissen Kreisen arg mißbraucht und verzerrt wurde. Außerdem können wir diesen dogmatischen Naturalisten kaum einen stärkeren Einwand entgegenhalten als den Nachweis, daß einige der Methoden, die sie angreifen, grundsätzlich die gleichen sind wie die in den Naturwissenschaften verwendeten.

Gegen unsere sogenannte technologische Orientierung der Soziologie läßt sich zunächst sofort einwenden, daß sie die Annahme einer ›aktivistischen‹ Haltung gegenüber der Sozialordnung impliziert und daß sie in uns daher ein Vorurteil gegen die antiinterventionistische oder ›passivistische‹ Haltung erzeugen wird, also gegen die Ansicht, daß wir nur deshalb mit der bestehenden sozialen oder wirtschaftlichen Ordnung nicht zufrieden sind, weil wir nicht verstehen, wie sie funktioniert und warum ein aktives Eingreifen die Lage nur verschlimmern würde. Nun gebe ich zu, daß ich für diesen ›passivistischen‹ Standpunkt keine Sympathie habe und daß ich einen *absoluten* Anti-Interventionismus sogar als unhaltbar ansehe – schon aus rein logischen Gründen, denn seine Vertreter müßten politische Interventionen zur Verhinderung von Interventionen befürworten. Aber die technologisch orientierte Soziologie ist in dieser Angelegenheit neutral (und soll es auch sein), sie verträgt sich durchaus mit dem Anti-Interventionismus. Im Gegenteil, ich bin sogar davon überzeugt, daß der Anti-Interventionismus eine technologische Einstellung impliziert. Denn wenn man behauptet, daß der Interventionismus die Lage verschlechtert, dann sagt man damit, daß bestimmte politische Aktionen bestimmte Auswirkungen nicht haben werden, nämlich nicht die erwünschten. Und eine der charakteristischsten Aufgaben jeder Technologie ist, *zu zeigen, was nicht erreicht werden kann.*

Es lohnt sich, diesen Punkt genauer zu untersuchen. Wie ich an anderer Stelle gezeigt habe[3], läßt sich jedes Naturgesetz in Form der Behauptung ausdrücken, daß *dies oder jenes nicht geschehen kann,* das heißt durch einen Satz vom Typus des englischen Sprichwortes ›Man kann in einem Sieb kein Wasser tragen›. Das Gesetz von der Erhaltung der Energie läßt sich etwa so ausdrücken: ›Man kann kein Perpetuum mobile bauen‹; das Gesetz der Entropie so: ›Man kann keine Maschine mit hundertprozentigem Wirkungsgrad bauen‹. Wenn man Naturgesetze so formuliert, dann zeigt sich ihre technologische Bedeutung, und diese Art, sie zu formulieren, kann daher die *›technologische Form‹* eines Naturgesetzes genannt werden. Wenn wir nun den Anti-Interventionismus im Lichte dieser Überlegungen betrachten, dann sehen wir sofort, daß er sich leicht in Sätzen der folgenden Form ausdrücken läßt: »Man kann die und die Resultate nicht erzielen« oder vielleicht: »Man kann die und die Ziele nicht ohne die und die Nebenwirkungen erreichen«. Dies aber zeigt, daß der Anti-Interventionismus als *typisch technologische* Lehre bezeichnet werden kann.

Er ist natürlich nicht die einzige technologische Lehre auf dem Gebiet der Sozialwissenschaften. Im Gegenteil, die Bedeutung unserer Analyse liegt darin, daß sie unsere Aufmerksamkeit auf eine wirklich fundamentale Ähnlichkeit zwischen den Naturwissenschaften und den Sozialwissenschaften lenkt. Ich meine damit die Existenz soziologischer Gesetze oder Hypothesen, die den Gesetzen oder Hypothesen der Naturwissenschaften analog sind. Da die Existenz solcher soziologischen Gesetze oder Hypothesen (die nicht mit den sogenannten ›historischen Gesetzen‹ identisch sind) oft bezweifelt worden ist[4], möchte ich hier eine Anzahl von Beispielen für solche Gesetze angeben: ›Man kann nicht Zölle auf landwirtschaftliche Produkte einführen und zugleich die Lebenshaltungskosten senken.‹ – ›In einer Industriegesellschaft kann man die *›pressure groups‹* der Konsumenten nicht so wirksam organisieren wie die *›pressure groups‹* bestimmter Produzenten.‹ – ›Man kann nicht zugleich eine zentral geplante Gesellschaft und ein Preissystem haben, das die wesentlichen Funktionen der freien Preisbildung erfüllt.‹ – ›Ohne Inflation keine Vollbeschäftigung.‹ Eine andere Gruppe von Beispielen läßt sich dem Bereich der Machtpolitik entnehmen: ›Man kann keine politische Reform durchführen, ohne dadurch Rückwirkungen zu verursachen, die vom Standpunkt der angestrebten Zwecke unerwünscht sind‹ (man richte sich daher auf solche Rückwirkungen ein). – ›Man kann keine politische Reform durchführen, ohne die Gegenkräfte zu stärken, und zwar wachsen sie annähernd in demselben Maße wie der Umfang der Reform.‹ (Dies kann man als das technologische Korollar des Satzes ›Es gibt immer Gruppen, die am Status quo interessiert sind‹ betrachten.) – ›Man kann keine Revolution machen, ohne eine Reaktion hervorzurufen.‹ Diesen Beispielen können wir noch zwei anfügen, die man das ›platonische Revolutionsgesetz‹ (aus dem achten Buch des *Staates*) und das ›Lord Actonsche Korruptionsgesetz‹ nennen kann: ›Man kann keine erfolgreiche Revolution durchführen, wenn die herrschende Klasse nicht durch innere Zwietracht oder eine Niederlage in einem Krieg geschwächt ist.‹ – ›Man kann einem Menschen nicht Macht über andere Menschen geben, ohne ihn in Versuchung zu führen, diese Macht zu mißbrauchen; die Versuchung wächst annähernd in demselben Maße wie die Menge der Macht, und sehr wenige können ihr widerstehen.‹[5] Wir machen hier keinerlei Annahmen über die Beweiskraft des Tatsachenmaterials, das zur Stützung dieser Hypothesen verfügbar ist. Auch ließe sich ihre Formulierung sicher bedeutend verbessern. Es handelt sich nur um Beispiele für die Art von Sätzen, deren Diskussion und Erhärtung eine Stückwerk-Technologie versuchen könnte.

II. Stückwerk-Technik statt utopischer Technik

Trotz der unangenehmen Assoziationen, die dem Ausdruck ›Technik‹ anhaften[6], werde ich den Terminus ›Stückwerk-Sozialtechnik‹ für die praktische Anwendung der Resultate der Stückwerk-Technologie verwenden. Der Ausdruck ist nützlich; denn es besteht das Bedürfnis nach einem Terminus, der private und öffentliche soziale Aktionen bezeichnet, die zur Verwirklichung irgendeines Zieles bewußt alles verfügbare technologische Wissen heranziehen. (Einschließlich – sofern es zugänglich ist – des Wissens um die Grenzen des Wissens, wie in der vorhergehenden Anmerkung ausgeführt wurde). Die Stückwerk-Sozialtechnik ähnelt der naturbearbeitenden Technik insofern, als sie wie diese die *Endziele* als außerhalb des Bereichs der Technik liegend betrachtet. (Alles was die Technologie über die Endziele sagen kann, ist, ob sie miteinander verträglich und ob sie erreichbar sind oder nicht.) In dieser Hinsicht unterscheidet sich die Stückwerk-Sozialtechnik vom Historizismus, der die Endziele menschlichen Tuns als von geschichtlichen Kräften abhängig und daher in seinem Gebiet liegend betrachtet.

So wie die Hauptaufgabe des naturbearbeitenden Ingenieurs darin besteht, daß er Maschinen konstruiert, umbaut und in Gang hält, so ist es die Aufgabe des Sozialingenieurs, der die Stückwerk-Technik beherrscht, soziale Institutionen zu entwerfen, umzugestalten und die schon bestehenden in Funktion zu erhalten. Der Terminus ›soziale Institution‹ wird hier in sehr weitem Sinne verwendet und schließt Körperschaften privaten und öffentlichen Charakters ein. Ich werde also als ›soziale Institution‹ ein Geschäftsunternehmen bezeichnen, gleichgültig, ob es sich um einen kleinen Laden oder eine Versicherungsgesellschaft handelt, ebenso eine Schule, ein Schulsystem, eine Polizeitruppe, eine Kirche, einen Gerichtshof. Der Spezialist der Stückwerk-Technologie und Stückwerk-Technik weiß, daß *nur eine Minderheit sozialer Institutionen bewußt geplant wird, während die große Mehrzahl als ungeplantes Ergebnis menschlichen Handelns einfach ›gewachsen‹ ist*[7]. Doch wie stark ihn diese wichtige Tatsache auch beeindrucken mag, als Ingenieur wird er die Institutionen ›funktional‹ oder ›instrumental‹ sehen[8]. Er wird sie als Mittel zur Erreichung bestimmter Ziele betrachten, als Dinge, die man in den Dienst bestimmter Ziele stellen kann, als Maschinen und nicht als Organismen. Dies bedeutet natürlich nicht, daß er die fundamentalen Unterschiede zwischen Werkzeugen, die der Naturbearbeitung dienen, und Institutionen übersieht. Im Gegenteil, der Technologe soll sowohl die Unterschiede als auch die Ähnlichkeiten studieren und seine Ergebnisse als Hypothesen formulieren. Es ist ja nicht schwer, Hypothesen über Institutionen in technologischer Form auszusagen, wie das folgende Beispiel zeigt: ›Man kann keine absolut betriebssicheren Institutionen bauen, das heißt Institutionen, deren Funktionieren nicht in großem Maße von Personen abhängen würde: Institutionen können die Unsicherheiten des personalen Faktors bestenfalls herabsetzen, indem sie jenen Menschen helfen, die auf die Ziele der Institutionen hinarbeiten und von deren persönlicher Initiative und persönlichem Können der Erfolg in hohem Maße abhängt. (Institutionen sind wie Festungen. Sie müssen nach einem guten Plan entworfen *und* von einer geeigneten Bemannung besetzt sein.)‹[9]

Der typische Stückwerk-Ingenieur wird folgendermaßen vorgehen. Er mag zwar einige Vorstellungen von der idealen Gesellschaft ›als Ganzem‹ haben – sein Ideal wird vielleicht die allgemeine Wohlfahrt sein –, aber er ist nicht dafür, daß die Gesellschaft als Ganzes neu geplant wird. Was immer seine Ziele sein mögen, er sucht sie schrittweise durch kleine Eingriffe zu erreichen, die sich dauernd verbessern lassen. Seine Ziele können sehr verschiedener Art sein, etwa die Ansammlung von Reichtum oder Macht in den Händen bestimmter Individuen oder Gruppen, die Verteilung des Reichtums und der Macht, der Schutz bestimmter ›Rechte‹ von Individuen oder Gruppen usw. Die öffentliche oder politische Sozialtechnik kann also die verschiedensten Tendenzen aufweisen, sowohl totalitärer als auch liberaler Richtung. (Beispiele für weitreichende liberale Reformprogramme mit Stückwerk-Charakter wurden von W. Lippmann unter dem Titel ›Die Tagesordnung des Liberalismus‹[10] gegeben.) Wie Sokrates weiß der Stückwerk-Ingenieur, wie wenig er weiß. Er weiß, daß wir nur aus unseren Fehlern lernen können. Daher wird er nur Schritt für Schritt vorgehen und die erwarteten Resultate stets sorgfältig mit den tatsächlich erreichten vergleichen, immer auf der Hut vor den bei jeder

Reform unweigerlich auftretenden unerwünschten Nebenwirkungen. Er wird sich auch davor hüten, Reformen von solcher Komplexität und Tragweite zu unternehmen, daß es ihm unmöglich wird, Ursachen und Wirkungen zu entwirren und zu wissen, was er eigentlich tut.

Ein solches ›Herumbasteln‹ entspricht nicht dem politischen Temperament vieler ›Aktivisten‹. Ihr Programm, welches ebenfalls als ein Programm der ›Sozialtechnik‹ bezeichnet worden ist, kann man ›holistische‹ oder ›utopische‹ Sozialtechnik nennen.

Im Gegensatz zur Stückwerk-Sozialtechnik hat die holistische oder utopische Sozialtechnik nie ›privaten‹, sondern immer ›öffentlichen‹ Charakter. Sie will ›die Gesellschaft als Ganzes‹ nach einem feststehenden Gesamtplan ummodeln, will »die Schlüsselpositionen in die Hand bekommen«[11] und die Macht des Staates erweitern, bis »der Staat mit der Gesellschaft fast identisch wird«, und sie will ferner von den ›Schlüsselpositionen‹ aus die geschichtlichen Kräfte lenken, welche die Zukunft der sich entwickelnden Gesellschaft gestalten, indem sie entweder diese Entwicklung aufhält oder ihren Verlauf voraussieht und ihm die Gesellschaft anpaßt.

Man könnte die Frage stellen, ob die Stückwerk-Technik und der Holismus, wie sie hier beschrieben werden, grundlegend verschieden sind, denn wir haben ja den Tätigkeitsbereich der Stückwerk-Methode nicht beschränkt. Demnach fällt beispielsweise eine Verfassungsreform sehr wohl in ihren Bereich. Auch will ich die Möglichkeit nicht ausschließen, daß eine Reihe von Stückwerk-Reformen von einer gemeinsamen Tendenz getragen wird, etwa von einer Tendenz zum Einkommensausgleich. Somit können Stückwerk-Methoden zu Änderungen dessen führen, was man gewöhnlich die ›Klassenstruktur der Gesellschaft‹ nennt. Besteht dann zwischen diesen weniger bescheidenen Formen der Stückwerk-Sozialtechnik und der holistisch-utopischen Vorgangsweise überhaupt ein Unterschied? Und diese Frage gewinnt noch an Berechtigung, wenn wir bedenken, daß der Stückwerk-Sozialtechniker bei dem Versuch, die Folgen einer geplanten Reform zu veranschlagen, die Auswirkungen jeder Maßnahme auf das ›Ganze‹ der Gesellschaft nach besten Kräften abzuschätzen hat.

Bei der Beantwortung dieser Frage werde ich nicht versuchen, zwischen den beiden Methoden eine scharfe Demarkationslinie zu ziehen, sondern die sehr verschiedenen Standpunkte herauszustellen, von denen der Holist und der Stückwerk-Technologe die Aufgabe der Reform der Gesellschaft betrachten. Die Holisten verwerfen die

Stückwerk-Methode als zu bescheiden. Diese Ablehnung stimmt allerdings nicht ganz mit der holistischen Praxis überein. Denn in der Praxis wenden die Holisten immer wieder auf etwas chaotische und schwerfällige, freilich zugleich ehrgeizige und rücksichtslose Art eine Methode an, welche im wesentlichen die ihres vorsichtigen und selbstkritischen Charakters beraubte Stückwerk-Methode ist. Der Grund dafür ist, daß in der Praxis die holistische Methode sich als unmöglich herausstellt. Je größer die Veränderungen sind, die der Holismus durchzuführen versucht, desto größer sind ihre unbeabsichtigten und zum großen Teil unerwarteten Rückwirkungen, die den holistischen Ingenieur zwingen, zur *Improvisation* und damit zur Stückwerk-Technik Zuflucht zu nehmen. Dies charakterisiert die zentrale oder kollektivistische Planung sogar in höherem Maße als die bescheideneren und vorsichtigeren Eingriffe der Stückwerk-Technik und treibt den utopischen Ingenieur dauernd zu Aktionen, die er nicht geplant hat, führt also zu dem notorischen Phänomen der *ungeplanten Planung*. Wie wir sehen, unterscheidet sich also in der Praxis die utopische Technik von der Stückwerk-Technik nicht so sehr in der Größenordnung und im Bereich ihrer Aktionen wie in der Vorsicht und dem Vorbereitetsein auf die unvermeidlichen Überraschungen. Man könnte auch sagen, daß sich in der Praxis die beiden *Methoden* in anderem als in der Größenordnung und im Bereich ihrer Aktionen unterscheiden – im Gegensatz zu dem, was uns ein Vergleich der beiden *Doktrinen* über die geeigneten Methoden der rationalen Sozialreform erwarten läßt. Von diesen beiden Doktrinen halte ich die eine für wahr und die andere deshalb für falsch, weil sie, wie ich glaube, zu schweren und vermeidbaren Fehlern führen muß. Von den beiden Methoden halte ich die eine für möglich, während die andere meiner Ansicht nach einfach nicht durchführbar ist: sie ist unmöglich.

Einer der Unterschiede zwischen der utopischen oder holistischen Haltung und der Stückwerk-Technik läßt sich so formulieren: Während der Stückwerk-Ingenieur sein Problem angehen kann, ohne sich bezüglich der Reichweite seiner Reform festzulegen, kann der Holist dies nicht tun, denn er hat von vornherein entschieden, daß eine vollständige Umformung der Gesellschaft möglich und notwendig ist. Diese Tatsache hat weitreichende Konsequenzen. Aus ihr entsteht beim Utopisten ein Vorurteil gegen bestimmte soziologische Hypothesen, welche die Wirksamkeit der Institutionen begrenzen, zum Beispiel gegen die in diesem Abschnitt weiter oben erwähnte Hypothese über die Unsicherheit, die auf den personalen Faktor, den ›Faktor Mensch‹, zurückzuführen ist. Durch apriorische Ablehnung solcher Hypothesen verletzt der Utopismus die Prinzipien der wissenschaftlichen Methode. Andererseits zwingen die Probleme, die mit der Unsicherheit des menschlichen Faktors zusammenhängen, den Utopisten, ob er nun will oder nicht, zu dem Versuch, den menschlichen Faktor mit Hilfe von Institutionen unter Kontrolle zu bringen. Er muß dann sein Programm so erweitern, daß es nicht nur die planmäßige Umgestaltung der Gesellschaft, sondern auch die Umgestaltung des Menschen umfaßt[12]. »Das politische Problem besteht daher darin, *die menschlichen Impulse so zu organisieren,* daß sie ihre Energie auf die richtigen strategischen Punkte lenken und den Prozeß der Gesamtentwicklung in die gewünschte Richtung steuern.« Dem wohlmeinenden Utopisten scheint zu entgehen, daß in diesem Programm schon das Eingeständnis des Mißerfolges liegt, noch bevor überhaupt zu seiner Verwirklichung geschritten wird. Denn es ersetzt die utopistische Forderung nach Errichtung einer Gesellschaft, in der die Menschen leben können, durch die Forderung, diese Menschen so umzuformen, daß sie in die neue Gesellschaft passen. Es ist klar, daß damit jede Möglichkeit der Prüfung des Erfolges oder Mißerfolges der neuen Gesellschaft wegfällt. Denn die Menschen, denen das Leben in ihr nicht behagt, geben damit nur zu, daß sie noch nicht geeignet sind, in ihr zu leben, daß ihre ›menschlichen Impulse‹ noch weiter ›organisiert‹ werden müssen. Sobald es aber keine Möglichkeit der Prüfung gibt, verliert jeder Anspruch auf eine ›wissenschaftliche‹ Methode seine Grundlage. Der Holismus ist mit einer wahrhaft wissenschaftlichen Haltung unvereinbar.

III. Die holistische Theorie des Sozialexperiments

Besonders schädlich ist das holistische Denken durch seinen Einfluß auf die historizistische Theorie des Sozialexperiments. Zwar stimmt der Stückwerk-Technologe mit der historizistischen Ansicht überein, daß soziale Experimente großen Maßstabs und ganzheitlicher Tendenz sich für wissenschaftliche Zwecke sehr schlecht eignen – wenn sie überhaupt möglich sind –, aber er bestreitet energisch die dem Historizismus und dem Utopismus gemeinsame These, daß Sozialexperimente, wenn sie realistisch sein wollen, utopische Versuche, die ganze Gesellschaft umzugestalten, sein müssen.

Wir beginnen unsere Kritik am besten mit der Besprechung eines sehr naheliegenden Einwandes gegen das Programm des Utopismus, nämlich, daß uns das für ein solches Unternehmen nötige experimentelle Wissen fehlt. Die Konstruktionspläne des naturbearbeitenden Ingenieurs beruhen auf einer experimentellen Technologie. Alle Prinzipien, auf denen seine Arbeit aufbaut, sind durch praktische Experimente geprüft. Die holistischen Konstruktionspläne des Sozialingenieurs dagegen stützen sich auf keinerlei ähnliche praktische Erfahrung. Die angebliche Analogie zwischen der naturbearbeitenden Technik und der holistischen Sozialtechnik besteht also nicht. Die holistische Planung wird mit Recht als utopisch bezeichnet, denn eine wissenschaftliche Basis für ihre Pläne ist nirgendwo zu finden.

Bringt man diesen Einwand gegen ihn vor, dann wird der utopische Ingenieur vermutlich zugeben, daß ein Bedürfnis nach praktischer Erfahrung und nach einer experimentellen Technologie besteht. Aber er wird zugleich behaupten, daß wir über diese Dinge nie etwas wissen werden, wenn wir vor Sozialexperimenten oder – was für ihn auf dasselbe hinausläuft – vor holistischer Technik zurückschrecken. Wir müssen einen Anfang machen, wird er argumentieren, und dabei das Wissen, das wir schon besitzen, verwenden, gleichgültig, ob es groß oder gering ist. Wenn wir heute einiges über die Konstruktion von Flugzeugen wissen, dann nur, weil irgendein Flugpionier, der dieses Wissen nicht besaß, den Mut hatte, ein Flugzeug zu konstruieren und auszuprobieren. So kann der Utopist sogar die Ansicht vertreten, daß die holistische Methode, für die er eintritt, nichts weiter ist als die auf die Gesellschaft angewendete experimentelle Methode. Denn wie der Historizist ist auch er der Ansicht, daß Kleinexperimente wie etwa der Versuch, den Sozialismus in einer Fabrik oder in einem Dorf zu verwirklichen, zu keinerlei Schlüssen berechtigen. Nicht einmal wenn er sich auf einen ganzen Verwaltungsbezirk erstreckt, hätte dieser Versuch einen Wert. Solche isolierten ›Robinson-Crusoe-Experimente‹ besagen nichts über das soziale Leben in der modernen ›Großgesellschaft‹. Sie verdienen sogar die Bezeichnung ›utopisch‹ in dem (marxistischen) Sinn, der den Vorwurf der Vernachlässigung historischer Tendenzen beinhaltet. (In diesem Fall wäre es der Vorwurf, daß die Tendenz zum Anwachsen der gegenseitigen Abhängigkeiten im sozialen Leben ignoriert wird.)

Wie man sieht, sind sich Utopismus und Historizismus darin einig, daß *ein Sozialexperiment* (wenn es so etwas überhaupt gibt) *nur dann von Wert sein könnte, wenn es in holistischem Maßstab durchgeführt würde.* Aus diesem weitverbreiteten Vorurteil folgt die Auffassung, daß wir im sozialen Bereich selten in der Lage sind, ›geplante Experimente‹ anzustellen, und daß wir Informationen über die Ergebnisse von ›Zufallsexperimenten‹, die bisher auf diesem Gebiet durchgeführt wurden, aus der *Geschichte* beziehen müssen[13].

Ich habe gegen diese Ansicht zwei Einwände: (*a*) daß sie jene *Stückwerk-Experimente* übersieht, die für jede soziale Erkenntnis, die vorwissenschaftliche wie die wissenschaftliche, von grundlegender Bedeutung sind; (*b*) daß *holistiscbe Experimente* zu unserem experimentellen Wissen kaum viel beitragen werden und daß sie nur insofern ›Experimente‹ genannt werden können, als dieser Ausdruck *ein Unternehmen* bedeutet, *dessen Ausgang ungewiß ist,* aber nicht in dem Sinne, in dem ein Experiment *ein Mittel* ist, das gestattet, *durch den Vergleich der erreichten mit den erwarteten Resultaten Wissen zu gewinnen.*

Im Zusammenhang mit (*a*) kann man auf folgendes hinweisen: die holistische Theorie des Sozialexperiments erklärt nicht die Tatsache, daß wir faktisch eine große Menge experimentellen Wissens über das gesellschaftliche Leben besitzen. Es besteht ein Unterschied zwischen einem erfahrenen und einem unerfahrenen Geschäftsmann, Organisator, Politiker oder General. Es ist dies ein Unterschied in der sozialen Erfahrung, in einer Erfahrung, die nicht nur durch Beobachtung oder durch Nachdenken über Beobachtetes gewonnen wurde, sondern durch Versuche, irgendein praktisches Ziel zu erreichen. Zugegeben, das Wissen, zu dem man auf diese Weise gelangt, hat gewöhnlich vorwissenschaftlichen Charakter und ähnelt daher eher dem Wissen, das durch zufällige Beobachtungen gewonnen wird, als dem, das sorgfältig geplanten wissenschaftlichen Experimenten entspringt. Doch ist dies kein Grund zu leugnen, daß dieses Wissen mehr auf Experimenten als auf bloßer Beobachtung beruht. Ein kleiner Lebensmittelhändler, der einen neuen Laden eröffnet, führt ein soziales Experiment durch, und sogar ein Mann, der vor der Theaterkasse Schlange steht, gewinnt experimentelles technologisches Wissen, das er insofern nutzen kann, als er sich die Karte nächstes Mal im Vorverkauf besorgt, was wiederum ein soziales Experiment ist. Man darf auch nicht vergessen, daß nur praktische Experimente Käufer und Verkäufer auf den Märkten darüber belehrt haben, daß die Preise die Tendenz haben, bei jedem Anwachsen des Angebots zu sinken und bei jedem Ansteigen der Nachfrage zu steigen.

Beispiele für Stückwerk-Experimente in etwas größerem Maßstab wären die Entscheidung eines Monopolisten, den Preis seiner Ware zu ändern, die Einführung einer neuartigen Kranken- oder Arbeitslosenversicherung durch eine private oder öffentliche Versicherungsgesellschaft, die Einführung einer neuen Umsatzsteuer und die Durchführung konjunkturpolitischer Maßnahmen. Alle diese Experimente haben praktische, nicht wissenschaftliche Ziele. Große Firmen stellen aber auch Experimente an, die ganz bewußt nicht auf sofortige Gewinnsteigerung abzielen, sondern die Marktkenntnis des Unternehmens bereichern sollen (natürlich in der Absicht, später höhere Gewinne zu erzielen)[14]. Es herrscht hier eine sehr ähnliche Situation wie in der naturbearbeitenden Technik zu jener Zeit, als der Mensch mit Hilfe vorwissenschaftlicher Methoden sein erstes technologisches Wissen etwa über den Schiffbau und die Navigation erwarb. Es ist nicht einzusehen, warum diese Methoden nicht verbessert und schließlich durch eine wissenschaftlichere Technologie ersetzt werden sollten, also durch einen systematischeren Vorstoß in die gleiche Richtung, der sich sowohl auf kritisches Denken als auch auf Experimente stützen würde.

Nach dieser Auffassung gibt es keine scharfe Trennungslinie zwischen dem vorwissenschaftlichen und dem wissenschaftlichen Experimentieren, wenn auch die immer bewußtere Anwendung wissenschaftlicher, das heißt kritischer Methoden von großer Bedeutung ist. Sowohl vorwissenschaftliche als auch wissenschaftliche Experimente bedienen sich im Grunde der gleichen Methode: sie gehen mit Hilfe von Versuch und Irrtum vor. Wir versuchen, das heißt wir registrieren nicht einfach Beobachtungen, sondern bemühen uns aktiv, mehr oder weniger praktische und klar umrissene Probleme zu lösen. Und wir machen dann und nur dann Fortschritte, wenn wir bereit sind, *aus unseren Fehlern zu lernen:* unsere Irrtümer einzusehen und kritisch aus ihnen Nutzen zu ziehen, anstatt dogmatisch in ihnen zu verharren. Diese Analyse klingt trivial, aber sie beschreibt, glaube ich, die Methode aller empirischen Wissenschaften. Diese Methode nimmt einen immer wissenschaftlicheren Charakter an, je bereitwilliger und bewußter wir Versuche wagen und je kritischer wir nach den Fehlern Ausschau halten, die wir stets begehen. Und diese Formel beschreibt nicht nur die experimentelle Methode, sondern auch das Verhältnis von Theorie und Experiment. Alle Theorien sind Versuche, sind vorläufige Hypothesen, die erprobt werden, damit man feststellen kann, ob sie funktionieren, und jede experimentelle Bewährung ist nichts als das Ergebnis von Prüfungen, die wir in kritischem Geist angestellt haben, um herauszufinden, wo unsere Theorien irren[15].

Für den Stückwerk-Technologen und -Ingenieur bedeutet diese Auffassung folgendes: wenn er in die Sozialforschung und in die Politik wissenschaftliche Methoden einführen will, dann ist dafür die wichtigste Voraussetzung, daß er eine kritische Haltung einnimmt und sich dessen bewußt wird, daß nicht nur der Versuch, sondern auch der Irrtum notwendig ist. Und er muß lernen, Fehler nicht nur zu erwarten, sondern sie auch bewußt zu suchen. Wir alle haben die unwissenschaftliche Schwäche, immer recht haben zu wollen, und diese Schwäche scheint bei Berufs- und Amateurpolitikern besonders verbreitet zu sein. Doch man kann nur dann so etwas wie wissenschaftliche Methode in die Politik bringen, wenn man von der Annahme ausgeht, daß es keine politische Aktion geben kann, die nicht Nachteile, unerwünschte Folgen mit sich bringen würde. Nach diesen Fehlern suchen, sie finden, sie aufzeigen, sie analysieren und aus ihnen lernen – das ist die Aufgabe des wissenschaftlichen Politikers und des politischen Wissenschaftlers. Wissenschaftliche Methode in der Politik bedeutet: wir ersetzen die große Kunst, uns selbst zu überreden, daß wir keine Fehler begangen haben, sie zu ignorieren, sie zu verbergen und sie anderen in die Schuhe zu schieben durch die noch größere Kunst, die Verantwortung für diese Fehler auf uns zu nehmen, möglichst aus ihnen zu lernen und das Gelernte so anzuwenden, daß wir sie in Zukunft vermeiden.

Wir wenden uns nun dem Punkt (*b*) zu, der Kritik der Ansicht, daß man aus holistischen Experimenten lernen kann, genauer: aus Aktionen, die in einem Maßstab durchgeführt werden, der dem holistischen Traum nahekommt (denn holistische Experimente im strengen Sinn, die wirklich ›die Gesellschaft als Ganzes‹ umgestalten, sind logisch unmöglich). Unser Haupteinwand ist sehr einfach: es ist im allgemeinen schon schwer genug, den eigenen Fehlern kritisch gegenüberzustehen, aber es wird uns zwangsläufig fast unmöglich sein, gegenüber den Aktionen, durch die wir in das Leben vieler Menschen eingreifen, dauernd eine kritische Haltung einzunehmen. Anders ausgedrückt: es ist sehr schwer, aus sehr großen Fehlern zu lernen.

Dafür gibt es zweierlei Gründe, technische und moralische. Wenn soviel auf einmal getan wird, dann kann niemand sagen, welche Maßnahme für welches Resultat verantwortlich ist, oder vielmehr: wenn wir ein bestimmtes Resultat auf eine bestimmte Maßnahme zurückführen, dann können wir dies nur auf Grund eines theoretischen Wissens tun, welches früher und nicht durch das fragliche holistische Experiment erworben wurde. Wenn wir bestimmte Resultate auf bestimmte Maßnahmen zurückführen wollen, dann hilft uns dieses Experiment dabei nicht: wir können ihm nur das ›Gesamtresultat‹ zuschreiben. Und was auch immer unter dem ›Gesamtresultat‹ zu verstehen sein mag, es wird schwer zu bestimmen sein. Auch die eifrigsten Bemühungen, sachlich fundierte, unabhängige und kritische Angaben über dieses Resultat zu gewinnen, werden kaum Erfolg haben. Aber die Chancen, daß es zu solchen Bemühungen überhaupt kommt, sind ohnedies praktisch Null. Vielmehr besteht aller Anlaß zu der Vermutung, daß man eine freie Diskussion über den holistischen Plan und seine Konsequenzen gar nicht dulden wird. Denn jeder Versuch, langfristig in sehr großem Maßstab zu planen, bringt zwangsläufig für viele Leute, gelinde gesagt, beträchtliche Unannehmlichkeiten mit sich. Daher wird es stets eine Tendenz geben, dem Plan Widerstand zu leisten und sich über ihn zu beklagen. Für viele dieser Klagen wird der utopische Ingenieur taube Ohren haben müssen, wenn er überhaupt weiterkommen will. Es wird sogar zu seinen Aufgaben gehören, unvernünftige Einwände zu unterdrücken. Doch zugleich unterdrückt er damit zwangsläufig auch vernünftige Kritik. Und die bloße Tatsache, daß Unmutsäußerungen geknebelt werden müssen, wird auch die begeistertste Beifallsäußerung wertlos machen. Daher wird es schwer sein, die Tatsachen festzustellen, das heißt die Auswirkungen des Plans auf den einzelnen Bürger. Und ohne diese Tatsachen ist eine wissenschaftliche Kritik unmöglich.

Doch die Schwierigkeit, holistische Planung mit wissenschaftlichen Methoden zu verbinden, ist noch fundamentaler, als bisher angedeutet wurde. Der holistische Planer übersieht, daß es zwar leicht ist, die Macht zu zentralisieren, aber unmöglich, all das Wissen zu zentralisieren, welches auf viele Individuen verteilt ist und dessen Zentralisierung zur weisen Ausübung der zentralisierten Macht erforderlich wäre [siehe Anm. 6]. Nun hat diese Tatsache aber weitreichende Konsequenzen. Da der holistische Planer nicht imstande ist festzustellen, was in so vielen Menschen vorgeht, muß er versuchen, durch Eliminierung individueller Unterschiede seine Probleme zu vereinfachen: er muß versuchen, die Interessen und Ansichten der Menschen durch Schulung und Propaganda zu lenken und stereotyp zu machen[16]. Doch dieser Versuch, den Verstand der Menschen zu beherrschen, zerstört zwangsläufig die letzte Möglichkeit festzustellen, was die Leute wirklich denken; denn er verträgt sich ohne Zweifel nicht mit der freien Meinungsäußerung, insbesondere mit der Äußerung kritischer Gedanken. Letzten Endes muß ein solcher Versuch die Erkenntnis und das Wissen vernichten, und je größer der Gewinn an Macht ist, desto größer wird der Verlust an Wissen sein. (Man wird daher vielleicht finden, daß politische Macht und soziales Wissen im Sinne Bohrs ›komplementär‹ sind, und es könnte sogar sein, daß dies die einzige klare Veranschaulichung dieses schwer faßbaren, aber sehr beliebten Begriffes ist[17].)

All diese Überlegungen beschränken sich auf das Problem der wissenschaftlichen Methode. Sie geben stillschweigend die ungeheuerliche Annahme zu, daß wir die grundsätzliche Gutwilligkeit des mit fast diktatorischer Gewalt ausgestatteten utopischen Planers nicht in Frage zu stellen brauchen. Tawney beschließt eine Besprechung Luthers und seiner Zeit mit folgenden Worten: »Skeptisch hinsichtlich der Existenz von Einhörnern und Salamandern, fand das Zeitalter Heinrichs VIII. und Machiavellis Nahrung für seine Leichtgläubigkeit in der Anbetung eines Fabelwesens, welches da ist der gottesfürchtige Fürst.«[18] Man ersetze hier ›Einhörner und Salamander‹ durch ›gottesfürchtige Fürsten‹, die zwei Eigennamen durch ein paar von ihren wohlbekannten zeitgenössischen Gegenstücken und ›der gottesfürchtige Fürst‹ durch ›die wohlmeinende Planungsbehörde‹: man erhält damit eine Beschreibung der Leichtgläubigkeit unseres eigenen Zeitalters. Diese Leichtgläubigkeit soll hier nicht in Frage gezogen werden. Doch ist das eine zu bedenken: selbst wenn man den unbegrenzten und unwandelbaren guten Willen einer fast allmächtigen Planungsbehörde voraussetzt, so wird diese, unserer Analyse zufolge, vielleicht niemals imstande sein, festzustellen, ob die Ergebnisse ihrer Maßnahmen mit ihren guten Absichten übereinstimmen.

Ich glaube nicht, daß man gegen unsere Stückwerk-Methode einen ähnlichen Einwand vorbringen kann. Insbesondere ist darauf hinzuweisen, daß man mit dieser Methode die größten und dringlichsten Mißstände in der Gesellschaft feststellen und bekämpfen kann, anstatt nach irgendeinem höchsten Gut zu suchen und seine Verwirklichung zu erkämpfen (wie es die Holisten gerne tun möchten). Ein systematischer Kampf gegen bestimmte Mißstände, gegen konkrete Formen der Ungerechtigkeit oder der Ausbeutung, gegen Leiden, die sich vermeiden lassen, wie etwa Armut und Arbeitslosigkeit, ein solcher Kampf ist etwas ganz anderes als der Versuch, eine auf dem Reißbrett entwickelte ideale Gesellschaft zu verwirklichen. Wenn man nach der Stückwerk-Methode vorgeht, sind Erfolg und Mißerfolg leichter festzustellen, und nichts an dieser Methode gibt Grund zu der Annahme, daß sie zu einer Machtkonzentration und zur Unterdrückung der

Kritik führen müßte. Auch wird ein solcher Kampf gegen konkrete Mißstände und konkrete Gefahren vermutlich leichter die Unterstützung einer großen Mehrheit finden als der Kampf um die Errichtung einer utopischen Gesellschaftsordnung, so ideal sie ihren Planern auch erscheinen mag. Dies trägt vielleicht zur Erklärung der Tatsache bei, daß in demokratischen Ländern, die sich gegen Aggression verteidigen müssen, die nötigen weitgehenden Maßnahmen (die sogar den Charakter holistischer Planung annehmen können) unter Umständen auch *ohne Unterdrückung der öffentlichen Kritik* genügend Unterstützung finden, während in Ländern, die eine Aggression vorbereiten oder einen Angriffskrieg führen, die öffentliche Kritik in der Regel unterdrückt werden muß, damit man die Unterstützung der Öffentlichkeit dadurch mobilisieren kann, daß man die Aggression als Verteidigung hinstellt.

Wir können uns nun wieder der Behauptung des Utopisten zuwenden, seine Methode sei die echte experimentelle Methode, angewandt auf das Gebiet der Soziologie. Unsere Kritik hat diese Behauptung widerlegt. Das läßt sich noch durch die Analogie zwischen physischer und holistischer Technik weiter verdeutlichen. Sicher können Maschinen auf dem Reißbrett geplant werden und mit ihnen sogar eine ganze Fabrik zu ihrer Erzeugung usw. Doch wenn die Maschinen und die Fabrik funktionieren, dann nur, weil vorher zahlreiche Stückwerk-Experimente durchgeführt worden sind. Jede Maschine ist das Ergebnis einer großen Zahl kleiner Verbesserungen. Jedes Modell muß durch Versuch und Irrtum, durch unzählige kleine Anpassungen ›entwickelt‹ werden. Das gleiche gilt für die Planung der Fabrik. Der scheinbar holistische Plan kann nur gelingen, weil wir schon alle möglichen kleinen Fehler gemacht haben. Sonst würde er aller Voraussicht nach zu großen Fehlern führen.

Bei näherer Betrachtung wendet sich also die Analogie zwischen naturbearbeitender und sozialer Technik gegen den Holisten und spricht für den Stückwerk-Sozialingenieur. Der Ausdruck ›Sozialtechnik‹, der auf diese Analogie anspielt, wurde von den Utopisten ohne das geringste Recht usurpiert.

Text 25

Die Paradoxien der Souveränität (1945)

Der Weise soll führen und herrschen
und der Unwissende soll ihm folgen.
PLATON

Platons Idee der Gerechtigkeit verlangt im Grunde, daß der natürliche Herrscher herrschen und der natürliche Sklave fronen solle[1]. Dies ist ein Bestandteil der historizistischen Forderung, daß der Staat, um jede Veränderung aufzuhalten, eine Kopie seiner Idee oder seiner wahren ›Natur‹ sein soll. Diese Theorie der Gerechtigkeit zeigt sehr klar, daß das Grundproblem der Politik für Platon in der folgenden Frage bestand: *Wer soll den Staat regieren ?*

I

Es ist meine Überzeugung, daß Platon dadurch, daß er das Problem der Politik in Form der Frage stellte ›Wer soll herrschen?‹ oder ›Wessen Wille soll der höchste sein?‹, die politische Philosophie gründlich verwirrt hat. Dies ist der Verwirrung analog, die seine Identifikation des Kollektivismus mit dem Altruismus [die in Text 27 diskutiert wird] auf dem Gebiet der Moralphilosophie erzeugte. Denn sobald einmal die Frage ›Wer soll regieren?‹ gestellt ist, ist es selbstverständlich schwierig, eine Antwort wie ›der Beste‹ oder ›der Weiseste‹ oder ›der geborene Herrscher‹ oder ›der, welcher die Kunst des Regierens meistert‹ (oder ›der allgemeine Wille‹, ›die Herrenrasse‹, ›die Industriearbeiter‹ oder ›das Volk‹) zu umgehen. Aber so überzeugend eine solche Antwort auch klingen mag – denn wer wird wohl die Herrschaft ›der Schlechtesten‹ oder ›des größten Narren‹ oder ›des geborenen Sklaven‹ empfehlen? –, sie ist, wie ich zu zeigen versuchen werde, völlig nutzlos.

Zuerst versucht eine solche Antwort uns davon zu überzeugen, daß ein fundamentales Problem der politischen Theorie gelöst worden ist. Aber wenn wir an die Theorie der Politik von einer anderen Seite herangehen, dann finden wir, daß wir weit davon entfernt sind, auch nur ein Grundproblem gelöst zu haben, und daß wir durch die Annahme, daß die Frage: ›Wer soll regieren?‹, fundamental ist, die Schwierigkeiten bloß übergangen haben. Denn sogar jene Philosophen, die Platon in dieser Hinsicht folgen, geben zu, daß die politischen Führer nicht immer hinreichend ›gut‹ oder ›weise‹ sind (wir brauchen uns um die genaue Bedeutung dieser Begriffe nicht den Kopf zu zerbrechen); und daß es nicht leicht ist, eine Regierung zu erhalten, auf deren Güte und Weisheit man sich unbedingt verlassen kann. Ist das einmal zugegeben, so erhebt sich die Frage, ob sich das politische Denken nicht von Anfang an mit der Möglichkeit schlechter Regierungen vertraut machen sollte; ob wir nicht gut daran täten, uns auf die schlechtesten Führer vorzubereiten und auf die besten zu hoffen. Aber das führt zu einer neuen Betrachtung des Grundproblems der Politik; denn es zwingt uns, die Frage *Wer soll regieren?* durch die neue[2] Frage zu ersetzen: *Wie können wir politische Institutionen so organisieren, daß es schlechten oder inkompetenten Herrschern unmöglich ist, allzugroßen Schaden anzurichten?*

Diejenigen, die die ältere Frage für fundamental halten, nehmen stillschweigend an, daß die politische Macht ›ihrem Wesen nach‹ keiner Kontrolle unterworfen sei. Sie nehmen an, daß irgendwer (ein Individuum oder ein Kollektivkörper, wie etwa eine Klasse) die Macht besitzt und daß es dem Besitzer der Macht ziemlich frei steht, zu tun und zu lassen, was er will; insbesondere kann er seine Macht vergrößern und sie dadurch mehr und mehr aller Beschränkungen und Kontrollen entledigen. Sie nehmen an, daß die politische Macht ihrem Wesen nach souverän ist. Wenn dies einmal zugestanden wird, dann ist in der Tat die Frage ›‚Wer soll der Herrscher sein?‹ die einzig wichtige Frage, die verbleibt.

Ich werde die eben charakterisierte Annahme die *Theorie der (unkontrollierten) Souveränität* nennen, und ich werde diesen Ausdruck nicht zur Bezeichnung irgendeiner der verschiedenen Theorien der Souveränität verwenden, wie sie insbesondere Autoren wie Bodin, Rousseau oder Hegel aufgestellt haben, sondern zur Bezeichnung der allgemeineren Annahme, daß die politische Macht praktisch keiner Kontrolle unterworfen ist, oder der Forderung, daß sie keiner Kontrolle unterworfen werden sollte; und außerdem zur Bezeichnung der daraus folgenden Behauptung, daß das verbleibende Hauptproblem darin bestehe, diese Macht in die besten Hände zu legen. Diese Theorie der Souveränität wird bei Platon stillschweigend vorausgesetzt, und sie hat seither stets ihre Rolle gespielt. Auch jene modernen Autoren bekennen sich implizit zu dieser Theorie, die das Hauptproblem der Politik in der Frage sehen – Wer soll diktieren? Die Kapitalisten oder die Arbeiter?

Ohne mich auf eine detaillierte Kritik einzulassen, möchte ich darauf verweisen, daß es schwerwiegende Einwände gegen eine vorschnelle und unkritische Annahme der Theorie der Souveränität gibt. Wie groß auch immer ihre spekulativen Verdienste erscheinen mögen – sie ist sicher sehr unrealistisch. Keine politische Macht ist jemals ohne alle Kontrolle gewesen, und solange nur die Menschen menschlich bleiben (solange die ›*Brave New World*‹ nicht verwirklicht ist), kann es auch keine absolute und uneingeschränkte politische Macht geben. Solange es einem Menschen nicht möglich ist, genügend physische Macht in seinen Händen anzusammeln, um alle übrigen Menschen zu beherrschen, ebensolange muß er von seinen Helfern abhängig bleiben. Sogar der mächtigste Tyrann ist abhängig von seiner Geheimpolizei, von seinen Helfern und von seinen Henkern. Diese Abhängigkeit bedeutet, daß seine Macht, so groß sie auch sein mag, niemals uneingeschränkt ist, und daß er Zugeständnisse machen muß, indem er die eine Gruppe gegen die andere ausspielt. Sie bedeutet, daß es außer seiner eigenen Macht auch andere politische Kräfte gibt und daß er seine Herrschaft nur ausüben kann, indem er jene Kräfte ausgleicht und sie sich zunutze macht. Sogar die extremen Fälle von Souveränität sind also niemals reine Fälle, das heißt Fälle, in denen der Wille oder das Interesse eines Menschen (oder, wenn es etwas Derartiges gäbe, der Wille oder das Interesse einer Gruppe) sein Ziel auf geradem Wege erreicht, ohne einen Teil seiner selbst zur Anwerbung von Kräften preiszugeben, die er nicht erobern kann. Und in einer überwältigenden Anzahl von Fällen geht die Einschränkung der politischen Macht noch viel weiter.

Ich habe diese empirischen Umstände nicht hervorgehoben, um sie als Argument zu verwenden, sondern einzig deshalb, weil ich Einwände vermeiden möchte. Meine Behauptung ist, daß jede Theorie der Souveränität einer grundlegenderen Frage aus dem Wege geht – die Frage nämlich, ob wir nicht eine institutionelle Kontrolle der Regierenden anstreben sollten, indem wir versuchen, ihrer Macht durch Kräfte anderer Art das Gleichgewicht zu halten. Diese *Theorie der Kontrolle und gegenseitigen Beschränkung der Kräfte im Staat* verdient zumindest eine ernsthafte Diskussion. Soweit ich sehen kann, sind die einzigen Einwände gegen diese Forderung die folgenden: (*a*) eine solche Kontrolle ist *praktisch* unmöglich oder (*b*) sie ist *ihrem Wesen nach* unvorstellbar, da die politische Macht ihrem Wesen nach souverän ist[3]. Diese beiden dogmatischen Einwände werden, wie ich glaube, durch die Tatsachen widerlegt; und mit ihnen fällt eine ganze Anzahl anderer einflußreicher Ansichten in sich zusammen (z.B. die Theorie, daß die einzige Alternative zur Diktatur einer Klasse die Diktatur einer anderen Klasse ist).

Die Frage nach der institutionellen Kontrolle der Regierenden setzt nicht mehr voraus als die Annahme, daß die Regierungen nicht immer gut oder weise sind. Da aber bereits von historischen Tatsachen die Rede war, so glaube ich gestehen zu müssen, daß ich geneigt bin, über diese Annahme ein wenig hinauszugehen. Ich neige zur Ansicht, daß Herrscher sich moralisch oder intellektuell selten über und oft unter dem Durchschnitt befanden. Und ich halte es in der Politik für ein kluges Prinzip, wenn wir uns, so gut wir können, für das Ärgste vorbereiten, obschon wir natürlich zur gleichen Zeit versuchen sollten, das Beste zu erreichen. Es scheint mir Wahnsinn, alle unsere politischen Bemühungen auf die schwache Hoffnung zu gründen, daß die Auswahl hervorragender oder auch nur kompetenter Herrscher von Erfolg begleitet sein wird. Obgleich mir Dinge dieser Art sehr am Herzen liegen, muß ich doch hervorheben, daß meine Kritik der Theorie der Souveränität nicht von diesen mehr persönlichen Ansichten abhängt.

Abgesehen von diesen persönlichen Ansichten und abgesehen von den obenerwähnten empirischen Argumenten gegen die allgemeine Theorie der Souveränität gibt es auch eine Art logischer Überlegung, die dazu dienen kann, den widerspruchsvollen Charakter jeder besonderen Form der Theorie der Souveränität zu zeigen; genauer: Dieses logische Argument läßt sich in verschiedenen, jedoch analogen Formen gegen die Theorien anführen, daß der Weiseste regieren solle, daß der Beste regieren solle, daß das Gesetz oder die Mehrheit usf. regieren solle. Eine besondere Form dieses logischen Argumentes richtet sich gegen eine zu naive Fassung des Liberalismus, der Demokratie und des Prinzips der Herrschaft der Majorität. Und es hat eine gewisse Ähnlichkeit mit dem wohlbekannten ›*Paradoxon der Freiheit*‹, das Platon als erster und mit Erfolg verwendet hat. Anläßlich seiner Kritik der Demokratie und in seiner Darstellung des Aufstiegs des Tyrannen stellt Platon implizit die folgende Frage: Was tun wir, wenn es der Wille des Volkes ist, nicht selbst zu regieren, sondern statt dessen einen Tyrannen regieren zu lassen? Platon legt die Möglichkeit nahe, daß der freie Mensch, seine Freiheit gebrauchend, zuerst den Gesetzen Widerstand leistet, schließlich die Freiheit selbst mißachtet und einen Tyrannen verlangt[4]. Diese Möglichkeit ist nicht an den Haaren herbeigezogen; Fälle dieser Art sind oft genug eingetreten. Und immer, wenn sie sich ereigneten, kamen alle jene Demokraten in eine hoffnungslose intellektuelle Situation, die das Prinzip der Herrschaft der Mehrheit oder eine ähnliche Form des Prinzips der Souveränität als die Grundlage ihres politischen Glaubensbekenntnisses akzeptieren. Einerseits verlangt das von ihnen akzeptierte Prinzip, sich jeder Herrschaft zu widersetzen außer der Herrschaft der Majorität, also auch der Herrschaft des neuen Tyrannen; andererseits fordert dasselbe Prinzip von ihnen die Anerkennung jeder Entscheidung der Majorität und damit auch die Anerkennung der Herrschaft des neuen Tyrannen. Es ist natürlich, daß der Widerspruch in ihrer Theorie ihre Handlungen lähmen muß[5]. Diejenigen unter uns Demokraten, die die institutionelle Kontrolle der Herrscher durch die Beherrschten fordern und die insbesondere auf dem Recht bestehen, die Regierung aufgrund eines Majoritätsvotums zum Rücktritt zu veranlassen, müssen daher für diese ihre Forderungen eine bessere Begründung suchen als eine widerspruchsvolle Theorie der Souveränität. (Wir werden im nächsten Abschnitt dieses Kapitels kurz zeigen, daß eine solche Begründung möglich ist.)

Wie wir sahen, stand Platon nahe vor der Entdeckung des Paradoxons der Freiheit und des Paradoxons der Demokratie. Er und seine Nachfolger übersahen jedoch, daß alle anderen Formen der Theorie der Souveränität zu ähnlichen Widersprüchen führen. *Alle Theorien der Souveränität sind paradox.* Nehmen wir zum Beispiel an, daß wir den ›Weisesten‹ oder den ›Besten‹ zum Herrscher wählten. Der ›Weiseste‹ kann nun in seiner Weisheit finden, daß nicht er, sondern der ›Beste‹ zum Regieren berufen sei, und der ›Beste‹ wird vielleicht in seiner Tugendhaftigkeit entscheiden, daß ›die Mehrheit‹ die Herrschaft antreten solle. Es ist wichtig, darauf zu achten, daß sogar jene Form der Theorie der Souveränität, die für die Herrschaft des Gesetzes eintritt, demselben Einwand ausgesetzt ist. Dies wurde in der Tat schon sehr früh gesehen, wie der folgende Ausspruch Heraklits zeigt: »Das Gesetz kann auch verlangen, daß dem Willen *eines* Mannes gehorcht werde[6].«

Ich fasse diese kurze Kritik zusammen: Man kann, wie ich glaube, behaupten, daß sich die Theorie der Souveränität empirisch wie auch logisch in einer schwachen Position befindet. Das Geringste, was man fordern kann, ist, daß sie nicht ohne sorgfältige Prüfung anderer Möglichkeiten angenommen werde.

II

Und es ist wirklich nicht schwer zu zeigen, daß sich eine Theorie der demokratischen Kontrolle entwickeln läßt, die vom Paradoxon der Souveränität frei ist. Die Theorie, die ich im Sinne habe, geht nicht von der Annahme aus, daß die Herrschaft der Mehrheit im Grunde vortrefflich oder rechtschaffen ist, sondern von der Überzeugung, daß die Tyrannei verwerflich ist. Genauer gesagt: die Theorie stützt sich auf den Entschluß, die Tyrannei zu vermeiden oder sich ihr zu widersetzen.

Wir können nämlich zwei Grundtypen von Regierungen unterscheiden. Zur ersten gehören Regierungen, deren wir uns ohne Blutvergießen, zum Beispiel auf dem Wege über allgemeine Wahlen, entledigen können; die sozialen Institutionen sehen also Mittel vor, die es den Beherrschten gestatten, die Herrscher abzusetzen, und die sozialen Traditionen[7] geben die Sicherheit, daß es den augenblicklichen Verwaltern der Macht nicht leicht sein wird, diese Institutionen zu zerstören. Zu der zweiten Art gehören solche Regierungen, die die Beherrschten nur durch eine gewaltsame Revolution loswerden können – und das heißt in den meisten Fällen, überhaupt nicht. Als eine kurze Bezeichnung für eine Regierungsform der ersten Art schlage ich das Wort ›Demokratie‹ vor, für eine Regierungsform der zweiten Art wähle ich den Namen ›Tyrannei‹ oder ›Diktatur‹. Ich glaube, daß dies der traditionellen Verwendungsweise der angegebenen Wörter ziemlich genau entspricht. Ich möchte aber klarmachen, daß keines meiner Argumente von der Wahl dieser Bezeichnung abhängt; sollte jemand (wie es heutzutage häufig geschieht) diese Verwendungsweise der Wörter umkehren, dann würde ich einfach sagen, daß ich das bevorzuge, was er ›Tyrannei‹ nennt, und daß ich das ablehne, was er ›Demokratie‹ nennt; und ich würde jeden Versuch, herauszufinden, was ›Demokratie‹ ›wirklich‹ oder ›ihrem Wesen nach‹ bedeutet, als irrelevant ablehnen. Zu solchen Versuchen zählt auch die Erklärung, die Demokratie sei ›die Herrschaft des Volkes‹. (Obgleich nämlich ›das Volk‹ die Aktionen seiner Herrscher durch Drohung mit Absetzung beeinflussen kann, regiert es doch selbst niemals in irgendeinem konkreten praktischen Sinn. [Siehe auch S. 80, oben.])

Wenn wir nun die zwei Bezeichnungen so verwenden, wie es vorgeschlagen wurde, so können wir den Vorschlag, politische Institutionen zur Vermeidung der Tyrannei zu schaffen, zu entwickeln und zu schützen, das Prinzip einer demokratischen Politik nennen. Aus diesem Prinzip folgt nicht, daß uns der Aufbau von fehlerfrei und leicht zu handhabenden Institutionen der angegebenen Art jemals gelingen wird, oder daß es uns jemals gelingen wird, Institutionen zu entwikkeln, die dafür bürgen, daß die von einer demokratischen Regierung vertretene Politik richtig, gut oder weise sein wird – oder notwendigerweise besser und klüger als die Politik eines wohlwollenden Tyrannen. (Da keine derartigen Behauptungen gemacht werden, wird das Paradoxon der Demokratie vermieden.) Hingegen ist mit der Annahme des demokratischen Prinzips die Überzeugung verbunden, daß es besser ist, eine schlechte demokratische Politik auszuhalten (solange wir nur auf eine friedliche Umbildung hinarbeiten können) als sich einer Tyrannei, sei sie auch noch so weise und wohlwollend, zu unterwerfen. So betrachtet, beruht die Theorie der Demokratie nicht auf dem Prinzip der Herrschaft der Majorität; die verschiedenen Methoden einer demokratischen Kontrolle – die allgemeinen Wahlen, die parlamentarische Regierungsform – sind nicht mehr als wohlversuchte und, angesichts eines weitverbreiteten traditionellen Mißtrauens der Diktatur gegenüber, ziemlich wirksame institutionelle Sicherungen gegen eine Tyrannei, Sicherungen, die stets der Verbesserung offenstehen und die sogar Methoden für ihre eigene Verbesserung vorsehen.

Wer das Prinzip der Demokratie in diesem Sinn annimmt, ist also nicht gezwungen, das Resultat einer demokratischen Abstimmung als einen autoritativen Ausdruck dessen anzusehen, was Recht ist. Er wird die Entscheidung der Majorität annehmen, um den demokratischen Institutionen die Arbeit zu ermöglichen. Es steht ihm aber frei, diese Entscheidung mit demokratischen Mitteln zu bekämpfen und auf ihre Revision hinzuarbeiten. Und sollte er alt genug werden, um den Tag zu erleben, an dem die demokratischen Institutionen durch Mehrheitsbeschluß zerstört werden, dann wird er aus dieser traurigen Erfahrung nur lernen, daß es keine sichere Methode zur Vermeidung der Tyrannei gibt. Aber diese Erfahrung braucht seine Entschlossenheit zum Kampf gegen die Tyrannei nicht zu schwächen; noch wird seine Theorie durch ein solches Ergebnis des Widerspruchs überführt.

Text *26*

Marxens Theorie des Staates (1945)

I

Nach Marx müssen wir das Rechtssystem oder juridisch-politische System – das System gesetzlicher Institutionen, die vom Staat dekretisiert werden – als einen Überbau verstehen, der auf den Produktivkräften des wirtschaftlichen Systems errichtet ist und der ihnen Ausdruck verleiht; Marx spricht in diesem Zusammenhang vom ›juridischen und politischen Überbau‹[1]. Dieser ist natürlich nicht die einzige Form, in der die ökonomische oder materielle Realität sowie die Beziehungen zwischen den Klassen, die ihr entsprechen, in der Welt der Ideologien und Ideen in Erscheinung treten. Ein anderes Beispiel eines solchen Überbaus wäre nach marxistischer Auffassung das vorherrschende Moralsystem. Dieses wird nicht, wie das Rechtssystem, von der Staatsgewalt durchgesetzt, sondern von einer Ideologie sanktioniert, die von der herrschenden Klasse geschaffen wurde und unter ihrer Kontrolle steht. Der Unterschied entspricht (beiläufig) dem Unterschied zwischen Überredung und Gewalt (wie Platon gesagt haben würde[2]); und es ist der Staat, das Rechtssystem oder politische System, das Gewalt anwendet. Er ist, wie es bei Engels heißt[3], ›eine besondere Repressionsgewalt‹, die es den Herrschern ermöglicht, die Beherrschten in Schranken zu halten. »Die politische Gewalt im eigentlichen Sinn«, sagt das *Manifest*[4], »ist die organisierte Gewalt einer Klasse zur Unterdrückung einer anderen.« Eine ähnliche Beschreibung finden wir bei Lenin[5]: »Nach Marx ist der Staat ein Organ der Klassen*herrschaft,* ein Organ der Unterdrückung der einen Klasse durch eine andere, er dient zur Schaffung der Ordnung, die diese Unterdrückung festigt und zum Gesetz erhebt.« Der Staat ist also, kurz gesagt, nur ein Teil der Maschinerie, deren sich die herrschende Klasse bei ihrem Kampf bedient.

Bevor wir darangehen, die Folgen dieser Ansicht vom Staate zu entwickeln, sei darauf verwiesen, daß sie teils eine institutionalistische und teils eine essentialistische Theorie ist. Sie ist institutionalistisch insofern, als Marx feststellen will, welche praktischen Funktionen die gesetzlichen Institutionen im sozialen Leben haben. Aber sie ist essentialistisch insofern, als Marx weder die Vielfalt der Zwecke untersucht, denen diese Institutionen dienen können, noch angibt, welche institutionellen Reformen notwendig sind, um den Staat jenen Zwekken dienstbar zu machen, die er selbst für wünschenswert hält. Statt zu fordern oder vorzuschlagen, welche Funktionen er vom Staat, von den gesetzlichen Institutionen oder von der Regierung ausgeübt sehen will, stellt er Fragen wie ›*Was ist* der Staat?‹; das heißt er versucht, die *wesentliche* Funktion der juridischen Institutionen zu entdecken. Wir haben schon früher gezeigt [in Text 6, oben], daß eine solche typisch essentialistische Frage nicht auf befriedigende Weise beantwortet werden kann ; aber sie paßt zweifellos zu dem essentialistischen und metaphysischen Vorgehen Marxens, wo das Gebiet der Ideen und Normen als die Erscheinungsweise einer ökonomischen Wirklichkeit aufgefaßt wird.

Welche Folgen hat diese Lehre vom Staat? Die wichtigste Folge ist, daß Politik, gesetzliche und politische Institutionen sowie auch politische Kämpfe nie von primärer Bedeutung sein können. *Die Politik ist ohnmächtig.* Sie kann die ökonomische Realität niemals entscheidend verändern. Die wichtigste, wenn nicht die einzige Aufgabe aufgeklärter politischer Tätigkeit ist, darauf zu achten, daß die Änderung des juridisch-politischen Mantels mit den Änderungen der sozialen Realität, das heißt mit den Änderungen der Produktionsmittel und der Beziehungen zwischen den Klassen, Schritt halten; solcherart lassen sich Schwierigkeiten vermeiden, die entstehen müssen, wenn die Politik hinter diesen Entwicklungen zurückbleibt. Anders ausgedrückt: Politische Entwicklungen sind entweder oberflächlich, nicht durch die tiefere Wirklichkeit des sozialen Systems bedingt; in diesem Fall sind sie zur Bedeutungslosigkeit verurteilt und können für die Unterdrückten und Ausgebeuteten nie von wirklicher Hilfe sein. Oder sie sind der Ausdruck einer Veränderung des ökonomischen Hintergrundes und der Klassensituation, in welchem Fall sie den Charakter vulkanischer Eruptionen oder vollständiger Revolutionen haben, die man vorhersehen mag, sobald sie dem Sozialsystem entspringen, deren stürmische Entwicklung sich dann vielleicht dadurch mildern läßt, daß man sich den eruptiven Kräften nicht entgegenstellt, die aber durch politisches Handeln weder verursacht noch unterdrückt werden können.

Diese Konsequenzen zeigen wieder die Einheit in Marxens historizistischem Gedankensystem. Aber wenn wir uns überlegen, daß es nur wenige Bewegungen gibt, die das Interesse am politischen Handeln so sehr angeregt haben wie der Marxismus, dann erscheint diese Theorie der grundsätzlichen Ohnmacht der Politik einigermaßen paradox. (Marxisten können dieser Bemerkung natürlich eines der beiden folgenden Argumente entgegenhalten. Das erste Argument besagt, daß das politische Handeln in der dargestellten Theorie seine Funktion *hat;* denn selbst wenn die Partei der Arbeiter durch ihre Handlungen das Los der ausgebeuteten Massen nicht zu verbessern vermag, so weckt doch ihr Kampf das Klassenbewußtsein und bereitet dadurch die Revolution vor. So würde der radikale Flügel argumentieren. Nach dem zweiten Argument, das vom gemäßigten Flügel verwendet wird, kann das politische Handeln in gewissen historischen Perioden direkt hilfreich sein; es sind dies Perioden, in denen sich die Kräfte der beiden opponierenden Klassen ungefähr das Gleichgewicht halten. In solchen Perioden kann politischer Einsatz und politische Energie von entscheidender Bedeutung sein, wenn es gilt, sehr wichtige Verbesserungen für die Arbeiter herbeizuführen. Dieses zweite Argument gibt offenkundig einige der grundlegenden Positionen der Theorie auf, aber ohne sich dessen bewußt zu sein, und daher ohne der Sache auf den Grund zu gehen.)

Es verdient festgestellt zu werden, daß nach der marxistischen Theorie die Arbeiterpartei kaum einen wichtigen politischen Fehler begehen kann, solange sie nur fortfährt, die ihr zugewiesene Rolle zu spielen und die Forderungen der Arbeiter energisch geltend zu machen. Denn politische Fehler können die tatsächliche Klassensituation nicht wesentlich beeinflussen und noch weniger die ökonomische Wirklichkeit, von der im Grunde alles übrige abhängt.

Eine andere wichtige Konsequenz der Theorie ist, daß im Prinzip jede Regierung, selbst eine demokratische, eine Diktatur der herrschenden Klasse über die beherrschte Klasse ist. »Die Exekutive des modernen Staates«, so sagt das *Manifest,* »ist bloß ein Komitee zur Erledigung der ökonomischen Angelegenheiten der Bourgeoisie.«[6] Was wir eine Demokratie nennen, ist also nichts anderes als jene Form der Klassendiktatur, die sich in einer gewissen historischen Situation als die bequemste erweist. (Diese Lehre paßt schlecht zur Theorie vom Klassengleichgewicht, die der gemäßigte Flügel vertritt und die wir bereits erwähnt haben.) Und ebenso wie der Staat unter dem Kapitalismus eine Diktatur der Bourgeoisie ist, ebenso wird er nach der sozialen Revolution zunächst eine Diktatur des Proletariats sein. Aber dieser proletarische Staat muß seine Funktion verlieren, sobald der Widerstand der alten Bourgeoisie zusammengebrochen ist. Denn die proletarische Revolution führt zu einer Einklassengesellschaft und damit zu einer klassenlosen Gesellschaft, in der es keine Klassendiktatur geben kann. Der Staat wird so jeder Funktion beraubt und muß verschwinden. *»Er stirbt ab«*, wie Engels sagt[7].

II

Der Gegensatz zwischen dem Rechtssystem und dem Sozialsystem wird im *Kapital* sehr klar entwickelt. In einem der theoretischen Teile dieses Werkes analysiert Marx das kapitalistische ökonomische System, indem er die vereinfachende und idealisierende Annahme trifft, daß das juridisch-politische System in jeder Hinsicht vollkommen ist. Er nimmt an, daß Freiheit, Gleichheit vor dem Gesetz und Gerechtigkeit für jedermann garantiert sind. Vor dem Gesetz gibt es keine privilegierten Klassen. Darüber hinaus nimmt er an, daß nicht einmal im ökonomischen Bereich irgendeine Art von ›Räuberei‹ vorkommt; er nimmt an, daß ›ein gerechter Preis‹ für alle Waren bezahlt wird, eingeschlossen die Arbeitskraft, die der Arbeiter dem Kapitalisten auf dem Arbeitsmarkt verkauft. Der Preis für diese Waren ist ›gerecht‹ in dem Sinn, daß sie im Verhältnis zum durchschnittlichen Aufwand jener Arbeit gekauft und verkauft werden, die zu ihrer Herstellung notwendig ist (oder, in Marxens Terminologie, sie werden ihrem wahren ›Wert‹[8] entsprechend gekauft und verkauft). Marx weiß natürlich, daß er hier radikal vereinfacht hat, denn seiner Ansicht nach wird den Arbeitern nur höchst selten eine so faire Behandlung zuteil; mit anderen Worten, sie werden gewöhnlich betrogen. Aber indem er von diesen idealisierten Prämissen ausgeht, versucht er zu zeigen, daß das ökonomische System selbst unter diesem hervorragenden Legalsystem die Arbeiter am vollen Genuß ihrer Freiheit hindern muß. Trotz aller ›Gerechtigkeit‹ sind sie am Ende nicht viel besser daran als Sklaven[9] Denn wenn sie arm sind, so können sie nur sich selbst, ihre Frauen und ihre Kinder auf dem Arbeitsmarkt verkaufen, und zwar für gerade so viel, als zur Aufrechterhaltung ihrer Arbeitskraft nötig ist. Das heißt, sie werden für ihre volle Arbeitskraft nicht mehr erhalten als das bare Existenzminimum, woraus folgt, daß Ausbeutung nicht einfach Beraubung ist. Ausbeutung läßt sich durch gesetzliche Mittel allein nicht beseitigen. (Und die Kritik Proudhons, »Eigentum ist Diebstahl‹, ist viel zu oberflächlich[10].)

Überlegungen wie diese führten Marx zu der Ansicht, daß die Arbeiter keine großen Hoffnungen auf die Verbesserungen eines Gesetzessystems setzen können, das, wie jedermann weiß, den Reichen und den Armen in gleicher Weise die Freiheit gewährt, auf Parkbänken zu schlafen, und das ihnen beim Versuch, ›ohne sichtbare Mittel‹ zu leben, in gleicher Weise Strafe androht. Sie führten ihn zu dem, was man (in Hegelscher Sprache) die Unterscheidung zwischen *formaler* und *materieller* Freiheit nennen könnte. Die formale[11] oder juridische Freiheit, die Marx durchaus nicht geringschätzt, erweist sich als völlig unzureichend zur Sicherung jener Freiheit, die er für das Ziel der historischen Entwicklung der Menschheit hielt. Was wichtig ist, ist die reale, das heißt die ökonomische oder materielle Freiheit. Diese kann nur durch eine gleiche Emanzipation aller von der schweren Arbeit erreicht werden. Und für diese Emanzipation ist ›die Verkürzung des Arbeitstages die Grundbedingung‹.

III

Was ist zu dieser Analyse zu sagen? Sollen wir glauben, daß die Politik oder der Rahmen gesetzlicher Institutionen im Grunde unfähig sind, eine derartige Situation zu verbessern, und daß einzig und allein eine vollständige soziale Revolution, eine völlige Änderung des ›Sozialsystems‹ helfen kann? Oder sollen wir den Verteidigern eines schrankenlosen ›kapitalistischen‹ Systems Glauben schenken, die (wie mir scheint mit Recht) auf den ungeheuren Nutzen des Mechanismus der freien Märkte verweisen und die daraus schließen, daß ein wirklich freier Arbeitsmarkt von größtem Nutzen für alle Beteiligten sein müsse?

Ich glaube, daß man die Ungerechtigkeit und die Unmenschlichkeit des schrankenlosen ›kapitalistischen Systems‹, so wie es Marx beschrieben hat, zugeben muß; aber diese Erscheinung läßt sich mit Hilfe des *Paradoxons der Freiheit* deuten, von dem bereits [im vorhergehenden Text] die Rede war. Wir haben gesehen, daß sich die Freiheit selbst aufhebt, wenn sie völlig uneingeschränkt ist. Schrankenlose Freiheit bedeutet, daß es dem Starken freisteht, den Schwachen zu tyrannisieren und ihn seiner Freiheit zu berauben. Das ist der Grund, warum wir verlangen, daß der Staat die Freiheit in gewissem Ausmaß einschränke, so daß am Ende jedermanns Freiheit vom Gesetz geschützt wird. Niemand soll der *Gnade* eines andern ausgeliefert sein, aber alle sollen das *Recht* haben, vom Staat geschützt zu werden.

Ich glaube nun, daß diese Überlegungen, die ursprünglich zur Anwendung auf den Bereich roher Gewalt und physischer Einschüchterung gedacht waren, auch auf den wirtschaftlichen Bereich übertragen werden müssen. Ein Staat, der seine Bürger vor der Einwirkung roher Gewalt schützt (was im Prinzip im System des schrankenlosen Kapitalismus der Fall ist), kann doch unsere Absichten dadurch vereiteln, daß er es versäumt, die Bürger auch vor dem Mißbrauch der ökonomischen Gewalt in Schutz zu nehmen. In einem solchen Staat steht es dem ökonomisch Starken noch immer frei, einen Menschen, der ökonomisch schwach ist, zu tyrannisieren und ihn seiner Freiheit zu berauben. Und unter diesen Umständen kann die schrankenlose ökonomische Freiheit sich ebenso selbst zerstören wie die unbeschränkte physische Freiheit, und die ökonomische Gewalt kann fast ebenso gefährlich sein wie physische Gewaltanwendung; denn wer einen Überschuß an Nahrungsmitteln besitzt, der kann die Hungrigen ohne jede Anwendung von Gewalt zwingen, sich ›freiwillig‹ in die Knechtschaft zu begeben. Und wenn wir annehmen, daß der Staat seine Tätigkeit auf die Unterdrückung der Gewalt (und auf den Schutz des Eigentums) einschränkt, dann ist es möglich, daß eine wirtschaftlich starke Minorität die Majorität der wirtschaftlich Schwachen ausbeutet.

Wenn diese Analyse richtig ist[12], dann ist es klar, welches Heilmittel wir verschreiben müssen. Es muß ein *politisches* Heilmittel sein – ein Heilmittel ähnlich jenem, das wir gegen den Gebrauch physischer Gewalt verwenden. Wir müssen soziale Institutionen konstruieren, die die wirtschaftlich Schwachen vor den wirtschaftlich Starken schützen, und die Staatsgewalt muß diesen Institutionen zur Wirksamkeit verhelfen. Der Staat muß darauf achten, daß niemand aus Furcht vor Hunger oder vor wirtschaftlichem Zusammenbruch ein ungerechtes Abkommen zu schließen braucht.

Das bedeutet natürlich, daß das Prinzip der Nichtintervention eines unbeschränkten ökonomischen Systems aufgegeben werden muß; wenn wir die Freiheit sicherstellen wollen, dann müssen wir fordern, daß die Politik unbeschränkter ökonomischer Freiheit durch die geplante ökonomische Intervention des Staates ersetzt werde. Wir müssen fordern, daß der schrankenlose *Kapitalismus* einem *ökonomischen Interventionismus*[13] weiche. Und genau das ist geschehen. Das ökonomische System, das Marx beschrieben und kritisiert hat, hat überall zu bestehen aufgehört. Es ist durch verschiedene interventionistische

Systeme ersetzt worden, in denen die Funktionen des Staates im ökonomischen Bereich weit über den Schutz des Eigentums und ›freier Verträge‹ hinaus ausgedehnt werden – aber nicht durch ein System, in dem der Staat seine Funktionen zu verlieren beginnt und in dem er also ›Zeichen des Absterbens zeigt‹.

IV

Es scheint mir, daß wir damit den wichtigsten Punkt unserer Analyse erreicht haben. Erst jetzt können wir die Bedeutung des tiefen Gegensatzes zwischen dem Historizismus und der Sozialtechnik [die in Text *24* diskutiert wurde] sowie seine Auswirkung auf die Politik der Freunde der offenen Gesellschaft voll ermessen.

Der Marxismus will mehr sein als eine Wissenschaft. Er will mehr als bloß prophezeien. Er hält sich für die Grundlage des praktischen politischen Handelns. Er kritisiert die bestehende Gesellschaft, und er behauptet, daß er den Weg in eine bessere Welt weisen kann. Aber nach Marx' eigener Theorie können wir die ökonomische Realität nicht willkürlich ändern, zum Beispiel durch gesetzliche Reformen. Die Politik kann nur ›die Geburtswehen abkürzen und vermindern‹[14]. Dies scheint mir nun ein äußerst dürftiges politisches Programm zu sein, und seine Dürftigkeit ist eine Folge des Umstandes, daß der Marxismus der politischen Macht in der Hierarchie der Gewalten nur eine Stelle dritten Ranges zuerkennt. Denn nach Marx liegt die wirkliche Macht in der Entwicklung der Maschinerie; ihr folgt an Wichtigkeit das System ökonomischer Klassenbeziehungen; die Politik aber übt den geringsten Einfluß aus.

Das genaue Gegenteil folgt aus der Position, die wir in unserer Analyse erreicht haben. In dieser Position kommt der politischen Macht eine grundlegende Rolle zu. Es wird angenommen, daß die politische Macht die ökonomische Macht kontrollieren kann. Das bedeutet eine enorme Ausdehnung des Bereichs der politischen Wirksamkeit. Wir können uns fragen, welche Ziele wir erreichen wollen und wie wir diese Ziele erreichen wollen. Wir können zum Beispiel ein durchdachtes politisches Programm zum Schutz der wirtschaftlich Schwachen entwickeln. Wir können Gesetze einführen, die der Ausbeutung Grenzen setzen. Wir können den Arbeitstag einschränken; aber wir können noch viel mehr tun. Durch Gesetze können wir die Arbeiter (oder, was noch besser ist, alle Bürger) gegen Arbeitsunfähigkeit, Arbeitslosigkeit und Alter versichern. Auf diese Weise können wir Formen der Ausbeutung verhindern, die die wirtschaftliche Lage eines Arbeiters ausnützen, der sich in alles ergeben muß, um nicht zu verhungern. Und wenn wir durch Gesetz jedem, der willens ist zu arbeiten, eine Lebensmöglichkeit gewähren können – und es gibt wirklich keinen Grund, warum uns das nicht gelingen sollte –, dann werden die Bürger von wirtschaftlicher Furcht und Einschüchterung allmählich vollkommen frei werden. So gesehen, ist die politische Macht der Schlüssel zum wirtschaftlichen Schutz. Die politische Macht und ihre Kontrolle ist alles. Die ökonomische Macht darf die politische Macht nicht beherrschen; sie muß, wenn nötig, bekämpft und von der politischen Macht im Zaum gehalten werden.

Von dem eben erreichten Standpunkt aus können wir sagen, daß es Marx aufgrund seiner Geringschätzung der Politik nicht nur verabsäumt hat, eine Theorie der Möglichkeiten zur Verbesserung des Loses der wirtschaftlich Schwachen zu entwickeln, sondern daß er auch die größtmögliche Gefahr für die menschliche Freiheit außer acht gelassen hat. Seine naive Idee, daß die Staatsgewalt in einer klassenlosen Gesellschaft ihre Funktion verlieren und ›absterben‹ wird, zeigt sehr klar, daß er das Paradoxon der Freiheit nie begriffen hat und daß er auch die Funktion nicht verstanden hat, die die Staatsgewalt im Dienste der Freiheit und Menschlichkeit ausüben kann und soll. (Diese Idee ist jedoch ein Zeugnis der Tatsache, daß Marx trotz seines kollektivistischen Appells an das Klassenbewußtsein letzten Endes ein Individualist war.) In dieser Hinsicht ist die marxistische Ansicht mit dem liberalen Glauben verwandt, daß wir nichts weiter brauchen als ›Gleichheit der Gelegenheit‹. Natürlich brauchen wir sie. Aber sie allein ist nicht genug. Sie schützt die weniger Begabten, die weniger Hemmungslosen, die weniger Glücklichen nicht vor der Ausbeutung durch die Begabteren, die Hemmungsloseren, die Glücklicheren.

Darüber hinaus wird aufgrund des erreichten Standpunktes das, was die Marxisten geringschätzig die ›bloß formale Freiheit‹ nennen, die Grundlage alles übrigen. Diese ›bloß formale Freiheit‹, das heißt die Demokratie, das Recht der Menschen, zu urteilen und ihre Regierung zu entlassen, ist das einzige bekannte Mittel, mit dessen Hilfe wir versuchen können, uns gegen den Mißbrauch der politischen Gewalt zu schützen [siehe Abschnitt *II* von Text *25*, oben]; sie ist die Kontrolle der Herrscher durch die Beherrschten, der Regierenden durch die Regierten. Und da die politische Macht die ökonomische Macht kontrollieren und im Zaume halten kann, so ist die politische

Demokratie auch das einzige Mittel zur Kontrolle der ökonomischen Macht durch die Regierten. Ohne eine demokratische Kontrolle gibt es keinen erdenklichen Grund, warum eine Regierung ihre politische und ökonomische Macht nicht für Zwecke verwenden sollte, die mit dem Schutz der Freiheit ihrer Bürger nicht mehr das geringste zu schaffen haben.

V

Was die Marxisten übersehen, ist die grundlegende Rolle der ›formalen Freiheit‹; sie halten die formale Demokratie für unzureichend, und sie wünschen sie durch eine ›ökonomische Demokratie‹ zu ergänzen, um ihre eigene Ausdrucksweise zu gebrauchen; eine vage und äußerst oberflächliche Wendung, die den Umstand verhüllt, daß nur die ›bloß formale Freiheit‹ eine demokratische Wirtschaftspolitik garantieren kann.

Marx entdeckte die Bedeutung der ökonomischen Macht; und es ist verständlich, daß er ihre Bedeutung übertrieb. Er und die Marxisten sehen die ökonomische Macht überall am Werke. Ihr Argument lautet: Wer das Geld hat, der hat die Macht; denn wenn nötig, kann er Waffen und sogar Gangster kaufen. Aber das ist ein plumpes Argument. Es enthält sogar das Zugeständnis, daß der Mann, der die Kanonen hat, auch die Macht besitzt. Und wenn er diesen Umstand einmal entdeckt hat, so dauert es sicher nicht lange, und er besitzt beides: Kanonen und Geld. In einem schrankenlosen kapitalistischen System trifft Marxens Argument jedoch in gewissem Ausmaße zu; denn eine Regierung, die Institutionen zur Kontrolle von Waffen und von Gangstern entwickelt hat, die aber keine Institutionen zur Überwachung der Macht des Geldes besitzt, eine solche Regierung hat die Neigung, dem Einfluß dieser Macht zu verfallen. In einem solchen Staate kann sehr wohl ein uneingeschränktes Gangstertum des Geldes die Herrschaft ausüben. Aber Marx selbst würde als erster zugegeben haben, daß dies nicht auf alle Staaten zutrifft; daß es in der Geschichte Zeiten gegeben hat, in denen zum Beispiel alle Ausbeutung Plündern war und direkt auf der Macht der bewaffneten Faust beruhte. Und heutzutage dürfte es wohl kaum einen Menschen geben, der naiv genug ist, zu glauben, daß der ›Fortschritt der Geschichte‹ diese mehr direkte Form der Ausbeutung ein für allemal aus der Welt geschafft habe, und daß nach Einführung der formalen Freiheit eine Rückkehr zu solchen primitiven Formen der Ausbeutung unmöglich sei.

Diese Betrachtungen würden zur Widerlegung der dogmatischen Lehre genügen, daß die ökonomische Macht von weitaus größerer Bedeutung ist als die physische Macht und die Macht des Staates.

Das Dogma, daß die ökonomische Macht die Wurzel allen Übels ist, muß aufgegeben werden. An seine Stelle muß die Erkenntnis treten, daß jede Form von unkontrollierter Macht äußerst gefährlich ist. Das Geld als solches ist nicht besonders gefährlich. Es wird gefährlich nur dann, wenn es zum Kauf von Macht verwendet werden kann, entweder direkt oder durch Versklavung der ökonomisch Schwachen, die sich selbst verkaufen müssen, um überleben zu können.

Wir müssen in diesen Dingen sozusagen noch materialistischer denken als Marx. Wir müssen einsehen, daß die Kontrolle der physischen Gewalt und der physischen Ausbeutung das zentrale politische Problem ist und bleibt. Um diese Kontrolle einzuführen, müssen wir die ›bloß formale Freiheit‹ einführen. Und sobald uns das gelungen ist, sobald wir gelernt haben, sie zur Kontrolle der politischen Macht zu verwenden, von diesem Augenblick an hängt alles von uns selbst ab. Wir dürfen nicht mehr andere Menschen tadeln, wir dürfen auch nicht die dunklen ökonomischen Dämonen hinter der Szene anklagen. Denn in einer Demokratie besitzen wir den Schlüssel zur Kontrolle der Dämonen. Wir können sie zähmen. Es ist wichtig, daß wir diese Einsicht gewinnen und die Schlüssel gebrauchen; wir müssen Institutionen ersinnen, die es uns erlauben, die ökonomische Gewalt auf demokratische Weise zu kontrollieren, und die uns Schutz vor der ökonomischen Ausbeutung gewähren.

Marxisten haben viel Aufhebens gemacht von der Möglichkeit, Stimmen zu kaufen, entweder direkt oder durch Bezahlung von Propaganda. Aber eine genauere Betrachtung zeigt, daß hier ein gutes Beispiel der oben analysierten machtpolitischen Situation vorliegt.

Wenn die formale Freiheit hergestellt ist, dann können wir den Kauf von Stimmen in jeder Form kontrollieren. Es gibt Gesetze, die den Ausgaben für die Vorbereitung von Wahlen Grenzen setzen, und es hängt ganz von uns ab, ob weit strengere Gesetze dieser Art eingeführt werden oder nicht. Wir können das legale System zu einem machtvollen Instrument seines eigenen Schutzes ausbauen. Wir können die öffentliche Meinung beeinflussen und auf einen viel strengeren Moralkodex in politischen Angelegenheiten Gewicht legen. Das alles können wir tun; aber zuerst müssen wir einsehen, daß es unsere Aufgabe ist, die Gesellschaft in der angegebenen Weise umzuformen, daß diese Aufgabe in unserer Macht steht und daß wir nicht warten dürfen, bis uns ökonomische Erdbeben in wunderbarer Weise eine neue ökonomische Welt schenken, die wir nur mehr zu enthüllen brauchen, indem wir den alten politischen Mantel entfernen.

VI

Die Marxisten haben sich natürlich in der Praxis nie völlig auf die Lehre vom Unvermögen der politischen Macht verlassen. Soweit sie eine Möglichkeit zum Handeln oder zum Planen hatten, nahmen sie, wie auch jedermann sonst, gewöhnlich an, daß die politische Macht zur Kontrolle der ökonomischen Macht verwendet werden kann. Aber ihre Pläne und ihre Handlungen beruhten weder auf einer klaren Widerlegung ihrer ursprünglichen Theorie noch auf wohlüberlegten Ideen zu jenem grundlegendsten Problem aller Politik: der Kontrolle der Kontrollgewalt, jener gefährlichen Anhäufung von Gewalt, die im Staate vorliegt. Es kam ihnen nie in den Sinn, die volle Bedeutung der Demokratie darin zu sehen, daß sie das einzige bekannte Mittel ist, das uns erlaubt, jene Kontrolle auszuüben.

Die Folge davon war, daß sich die Marxisten nie der Gefahren einer Politik bewußt wurden, die die Macht des Staates vergrößert. Obgleich sie die Lehre von der Ohnmacht der Politik mehr oder weniger bewußt fallenließen, beharrten sie doch auf der Ansicht, daß die Staatsgewalt kein ernsthaftes Problem darstellt und nur so lange schlecht ist, als sie sich in den Händen der Bourgeoisie befindet. Sie erkannten nicht, daß *jede* Art von Gewalt gefährlich ist – die politische Gewalt zumindest ebensosehr wie die ökonomische. Also behielten sie ihre Formel von der Diktatur des Proletariats bei. Sie verstanden nicht das Prinzip, daß alles politische Handeln im großen Maßstab institutionell sein muß, nicht personell; und als sie (im Gegensatz zu Marx' Ansicht vom Staate) die Erweiterung der Staatsgewalt forderten, kam ihnen niemals in den Sinn, daß eines Tages die falschen Personen diese erweiterte Gewalt in die Hand bekommen könnten. Das ist einer der Gründe, warum sie, insofern sie daran gingen, Staatsinterventionen in Betracht zu ziehen, beabsichtigten, dem Staate im wirtschaftlichen Bereich praktisch grenzenlose Macht zu geben. Wie Marx hielten auch sie an dem holistischen und utopischen Glauben fest, daß nur ein funkelnagelneues ›Sozialsystem‹ die Situation verbessern könne.

Ich habe diesen utopischen und romantischen Weg zur Sozialtechnik [in Text *24*] kritisiert[15]. Aber ich möchte hier hinzufügen, daß jede Art ökonomischer Intervention, sogar die hier empfohlene Methode des schrittweisen Umbaus, die Tendenz haben wird, die Macht des Staates zu vergrößern. Der Interventionismus ist daher äußerst gefährlich. Das ist kein entscheidendes Argument gegen ihn, da ja die Staatsgewalt immer ein gefährliches, wenn auch notwendiges Übel bleiben muß. Aber es sollte uns warnen. Wenn unsere Wachsamkeit nachläßt, wenn wir unsere demokratischen Institutionen nicht verstärken, dem Staate aber durch das interventionistische ›Planen‹ zusätzliche Macht verschaffen, dann kann es leicht geschehen, daß wir unsere Freiheit verlieren. Wenn aber die Freiheit verloren ist, dann ist alles verloren, das ›Planen‹ eingeschlossen. Denn warum sollten Pläne für die Wohlfahrt des Volkes ausgeführt werden, wenn das Volk keine Möglichkeit hat, diese Pläne durchzusetzen? Nur die Freiheit kann die Sicherheit sichern.

Es gibt also nicht nur ein Paradoxon der Freiheit, sondern auch ein Paradoxon des staatlichen Planens. Wenn wir zuviel planen, wenn wir dem Staat zuviel Macht übertragen, dann geht die Freiheit verloren, und dies ist dann auch das Ende des Planens selbst.

Überlegungen wie diese führen uns zurück zu unseren Argumenten für eine Methode des schrittweisen Umbaus sozialer Institutionen und gegen utopische oder holistische Methoden der Sozialtechnik. Und sie führen zurück zu unserer Forderung, Maßnahmen zur Bekämpfung konkreter Übel zu planen, statt ein ideales Gutes zu errichten [siehe besonders S. 307, oben]. Das Eingreifen des Staates sollte eingeschränkt werden auf das, was zum Schutz der Freiheit wirklich notwendig ist.

Es ist aber nicht genug, wenn wir sagen, daß unsere Lösung eine Minimallösung sein sollte; daß wir wachsam sein sollten und daß wir dem Staat nicht mehr Macht übertragen sollten, als zum Schutz der Freiheit unbedingt notwendig ist. Diese Bemerkungen schaffen zwar Probleme, sie zeigen aber keinen Weg zu einer Lösung. Es ist sogar vorstellbar, daß es keine Lösung gibt; daß der Staat, dessen Macht, verglichen mit der seiner Bürger, immer gefährlich groß ist, durch die Aneignung neuer ökonomischer Gewalten übermächtig wird. Bis jetzt haben wir weder gezeigt, daß die Freiheit bewahrt werden kann, noch haben wir gezeigt, wie sie bewahrt werden kann.

Unter diesen Umständen ist es vielleicht nützlich, wenn wir uns unsere früheren Überlegungen zur Frage der Kontrolle der politischen Gewalt und zum Paradoxon der Freiheit ins Gedächtnis rufen.

VII

Wenn wir nun auf Marx' Theorie der Ohnmacht der Politik und der Macht historischer Kräfte zurückblicken, dann müssen wir zugeben, daß sie ein imponierendes Gebäude ist. Sie ist das direkte Ergebnis seiner soziologischen Methode: seines ökonomischen Historizismus, der Lehre, daß die Entwicklung des ökonomischen Systems oder des sozialen Stoffwechsels die soziale und politische Entwicklung des Menschen bestimmt. Die Erfahrung seiner Zeit, seine humanitäre Entrüstung und das Bedürfnis, den Unterdrückten den Trost einer Prophezeiung zu bringen, die Hoffnung oder sogar die Sicherheit ihres Sieges, all das ist in einem einzigen, grandiosen philosophischen System vereinigt, das sich mit den holistischen Systemen Platons und Hegels vergleichen läßt oder ihnen sogar überlegen ist. Nur dem zufälligen Umstande, daß Marx kein Reaktionär war, ist es zuzuschreiben, daß ihn die Geschichte der Philosophie so wenig beachtet und daß sie ihn hauptsächlich für einen Propagandisten hält. Ein Rezensent des *Kapital* schrieb damals: »Auf den ersten Blick kommen wir zu dem Schluß, daß der Autor einer der größten unter den idealistischen Philosophen ist, und zwar im deutschen, das heißt, im schlechten Sinn des Wortes ›Idealist‹. In der Tat aber ist er unendlich mehr Realist als jeder seiner Vorgänger«[16]. Dieser Rezensent hat den Nagel auf den Kopf getroffen. Marx war der letzte der großen holistischen Systembildner. Wir sollten Sorge tragen, daß es dabei bleibt, und nicht versuchen, sein System durch ein anderes großes System zu ersetzen. Was wir brauchen, ist nicht Holismus, sondern eine Schritt für Schritt vorgehende Sozialtechnik.

Text 27

Individualismus oder Kollektivismus? (1945)

Das Problem des Individualismus und Kollektivismus ist mit dem Problem der Gleichheit und Ungleichheit nahe verwandt. Einige terminologische Bemerkungen scheinen vor der Diskussion notwendig zu sein.

Der Ausdruck ›Individualismus‹ kann in zweifacher Weise verwendet werden: (*a*) im Gegensatz zum Kollektivismus, (*b*) im Gegensatz zum Altruismus. Es gibt kein anderes Wort zur Bezeichnung der ersten Bedeutung, es gibt jedoch verschiedene Synonyma für die zweite, wie zum Beispiel ›Egoismus‹ oder ›Selbstsucht‹. Ich werde daher im folgenden das Wort ›Individualismus‹ *ausschließlich* im Sinne (*a*) gebrauchen; Worte wie ›Egoismus‹ oder ›Selbstsucht‹ werden verwendet, wenn Bedeutung (*b*) gemeint ist. Eine kleine Tabelle mag von Nutzen sein:

(*a*) *Individualismus*	ist der Gegensatz von	(*a'*) *Kollektivismus*
(*b*) *Egoismus*	ist der Gegensatz von	(*b'*) *Altruismus*

Diese vier Begriffe beschreiben nun gewisse Einstellungen, Forderungen oder Vorschläge für normative Gesetze. Obwohl notwendigerweise vage, lassen sie sich doch leicht durch Beispiele illustrieren und somit mit einer Präzision verwenden, die für unseren gegenwärtigen Zweck ausreicht. Beginnen wir mit dem Kollektivismus[1]. Die Forderung Platons, daß das Individuum den Interessen des Ganzen dienen solle, sei dieses nun das Universum, der Staat, der Stamm, die Rasse oder irgendein anderer Kollektivkörper, wird durch die folgende Stelle veranschaulicht[2]: »Der Teil existiert um des Ganzen willen, aber das Ganze existiert nicht um des Teiles willen ... Du bist um des Ganzen willen geschaffen, nicht aber das Ganze um deinetwillen.« Dieses Zitat illustriert nicht nur den Holismus und Kollektivismus, es gibt auch einen Begriff davon, wie sehr beide auf die Gefühle wirken. (Platon wußte dies, wie man aus der Einleitung zu der zitierten Stelle ersehen kann.) Verschiedene Gefühle sind einbezogen, zum Beispiel die Sehnsucht, einer Gruppe oder einem Stamm anzugehören; der moralische Widerhall des Altruismus und des Appells gegen die Selbstsucht ist ein anderer Faktor. Platon deutet an, daß man ein Egoist ist, wenn man seine eigenen Interessen nicht dem Gemeinwohl unterordnen kann.

Ein Blick auf unsere kleine Tafel zeigt jedoch, daß das nicht der Fall ist. Weder steht der Kollektivismus im Gegensatz zum Egoismus, noch ist er mit dem Altruismus oder der Selbstlosigkeit identisch. Der kollektive oder Gruppenegoismus – zum Beispiel der Klassenegoismus – ist eine sehr geläufige Erscheinung (ein Umstand, den Platon wohl kannte)[3], und das zeigt klar genug, daß der Kollektivismus als solcher nicht der Gegensatz der Selbstsucht sein kann. Andererseits kann ein Gegner des Kollektivismus, also ein Individualist, zur gleichen Zeit ein Altruist sein; er kann bereit sein, für andere Opfer zu bringen. Vielleicht eines der besten Beispiele für diese Haltung ist Charles Dickens. Es ist schwer zu sagen, was in ihm stärker ist – seine leidenschaftliche Abscheu vor der Selbstsucht oder sein leidenschaftliches Interesse an den Individuen mit allen ihren menschlichen Schwächen; diese Haltung verbindet sich mit einem Widerwillen nicht nur gegen jene Dinge, die wir nun Kollektivkörper oder Kollektive nennen, sondern sogar gegen einen echten Altruismus, sobald sich dieser auf anonyme Gruppen und nicht auf konkrete Individuen richtet. (Ich erinnere den Leser an Mrs. Jellyby in *Bleak House*, eine »Dame, die sich öffentlichen Pflichten widmet«.) Ich glaube, daß diese Illustrationen die Bedeutung unserer vier Begriffe hinreichend geklärt haben; sie zeigen, daß sich jeder der Begriffe unserer Tafel mit jedem der Begriffe in der andern Zeile kombinieren läßt (das gibt vier mögliche Kombinationen).

Es ist nun interessant, daß für Platon und die meisten Platoniker ein altruistischer Individualismus (wie er zum Beispiel von Dickens verkörpert wird) nicht bestehen kann. Für Platon ist der Egoismus die einzige Alternative des Kollektivismus; den Altruismus identifiziert er einfach mit dem Kollektivismus, den Individualismus mit dem Egoismus. Das ist nicht nur eine Frage der Terminologie oder bloßer Wörter; denn statt der vier möglichen Kombinationen gibt es für Platon nur zwei. Dadurch hat er bis auf unsere Tage die größte Verwirrung in vielen ethischen Fragen und in ihrer theoretischen Bearbeitung hervorgerufen.

Platon identifiziert den Individualismus mit dem Egoismus; das verschafft ihm eine mächtige Waffe zur Verteidigung des Kollektivismus, wie auch zum Angriff auf den Individualismus; im ersten Fall kann er sich an unsere humanitären Gefühle der Selbstlosigkeit wenden; im zweiten Fall wird es ihm möglich, alle Individualisten als selbstsüchtige Menschen zu brandmarken, die unfähig sind, sich einer anderen Sache zu widmen als ihrer eigenen Person. Obgleich Platon seinen Angriff gegen den Individualismus in unserem Sinn, das heißt gegen die Rechte menschlicher Individuen richtet, trifft er natürlich ein ganz anderes Ziel, nämlich den Egoismus. Aber dieser Unterschied wird von Platon und den meisten Platonikern beharrlich übersehen.

Warum versucht Platon den Individualismus anzugreifen? Ich glaube, daß er wohl wußte, was er tat, als er diese Stellung unter Feuer nahm; denn der Individualismus war – vielleicht in noch höherem Grade als die Lehre von der Gleichheit der Menschen vor dem Gesetz – ein Bollwerk in der Verteidigung des neuen humanitären Bekenntnisses. Die Emanzipation des Individuums war in der Tat die große geistige Revolution, die zum Zusammenbruch der Stammesherrschaft und zum Aufstieg der Demokratie geführt hatte. Platons unheimliche soziologische Intuition zeigt sich darin, daß er den Feind stets erkannte, wo immer er auf ihn traf.

Der Individualismus war ein Teil der alten intuitiven Idee der Gerechtigkeit. Wie man sich erinnern wird, hat Aristoteles darauf aufmerksam gemacht, daß die Gerechtigkeit nicht, wie Platon es wollte, die Gesundheit oder Harmonie des Staates, sondern vielmehr eine bestimmte Weise der Behandlung von Individuen ist; er nennt die Gerechtigkeit »etwas, das sich auf Personen erstreckt[4]«. Dieses individualistische Element war von der Generation des Perikles hervorgehoben worden. Perikles selbst erklärte, daß die Gesetze »allen in ihren privaten Auseinandersetzungen in gleicher Weise Gerechtigkeit« gewähren müßten; aber er ging noch weiter. »Wir fühlen uns nicht berufen«, so sagte er, »unseren Nachbarn auszuschelten, wenn er es vorzieht, seine eigenen Wege zu gehen.« (Vergleiche damit die Bemerkung Platons, der Staat bringe nicht Menschen hervor, »um jeden nach Belieben handeln und wandeln zu lassen …[5]«.) Perikles legt Gewicht auf die Verbindung zwischen dieser Art von Individualismus und dem Altruismus: »Man hat uns gelehrt … nie zu vergessen, daß wir die Benachteiligten schützen müssen.« Und seine Rede gipfelt in einer Beschreibung des jungen Atheners, der »zu einer glücklichen Vielseitigkeit und zu Selbstvertrauen heranwächst«.

Dieser mit dem Altruismus vereinigte Individualismus ist die Grundlage unserer abendländischen Zivilisation geworden. Er ist die zentrale Lehre des Christentums. (›Liebe deinen Nächsten‹, sagt die Heilige Schrift, und nicht ›Liebe deinen Stamm‹.) Und er ist der Kern aller ethischen Lehren, die aus unserer Zivilisation erwuchsen und sie anregten. Zum Beispiel ist er auch Kants zentrale praktische Lehre. (»Handle so, daß du die Menschheit sowohl in deiner Person als auch in der Person jedes anderen jederzeit zugleich als Zweck, nie als bloßes Mittel gebrauchst.«) Kein anderer Gedanke hat in der moralischen Entwicklung des Menschen eine so mächtige Wirksamkeit entfaltet.

Platon befand sich vollkommen im Recht, als er in dieser Lehre den Feind seines Kastenstaates sah; und er haßte sie mehr als irgendeine andere ›umstürzlerische‹ Lehre seiner Zeit. Um dies noch deutlicher zu zeigen, werde ich zwei Stellen aus den *Gesetzen*[6] zitieren, deren wahrhaft erstaunliche Feindseligkeit dem Individuum gegenüber, meiner Meinung nach, viel zu wenig gewürdigt wird. Die erste ist als ein Hinweis auf den *Staat* bekannt, dessen »Weiber-, Kinder- und Gütergemeinschaft« sie diskutiert. Platon nennt hier die Verfassung des *Staats* ›die höchste Staatsform‹. In diesem höchsten Staat, so erzählt er uns, »sind Weiber, Kinder und alles Hab und Gut Gemeinbesitz. Und es ist nichts unversucht geblieben, um überall und auf jede Weise alles aus unserem Leben zu tilgen, das privat und individuell ist. Soweit es möglich ist, hat man es dahin gebracht, daß sogar diejenigen Gaben, die die Natur selbst den Individuen als Eigentum zugeteilt hat, in gewissem Sinn das gemeinsame Eigentum aller geworden sind. Selbst unsere Augen, Ohren und Hände scheinen zu sehen, zu hören und zu handeln, als wären sie nicht Teile eines Individuums, sondern der Gemeinschaft. Alle Menschen werden so geformt, daß sie Lob und Tadel mit größter Einmütigkeit verleihen; und sie freuen und grämen sich sogar zur gleichen Zeit über die gleichen Dinge. Und alle Gesetze werden vervollkommnet, um den Staat höchst einheitlich zu machen«. Platon setzt fort, indem er sagt, daß »kein Mensch ein besseres Kriterium der höchsten Vortrefflichkeit eines Staates finden kann als die Prinzipien, die wir eben dargestellt haben«, und er nennt einen solchen Staat ›göttlich‹ und das ›Vorbild‹ oder ›Muster‹ oder ›Urbild‹ des Staates, das heißt seine Form oder Idee. Das ist Platons eigene Ansicht vom *Staat,* ausgedrückt zu einer Zeit, in der er die Hoffnung bereits aufgegeben hatte, sein politisches Ideal in all seiner Herrlichkeit zu verwirklichen.

Die zweite Stelle, ebenfalls aus den *Gesetzen,* ist, wenn möglich, noch deutlicher. Es muß betont werden, daß diese Stelle hauptsächlich militärische Unternehmungen und militärische Disziplin behandelt; Platon läßt aber keinen Zweifel darüber aufkommen, daß die gleichen militaristischen Prinzipien nicht nur im Krieg, sondern auch

»im Frieden und von der frühesten Kindheit an« eingehalten werden sollten. Wie andere totalitäre Militaristen und Bewunderer Spartas dringt er darauf, daß die allerwichtigsten Erfordernisse der militärischen Disziplin auch im Frieden an oberster Stelle zu stehen hätten und daß sie das ganze Leben aller Bürger bestimmen müßten. Denn nicht nur die Vollbürger (die alle Soldaten sind) und die Kinder, sondern selbst die Tiere müssen ihr ganzes Leben in einem Zustand dauernder und vollständiger Kriegsbereitschaft verbringen[7]. »Das erste Prinzip von allen«, so schreibt er, »ist dieses: Niemand, weder Mann noch Weib, soll jemals ohne Führer sein. Auch soll die Seele von keinem sich daran gewöhnen, etwas im Ernst oder auch nur im Scherz auf eigene Hand allein zu tun. Vielmehr soll jeder, im Kriege und auch mitten im Frieden, auf seinen Führer blicken und ihm gläubig folgen. Und auch in den geringsten Dingen soll er unter der Leitung des Führers stehen. Zum Beispiel soll er aufstehen, sich bewegen, sich waschen, seine Mahlzeiten einnehmen[8] ... nur, wenn es ihm befohlen wurde ... Kurz, er wird seine Seele durch lange Gewöhnung so in Zucht nehmen, daß sie nicht einmal auf den Gedanken kommt, unabhängig zu handeln, und daß sie dazu völlig unfähig wird. So werden alle ihr Leben in totaler Gemeinschaft verbringen. Es gibt kein Gesetz, noch wird es je eines geben, das diesem überlegen wäre oder das besser und wirksamer wäre, um die Errettung und den Sieg im Kriege zu sichern. *Das muß denn auch schon im Frieden und von frühester Kindheit auf Gegenstand eifriger Übung sein,* daß man nicht minder lerne, andere zu beherrschen, als von ihnen beherrscht zu werden. Und jede Spur von Anarchie muß nicht nur aus dem Leben aller Menschen, sondern auch aller dem Menschen dienenden Tiere gründlich und bis auf die letzten Spuren ausgerottet werden.«

Das sind schwerwiegende Worte. Niemals war es einem Menschen ernster mit seiner Feindschaft gegen das Individuum. Und dieser Haß ist tief in dem fundamentalen Dualismus der platonischen Philosophie verwurzelt; Platon haßte das Individuum und seine Freiheit ebensosehr wie die wechselnden besonderen Erfahrungen und die Vielfalt der veränderlichen Welt wahrnehmbarer Dinge. Auf dem Gebiet der Politik ist das Individuum für Platon der Böse selbst.

Diese antihumanitäre und antichristliche Einstellung wurde ständig idealisiert. Sie wurde als menschlich, als selbstlos, als altruistisch und als christlich hingestellt. Zum Beispiel nennt E. B. England[9] die erste der beiden zitierten Stellen aus den *Gesetzen* »eine nachdrückliche Rüge der Selbstsucht«. Ähnliche Worte gebraucht Barker anläßlich der Diskussion von Platons Theorie der Gerechtigkeit: Es sei Platons Ziel gewesen, »die Selbstsucht und die Uneinigkeit unter den Bürgern durch Harmonie zu ersetzen« ; Barker meint, daß »die alte Harmonie zwischen den Interessen des Staates und denen des Individuums ... in den Lehren Platons auf diese Weise wiederhergestellt wird; wiederhergestellt aber auf einer neuen und höheren Ebene, da sie zu einem bewußten Sinn für Harmonie erhoben wurde«. Diese und ähnliche Behauptungen lassen sich leicht erklären, wenn wir uns daran erinnern, daß Platon den Individualismus mit dem Egoismus identifiziert hat; denn alle diese Platoniker halten den Antiindividualismus und die Selbstlosigkeit für eine und dieselbe Sache. Das illustriert meine These, daß die von Platon vollzogene Gleichsetzung beider als ein erfolgreicher antihumanitärer Propagandatrick wirkte, der ethische Überlegungen bis auf unsere Zeit verwirrte. Aber wir müssen uns auch darüber klar werden, daß alle Denker, die, durch diese Identifikation und durch die hochtrabenden Worte Platons getäuscht, seinen Ruf als Sittenlehrer in den Himmel heben und seine Ethik als die nächste Annäherung an das Christentum anführen, die vor Christus erreicht worden sei, daß sie alle den totalitären Ideen und insbesondere einer totalitären antichristlichen Interpretation des Christentums den Weg bereiten. Und das ist gefährlich, denn es gab Zeiten, in denen das Christentum von totalitären Ideen beherrscht war. Es gab eine Inquisition; und sie kann in einer anderen Form wiederkommen.

Es ist daher der Mühe wert, einige weitere Gründe dafür anzugeben, warum sich arglose Leute eingeredet haben, daß Platon humanitäre Absichten hatte. Einer dieser Gründe ist der folgende: Platon bereitet seine kollektivistischen Lehren gewöhnlich so vor, daß er eine Maxime oder ein Sprichwort (anscheinend pythagoreischen Ursprungs) zitiert: »Freunde haben alle Dinge, die sie besitzen, miteinander gemeinsam[10].« Das ist zweifellos ein selbstloser, hochgesinnter und ausgezeichneter Gedanke. Wer wird wohl vermuten, daß ein Argument, das von einer so lobenswerten Annahme ausgeht, mit einem völlig antihumanitären Schluß endet? Ein anderer wichtiger Punkt ist, daß in Platons Dialogen viele echt humanitäre Gedanken enthalten sind (das gilt insbesondere von den Dialogen, die vor dem *Staat* geschrieben wurden, zu einer Zeit also, in der sich Platon noch unter dem Einfluß des Sokrates befand). Ich erwähne insbesondere die Lehre des Sokrates im *Gorgias,* es sei schlimmer, Unrecht zu tun, als es zu erleiden. Diese Lehre ist klarerweise nicht nur altruistisch, sondern auch individualistisch; denn in einer kollektivistischen Theorie der

Gerechtigkeit, wie sie etwa im *Staat* vorgetragen wird, ist die Ungerechtigkeit eine Handlung gegen den Staat, nicht gegen einen einzelnen; und obgleich ein einzelner eine ungerechte Handlung begehen kann, kann doch nur das Kollektiv unter ihr leiden. Aber im *Gorgias* finden wir nichts von dieser Art. Die Theorie der Gerechtigkeit ist völlig normal, und Sokrates (der hier höchstwahrscheinlich viele Züge des wirklichen Sokrates besitzt) gibt für Ungerechtigkeit Beispiele wie diese: Einen Menschen ohrfeigen, ihn verletzen oder ihn töten. Die Lehre des Sokrates, daß es besser sei, solche Handlungen zu erleiden, als sie auszuüben, ist in der Tat mit der christlichen Lehre sehr verwandt, und seine Lehre von der Gerechtigkeit ist völlig im Geiste des Perikles.

Der *Staat* entwickelt nun eine neue Auffassung der Gerechtigkeit, die mit einem solchen Individualismus nicht nur unvereinbar ist, sondern die ihm außerdem höchst feindlich gegenübersteht. Es ist aber leicht möglich, daß ein Leser glaubt, Platon halte sich noch immer an die Lehre des *Gorgias*. Denn im *Staat* spielt er häufig auf die Lehre an, daß es besser sei, Unrecht zu erleiden, als Unrecht zu tun, obgleich dies vom Standpunkt der kollektivistischen Theorie der Gerechtigkeit aus, die in diesem Werke vorgetragen wird, einfach Unsinn ist. Außerdem hören wir im *Staat,* daß die Widersacher des ›Sokrates‹ die entgegengesetzte Meinung vertreten; sie nennen es gut und angenehm, Unrecht zuzufügen und schlecht, es zu erleiden. Natürlich wird jeder humanitär gesinnte Mensch von einem solchen Zynismus abgestoßen; wenn daher Platon seinen Sokrates sagen läßt: »Denn ich fürchte eine Sünde zu begehen, wenn ich derart üble Reden über die Gerechtigkeit in meiner Gegenwart zulasse und nicht mein Äußerstes zu ihrer Verteidigung unternehme[11]« – dann ist der gutgläubige Leser von den guten Absichten Platons überzeugt und bereit, ihm zu folgen, wohin er auch immer gehen mag.

Diese Versicherung Platons folgt unmittelbar auf die zynischen und selbstsüchtigen Reden des Thrasymachos und wird mit ihnen kontrastiert[12]. Ihre Wirkung wird dadurch außerordentlich vergrößert. Denn Thrasymachos wird als ein politischer Desperado der schlimmsten Sorte geschildert. Gleichzeitig wird der Leser veranlaßt, den Individualismus mit den Ansichten des Thrasymachos zu identifizieren und zu denken, daß Platon bei seinem Kampf gegen ihn alle umstürzlerischen und nihilistischen Tendenzen seiner Zeit aufs Korn nimmt. Wir sollten uns aber nicht von einem individualistischen Schreckgespenst wie Thrasymachos ins Bockshorn jagen lassen und einer anderen, wirksameren und gefährlicheren, weil weniger offenkundigen Barbarei verfallen. (Es besteht eine große Ähnlichkeit zwischen dem Porträt des Thrasymachos und dem modernen kollektivistischen Popanz ›Bolschewismus‹). Denn Platon ersetzt die Lehre des Thrasymachos (Recht ist die Macht des Individuums) durch die gleich barbarische Lehre, daß Recht ist, was die Stabilität und die Macht des Staates fördert.

Wir fassen zusammen. Wegen seines radikalen Kollektivismus ist Platon an denjenigen Fragen, die die Menschen gewöhnlich die Probleme der Gerechtigkeit nennen, das heißt am unparteiischen Abwägen der einander widerstreitenden Forderungen der Individuen, nicht einmal interessiert. Noch ist es ihm daran gelegen, die Forderungen des Individuums denen des Staates anzupassen. Denn das Individuum ist ein völlig minderwertiges Ding. »Ich gebe meine Gesetze im Hinblick auf das, was für den gesamten Staat das heilsamste ist«, sagt Platon, » … denn ich stelle die Wünsche des Individuums mit Recht auf eine niedrigere Wertstufe[13].« Nur das kollektive Ganze als solches ist von Interesse, und die Gerechtigkeit besteht für ihn in nichts anderem als in der Gesundheit, Einheit und Stabilität des Kollektivkörpers.

Text *28*

Die Autonomie der Soziologie (1945)

Eine scharfe und treffende Formulierung von Marxens Opposition gegen den Psychologismus (der Ausdruck stammt von Husserl), das heißt gegen die plausible Lehre, daß alle Gesetze des sozialen Lebens letztlich auf die psychologischen Gesetze der ›menschlichen Natur‹ reduzierbar sein müßten, ist sein berühmtes Epigramm: »Es ist nicht das Bewußtsein der Menschen, das ihr Sein, sondern umgekehrt ihr gesellschaftliches Sein, das ihr Bewußtsein bestimmt[1].« Die Funktion dieses Kapitels und der beiden Kapitel, die ihm folgen, besteht hauptsächlich darin, dieses Epigramm zu erläutern. Und ich kann gleich vorwegnehmen, daß die Lehre, die ich für den Antipsychologismus Marxens halte, eine Lehre ist, der ich selbst zustimme.

Als eine elementare Illustration und als der erste Schritt unserer Untersuchung sei das Problem der sogenannten Exogamieregeln gewählt, das heißt das Problem, wie es zu verstehen ist, daß Ehegesetze, die offensichtlich zur Verhütung von Inzucht bestimmt sind, eine so weite Verbreitung unter den verschiedensten Kulturen aufweisen. Mill und seine psychologistisch eingestellte soziologische Schule (der sich später viele Psychoanalytiker anschlossen) würde versuchen, diese Regeln zu erklären, indem er sich auf die ›menschliche Natur‹ beruft, zum Beispiel auf eine Art instinktiver Abneigung gegen den Inzest (die sich etwa durch natürliche Zuchtwahl oder durch ›Verdrängung‹ entwickelt haben mag); und die naive oder populäre Erklärung würde ähnlich lauten. Wenn man jedoch den Standpunkt einnimmt, der in Marxens Epigramm ausgedrückt ist, dann erhebt sich die Frage, ob nicht genau das Umgekehrte der Fall ist, das heißt, ob nicht der scheinbare Instinkt ein Produkt der Erziehung ist, nicht die Ursache, sondern die Auswirkung von sozialen Regeln und Institutionen, die Exogamie verlangen und Inzucht verbieten[2]. Offensichtlich entsprechen diese beiden Standpunkte genau dem sehr alten Problem, ob die sozialen Gesetze ›natürlich‹ sind oder ›konventionell‹. In einer Frage wie der, die hier zur Illustration gewählt wurde, kann man nur sehr schwer feststellen, welche der beiden Theorien die richtige ist: die Erklärung der traditionellen sozialen Regeln durch einen Instinkt oder die Erklärung eines scheinbaren Instinkts durch traditionelle soziale Regeln. Aber in einem ähnlichen Fall konnte die Frage experimentell entschieden werden, nämlich im Fall der scheinbar instinktiven Abneigung vor Schlangen. Diese Abneigung erweckt in weit höherem Grade den Eindruck des Instinktiven oder ›Natürlichen‹, denn sie kommt nicht nur bei Menschen vor, sondern auch bei allen anthropoiden Affen und bei den meisten übrigen Affen. Experimente scheinen jedoch zu zeigen, daß diese Furcht konventionell ist. Sie ist anscheinend ein Produkt der Erziehung nicht nur innerhalb der menschlichen Rasse, sondern auch zum Beispiel bei den Schimpansen, denn der angebliche Instinkt fehlt sowohl bei kleinen Kindern als auch bei jungen Schimpansen, denen die Furcht vor Schlangen nicht beigebracht wurde[3]. Dieses Beispiel sollte uns warnen. Wir haben hier eine Abneigung vor uns, die allem Anschein nach universell ist und die sogar über die menschliche Rasse hinausreicht. Die Tatsache, daß eine Verhaltensweise nicht allgemein ist, kann vielleicht als ein Argument gegen die Annahme verwendet werden, daß sie auf einem Instinkt beruht. (Selbst dieses Argument ist gefährlich, denn es gibt soziale Sitten, die die Unterdrückung von Instinkten erzwingen.) Aber das Umgekehrte trifft sicher nicht zu: Die allgemeine Verbreitung eines bestimmten Verhaltens ist kein entscheidendes Argument zugunsten der Annahme, daß es sich um einen Instinkt handelt, oder zugunsten der Annahme, daß es in der ›menschlichen Natur‹ verwurzelt ist.

Überlegungen wie diese zeigen die Naivität der Idee, daß sich im Prinzip alle sozialen Gesetze aus der Psychologie der ›menschlichen Natur‹ herleiten lassen müssen. Aber diese Analyse ist noch immer ziemlich grob. Um weiterzukommen, wollen wir die Hauptthese des Psychologismus selbst untersuchen, das heißt, wir untersuchen die Lehre, daß sich soziale Gesetze letztlich auf psychologische Gesetze reduzieren lassen müssen, da die Gesellschaft ein Produkt der Wechselwirkung bewußter Wesen ist; die Lehre also, daß die Ereignisse des sozialen Lebens, seine Konventionen eingeschlossen, die Ergebnisse von Beweggründen sein müssen, die dem Bewußtsein individueller Menschen entspringen.

Gegen diese These des Psychologismus können die Verteidiger einer autonomen Soziologie *institutionalistische* Ansichten vorbringen[4]. Sie können zuallererst darauf verweisen, daß sich keine Handlung je durch Beweggründe allein erklären läßt; wenn Beweggründe (oder andere psychologische oder behavioristische Begriffe) in einer Erklärung Verwendung finden sollen, dann müssen sie durch eine Bezugnahme auf die allgemeine Situation, und insbesondere auf die Umgebung, ergänzt werden. Im Falle menschlicher Handlungen ist diese Umgebung hauptsächlich eine soziale. Somit lassen sich unsere Handlungen nicht ohne Berücksichtigung unserer sozialen Umgebung, sozialer Institutionen und ihrer Funktionsweise erklären. Der Institutionalist kann also behaupten, daß es unmöglich ist, die Soziologie auf eine psychologische oder behavioristische Analyse unserer Handlungen zu reduzieren. Vielmehr setzt jede solche Analyse die Soziologie voraus, und diese kann daher von der psychologischen Analyse nicht völlig abhängen. Die Soziologie, oder zumindest ein sehr wichtiger Teil der Soziologie, muß autonom sein.

Gegen diese Ansicht können die Anhänger des Psychologismus einwenden, daß sie ja durchaus bereit sind, die große Bedeutung von Umgebungsfaktoren zuzugeben, seien es nun natürliche oder soziale Faktoren; aber die Struktur (oder vielleicht ziehen sie das Modewort ›pattern‹ vor) der sozialen Umgebung sei im Gegensatz zur Struktur der natürlichen Umgebung ein Werk des Menschen; und daher müsse es möglich sein, sie aufgrund der menschlichen Natur zu erklären, ganz so, wie es die Lehre des Psychologismus behauptet. So zum Beispiel lasse sich die charakteristische Institution, die die Volkswirtschaftslehre den ›Markt‹ nennt und deren Funktionieren das Hauptthema ihrer Untersuchungen ist, letztlich aus der Psychologie des ›ökonomischen Menschen‹, oder, um Mills Ausdrucksweise zu verwenden, aus den psychologischen »Phänomenen ... des Strebens nach Reichtum« herleiten. Außerdem betonen die Anhänger des Psychologismus, daß die Institutionen nur wegen der besonderen psychischen Struktur des Menschen in unserer Gesellschaft eine so wichtige Rolle spielen und daß sie, einmal eingeführt, die Tendenz zeigen, zu einem traditionellen und relativ festen Bestandteil unserer Umgebung zu werden. Schließlich – und das ist ihr entscheidendes Argument – müsse es möglich sein, den *Ursprung wie auch die Entwicklung* von Traditionen durch die menschliche Natur zu erklären. Wenn wir Traditionen und Institutionen auf ihren Ursprung zurückverfolgen, so müssen wir finden, daß sich ihre Entstehung auf rein psychologische Weise erklären läßt, denn sie wurden ja von Menschen für den einen oder den anderen Zweck und unter dem Einfluß gewisser Beweggründe eingeführt. Und selbst wenn diese Beweggründe im Lauf der Zeit in Vergessenheit geraten sind, so beruht doch diese Vergeßlichkeit sowie auch die Bereitschaft, uns mit Institutionen abzufinden, deren Zweck wir nicht kennen, wieder auf der menschlichen Natur. Daher sind

»alle sozialen Phänomene Phänomene der menschlichen Natur«, wie Mill sagte; und »die Gesetze der Phänomene der Gesellschaft sind nichts anderes als die Gesetze der Handlungen und Leidenschaften menschlicher Wesen, und sie können auch gar nichts anderes sein«. Sie sind »die Gesetze der individuellen menschlichen Natur. Menschen, die zusammengebracht werden, verwandeln sich nicht in eine Substanz anderer Art ...[5].«

Diese letzte Bemerkung Mills enthüllt einen der lobenswertesten Aspekte des Psychologismus, nämlich seine gesunde Opposition gegen den Kollektivismus und den Holismus, seine Weigerung, sich vom Romantizismus Hegels und Rousseaus – von einem allgemeinen Willen, einem Nationalgeist oder einem Gruppengeist – beeindrukken zu lassen. Der Psychologismus befindet sich meiner Ansicht nach nur insofern im Recht, als er im Gegensatz zum ›methodologischen Kollektivismus‹[6] auf einem Prinzip beharrt, das man den ›methodologischen Individualismus‹ nennen könnte. Er hebt mit Recht hervor, daß es möglich sein muß, das ›Verhalten‹ und die ›Handlungen‹ von Kollektiven wie Staaten und Sozialgruppen auf das Verhalten und die Handlungen menschlicher Individuen zu reduzieren. Aber er irrt, wenn er meint, daß die Wahl einer solchen individualistischen Methode die Wahl einer psychologischen Methode nach sich zieht (das wird an einer späteren Stelle dieses Kapitels gezeigt werden), obgleich eine solche Annahme auf den ersten Blick sehr überzeugend erscheinen mag. Und aus einigen späteren Stellen der Millschen Darlegung geht klar hervor, daß sich der Psychologismus als solcher, abgesehen von seiner empfehlenswerten individualistischen Methode, auf ziemlich gefährlichem Grunde bewegt. Denn diese Stellen zeigen, *daß der Psychologismus gezwungen ist, historizistische Methoden anzunehmen.* Der Versuch, die Tatsachen unserer sozialen Umgebung auf psychologische Tatsachen zu reduzieren, zwingt uns zu Spekulationen über Ursprünge und Entwicklungen. Als wir die platonische Soziologie analysierten, hatten wir Gelegenheit, die zweifelhaften Verdienste eines derartigen Vorgehens in den Sozialwissenschaften zu beurteilen (vgl. Kapitel 5 meiner *Offenen Gesellschaft*). Wenn wir nun Mill kritisieren, so werden wir versuchen, diesem Vorgehen einen entscheidenden Schlag zu versetzen.

Es ist zweifellos der Psychologismus, der Mill zur Annahme einer historizistischen Methode zwingt; und Mill hat sogar eine vage Ahnung von der Unfruchtbarkeit und dem Elend des Historizismus, wenn er versucht, diese Unfruchtbarkeit mit dem Hinweis auf die

Schwierigkeiten zu erklären, die sich aus der ungeheuren Mannigfaltigkeit der Wechselwirkung so vieler bewußter Individuen ergeben. »Es ist zwar ein ... Gebot«, so sagt er, »... in den Sozialwissenschaften nie eine Verallgemeinerung einzuführen, solange es nicht gelingt, hinreichende Gründe dafür in der menschlichen Natur aufzuweisen; dennoch glaube ich nicht, daß auch nur ein Mensch behaupten wird, man hätte, ausgehend vom Prinzip der menschlichen Natur und von den allgemeinen Umständen der Lage unserer Art, *a priori* die Ordnung bestimmen können, in der die menschliche Entwicklung stattfinden muß, und man hätte in Folge davon die allgemeinen Tatsachen der Geschichte bis zur Gegenwart voraussagen können.« Als Grund gibt er an, daß »der Einfluß, den jede Generation von den vorhergehenden Generationen erfährt, nach den ersten, wenigen Gliedern der Reihe ... alle anderen Einflüsse mehr und mehr überwiegt«. (Mit anderen Worten, die soziale Umgebung wird zu einem dominierenden Einfluß.) »Es ist undenkbar, daß eine so lange Reihe von Aktionen und Reaktionen ... je mit menschlichen Fähigkeiten berechnet werden kann.«[7]

Dieses Argument und insbesondere Mills Bemerkung über ›die ersten, wenigen Glieder der Reihe‹ sind ein schlagender Beweis für die Schwäche der psychologistischen Version des Historizismus. Wenn alle Regelmäßigkeiten des sozialen Lebens, die Gesetze unserer sozialen Umgebung, aller Institutionen usw. letztlich durch die ›Handlungen und Leidenschaften menschlicher Wesen‹ zu erklären und auf sie zu reduzieren sind, dann sind wir nicht nur zu der Idee einer historisch-kausalen Entwicklung, sondern auch zur Idee der *ersten Schritte* einer solchen Entwicklung gezwungen. Denn der Nachdruck, den er auf den psychologischen Ursprung der sozialen Regeln oder Institutionen legt, kann nur bedeuten, daß sie sich auf einen Zustand zurückverfolgen lassen, in dem ihre Einführung ausschließlich von psychologischen Faktoren abhing, oder genauer, in dem sie unabhängig waren von allen bereits errichteten sozialen Institutionen. Der Psychologismus wird also, ob er will oder nicht, dazu gezwungen, mit der Idee eines *Beginns der Gesellschaft* und mit der Idee einer menschlichen Natur und einer menschlichen Psychologie zu arbeiten, die vor der Gesellschaft existierten. Anders ausgedrückt: Mills Bemerkung über die ›ersten, wenigen Glieder der Reihe‹ der sozialen Entwicklung ist nicht, wie man vielleicht denken könnte, ein zufälliges Versehen, sondern der treffende Ausdruck für die verzweifelte Position, die ihm aufgezwungen wurde. Seine Position ist verzweifelt, denn diese Theorie einer präsozialen menschlichen Natur, die die Gründung der Gesellschaft erklärt – eine psychologistische Version des ›Gesellschaftsvertrages‹ –, ist nicht nur ein historischer Mythos, sondern gewissermaßen auch ein methodologischer Mythos. Ein Mythos überdies, der kaum ernsthaft diskutiert werden kann, wo wir doch allen Grund zu der Annahme haben, daß der Mensch, oder vielmehr sein Vorfahre, sozial war, bevor er ein Mensch war (überlegen wir doch z.B., daß die Sprache die Gesellschaft voraussetzt). Aber daraus folgt, daß die sozialen Institutionen und mit ihnen typische soziale Regelmäßigkeiten oder soziologische Gesetze[8], vor dem, was einige Leute die ›menschliche Natur‹ zu nennen belieben, und auch vor der menschlichen Psychologie existiert haben müssen. Wenn schon reduziert werden soll, dann würde also der Versuch einer Reduktion der Psychologie auf die Soziologie oder der Versuch einer soziologischen Deutung der Psychologie wohl mehr Aussicht auf Erfolg haben als umgekehrt.

Das führt uns zurück zu Marxens Epigramm am Beginn [dieses Textes]. Die Menschen – das heißt, das menschliche Bewußtsein, die Bedürfnisse, Hoffnungen, Ängste, Erwartungen, die Beweggründe und das Streben und Trachten menschlicher Individuen – sind, wenn überhaupt, eher die Geschöpfe des Lebens in der Gesellschaft als seine Schöpfer. [Siehe auch Text *22*, Abschnitt *II*.] Es muß zugegeben werden, daß die Struktur unserer sozialen Umgebung in einem gewissen Sinn von Menschen geschaffen ist; daß ihre Institutionen und Traditionen weder das Werk Gottes sind noch das Werk der Natur, sondern das Ergebnis menschlicher Handlungen und Entschlüsse, und daß sie durch menschliche Handlungen und Entschlüsse geändert werden können. Aber das bedeutet nicht, daß sie alle bewußt geplant wurden und daß sie aufgrund von Bedürfnissen, Hoffnungen und Beweggründen erklärt werden können. Im Gegenteil: Sogar jene Institutionen und Traditionen, die als das Ergebnis bewußter und absichtlicher menschlicher Handlungen entstehen, sind in der Regel das *indirekte, unbeabsichtigte und oft unerwünschte Nebenprodukt solcher Handlungen.* »Nur wenige soziale Institutionen werden bewußt geplant, während die große Mehrzahl einfach als das unbeabsichtigte Resultat menschlicher Handlungen ›gewachsen‹ ist«, wie ich [auf S. 297–298, oben] ausgeführt habe[9]; und wir können hinzufügen, daß selbst jene wenigen Institutionen, die bewußt und mit Erfolg geplant worden sind (z.B. eine neugegründete Universität, eine Gewerkschaft) nur selten plangemäß ausfallen, und das wieder wegen der unbeabsichtigten sozialen Rückwirkungen, zu denen ihre bewußte Schöpfung führt. Denn ihre Schöpfung wirkt nicht nur zurück auf viele andere soziale Institutionen, sondern auch auf die ›menschliche Natur‹, auf die Hoffnungen, Ängste und Ambitionen zuerst jener Menschen, die unmittelbar beteiligt sind, und später oft aller Mitglieder der Gesellschaft. Infolgedessen sind die sittlichen Werte einer Gesellschaft – die Forderungen oder Vorschläge, die von allen oder von fast allen ihrer Mitglieder anerkannt werden – mit ihren Institutionen und Traditionen eng verbunden, und sie können die Zerstörung der Institutionen und Traditionen einer Gesellschaft nicht überleben[10].

All dies gilt höchst nachdrücklich für die ältere Zeit der sozialen Entwicklung, das heißt für die geschlossene Gesellschaft, in der das bewußte Planen von Institutionen ein höchst seltenes Ereignis war, wenn es überhaupt eintrat. Das mag heute bereits etwas anders sein, dank der langsamen Zunahme unseres Wissens von der Gesellschaft und über die sozialen Zusammenhänge, das heißt dank dem Studium der unbeabsichtigten Rückwirkungen unserer Pläne und Handlungen; und eines Tages wird es vielleicht sogar dahin kommen, daß die Menschen zu bewußten Schöpfern einer offenen Gesellschaft und damit zu Schöpfern eines Großteils ihres eigenen Geschicks werden. (Marx hegte diese Hoffnung, wie wir im nächsten Kapitel zeigen werden.) Aber alles das hängt zum großen Teil von unserer Einsicht in die sozialen Zusammenhänge ab. Und obgleich wir lernen können, viele der unbeabsichtigten Folgen unserer Handlungen vorauszusehen (was das Hauptziel aller Sozialtechnologie ist), wird es doch immer viele andere derartige Folgen geben, die wir nicht vorausgesehen haben.

Die Tatsache, daß der Psychologismus mit der Idee eines psychologischen Ursprungs der Gesellschaft arbeiten muß, ist meines Erachtens ein entscheidendes Argument gegen ihn. Es ist aber nicht das einzige Argument. Vielleicht der wichtigste Einwand gegen den Psychologismus besteht in der Feststellung, daß es ihm nicht gelingt, die Hauptaufgabe der erklärenden Sozialwissenschaften zu verstehen. Diese Aufgabe besteht nicht, wie der Historizist meint, darin, den zukünftigen Verlauf der Geschichte zu prophezeien. Sie besteht vielmehr darin, die weniger offenkundigen Zusammenhänge im sozialen Geschehen zu erkunden und zu erklären, die Schwierigkeiten, die dem sozialen Handeln entgegenstehen, aufzudecken, zu studieren, was das soziale Geschehen so schwerfällig, elastisch oder spröde macht, und welche Widerstände es unseren Versuchen, es zu formen und mit ihm zu arbeiten, entgegensetzt.

Um meine Gedanken zu verdeutlichen, werde ich in kurzen Zügen eine Theorie beschreiben, die weit verbreitet ist, die aber das genaue Gegenteil dessen annimmt, was ich für das eigentliche Ziel der Sozialwissenschaften halte; ich nenne sie die *Verschwörungstheorie* der Gesellschaft. Diese Theorie behauptet, daß die Erklärung eines sozialen Phänomens in dem Nachweis besteht, daß gewisse Menschen oder Gruppen an dem Eintreten dieses Ereignisses interessiert waren und daß sie konspiriert haben, um es herbeizuführen. (Ihre Interessen sind manchmal verborgen und müssen erst enthüllt werden.)[11]

Diese Ansicht vom Ziel der Sozialwissenschaften entspringt der irrigen Theorie, daß, was immer sich in einer Gesellschaft ereignet, das Ergebnis eines Planes mächtiger Individuen oder Gruppen ist. Besonders Ereignisse wie Krieg, Armut, Mangel, Arbeitslosigkeit, also Ereignisse, die wir als unangenehm empfinden, werden von dieser Theorie als gewollt und geplant erklärt.

Diese Theorie ist weit verbreitet; sie ist noch älter als der moderne Historizismus, der, wie seine primitive, theistische Form zeigt, eine Abwandlung der Verschwörungstheorie ist. In ihren modernen Formen ist die Theorie ein typisches Ergebnis der Verweltlichung eines religiösen Aberglaubens. Diese Theorie behauptet, daß alle Ergebnisse, sogar jene, die auf den ersten Blick von niemandem beabsichtigt zu sein scheinen, die beabsichtigten Resultate der Handlungen von Menschen sind, die an diesen Resultaten interessiert sind. Der Glaube an die homerischen Götter, deren Verschwörungen die Geschichte des Trojanischen Krieges erklären, ist verschwunden. Die Götter sind abgeschafft. Aber ihre Stelle nehmen mächtige Männer oder Verbände ein – unheilvolle Machtgruppen, deren böse Absichten für alle Übel verantwortlich sind, unter denen wir leiden – wie die Weisen von Zion, die Kapitalisten oder die Imperialisten.

Ich will nicht sagen, daß Verschwörungen sich niemals ereignen. Im Gegenteil: Verschwörungen sind ein typisches soziales Phänomen. Sie werden zum Beispiel immer dann wichtig, wenn Menschen an die Macht kommen, die an die Verschwörungstheorie glauben. Und Menschen, die allen Ernstes zu wissen glauben, wie man den Himmel auf Erden errichtet, werden aller Wahrscheinlichkeit nach die Verschwörungstheorie übernehmen, und sie werden sich in eine Gegenverschwörung gegen nicht existierende Verschwörer verwickeln lassen. Denn die einzige Erklärung für das Fehlschlagen ihres Versuches, den Himmel auf Erden zu errichten, sind die dunklen Pläne des Teufels, der ein uraltes Anrecht an der Hölle hat.

Es muß also zugegeben werden, daß Verschwörungen vorkommen. Aber die auffallende Tatsache, die die Verschwörungstheorie trotz der Existenz von Verschwörungen widerlegt, ist, daß nur wenige Verschwörungen am Ende erfolgreich sind. *Verschwörer genießen nur selten die Früchte ihrer Verschwörung.*

Was ist wohl der Grund dafür? Warum weichen die Ergebnisse so stark von den Absichten ab? Weil das im sozialen Leben wohl allgemein der Fall ist – mit oder ohne Verschwörung. Das soziale Leben ist nicht nur eine Kraftprobe zwischen entgegengesetzten Gruppen, sondern es ist ein Handeln in einem mehr oder weniger widerstrebenden Rahmen von Institutionen und Traditionen. Und es führt, abgesehen von bewußten Gegenhandlungen, zu vielen unvorhergesehenen Reaktionen innerhalb dieses Rahmens, die zum Teil gar nicht vorhergesehen werden können.

Die Hauptaufgabe der Sozialwissenschaften besteht nun, wie ich glaube, in dem Versuch, diese Reaktionen zu analysieren und sie so weit wie möglich vorherzusehen. Es ist ihre Aufgabe, die unbeabsichtigten sozialen Rückwirkungen absichtlicher menschlicher Handlungen zu analysieren – also jene Rückwirkungen, deren Bedeutung sowohl von der Verschwörungstheorie als auch, wie bereits angedeutet, vom Psychologismus vernachlässigt wird. Eine Handlung, die genau unseren Plänen gemäß verläuft, führt zu keinem Problem für die Sozialwissenschaften. Es kann jedoch das wissenschaftliche Bedürfnis bestehen, zu erklären, warum in diesem besonderen Fall keine unbeabsichtigten Nebenwirkungen eingetreten sind. Eine der primitivsten ökonomischen Situationen mag als Beispiel dienen, um die Idee von unbeabsichtigten Folgen unserer Handlungen klarzumachen: Wenn jemand dringend ein Haus kaufen möchte, dann kann man mit Sicherheit annehmen, daß er nicht wünscht, den Marktpreis des Hauses zu erhöhen. Aber gerade der Umstand, daß er als ein Käufer auf dem Markt erscheint, wird die Tendenz haben, die Marktpreise zu erhöhen. Und ähnliche Feststellungen gelten für den Verkäufer, oder, um ein Beispiel aus einem ganz anderen Gebiet heranzuziehen: Wenn ein Mensch sich entschließt, sein Leben zu versichern, so ist es sehr unwahrscheinlich, daß er die Absicht hat, andere Menschen zur Investition ihres Geldes in Versicherungsaktien anzuregen. Aber seine Handlung wird trotzdem zu diesem Ergebnis führen. Wir sehen hier eindeutig, daß nicht alle Folgen unserer Handlungen beabsichtigte Folgen sind; woraus folgt, daß die Verschwörungstheorie nicht richtig sein kann; denn diese Theorie behauptet ja, daß alle Ergebnisse, sogar jene, die auf den ersten Blick von niemandem beabsichtigt zu sein scheinen, die beabsichtigten Resultate der Handlungen von Menschen sind.

Die angeführten Beispiele widerlegen den Psychologismus nicht so eindeutig wie die Verschwörungstheorie; denn ein Psychologist kann darauf verweisen, daß das *Wissen* der Verkäufer um die Anwesenheit eines Käufers auf dem Markt sowie ihre *Hoffnung*, einen höheren Preis zu erzielen, also psychologische Faktoren, die beschriebenen Rückwirkungen erklären. Das ist bestimmt richtig. Wir dürfen aber nicht vergessen, daß dieses Wissen und diese Hoffnung nicht die letzten, endgültigen Grundlagen in der menschlichen Natur für diese Schlüsse sind, und daß diese Rückwirkungen *durch die soziale Situation* – die Marktsituation – erklärt werden können.

Diese soziale Situation läßt sich kaum auf Beweggründe und auf die allgemeinen Gesetze der ›menschlichen Natur‹ zurückführen. Die Einflußnahme gewisser ›Züge der menschlichen Natur‹, wie etwa unserer Empfänglichkeit für Propaganda, kann manchmal sogar zu Abweichungen von dem eben erwähnten wirtschaftlichen Verhalten führen. Außerdem kann der Verbraucher in einer sozialen Situation, die sich von der eben betrachteten unterscheidet, durch die Handlung des Kaufens indirekt zur Verbilligung des Artikels beitragen; zum Beispiel dadurch, daß er dessen Massenherstellung einträglicher macht. Und obgleich dieses Ergebnis zufällig seinem Interesse als Verbraucher entgegenkommt, kann es doch unter genau denselben psychologischen Bedingungen und ebenso unabsichtlich verursacht worden sein wie das Gegenteil. Es scheint klar zu sein, daß die sozialen Situationen, die zu so verschiedenen unbeabsichtigten oder unerwünschten Rückwirkungen führen können, von einer Sozialwissenschaft studiert werden müssen, die nicht von dem Vorurteil ausgeht, es sei »geboten, nie eine Verallgemeinerung in die Sozialwissenschaften einzuführen, solange es nicht gelingt, hinreichende Gründe dafür in der menschlichen Natur aufzuweisen«, wie Mill sagte[12]. Sie müssen von einer autonomen Sozialwissenschaft untersucht werden.

Wir setzen unsere Einwände gegen den Psychologismus fort. Wir können sagen, daß sich unsere Handlungen in weitem Ausmaße aus der Situation erklären lassen, in der sie stattfinden. Eine Erklärung aus der Situation allein ist natürlich nie möglich; wenn wir erklären wollen, warum ein Mensch beim Überqueren der Straße den Fahrzeugen in bestimmter Weise ausweicht, so werden wir vielleicht über die Situation hinausgehen müssen; wir werden Bezug nehmen müssen auf seine Beweggründe, auf einen ›Instinkt‹ der Selbsterhaltung, auf einen Wunsch, Schmerzen zu vermeiden. Aber dieser psychologische Teil der Erklärung ist sehr oft trivial im Vergleich zu der detaillierten Bestimmung seiner Handlungen durch das, was man die *Logik der Situation* nennen könnte; und außerdem ist es unmöglich, alle psychologischen Faktoren in die Beschreibung der Situation einzubeziehen. Die Analyse von Situationen, die Situationslogik, spielt im sozialen Leben wie auch in den Sozialwissenschaften eine sehr wichtige Rolle. Sie ist *die* Methode der ökonomischen Analyse. Als ein Beispiel außerhalb der Volkswirtschaftslehre sei die ›Logik der Macht‹[13], angeführt, die wir verwenden können, um die Schachzüge der Machtpolitik sowie auch das Arbeiten bestimmter politischer Institutionen zu erklären. Die Methode der Anwendung einer Situationslogik auf die Sozialwissenschaften beruht auf keiner psychologischen Annahme über die Rationalität (oder eine andere hervorstechende Eigenschaft) der ›menschlichen Natur‹. Im Gegenteil: Wenn wir von ›rationalem Verhalten‹ oder ›irrationalem Verhalten‹ sprechen, so meinen wir damit ein Verhalten, das der Logik der Situation entspricht oder nicht. In der Tat setzt die psychologische Zerlegung einer Handlung in ihre Beweggründe – wie Max Weber gezeigt hat[14] – voraus, daß wir schon einen Maßstab entwickelt haben, nach dem wir beurteilen können, was in der fraglichen Situation als rational zu gelten hat.

Meine Argumente gegen den Psychologismus dürfen nicht mißverstanden werden. Sie sollen natürlich nicht zeigen, daß psychologische Studien und Entdeckungen für den Sozialwissenschaftler von geringer Bedeutung sind. Sie bedeuten vielmehr, daß die Psychologie – die Psychologie des Individuums – selbst eine Sozialwissenschaft, wenn auch nicht die Basis aller Sozialwissenschaften ist. Niemand wird bestreiten, daß psychologische Tatsachen, wie etwa die Machtgier und die verschiedenen neurotischen Phänomene, die mit ihr verbunden sind, für die politischen Wissenschaften von großer Wichtigkeit sind. Aber die ›Machtgier‹ ist zweifellos ebensosehr ein sozialer wie ein psychologischer Begriff: Wir dürfen nicht vergessen, daß wir das erste Auftreten dieses Triebes in der Kindheit im Rahmen einer bestimmten sozialen Institution, zum Beispiel der Institution unserer modernen Familie, beobachten. (In einer Eskimofamilie können sich ganz andere Phänomene ergeben.) Eine andere psychologische Tatsache, die von Bedeutung ist für die Soziologie und schwierige politische und institutionelle Probleme schafft, beruht auf dem Umstand, daß das Leben im Schoße eines Stammes oder einer ›Gemeinschaft‹, die einem

Stamme gleicht, für viele Menschen eine emotionale Notwendigkeit ist (und insbesondere für junge Menschen, die – vielleicht in Übereinstimmung mit der Parallele zwischen ontogenetischer und phylogenetischer Entwicklung – ein Stammes- oder ›Indianer‹-stadium durchschreiten müssen). Daß mein Angriff auf den Psychologismus kein Angriff auf alle psychologischen Überlegungen sein soll, das ergibt sich aus der Art und Weise, in der ich einen Begriff verwendet habe wie den Begriff der ›Last der Zivilisation‹[15], die ja zum Teil das Resultat dieses unbefriedigten emotionalen Bedürfnisses ist. Dieser Begriff verweist auf Gefühle des Unbehagens und ist daher ein psychologischer Begriff. Aber er ist zur gleichen Zeit auch ein soziologischer Begriff; denn er charakterisiert diese Gefühle nicht nur als unerfreulich und beunruhigend, sondern er bezieht sie auf eine bestimmte soziale Situation und auf den Gegensatz zwischen der offenen und der geschlossenen Gesellschaft. (Viele psychologische Begriffe, wie Ehrgeiz und Liebe, sind von ähnlicher Art.) Auch dürfen wir nicht die großen Verdienste übersehen, die sich der Psychologismus durch die Empfehlung eines methodologischen Individualismus und durch die Bekämpfung des methodologischen Kollektivismus erworben hat; denn er unterstützt damit die wichtige Lehre, daß alle sozialen Phänomene, insbesondere das Funktionieren der sozialen Institutionen, immer als das Resultat der Entscheidungen, Handlungen, Einstellungen menschlicher Individuen verstanden werden sollten und daß wir nie mit einer Erklärung aufgrund sogenannter ›Kollektive‹ (Staaten, Nationen, Rassen usw.) zufrieden sein dürfen. Der Irrtum des Psychologismus aber ist seine Annahme, daß dieser methodologische Individualismus auf dem Gebiet der Sozialwissenschaften das Programm einschließt, alle sozialen Phänomene und alle sozialen Gesetzmäßigkeiten auf psychologische Phänomene und psychologische Gesetzmäßigkeiten zu reduzieren. Die große Gefahr dieses Programms ist, daß es leicht dazu verführt, historizistische Methoden anzuwenden, wie wir jetzt schon gesehen haben. Das ist zu erkennen an dem wissenschaftlichen Bedürfnis nach einer Theorie der unbeabsichtigten sozialen Rückwirkungen unserer Handlungen und an dem Bedürfnis nach einer Theorie, die erklärt, wie das, was ich die Logik der sozialen Situation genannt habe, das Handeln der Menschen bestimmt oder beeinflußt.

Bei der Verteidigung und Entwicklung der Ansicht Marx', daß sich die Probleme der Gesellschaft nicht auf die Probleme der ›menschlichen Natur‹ reduzieren lassen, habe ich mir erlaubt, über die Argumente hinauszugehen, die Marx selbst gebraucht hat. Denn Marx hat weder den Ausdruck ›Psychologismus‹ verwendet, noch hat er den Psychologismus systematisch kritisiert; es war auch nicht Mill, den er vor Augen hatte, als er das zu Beginn dieses Kapitels zitierte Epigramm schrieb. Dieses Epigramm richtet sich vielmehr gegen den ›Idealismus‹ in seiner hegelschen Form. Man kann jedoch sagen, daß Mills Psychologismus in bezug auf das Problem der psychologischen Natur der Gesellschaft identisch ist mit der von Marx bekämpften idealistischen Theorie[16]. Wie es oft geschieht, war es jedoch gerade der Einfluß eines anderen Elements der Hegelschen Philosophie, nämlich der platonische Kollektivismus Hegels, (seine Theorie, daß der Staat und die Nation ›realer‹ sind als das Individuum, das ihnen alles verdankt), der Marx zu den in diesem Kapitel dargelegten Ansichten geführt hat. (Ein Beispiel für die Tatsache, daß man auch aus einer absurden philosophischen Theorie manchmal wertvolle Anregungen schöpfen kann.) Historisch gesehen, entwickelte also Marx gewisse Ideen Hegels über den Vorrang der Gesellschaft vor dem Individuum und benützte sie als Argument gegen andere Ideen Hegels. Aber da mir Mill ein würdigerer Gegner zu sein scheint als Hegel, so habe ich mich nicht an die Geschichte der Ideen Marxens gehalten, sondern ich habe versucht, diese Ideen in Form eines Arguments gegen Mill zu entwickeln.

Text 29

Das Rationalitätsprinzip (1967)

In diesem Aufsatz möchte ich das Problem der *Erklärung in den Sozialwissenschaften* untersuchen; ich werde dieses Problem kurz mit dem analogen Problem in den Naturwissenschaften [das in Text *12*, oben, diskutiert wird] vergleichen und es ihm gegenüberstellen. Meine These ist, daß soziale Erklärungen bestimmten physikalischen Erklärungen sehr ähnlich sind, daß jedoch das Problem der Erklärung in den Sozialwissenschaften Fragen aufwirft, denen man in den Naturwissenschaften nicht begegnet.

Lassen Sie mich damit beginnen, daß ich zwischen zwei Arten von Problemen der Erklärung oder der Voraussage unterscheide.

(*1*) Die erste Art ist das Problem, ein einziges oder eine ziemlich kleine Anzahl von *einzelnen Ereignissen* zu erklären oder vorauszusagen. Ein Beispiel aus den Naturwissenschaften wäre: ›Wann wird sich die nächste Mondfinsternis (oder, sagen wir, wann werden sich die nächsten zwei oder drei Mondfinsternisse) ereignen?‹ Ein Beispiel aus den Sozialwissenschaften wäre: ›Wann wird die Arbeitslosenquote im Ruhrgebiet oder in Kärnten das nächste Mal steigen?‹

(2) Die zweite Art von Problem ist das Problem, eine bestimmte *Art oder* einen bestimmten *Typ* von Ereignis zu erklären oder vorauszusagen. Ein Beispiel aus den Naturwissenschaften wäre: ›Warum kommen Mondfinsternisse immer wieder vor und zwar nur, wenn Vollmond ist?‹. Ein Beispiel aus den Sozialwissenschaften wäre: ›Warum gibt es eine saisonbedingte Zunahme und Abnahme der Arbeitslosigkeit im Baugewerbe?‹.

Der Unterschied zwischen diesen beiden Arten von Problemen ist, daß man das erste *ohne die Konstruktion eines Modells* lösen kann, während man das zweite am leichtesten *mit Hilfe der Konstruktion eines Modells* löst.

Nun scheint es mir, daß es in den theoretischen Gesellschaftswissenschaften fast nie möglich ist, Fragen der ersten Art zu beantworten. Die theoretischen Gesellschaftswissenschaften arbeiten fast immer mit einer Methode, die *typische* Situationen oder Bedingungen konstruiert – das heißt, mit der Methode der Modellkonstruktion. (Das hängt mit der Tatsache zusammen, daß es in den Sozialwissenschaften, um mit Hayek zu sprechen, weniger ›Detailerklärungen‹ und mehr ›prinzipielle Erklärungen‹ gibt als in den physikalischen Wissenschaften.)

Es ist wichtig, die große Ähnlichkeit zwischen Erklärungen in den Sozialwissenschaften und Erklärungen der zweiten Art in den Naturwissenschaften zu erkennen. Nehmen wir an, wir möchten in den Naturwissenschaften das wiederholte Vorkommen von Mondfinsternissen erklären. In diesem Fall können wir ein richtiges mechanisches Modell konstruieren, oder uns auf eine perspektivische Zeichnung beziehen. Für unseren begrenzten Zweck kann das Modell wirklich sehr einfach sein. Es kann aus einer befestigten Lampe bestehen: der Sonne; einer kleinen hölzernen Erde, die die Sonne umkreist und einem kleinen Mond, der die Erde umkreist. Etwas wäre jedoch grundlegend: Die beiden Bewegungsebenen müssen einander so zugeneigt sein, daß wir manchmal, aber nicht immer, wenn Vollmond ist, Mondfinsternisse erhalten.

Eine kritische Diskussion unseres einfachen Modells muß jedoch ein neues Problem aufwerfen: ›Was treibt die Erde und den Mond in der wirklichen Welt an?‹; und damit stoßen wir vielleicht auf die Newtonischen Bewegungsgesetze. Es ist jedoch nicht nötig, die Randbedingungen ausdrücklich in unsere Lösung einzuführen: Soweit es Probleme der zweiten Art anbetrifft (die Erklärung von *Typen* von Ereignissen), können die Randbedingungen ganz durch die Konstruktion des Modells ersetzt werden, das, so könnte man sagen, *typische* Randbedingungen verkörpert. Aber wenn wir das Modell bewegen wollen, wenn es funktionieren soll, oder wenn wir, wie wir sagen könnten, das Modell ›*beleben*‹ wollen; das heißt, wenn wir die Art und Weise darstellen möchten, wie die verschiedenen Elemente des Modells aufeinander wirken, dann brauchen wir in der Tat *universale Gesetze* (in diesem Fall die Folgen einer Annäherung an die Newtonischen Bewegungsgesetze).

So viel zu den Naturwissenschaften. Was die Sozialwissenschaften anbelangt, habe ich anderswo [im vorhergehenden Text] vorgeschlagen, daß wir unsere Modelle mittels *Situationsanalyse* konstruieren können, die uns Modelle (natürlich sehr provisorische Modelle) typischer gesellschaftlicher Situationen liefert. Meine These ist, daß wir das, was in der Gesellschaft geschieht – gesellschaftliche Ereignisse – nur so erklären und verstehen können.

Wenn uns nun die Situationsanalyse Modelle ermöglicht, erhebt sich die Frage: Was entspricht hier den Newtonischen Bewegungsgesetzen, die, wie wir oben gesagt haben, das Modell des Sonnensystems ›beleben‹? Oder mit anderen Worten: Wie wird das Modell einer gesellschaftlichen Situation ›belebt‹?

Hier macht man gewöhnlich den Fehler, anzunehmen, daß die ›Belebung‹ eines sozialen Modells im Falle der menschlichen Gesellschaft durch die menschliche *Anima* oder *Psyche* erfolgen muß und daß wir deshalb hier die Newtonischen Bewegungsgesetze entweder durch Gesetze der allgemeinen menschlichen Psychologie ersetzen müssen, oder vielleicht durch die individuellen psychologischen Gesetze, denen die in unserer Situation handelnden Individuen unterliegen.

Aber das ist aus mehr als einem Grund ein Fehler. Erstens *ersetzen* wir konkrete psychologische Erfahrungen (oder Wünsche, Hoffnungen, Tendenzen) schon in unserer Situationsanalyse durch abstrakte und typische Situationselemente, wie zum Beispiel ›Ziele‹ und ›Wissen‹. Zweitens ist die Hauptsache an der Situationsanalyse, daß wir, um sie zu ›beleben‹, nichts anderes brauchen als die Annahme, daß die verschiedenen eine Rolle spielenden agierenden Personen *adäquat oder zweckmäßig* – das heißt, der Situation entsprechend – handeln. Dabei müssen wir natürlich bedenken, daß die Situation in meinem Sinne schon alle relevanten Ziele und alles zur Verfügung stehende relevante Wissen enthält, besonders das Wissen über die möglichen Mittel zur Realisierung dieser Ziele.

Es geht also hier nur um *ein* belebendes Gesetz – um das Prinzip des situationsgerechten Handelns; offensichtlich ein *fast leeres* Prinzip. In der Literatur ist es unter dem Namen ›*Rationalitätsprinzip*‹ bekannt, einem Namen, der zu unzähligen Mißverständnissen geführt hat.

Wenn man das Rationalitätsprinzip von dem Standpunkt aus betrachtet, den ich hier einnehme, wird man sehen, daß es wenig oder nichts mit der empirischen oder psychologischen Behauptung zu tun hat, daß der Mensch immer (oder hauptsächlich, oder in den meisten Fällen) rational handelt. Vielmehr erweist es sich als ein Aspekt, oder als eine Konsequenz des methodologischen Postulats, daß wir alle unsere theoretischen Bemühungen, unsere ganze erklärende Theorie in eine Analyse der *Situation* – in das *Modell* – hineinpacken oder hineinzwängen sollten.

Wenn wir dieses methodologische Postulat akzeptieren, wird das belebende Gesetz zu einer Art Nullprinzip. Denn man kann das Prinzip folgendermaßen formulieren: Nachdem wir unser Modell, unsere

Situation konstruiert haben, nehmen wir nichts weiter an, als daß die Handelnden im Sinne des Modells handeln, oder daß sie ›ausagieren‹, was in der Situation *enthalten* war. Darauf spielt übrigens auch der Ausdruck ›Situationslogik‹ an.

Wir können deshalb das Akzeptieren des Rationalitätsprinzips als ein Nebenprodukt eines methodologischen Postulats betrachten. Es spielt nicht die Rolle einer empirischen erklärenden Theorie, einer überprüfbaren Hypothese. Denn auf diesem Gebiet sind unsere verschiedenen Modelle, unsere verschiedenen Situationsanalysen die empirischen erklärenden Theorien oder Hypothesen. Unsere Modelle oder Situationsanalysen können empirisch mehr oder weniger adäquat sein; man kann sie diskutieren und kritisieren und manchmal sogar ihre Adäquatheit überprüfen. Und unsere Analyse einer konkreten empirischen Situation kann an irgendeiner empirischen Prüfung scheitern und es uns so ermöglichen, aus unseren Fehlern zu lernen.

Man muß zugeben, daß Überprüfungen eines Modells nicht leicht zu erhalten sind und daß sie gewöhnlich nicht sehr klar sind. Aber diese Schwierigkeit entsteht sogar in den physikalischen Wissenschaften. Sie ist natürlich mit der Tatsache verbunden, daß Modelle notgedrungen immer nur Annäherungen sind; daß sie notgedrungen immer nur schematische Vereinfachungen sind. Ihre Einfachheit hat einen vergleichsweise geringen Grad der Prüfbarkeit zur Folge; denn es ist schwierig zu entscheiden, ob es sich in einem bestimmten Fall um eine Diskrepanz aufgrund der notwendigen Einfachheit handelt oder um eine Diskrepanz, die den Mißerfolg, die Widerlegung des Modells bedeutet. Trotzdem können wir manchmal durch Prüfungen entscheiden, welches von zwei (oder mehreren) konkurrierenden Modellen das beste ist. Und in den Sozialwissenschaften kann mitunter die historische Forschung für Überprüfungen einer Situationsanalyse herangezogen werden.

Wenn nun aber das Rationalitätsprinzip nicht die Rolle eines empirischen oder psychologischen Satzes spielt, insbesondere, wenn man es so handhabt, daß es für sich alleine keinerlei Prüfungen unterworfen ist; wenn Prüfungen, wo sie zur Verfügung stehen, dazu verwendet werden, ein bestimmtes Modell, eine bestimmte Situationsanalyse zu überprüfen, von der das Rationalitätsprinzip bereits einen Teil bildet; dann haben wir keine Möglichkeit, dieses Prinzip zu überprüfen, selbst dann nicht, wenn eine Prüfung entscheidet, daß ein bestimmtes Modell weniger adäquat ist als ein anderes, da beide Modelle schon mit dem Rationalitätsprinzip operieren.

Diese Bemerkung macht deutlich, denke ich, warum man das Rationalitätsprinzip oft als *a priori* gültig erklärt hat. Und wenn es nicht empirisch widerlegbar ist: Was sollte es denn sonst sein, wenn nicht *a priori* gültig?

Die Frage ist höchst interessant. Jene, die sagen, das Rationalitätsprinzip sei *a priori*, meinen natürlich, daß es *a priori* gültig oder *a priori* wahr ist. Aber mir scheint es ganz klar, daß sie sich irren. Denn das Rationalitätsprinzip ist meines Erachtens einfach falsch – selbst in seiner schwächsten Nullformulierung, die man so ausdrücken kann: ›Handelnde Wesen handeln immer der Situation angemessen, in der sie sich befinden.‹

Man kann, glaube ich, sehr leicht sehen, daß das nicht stimmt. Man muß nur einen aufgeregten Autofahrer beobachten, der verzweifelt versucht, sein Auto zu parken, wenn es keinen Parkplatz gibt, um zu sehen, daß wir nicht immer gemäß dem Rationalitätsprinzip handeln. Zudem gibt es offensichtlich riesige persönliche Unterschiede, nicht nur des Wissens und des Könnens – die sind ein Teil der Situation –, sondern der Beurteilung oder des Verständnisses einer Situation; und das heißt, daß Menschen sich dementsprechend unterschiedlich verhalten – die einen der Situation angemessen, die anderen nicht.

Aber ein Prinzip, das nicht universal ist, ist falsch. Folglich ist das Rationalitätsprinzip falsch. Es gibt, denke ich, hier keinen Ausweg. Also muß ich bestreiten, daß es *a priori* gültig ist.

Wenn nun das Rationalitätsprinzip falsch ist, muß eine Erklärung, die aus der Verbindung dieses Prinzips mit einem Modell besteht, auch falsch sein, selbst wenn dieses besondere Modell wahr ist.

Aber kann das Modell wahr sein? Kann irgendein Modell wahr sein? Ich glaube nicht. Jedes Modell, sei es in der Physik oder in den Sozialwissenschaften, muß eine grobe Vereinfachung sein. Es muß vieles weglassen, und es muß vieles zu sehr betonen.

Man hat meine Ansichten über das Rationalitätsprinzip scharf in Frage gestellt. Man hat mich gefragt, ob in dem, was ich über die Stellung des ›Prinzips des situationsgerechten Handelns‹ sage, nicht einige Verwirrung herrscht (das heißt, in meiner eigenen Version des ›Rationalitätsprinzips‹); man sagte mir mit Recht, ich solle mich entscheiden, ob ich es als ein methodologisches Prinzip verstehe oder als eine empirische Vermutung. Im ersten Falle wäre es klar, daß es nicht empirisch überprüft werden kann und warum; und es wäre auch klar, warum es nicht empirisch falsch sein kann (sondern nur ein Teil einer erfolgreichen oder einer erfolglosen Methodologie).

Im zweiten Fall würde es zu einem Teil der verschiedenen Gesellschaftstheorien – dem belebenden Teil eines jeden sozialen Modells. Aber dann müßte es ein Teil einer empirischen Theorie sein und zusammen mit dem Rest dieser Theorie überprüft werden, und es müßte, wenn es sich als unzulänglich erweist, aufgegeben werden.

Der zweite Fall ist genau der, der meiner eigenen Ansicht über die Stellung des Rationalitätsprinzips entspricht: Ich betrachte das Prinzip der Adäquatheit des Handelns (das heißt, das Rationalitätsprinzip) als einen integralen Teil jeder, oder fast jeder, überprüfbaren Gesellschaftstheorie.

Wenn nun eine Theorie überprüft wird und sich als falsch erweist, müssen wir immer entscheiden, welchen ihrer verschiedenen Bestandteile wir für ihren Mißerfolg verantwortlich machen sollen. Meine These ist, daß es ein fundierter methodologischer Grundsatz ist, nicht das Rationalitätsprinzip, sondern den Rest der Theorie, nämlich das Modell, verantwortlich zu machen.

Jetzt könnte man glauben, daß wir das Rationalitätsprinzip in unserer Suche nach besseren Theorien so verwenden, als wäre es ein logisches oder metaphysisches Prinzip, das der Widerlegung nicht unterworfen ist: als ein unwiderlegbares oder *a priori* gültiges Prinzip. Aber dieser Eindruck trügt. Wie ich gezeigt habe, gibt es gute Gründe anzunehmen, daß das Rationalitätsprinzip, obwohl es eine gute Annäherung an die Wahrheit ist, sogar in meiner Minimalformulierung falsch ist. Man kann also nicht sagen, daß ich es als *a priori* gültig behandle.

Ich behaupte jedoch, daß es ein guter Grundsatz, eine gute methodologische Devise ist, das Rationalitätsprinzip nicht für den Zusammenbruch einer Theorie verantwortlich zu machen: Wir lernen mehr, wenn wir unser Situationsmodell dafür verantwortlich machen.

Das Hauptargument zugunsten dieses Grundsatzes ist, daß unser Modell viel interessanter und informativer und auch viel besser überprüfbar ist als das Prinzip der Adäquatheit unserer Handlungen. Wir lernen nicht viel, wenn wir lernen, daß dieses Prinzip, streng genommen, nicht wahr ist: das wissen wir schon. Zudem ist es, trotz der Tatsache, daß es falsch ist, der Wahrheit in der Regel hinreichend nahe: Wenn wir unsere Theorie empirisch widerlegen können, wird ihr Zusammenbruch gewöhnlich ziemlich drastisch sein, und obwohl die Falschheit des Rationalitätsprinzips ein Faktor sein kann, der dazu beiträgt, wird die Hauptverantworlichkeit normalerweise beim Modell liegen. Ein weiterer Punkt ist folgender: Der Versuch, das Rationalitätsprinzip durch ein anderes zu ersetzen, scheint zu totaler Willkür in unserem Bauen von Modellen zu führen. Und wir dürfen nicht vergessen, daß wir eine Theorie nur als Ganzes überprüfen können, und daß die Prüfung darin besteht, die bessere von zwei konkurrierenden Theorien zu finden, die viel gemeinsam haben können; und die meisten Theorien haben das Rationalitätsprinzip gemeinsam.

Aber hat Churchill in *The World Crisis* nicht gesagt, daß Kriege nicht gewonnen, sondern nur verloren werden – daß sie in Wirklichkeit Wettbewerbe der Inkompetenz sind? Und liefert uns diese Bemerkung nicht eine Art Modell für typische gesellschaftliche und historische Situationen; *eine Art Modell, das ausdrücklich nicht vom Rationalitätsprinzip der Adäquatheit unserer Handlungen belebt wird, sondern von einem Prinzip der Inadäquatheit?*

Die Antwort ist, daß Churchills Diktum bedeutet, daß die meisten Kriegsführer ihrer Aufgabe nicht gewachsen sind, daß sie die Lage nicht sehen, wie sie ist; es bedeutet nicht, daß man ihre Handlungen nicht als (wenigstens annähernd) der Lage angemessen, *wie sie sie sehen*, verstehen kann.

Um ihre (inadäquaten) Handlungen zu verstehen, müssen wir deshalb eine Sicht der Situation rekonstruieren, die umfassender ist als ihre eigene. Das muß so geschehen, daß wir sehen können, wie und warum die Situation, wie sie sie sahen (mit ihrer begrenzten Erfahrung, ihren begrenzten oder aufgeblasenen Zielen, ihrer begrenzten oder überhitzten Einbildungskraft), sie veranlaßte, so zu handeln, wie sie es taten; das heißt, ihrer inadäquaten Sicht der Situationsstruktur angemessen. Churchill selber verwendet diese Interpretationsmethode mit großem Erfolg, zum Beispiel in seiner sorgfältigen Analyse des Mißerfolges des Auchinleck/Ritchie Teams (in Band IV von *The Second World War*).

Es ist interessant, daß wir immer dann, wenn wir eine Handlung verstehen wollen, das Rationalitätsprinzip bis an die Grenze des Möglichen anwenden, selbst wenn es sich um die Handlung eines Verrückten handelt. Wir versuchen die Handlungen eines Verrückten so weit als möglich durch seine Ziele zu erklären (die vielleicht monomanisch sind) und durch das ›Wissen‹, das seinen Handlungen zugrunde liegt, das heißt, durch seine Überzeugungen (die vielleicht Zwangsvorstellungen sind, also falsche Theorien, die er so hartnäckig vertritt, daß sie praktisch unkorrigierbar werden). Wenn wir die Handlungen eines Verrückten auf diese Weise erklären, erklären wir sie im Sinne unserer größeren Kenntnis einer Problemsituation, die seine eigene, engere Sicht seiner Problemsituation umfaßt; und seine Handlungen verstehen heißt, ihre Adäquatheit aus seiner Sicht der Problemsituation sehen – seiner verrückten, falschen Sicht.

Auf diese Weise können wir sogar versuchen zu erklären, wie er zu seiner verrückten und falschen Sicht kam: wie bestimmte Erfahrungen seine ursprünglich vernünftige Sicht der Welt zunichte machten und ihn dazu bewogen, zu einer anderen Zuflucht zu nehmen – die vernünftigste Sicht, die er mit dem ihm zur Verfügung stehenden Wissen entwickeln konnte, soweit er es glaubwürdig fand; und wie er diese neue Sicht *unkorrigierbar* machen mußte, genau deshalb, weil sie unter dem Druck von widerlegenden Beispielen sofort zusammenbrechen würde, was ihn (so weit er es sehen konnte) ohne jede Deutung seiner Welt seinem Schicksal überließe. Eine Situation, die von einem rationalen Standpunkt aus um jeden Preis vermieden werden muß, da sie jede rationale Handlung unmöglich machen würde.

Man hat Freud oft als den Entdecker der menschlichen Irrationalität bezeichnet; aber das ist eine Fehlinterpretation, und noch dazu eine sehr oberflächliche. Freuds Theorie des typischen Ursprungs einer Neurose fällt ganz in unser Schema: einem Schema von Erklärungen mit Hilfe eines Situationsmodells *plus* des Rationalitätsprinzips. Denn er erklärt eine Neurose als eine Haltung, die (in der frühen Kindheit) angenommen wurde, weil sie der beste zur Verfügung stehende Weg aus einer Situation war, die der Handelnde (das Kind, der Patient) nicht verstehen konnte und mit der er nicht fertig werden konnte. So wird die Zuflucht zu einer Neurose zur rationalen Handlung – so rational wie zum Beispiel die Handlung eines Mannes, der, konfrontiert mit der Gefahr, von einem Auto überfahren zu werden, nach hinten springt und dabei mit einem Radfahrer zusammenstößt. Sie ist in dem Sinne rational, als der Handelnde wählte, was er unmittelbar oder offensichtlich für besser hielt, oder was ihm vielleicht einfach das kleinere Übel schien – die weniger unerträgliche von zwei Möglichkeiten.

Ich werde hier nichts weiter zur Freudschen Therapiemethode sagen, als daß sie noch rationalistischer ist als seine Methode der Diagnose oder Erklärung; denn sie beruht auf der Annahme, daß die Neurose eines Menschen verschwindet, wenn er erst einmal wirklich verstanden hat, was ihm als Kind widerfuhr.

Wenn wir aber auf diese Weise alles im Sinne des Rationalitätsprinzips erklären, wird es dann nicht tautologisch? Ganz und gar nicht; denn eine Tautologie ist offensichtlich wahr, während wir das Rationalitätsprinzip nur als eine gute Annäherung an die Wahrheit verwenden und eingestehen, daß es nicht wahr, sondern falsch ist.

Aber wenn das stimmt, was wird aus der Unterscheidung zwischen Rationalität und Irrationalität? Zwischen geistiger Gesundheit und geistiger Krankheit?

Das ist eine wichtige Frage. Ich schlage vor, daß der Hauptunterschied der ist, daß die Überzeugungen eines gesunden Menschen nicht unkorrigierbar sind: Ein gesunder Mensch zeigt eine gewisse Bereitschaft, seine Überzeugungen zu korrigieren. Vielleicht tut er das nur zögernd, aber er ist doch bereit, unter dem Druck von Ereignissen, von den Meinungen anderer und von kritischen Argumenten seine Ansichten zu korrigieren.

Wenn das stimmt, können wir sagen, daß die Mentalität eines Menschen mit unabänderlich starren Ansichten, eines ›engagierten‹ Menschen, derjenigen des Verrückten verwandt ist. Es kann sein, daß alle seine festen Meinungen in dem Sinne ›adäquat‹ sind, daß sie zufälligerweise mit den besten zu jener Zeit zur Verfügung stehenden Meinungen übereinstimmen. Aber insofern, als er engagiert ist, ist er nicht rational: Er wird sich jeder Veränderung, jeder Korrektur widersetzen; und weil er nicht die ganze Wahrheit besitzen kann (niemand kann das), wird er sich der rationalen Korrektur selbst völlig falscher Überzeugungen widersetzen. Und er wird sich auch dann noch widersetzen, wenn diese Korrektur zu seinen Lebzeiten allgemein akzeptiert wird.

Wenn sich also jene, die das Engagement und den irrationalen Glauben loben, als Irrationalisten (oder Post-Rationalisten) bezeichnen, stimme ich ihnen zu. *Sie sind Irrationalisten,* sogar wenn sie vernünftig denken können. Denn sie sind stolz darauf, sich unfähig zu machen, aus ihrer Schale auszubrechen; sie machen sich zu Gefangenen ihrer Manien. Sie machen sich geistig unfrei durch eine Handlung, von der wir (wie die Psychiater) sagen können, daß ihre Wahl rational verständlich ist; sie kann zum Beispiel verständlich sein als eine Handlung, zu der sie sich aus Angst entschließen – Angst davor, durch Kritik gezwungen zu werden, eine Ansicht preiszugeben, die sie nicht aufzugeben wagen, da sie sie zur Basis ihres ganzen Lebens machen (oder glauben, dies tun zu müssen). (Engagement – sogar ›freies Engagement‹ – und Fanatismus, die, wir wir wissen, an Wahnsinn grenzen können, sind also auf gefährlichste Weise verwandt.)

Um zusammenzufassen: wir sollten zwischen der Rationalität als einer persönlichen Haltung (zu der grundsätzlich alle vernünftigen

Menschen imstande sind) und dem Rationalitätsprinzip unterscheiden.

Die Rationalität als eine persönliche Haltung ist die Bereitschaft, seine Überzeugungen zu korrigieren. In ihrer intellektuell höchst entwickelten Form ist sie die Bereitschaft, seine Überzeugungen kritisch zu diskutieren und sie angesichts solcher kritischer Diskussionen mit anderen Menschen zu korrigieren.

Das ›Rationalitätsprinzip‹ andererseits hat nichts mit der Annahme zu tun, daß die Menschen in diesem Sinne rational sind – daß sie immer eine rationale Haltung einnehmen. Vielmehr ist es ein Minimalprinzip (da es nicht mehr voraussetzt, als daß unsere Handlungen unseren Problemsituationen, wie wir sie sehen, angemessen sind); es belebt alle, oder fast alle unsere erklärenden Situationsmodelle, und obwohl wir wissen, daß es nicht wahr ist, gibt es Gründe, es als eine gute Annäherung zu betrachten. Wenn wir es anwenden, reduzieren wir die Willkürlichkeit unserer Modelle beträchtlich; eine Willkürlichkeit, die wirklich kapriziös wird, wenn wir versuchen, ohne dieses Prinzip zu verfahren.

Text *30*

Gegen die Wissenssoziologie (1945)

> Rationalität im Sinne eines Appells an einen universellen und unpersönlichen Maßstab der Wahrheit ist von höchster Bedeutung ... nicht nur in Zeiten, in denen sie leicht die Oberhand gewinnt, sondern insbesondere auch in jenen weniger glücklichen Zeiten, in denen sie als der eitle Traum von Menschen verachtet und abgelehnt wird, die nicht den Mut haben, zu töten, wenn sie anderer Meinung sind.
>
> BERTRAND RUSSELL[1]

Man kann kaum bezweifeln, daß die historizistischen Philosophien von Hegel und Marx charakteristische Produkte ihrer Zeit sind, Produkte einer Zeit sozialer Veränderung. Wie die philosophischen Systeme von Heraklit und Platon und wie die Systeme von Comte und Mill, Lamarck und Darwin sind auch sie Philosophien der Veränderung, und sie zeugen von dem ungeheuren und zweifellos erschreckenden Eindruck, den eine sich verändernde soziale Umgebung auf das Bewußtsein jener Menschen ausübt, die in ihr leben. Platon reagierte auf diese Situation mit dem Versuch, alle Veränderung zum Stillstand zu bringen. Die modernen Sozialphilosophen scheinen ganz anders zu reagieren, denn sie akzeptieren die Veränderung und heißen sie sogar willkommen; aber ihre Zuneigung zur Veränderung besitzt einen etwas ambivalenten Charakter. Denn obgleich sie die Hoffnung aufgegeben haben, der Veränderung Einhalt zu gebieten, wollen sie sie dennoch als Historizisten voraussagen und auf diese Weise der Vernunft unterwerfen; und das sieht sicherlich wie ein Versuch aus, sie zu bändigen. Somit scheint es, daß für die Historizisten die Veränderung ihre Schrecken nicht völlig verloren hat.

In unserer eigenen Zeit mit ihren noch ungestümeren Veränderungen finden wir sogar den Wunsch, die Veränderung nicht nur vorauszusagen, sondern sie auch durch zentralisiertes Planen im großen Maßstab zu kontrollieren. Diese holistischen Ansichten (die ich [in Text *24*] kritisiert habe) sind gleichsam ein Kompromiß zwischen Platonischen und Marxistischen Theorien. Platons Wunsch, die Veränderung zum Stillstand zu bringen, führt, mit der Marxistischen Lehre ihrer Unvermeidbarkeit vereinigt, aufgrund einer Hegelschen ›Synthese‹ zur Forderung, daß die Veränderung, wenn sie schon nicht völlig zum Stillstand gebracht werden kann, zumindest ›geplant‹ und kontrolliert werden sollte, und zwar vom Staat, dessen Gewalten beträchtlich auszudehnen sind.

Eine Einstellung wie diese mag auf den ersten Blick wie eine Art Rationalismus aussehen; sie ist nahe verwandt mit Marxens Traum vom ›Reich der Freiheit‹, in dem der Mensch zum erstenmal der Herr seines eigenen Geschicks ist. Aber in Wirklichkeit tritt sie in engster Verbindung mit einer Lehre auf, die dem Rationalismus (und insbesondere der Lehre von der rationalen Einheit der Menschheit; [vgl. Abschnitt *II* von Text 2]) eindeutig widerspricht und die trefflich zu den irrationalistischen und mystischen Tendenzen unserer Zeit paßt. Ich denke an die Marxistische Lehre, daß unsere Ansichten, unsere moralischen und wissenschaftlichen Ideen eingeschlossen, durch das Klasseninteresse und, allgemeiner ausgedrückt, durch die historische und soziale Situation unserer Zeit bestimmt sind. Unter dem Namen der ›Wissenssoziologie‹ oder ›Soziologismus‹ ist diese Lehre jüngst (insbesondere von M. Scheler und K. Mannheim[2]) als eine Theorie der sozialen Determination wissenschaftlicher Erkenntnisse entwickelt worden.

Die Wissenssoziologie behauptet, daß das wissenschaftliche Denken und insbesondere das Denken über soziale und politische Angelegenheiten nicht in einem Vakuum vor sich geht, sondern in einer sozial bedingten Atmosphäre. Es wird zum Großteil durch unbewußte und unterbewußte Elemente beeinflußt. Diese Elemente bleiben dem beobachtenden Auge des Denkers verborgen, da sie gleichsam der Ort sind, den er bewohnt, sein *sozialer Standort.* Der soziale Standort des Denkers bestimmt ein ganzes System von Meinungen und Theorien, die ihm als fraglos wahr oder als evident erscheinen. Er hält diese Theorien für logische oder triviale Wahrheiten von der Art des Satzes ›alle Tische sind Tische‹. Es kommt ihm daher gar nicht in den Sinn, daß er überhaupt eine Annahme gemacht hat. Aber daß er Annahmen gemacht hat, können wir sehen, wenn wir ihn mit einem Denker vergleichen, der in einem ganz anderen sozialen Milieu lebt; denn auch dieser Denker wird von einem System scheinbar unbezweifelbarer Annahmen ausgehen, aber von einem ganz anderen System; dieses System kann sich vom ersten so sehr unterscheiden, daß keine intellektuelle Brücke und kein Kompromiß zwischen beiden möglich ist. Jedes dieser verschiedenen sozial determinierten Systeme von Annahmen wird von den Wissenssoziologen eine *Totalideologie* genannt.

Man kann die Wissenssoziologie als eine Hegelsche Fassung der Erkenntnistheorie Kants ansehen. Denn sie setzt Kants Kritik an einer Erkenntnislehre fort, die man ›passivistisch‹ nennen könnte. Darunter verstehe ich eine Theorie, die die Empiristen bis zu Hume (diesen eingeschlossen) vertreten haben und die sich etwa so darstellen läßt: Das Wissen strömt uns durch unsere Sinne zu, der Irrtum ist entweder unserer Einmischung in das von den Sinnen gegebene Material zuzuschreiben oder den Assoziationen, die sich in ihm entwickelt haben; man vermeidet den Irrtum am besten, indem man völlig passiv und rezeptiv verbleibt. Gegen diese Empfängertheorie des Wissens (ich nenne sie gewöhnlich die ›Kübeltheorie des Bewußtseins‹ [siehe Text *7*, Abschnitt *IV*, oben]) hat Kant[3] eingewendet, daß das Wissen nicht eine Sammlung von Gaben ist, die wir durch unsere Sinne empfangen und in unserem Geiste wie in einem Museum aufbewahren, sondern daß es in einem großen Ausmaß das Ergebnis unserer eigenen geistigen Tätigkeit ist; daß wir uns höchst aktiv, suchend, vergleichend, vereinigend, verallgemeinernd verhalten müssen, wenn wir Wissen erlangen wollen. Wir können diese Theorie die ›aktivistische‹ Erkenntnistheorie nennen. In Verbindung mit ihr gab Kant das unhaltbare Ideal einer von allen Voraussetzungen freien Wissenschaft auf. (Wir haben [in Text *2*] gezeigt, daß dieses Ideal sogar einen Widerspruch enthält.) Er machte es völlig klar, daß wir nicht mit nichts beginnen können und daß wir an unsere Aufgabe herantreten müssen, ausgerüstet mit einem System von Voraussetzungen, die wir annehmen, ohne sie durch die empirischen Methoden der Wissenschaft geprüft zu haben; man kann ein solches System einen ›kategorialen Apparat‹[4] nennen. Kant glaubte, daß es möglich sei, den einen wahren und unveränderlichen kategorialen Apparat zu entdecken, der gleichsam der notwendigerweise unveränderliche Rahmen unserer intellektuellen Ausrüstung, das heißt die menschliche ›Vernunft‹, ist. Dieser Teil der Theorie Kants wurde von Hegel aufgegeben, der, im Gegensatz zu Kant, nicht an die Einheit der Menschheit glaubte. Hegel lehrte, daß sich die intellektuelle Ausrüstung des Menschen ständig verändert und daß sie ein Teil seiner sozialen Erbschaft ist; dementsprechend muß die Entwicklung der menschlichen Vernunft mit der historischen Entwicklung der menschlichen Gesellschaft übereinstimmen, das heißt mit der historischen Entwicklung der Nation, der er angehört. Diese

Theorie Hegels, besonders seine Lehre, daß alles Wissen und alle Wahrheit ›relativ‹ ist, in dem Sinn, daß es durch die Geschichte bestimmt wird, nennt man manchmal ›Historismus‹ (der vom ›Historizismus‹ unterschieden werden muß). Die Wissenssoziologie oder der ›Soziologismus‹ ist mit dem Historismus zweifellos sehr nahe verwandt oder fast identisch; der einzige Unterschied besteht darin, daß die Wissenssoziologie unter dem Einfluß von Marx hervorhebt, daß die historische Entwicklung nicht, wie Hegel behauptet hatte, einen einzigen einförmigen ›Nationalgeist‹ produziert, sondern daß es vielmehr zur Ausbildung verschiedener und manchmal einander entgegengesetzter ›Totalideologien‹ innerhalb einer Nation kommt, je nach der Klasse, der sozialen Schicht oder dem sozialen Standort der Menschen, die sie vertreten.

Aber die Ähnlichkeit mit Hegel geht noch weiter. Ich habe oben gesagt, daß es nach der Wissenssoziologie keine intellektuelle Brücke und keinen Kompromiß zwischen verschiedenen Totalideologien gibt. Dieser radikale Skeptizismus ist jedoch in Wirklichkeit nicht so ernst gemeint, wie es aussieht. Es gibt einen Ausweg, und der Ausweg gleicht der Methode, mit der Hegel die Konflikte zu überwinden trachtete, die vor ihm in der Geschichte der Philosophie aufgetreten waren. Hegel, ein frei über dem Wirbel der widerstreitenden Philosophien schwebender Geist, reduzierte alle diese Lehrsysteme zu bloßen Komponenten der höchsten der Synthesen, nämlich seines eigenen Systems. In ähnlicher Weise behaupten die Wissenssoziologen, daß die ›freischwebende Intelligenz‹ einer Intelligenzschicht, die nur lose in der sozialen Tradition verankert ist, vielleicht fähig sein werde, die Fallgruben der Totalideologien zu vermeiden; daß sie sogar die Fähigkeit besitzen kann, die verschiedenen Totalideologien und die verborgenen Beweggründe sowie alle übrigen Determinanten, die sie inspirieren, zu durchschauen und zu entschleiern. Somit glaubt die Wissenssoziologie, daß der höchste Grad an Objektivität von einer freischwebenden Intelligenz erreicht werden kann, die die verschiedenen verborgenen Ideologien und ihre Verankerung im Unbewußten analysiert. Der Weg zum wahren Wissen scheint in der Entschleierung unbewußter Annahmen, in einer Art Psychotherapie oder, wenn wir den Ausdruck verwenden dürfen, einer *Soziotherapie* zu bestehen. Nur wer sozioanalysiert worden ist oder wer sich selbst sozioanalysiert hat und wer damit von seinem sozialen Komplex, das heißt von seiner sozialen Ideologie befreit worden ist, nur der kann die höchste Synthese objektivierter Erkenntnis erlangen.

In Kapitel *15* meiner *Offenen Gesellschaft*, anläßlich der Behandlung des ›Vulgärmarxismus‹ erwähnte ich eine Tendenz, die sich in gewissen modernen philosophischen Richtungen beobachten läßt, nämlich die Tendenz, die verborgenen Beweggründe unserer Handlungen aufzudecken. Die Wissenssoziologie gehört zusammen mit der Psychoanalyse und gewissen philosophischen Richtungen, die die ›Sinnlosigkeit‹ der Behauptungen ihrer Gegner zu enthüllen trachten, dieser Gruppe an [siehe Anm. 17 und 18 zu Text *6*, oben]. Die Popularität eines solchen Vorgehens liegt, wie ich glaube, in der Leichtigkeit, mit der es angewendet werden kann, und in der Genugtuung, die es denen verschafft, die die Dinge und die Narreteien der Unaufgeklärten durchschauen. Das ist ein an sich harmloses Vergnügen, aber es führt dazu, daß die intellektuelle Basis jeder Diskussion durch Errichtung eines ›doppelt verschanzten Dogmatismus‹ zerstört wird, wie ich mich auszudrücken pflege. (Ein solcher ist einer ›Totalideologie‹ wirklich sehr ähnlich.) In der Hegelschen Philosophie geschieht dies durch Betonung der Zulässigkeit und sogar der Fruchtbarkeit von Widersprüchen. Wenn man aber Widersprüche nicht zu vermeiden braucht, dann wird jede Kritik und jede Diskussion unmöglich. Denn eine Kritik besteht gerade darin, daß man entweder auf Widersprüche innerhalb der zu kritisierenden Theorie verweist oder auf Widersprüche zwischen der Theorie und gewissen Erfahrungstatsachen. Ähnlich ist die Situation im Falle der Psychoanalyse: Der Psychoanalytiker kann jeden Einwand hinwegerklären, indem er zeigt, daß er das Werk der Verdrängung des Kritikers ist. Und die Philosophen des Sinns brauchen wieder nur darauf zu verweisen, daß die Behauptungen ihrer Opponenten sinnlos sind, was immer wahr sein wird, da sich das Wort ›sinnlos‹ so definieren läßt, daß jede Diskussion darüber definitionsgemäß sinnlos ist[5]! In ähnlicher Weise pflegen die Marxisten jene Ideen ihrer Gegner, die sich von ihren eigenen unterscheiden, durch ihr Klassenvorurteil zu erklären, und die Wissenssoziologen ziehen zur Erklärung die Totalideologie ihrer Gegner heran. Solche Methoden sind leicht zu handhaben und höchst vergnüglich für jeden, der sie anwendet. Es ist aber klar, daß sie die Grundlage der rationalen Diskussion zerstören und daß sie letzten Endes zu Antirationalismus und Mystizismus führen müssen.

Trotz dieser Gefahren sehe ich nicht ein, warum ich gänzlich auf das Vergnügen der Anwendung dieser Methoden verzichten sollte. Denn ebenso wie sich die Psychoanalyse am besten wohl auf die Psychoanalytiker selbst anwenden läßt[6], ebenso laden auch die Sozioanalytiker mit fast unwiderstehlicher Gastfreundschaft dazu ein, sie mit ihren eigenen Methoden zu analysieren. Denn ist nicht ihre Analyse einer Intelligenzschicht, die nur lose in der Tradition verankert ist, eine sehr hübsche Beschreibung ihrer eigenen sozialen Gruppe? Und ist es nicht klar, daß unter Voraussetzung der Richtigkeit der Theorie der Totalideologien jede Totalideologie die Annahme enthalten muß, daß die eigene Gruppe die vorurteilsfreie Schar der Auserwählten ist, die allein völlig objektiv sein kann? Ist es daher nicht – immer unter der Annahme der Wahrheit der besprochenen Theorie – zu erwarten, daß sich ihre Vertreter selbst unbewußt täuschen werden, indem sie ihre Theorie so verbessern, daß die Objektivität ihrer eigenen Ansichten garantiert zu sein scheint? Können wir da ihre Behauptung ernst nehmen, daß sie durch ihre soziologische Selbstanalyse einen höheren Grad von Objektivität erreicht haben, sowie ihre Behauptung, daß die Sozioanalyse eine Totalideologie auszuschalten vermag? Aber es erhebt sich sogar die Frage, ob die ganze Lehre nicht einfach der Ausdruck des Klasseninteresses dieser besonderen Gruppe ist; einer Intelligenzschicht, die nur lose mit der Tradition verbunden ist, jedoch gerade stark genug, um Hegeldeutsch als ihre Muttersprache zu sprechen .

Wie wenig erfolgreich die Wissenssoziologen bei der Anwendung der Soziotherapie, das heißt bei der Ausrottung ihrer eigenen Totalideologie waren, das wird besonders deutlich, wenn man ihre Beziehung zu Hegel in Betracht zieht. Denn sie haben keine Ahnung, daß sie ihn einfach wiederholen; im Gegenteil – sie glauben nicht nur, daß sie ihm entwachsen sind, sondern auch, daß sie ihn erfolgreich durchschaut haben, ihn sozioanalysiert haben; und daß sie ihn nun nicht von einem besonderen sozialen Standort aus, sondern von höherer Warte aus objektiv betrachten können. Dieser offenkundige Mangel an Selbstanalyse sagt genug.

Aber – Scherz beiseite – es gibt ernsthaftere Einwände. Die Wissenssoziologie ist nicht nur selbstzerstörend, sie ist nicht nur ein sehr dankbares Objekt der Sozioanalyse, sondern sie zeigt auch einen ganz erstaunlichen Mangel an Verständnis für ihr Hauptthema, das heißt für die *sozialen Aspekte des Wissens* oder vielmehr der wissenschaftlichen Methode. Sie sieht in der Wissenschaft oder im Wissen einen geistigen Prozeß oder einen Prozeß im ›Bewußtsein‹ des individuellen Wissenschaftlers oder auch das Ergebnis eines solchen Prozesses. Aber so betrachtet, muß das, was wir wissenschaftliche Objektivität nennen, völlig unverständlich, ja sogar unmöglich werden; und das nicht nur in den Sozialwissenschaften oder den politischen Wissenschaften, in denen das Klasseninteresse und ähnliche verborgene Beweggründe vielleicht eine Rolle spielen, sondern ebensosehr in den Naturwissenschaften. Jeder, der auch nur die geringste Ahnung von der Geschichte der Naturwissenschaften hat, weiß von der leidenschaftlichen Zähigkeit, die viele ihrer Streitigkeiten charakterisiert. Kein noch so großes Ausmaß an politischer Parteilichkeit kann die politischen Theorien stärker beeinflussen als die Parteilichkeit, die einige Naturwissenschaftler zugunsten ihrer intellektuellen Erzeugnisse an den Tag legen. Wäre die Wissenschaft, wie die soziologische Theorie des Wissens naiverweise annimmt, auf die Unparteilichkeit oder Objektivität des individuellen Wissenschaftlers begründet, dann müßten wir ihr Lebewohl sagen. Und in der Tat – wir müssen in gewisser Weise sogar noch skeptischer sein als die Wissenssoziologie. Denn es besteht kein Zweifel, daß wir alle in unser System von Vorurteilen (oder ›Totalideologien‹, wenn man diesen Ausdruck vorzieht) verstrickt sind; daß wir alle vieles als evident hinnehmen und unkritisch akzeptieren, und das sogar mit dem naiven und überheblichen Glauben, daß sich jede Kritik erübrige; und die Wissenschaftler sind keine Ausnahme von dieser Regel, selbst dann nicht, wenn sie sich oberflächlich in ihrem besonderen Gebiet von einigen Vorurteilen befreit haben mögen. Aber sie sind diese Vorurteile nicht durch Sozioanalyse oder ähnliche Methoden losgeworden; sie haben nicht versucht, eine höhere Ebene zu ersteigen und von dort aus ihre ideologischen Torheiten zu verstehen, zu sozioanalysieren und auszutreiben. Denn eine ›Objektivierung‹ ihres Geistes führt keinesfalls zu dem, was wir ›wissenschaftliche Objektivität‹ nennen. Nein, was wir gewöhnlich so nennen, hat andere Grundlagen[7]. Es ist eine Sache der wissenschaftlichen Methode. Und es ist eine besondere Ironie, daß die Objektivität eng zusammenhängt mit einer soziologischen Eigentümlichkeit, nämlich mit der Tatsache, daß die Wissenschaft und die wissenschaftliche Objektivität nicht dem Streben eines individuellen Wissenschaftlers entspringt, ›objektiv‹ zu sein, sondern der Zusammenarbeit vieler Wissenschaftler. Man kann die wissenschaftliche Objektivität als die Intersubjektivität der wissenschaftlichen Methode beschreiben. Aber dieser soziale Aspekt der Wissenschaft wird von denen, die sich selbst Wissenssoziologen nennen, fast völlig vernachlässigt.

Zwei Aspekte der Methode der Naturwissenschaften sind in diesem Zusammenhang von Bedeutung. Zusammengefaßt bilden sie das, was ich den ›öffentlichen Charakter der wissenschaftlichen Methode‹ nennen möchte. Zuerst gibt es da so etwas wie *freie Kritik.* Ein Wissenschaftler mag seine Theorie mit der vollen Überzeugung ihrer Unangreifbarkeit vorbringen. Dies wird seine wissenschaftlichen Kollegen nicht unbedingt beeindrucken; es fordert sie vielmehr heraus. Denn sie wissen, daß die wissenschaftliche Einstellung darin besteht, daß man alles kritisch untersucht, und sie werden selbst von Autoritäten nur wenig eingeschüchtert. Zweitens versuchen die Wissenschaftler, nicht aneinander vorbeizureden. (Ich muß meine Leser daran erinnern, daß ich von den Naturwissenschaften spreche; ein Teil der modernen Volkswirtschaftslehre kann aber eingeschlossen werden.) Selbst wenn sie verschiedene Muttersprachen verwenden, so versuchen sie doch sehr ernsthaft, eine und dieselbe Sprache zu sprechen. In den Naturwissenschaften wird dies dadurch erreicht, daß die Erfahrung als der unparteiische Schiedsrichter von Streitfragen anerkannt wird. Unter ›Erfahrung‹ verstehe ich dabei eine Erfahrung allgemeinen Charakters, wie Beobachtungen, Experimente, und nicht Erfahrung im Sinne mehr ›privater‹, ästhetischer oder religiöser Erfahrung; und Erfahrung ist ›allgemein gültig‹, wenn sie jeder wiederholen kann, der sich die Mühe nimmt. Um jedes Herumreden zu vermeiden, versuchen also die Wissenschaftler ihre Theorien in einer Form auszudrücken, die eine Überprüfung, das heißt eine Widerlegung oder Bestätigung durch Erfahrungen der angegebenen Art zuläßt.

Darin besteht wissenschaftliche Objektivität. Jedermann, der gelernt hat, wissenschaftliche Theorien zu verstehen und zu überprüfen, kann das Experiment wiederholen und selbst urteilen. Dennoch wird es immer Menschen geben, deren Urteile parteiisch oder sogar verrückt sind. Dem kann nicht abgeholfen werden, und das stört auch nicht wirklich die Arbeitsweise der verschiedenen *sozialen Institutionen,* die zur Förderung der wissenschaftlichen Objektivität und Kritik ersonnen wurden; zum Beispiel der Laboratorien, der wissenschaftlichen Zeitschriften, der Kongresse. Dieser Aspekt der wissenschaftlichen Methode zeigt, was sich mit der Hilfe von Institutionen erreichen läßt, die erdacht wurden, um eine öffentliche Kontrolle zu ermöglichen, und was sich erreichen läßt, wenn man seine Ansichten offen aussprechen kann – auch dann, wenn dies auf einen Kreis von Spezialisten eingeschränkt ist. Das Funktionieren dieser Institutionen, von dem aller Fortschritt, der wissenschaftliche, der technologische und der politische, letzten Endes abhängt, wird nur dann beeinträchtigt, wenn die politische Macht die freie Kritik unterdrückt, oder wenn sie nichts zu ihrem Schutze unternimmt.

Um diesen leider zu sehr vernachlässigten Aspekt der wissenschaftlichen Methode weiter zu beleuchten, betrachten wir die Idee etwas näher, daß es ratsam ist, die Wissenschaft durch ihre Methoden und nicht durch ihre Ergebnisse zu kennzeichnen.

Nehmen wir zunächst an, daß ein Hellseher entweder im Traum oder durch automatisches Schreiben ein Buch produziert. Nehmen wir weiterhin an, daß ein großer Wissenschaftler (der dieses Buch nie gesehen hat) Jahre später und als Resultat neuer und revolutionärer wissenschaftlicher Entdeckungen genau dasselbe noch einmal schreibt. Oder, anders gesagt: Wir nehmen an, daß der Hellseher ein wissenschaftliches Buch ›sah‹, das zu seiner Zeit nicht von einem Wissenschaftler hätte geschrieben werden können, einfach deshalb, weil viele relevante Entdeckungen noch unbekannt waren. Wir fragen nun: Ist es ratsam zu sagen, daß der Hellseher ein wissenschaftliches Buch zustande brachte? Wir können annehmen, daß die kompetenten Wissenschaftler jener Zeit sein Werk teils unverständlich, teils phantastisch genannt hätten. Wir werden also sagen müssen, daß das Buch des Hellsehers bei seiner Abfassung kein wissenschaftliches Werk war, da es nicht das Ergebnis der wissenschaftlichen Methode war. Ein solches Ergebnis, das, obgleich in Übereinstimmung mit einigen wissenschaftlichen Resultaten, dennoch nicht aufgrund wissenschaftlicher Methoden gewonnen wurde, nenne ich ein Stück ›geoffenbarter Wissenschaft‹.

Um diese Betrachtungen auf das Problem des öffentlichen Charakters der wissenschaftlichen Methode anzuwenden, nehmen wir einmal an, daß es Robinson Crusoe gelang, auf seiner Insel physikalische und chemische Laboratorien, astronomische Observatorien zu errichten, und eine große Zahl von Abhandlungen zu verfassen, die durchwegs auf Beobachtung und Experiment beruhten. Nehmen wir weiter an, daß ihm Zeit in unbegrenztem Ausmaß zur Verfügung stand und daß ihm die Konstruktion und Beschreibung von wissenschaftlichen Systemen gelang, die mit den gegenwärtig von unseren eigenen Wissenschaftlern akzeptierten Ergebnissen übereinstimmen. Es liegt auf den ersten Blick nahe, diese Crusonische Wissenschaft für eine echte Wissenschaft und nicht für ›geoffenbartes Wissen‹ zu halten. Und zweifellos steht sie der Wissenschaft viel näher als das wissenschaftliche Buch, das dem Hellseher erschien; denn Robinson Crusoe wandte ein gut Teil wissenschaftlicher Methoden an. Und dennoch behaupte ich, daß diese Crusonische Wissenschaft noch immer ›geoffenbart‹ ist; daß ihr ein Element wissenschaftlicher Methode fehlt und daß daher die Tatsache, daß Crusoe unsere Ergebnisse erhielt, fast ebenso zufällig und wunderbar ist wie im Fall des Hellsehers. Denn niemand außer ihm selbst prüft seine Ergebnisse nach; niemand außer ihm selbst korrigiert die Vorurteile, die die unvermeidliche Folge seiner besonderen geistigen Geschichte sind; niemand hilft ihm, sich von jener seltsamen Blindheit zu befreien, die ihn den vielen Möglichkeiten gegenüber, die in seinen eigenen Resultaten stecken, befangen macht und die sich einstellen muß, weil diese Resultate oft auf irrelevantem Weg gefunden wurden. Und was seine wissenschaftlichen Abhandlungen betrifft: Nur beim Versuch, sein Werk *jemandem* zu erklären, *der es nicht ausgeführt hat,* kann er die Disziplin klarer und vernünftiger Kommunikation erlangen, die auch ein Teil der wissenschaftlichen Methode ist. In einem vergleichsweise unwichtigen Punkt wird der ›geoffenbarte‹ Charakter der Crusonischen Wissenschaft besonders klar; ich denke an Crusoes Entdeckung seiner ›persönlichen Gleichung‹ (denn wir müssen annehmen, daß er diese Entdeckung machte), der charakteristischen persönlichen Reaktionszeit, die astronomische Beobachtungen beeinflußt. Es ist natürlich vorstellbar, daß Crusoe zum Beispiel Änderungen in seiner Reaktionszeit entdeckt hat und daß er auf diese Weise veranlaßt wurde, sie in Rechnung zu ziehen. Aber wenn wir diese Entdeckung der Reaktionszeit mit der Weise vergleichen, in der dasselbe Phänomen in der ›allgemeinen‹ Wissenschaft aufgefunden wurde – nämlich durch den Widerspruch zwischen den Ergebnissen verschiedener Beobachter –, dann tritt der ›geoffenbarte‹ Charakter der Crusonischen Wissenschaft deutlich zutage.

Zusammenfassend kann man sagen, daß das, was wir die ›wissenschaftliche Objektivität‹ nennen, nicht ein Ergebnis der Unparteilichkeit des einzelnen Wissenschaftlers ist, sondern ein Ergebnis des sozialen oder öffentlichen Charakters der wissenschaftlichen Methode; und die Unparteilichkeit des individuellen Wissenschaftlers ist, soweit sie existiert, nicht die Quelle, sondern vielmehr das Ergebnis dieser sozial oder institutionell organisierten Objektivität der Wissenschaft.

Die Kantianer und die Hegelianer[8] machen beide denselben Fehler: sie nehmen an, daß sich unsere Voraussetzungen weder durch einen Entschluß verändern noch durch die Erfahrung widerlegen lassen (denn sie sind zweifellos unentbehrliche Instrumente, die wir bei der aktiven ›Herstellung‹ von Erfahrungen benötigen); sie glauben, daß sich diese Voraussetzungen als die grundlegenden Voraussetzungen allen Denkens und jenseits der wissenschaftlichen Methode der Nachprüfung von Theorien befinden. Aber das ist eine Übertreibung, die auf einem Mißverständnis der Beziehungen zwischen Theorie und Erfahrung in der Wissenschaft beruht. Es war eine der größten Leistungen unserer Zeit, als Einstein zeigte, daß wir sogar unsere Voraussetzungen über Raum und Zeit, also über Ideen, die man für notwendige Voraussetzungen jeglicher Wissenschaft und für Bestandteile ihres ›kategorialen Apparates‹ gehalten hatte, daß wir sogar diese Voraussetzungen im Lichte der Erfahrung in Frage stellen und revidieren können. Und damit bricht der skeptische Angriff, den die Wissenssoziologie auf die Wissenschaft entfesselt hat, im Lichte der wissenschaftlichen Methode zusammen. Die empirische Methode hat bewiesen, daß sie ganz gut fähig ist, für sich selbst zu sorgen.

Aber sie tut dies nicht, indem sie alle unsere Vorurteile mit einem Schlag ausrottet; sie kann Vorurteile nur Stück für Stück beseitigen. Das klassische Beispiel dafür ist wieder Einsteins Entdeckung unserer Vorurteile über die Zeit. Einstein hatte nicht die Absicht, Vorurteile zu entdecken; er stellte sich nicht einmal die Aufgabe, unsere Auffassungen von Raum und Zeit zu kritisieren. Sein Problem war ein konkretes Problem der Physik – der Neuentwurf einer Theorie, die zusammengebrochen war, weil sich verschiedene Experimente im Lichte dieser Theorie zu widersprechen schienen. Einstein erkannte, wie auch die meisten übrigen Physiker, daß dies bedeute, daß die Theorie falsch sei. Und er erkannte auch, daß sich die Schwierigkeit beseitigen ließ durch die Änderung einer Annahme, die jedermann bis dahin für evident gehalten hatte. Er wendete einfach die Methoden wissenschaftlicher Kritik und der Entdeckung und Eliminierung von Theorien an, die Methoden von Versuch und Irrtum. Aber diese Methoden führen nicht zur Beseitigung aller unserer Vorurteile; vielmehr entdecken wir die Existenz eines Vorurteils erst, nachdem wir uns davon befreit haben.

Es muß sicher zugegeben werden, daß unsere wissenschaftlichen Theorien in jedem gegebenen Augenblick nicht nur von den Experimenten abhängen, die bis zu diesem Augenblick ausgeführt worden sind, sondern auch von Vorurteilen, die man als gegeben hinnimmt und die man aus diesem Grunde nicht bemerkt (obgleich uns die Anwendung gewisser logischer Methoden helfen mag, sie zu entdecken). Was die Verkrustung von Vorurteilen betrifft, ist die Wissenschaft fähig zu lernen und einige von ihnen abzuwerfen. Der Prozeß wird vielleicht niemals zu Ende kommen; jedenfalls gibt es keine festgelegte

Grenze, vor der er haltmachen muß. Im Prinzip kann jede Annahme kritisiert werden. Und die wissenschaftliche Objektivität besteht darin, daß jedermann kritisieren kann.

Wissenschaftliche Ergebnisse sind nur insofern ›relativ‹ (wenn dieser Ausdruck überhaupt verwendet werden soll), als sie die Ergebnisse eines bestimmten Stadiums der wissenschaftlichen Entwicklung sind und als es wahrscheinlich ist, daß sie im Verlauf des wissenschaftlichen Fortschrittes überholt werden. Das bedeutet aber nicht, daß die *Wahrheit* ›relativ‹ ist. Wenn eine Behauptung wahr ist, so ist sie für immer wahr [siehe Text *14*, oben, insbesondere Abschnitte *I* und *II.*]. Es bedeutet nur, daß die meisten wissenschaftlichen Ergebnisse den Charakter von Hypothesen haben, das heißt von Sätzen, deren Begründung unzureichend ist und die daher zu jeder Zeit der Revision offenstehen. Obwohl diese Überlegungen (die ich an anderer Stelle ausführlicher behandelt habe) für eine Kritik der Soziologen nicht notwendig sind, helfen sie uns vielleicht, ihre Theorien besser zu verstehen. Sie werfen auch – um auf meine Hauptkritik zurückzukommen – einiges Licht auf die wichtige Rolle, die die Zusammenarbeit, die Intersubjektivität und die Öffentlichkeit der Methode bei der wissenschaftlichen Kritik und beim wissenschaftlichen Fortschritt spielen.

Es ist wahr, daß die Sozialwissenschaften diese Öffentlichkeit der Methode bis jetzt noch nicht zur Gänze erreicht haben. Dies ist teils auf den intelligenzzerstörenden Einfluß von Aristoteles und Hegel, teils vielleicht auch auf den Umstand zurückzuführen, daß diese Wissenschaften es verabsäumt haben, die sozialen Instrumente der wissenschaftlichen Objektivität voll auszunützen. Sie sind somit wirklich ›Totalideologien‹, oder, anders ausgedrückt, einige Sozialwissenschaftler sind unfähig und sogar unwillens, eine gemeinsame Sprache zu sprechen. Aber der Grund liegt nicht im Klasseninteresse, und die Kur ist weder eine Hegelsche dialektische Synthese noch eine Selbstanalyse. Der einzige Weg, der den Sozialwissenschaften offensteht, besteht darin, alles verbale Feuerwerk zu vergessen und die praktischen Probleme unserer Zeit mit Hilfe jener theoretischen Methoden zu behandeln, die im Grunde *allen* Wissenschaften gemeinsam sind: mit Hilfe der Methode von Versuch und Irrtum, der Methode des Auffindens von Hypothesen, die sich praktisch überprüfen lassen, und mit Hilfe ihrer praktischen Überprüfung. *Eine Sozialtechnik ist vonnöten, deren Resultate durch schrittweise Lösungsversuche überprüft werden können.*

Die hier für die Sozialwissenschaften vorgeschlagene Kur steht in diametralem Widerspruch zu der Kur, die die Wissenssoziologie vorschlägt. Der Soziologismus meint, daß nicht der unpraktische Charakter der Sozialwissenschaften zu ihren methodologischen Schwierigkeiten führt, sondern vielmehr der Umstand, daß praktische und politische Probleme im Bereich sozialen und politischen Wissens zu eng verschmolzen sind. So können wir in einem führenden Werk zur Wissenssoziologie lesen[9]: »... daß die Besonderheit politischen Wissens den ›exakten‹ Wissensarten gegenüber darin besteht, daß hier Wissen unabtrennbar mit dem Wollen, das rationale Element wesensmäßig mit jenem irrationalen Spielraum verwachsen ist.« Dem ist zu entgegnen, daß ›Wissen‹ und ›Wollen‹ in einem gewissen Sinne stets untrennbar sind und daß dieser Umstand zu keiner gefährlichen Verwicklung zu führen braucht. Kein Wissenschaftler kann wissen, ohne sich anzustrengen, ohne Interesse zu nehmen; und mit seiner Anstrengung ist gewöhnlich auch ein bestimmtes Ausmaß von Selbstinteresse verbunden. Der Ingenieur studiert die Dinge hauptsächlich unter einem praktischen Gesichtspunkt. Dasselbe tut der Bauer. Die Praxis ist nicht der Feind des theoretischen Wissens, sondern sein wertvollster Anreiz. Obgleich dem Wissenschaftler ein gewisses Ausmaß an Abgeklärtheit ganz gut tut, so gibt es doch viele Beispiele, die zeigen, daß ein Wissenschaftler nicht unbedingt auf die angegebene Weise uninteressiert zu sein braucht. Aber es *ist* wichtig für ihn, daß er mit der Wirklichkeit und mit der Praxis in Berührung bleibt; denn wer beides übersieht, der muß damit bezahlen, daß er dem Scholastizismus verfällt. Die praktische Anwendung unserer Entdeckungen und nicht irgendein Versuch, das ›Wissen‹ vom ›Wollen‹ zu trennen, ist daher das Mittel, mit dessen Hilfe wir den Irrationalismus aus den Sozialwissenschaften entfernen können.

Im Gegensatz dazu hofft die Wissenssoziologie, die Sozialwissenschaften zu reformieren, indem sie die Sozialwissenschaftler auf die sozialen Kräfte und auf die Ideologien aufmerksam macht, die sie ohne ihr Wissen beeinflussen. Aber die Hauptschwierigkeit bei Vorurteilen besteht darin, daß kein solch direkter Weg zu ihrer Beseitigung führt. Denn wie wollen wir jemals wissen, ob wir bei unserem Versuch, uns von den Vorurteilen zu befreien, irgendeinen Fortschritt gemacht haben? Ist es nicht allgemein bekannt, daß gerade die von ihrer Vorurteilsfreiheit am stärksten überzeugten Menschen die meisten Vorurteile besitzen? Die Idee ist irrig, daß ein soziologisches, psychologisches, anthropologisches oder sonst ein Studium von Vorurteilen uns helfen kann, uns von ihnen zu befreien. Denn zahlreiche Denker, die sich diesen Studien widmen, sind voll von Vorurteilen; und die Selbstanalyse ist nicht nur unfähig, die unbewußten Determinanten unserer Ansichten zu überwinden, sondern sie führt sehr oft zu einer noch viel subtileren Selbsttäuschung. So finden sich in dem eben erwähnten Werk über Wissenssoziologie die folgenden Hinweise auf die eigene Tätigkeit[10]: »Daß eine gesteigerte Reflexivmachung der uns bisher unbewußt beherrschenden Faktoren erfolgt ... Und auch jene, die von einer Erweiterung der Kenntnis der determinierenden Faktoren die Lähmung der Entscheidung, die Bedrohung der ›Freiheit‹ befürchten, können beruhigt sein. In Wahrheit determiniert ist nur derjenige, der die wesentlichsten determinierten Faktoren nicht kennt, sondern unmittelbar unter dem Druck ihm unbekannter Determinanten handelt.« Dies ist nun offenkundig nichts anderes als die Wiederholung einer Lieblingsidee Hegels, die Engels naiv auf folgende Weise wiedergibt: »Freiheit ist die Einsicht in die Notwendigkeit[11].« Und das ist ein reaktionäres Vorurteil. Denn werden Menschen, die unter dem Druck wohlbekannter Determinanten, zum Beispiel einer politischen Tyrannei, handeln, durch ihr Wissen befreit? Nur ein Hegel konnte uns solche Geschichten erzählen. Der Umstand aber, daß die Wissenssoziologie dieses besondere Vorurteil beibehält, zeigt klar genug, daß kein Königsweg zur Beseitigung von Vorurteilen führt. (Einmal ein Hegelianer – immer ein Hegelianer.) Die Selbstanalyse ist kein Ersatz für jene praktischen Handlungen, die zur Errichtung von demokratischen Institutionen notwendig sind; und nur diese können die Freiheit des kritischen Denkens und den Fortschritt der Wissenschaft garantieren.

Anmerkungen

Von den Zahlen am Beginn einer Anmerkung ist die erste vor dem Doppelpunkt die Seite der entsprechenden Textstelle, die zweite nach dem Doppelpunkt die dortige Anmerkungsziffer.

Das Motto des Buches stammt aus Karl Poppers Eröffnungsvortrag bei der Tagung der Deutschen Gesellschaft für Soziologie in Tübingen, 1961, zuerst veröffentlicht in: *Kölner Zeitschrift für Soziologie und Sozialpsychologie,* 14 (1962) S. 233–248, jetzt Kapitel *5* seines Buches *Auf der Suche nach einer besseren Welt* (1984), S. 79–80.

zu Text *1:* Die Anfänge des Rationalismus

10:1. Ich benutze die Ausgabe: H. DIELS, *Die Fragmente der Vorsokratiker,* 5. Ausgabe, hrsg. von W. KRANZ, Berlin 1934 (hier und im Folgenden abgekürzt als D-K).

zu Text *2:* Die Verteidigung des Rationalismus

12:1. Vgl. *Die offene Gesellschaft und ihre Feinde* Kapitel *10,* besonders Anm. 38–41 und Text.

Bei Pythagoras, Heraklit, Parmenides, Platon sind mystische und rationalistische Elemente miteinander vermischt. Besonders Platon baute trotz all seines Nachdrucks auf die ›Vernunft‹ in seine Philosophie eine solche Menge von Irrationalismus ein, daß der von Sokrates überkommene Rationalismus dadurch nahezu verdrängt wurde. Dies gab den Neuplatonikern die Möglichkeit, ihren Mystizismus auf Platon zu gründen; und der größte Teil des späteren Mystizismus geht auf diese Quellen zurück.

Es ist vielleicht ein Zufall, aber auf jeden Fall doch bemerkenswert, daß es noch immer eine kulturelle Grenze zwischen Westeuropa und jenen Teilen Mitteleuropas gibt, die ziemlich genau mit den Gebieten zusammenfallen, die nicht vom römischen Reich des Augustus verwaltet wurden, die sich also nicht des Segens des römischen Friedens, d.h. der römischen Zivilisation, erfreuten. Genau diese ›barbarischen‹ Gebiete neigen dem Mystizismus zu, obgleich sie ihn nicht erfunden haben. Bernhard von Clairvaux hatte in Deutschland seinen größten Erfolg; dort blühte später auch der Mystizismus Eckhards und seiner Schule sowie der J. Böhmes.

Spinoza, der den cartesianischen Intellektualismus mit mystischen Tendenzen zu kombinieren versuchte, hat viel später die Lehre von der mystischen intellektuellen Intuition wiederentdeckt, die, trotz Kants Widerstand, zum nachkantischen »Idealismus« des Fichte, Schelling und Hegel geführt hat. Wie in Kapitel *12* der *offenen Gesellschaft* kurz angedeutet wird, geht fast der gesamte moderne Irrationalismus auf Hegel zurück.

13:2. Ich sage ›verwerfen‹, weil dieses Wort die folgenden Behauptungen umfaßt: (1) daß eine solche Annahme falsch ist; (2) daß sie unwissenschaftlich (oder unzulässig) ist, wenn auch vielleicht, durch Zufall, wahr; (3) daß sie ›sinnlos‹ oder ›unsinnig‹ ist. z.B. im Sinne von WITTGENSTEINS Tractatus, [vgl. Anm. 17 zu Text *6*, sowie Anm. 4 (2) unten.]

13:3. In dieser Anmerkung und in der nächsten folgen einige Bemerkungen zu den Paradoxa, insbesondere zum *Paradoxon des Lügners.* Einführend sei festgestellt, daß die sogenannten ›logischen‹ oder ›semantischen‹ Paradoxa längst nicht mehr bloße Spielereien für den Logiker sind. Nicht nur erwiesen sie sich als für die Entwicklung der Mathematik wichtig, sie gewinnen außerdem auch in anderen Denkbereichen an Bedeutung. Es besteht eine wohlbestimmte Verbindung zwischen ihnen und Problemen wie etwa dem *Paradoxon der Freiheit,* das, wie wir gesehen haben [Anm. 4 und 6 zu Text *25,* sowie Abschnitt *III* von Text *26*] in der politischen Philosophie eine denkbar wichtige Rolle spielt. In Punkt (4) dieser Anmerkung wird kurz gezeigt werden, daß die verschiedenen *Paradoxa der Souveränität* dem Paradoxon des Lügners sehr ähnlich sind. Die modernen Methoden zur Lösung derartiger Paradoxa (sie bestehen im Aufbau von Sprachsystemen, in denen die Paradoxa nicht mehr auftreten) werde ich hier nicht behandeln – das würde über den Rahmen dieses Buches hinausführen.

(1) Das *Paradoxon des Lügners* kann verschieden formuliert werden. Eine mögliche Formulierung ist die folgende: Nehmen wir an, jemand sage eines Tages: ›Alles, was ich heute sage, ist Lüge‹, oder genauer: ›Alle Behauptungen, die ich heute aufstelle, sind falsch‹ – und dies sei die einzige Behauptung, die er an diesem Tage machte. Wenn wir uns nun fragen, ob er die Wahrheit gesprochen hat oder nicht, so finden wir folgendes: Aus der Annahme, daß er die Wahrheit sprach, erhalten wir unter Betrachtung des *Inhalts* seiner Rede das Ergebnis, daß er nicht die Wahrheit gesprochen hat. Und aus der Annahme, daß er einen falschen Satz ausgesprochen hat, müssen wir im Hinblick auf das, *was* er sagte, schließen, daß er die Wahrheit sprach.

(2) Paradoxa werden manchmal auch ›Widersprüche‹ genannt. Aber eine solche Bezeichnung ist irreführend. Ein gewöhnlicher Widerspruch (ein Selbstwiderspruch) ist einfach ein logisch falscher Satz. Beispiel: ›Platon war gestern glücklich, und er war gestern nicht glücklich.‹ Wenn wir annehmen, daß ein solcher Satz falsch ist, so ergeben sich keine weiteren Schwierigkeiten. Liegt aber ein Paradoxon vor, so werden wir sowohl durch die Annahme seiner *Wahrheit* als auch durch die Annahme seiner *Falschheit* in Schwierigkeiten verwickelt.

(3) Es gibt Sätze, die einem Paradoxon nahestehen, die aber, genaugenom-

men, nur sich selbst widersprechen. Nehmen wir z. B. den Satz ›Alle Sätze sind falsch‹. Aus der Annahme der Wahrheit dieses Satzes folgt unter Berücksichtigung seines *Inhalts* seine Falschheit. Die Annahme seiner Falschheit beseitigt aber alle Schwierigkeiten; denn aus ihr folgt nur, daß nicht alle Sätze falsch sind, mit anderen Worten, daß es einige, zumindest einen wahren Satz gibt. Und dieses Ergebnis ist harmlos; denn aus ihm folgt nicht, daß unser Ausgangssatz zu diesen wahren Sätzen gehört. (Das soll aber nicht bedeuten, daß wir eine Sprache ohne Paradoxa konstruieren können, in der sich ein Satz wie ›Alle Sätze sind falsch‹ oder ›Alle Sätze sind wahr‹ formulieren ließe.)

Obgleich es sich also beim Satz ›Alle Sätze sind falsch‹ nicht wirklich um ein Paradoxon handelt, können wir ihn doch aus Gefälligkeit ›eine Form des Lügnerparadoxons‹ nennen – und das wegen seiner klaren Verwandtschaft mit diesem; und die alte griechische Formulierung dieses Paradoxons (Epimenides, der Kreter, sagt: ›Alle Kreter lügen‹) ist in dieser Terminologie eher eine ›Form des Lügnerparadoxons‹, d.h. ein Selbstwiderspruch, als eine Paradoxie. (Vgl. auch die nächste Anmerkung.)

(4) Ich zeige nun kurz die Ähnlichkeit zwischen dem Paradoxon des Lügners und den verschiedenen *Paradoxien der Souveränität* wie z. B. dem Prinzip, daß der Beste, oder der Weiseste, oder die Majorität regieren solle.

C. H. Langford hat verschiedene Darstellungsweisen des Lügnerparadoxons gegeben, unter ihnen die folgende: Wir betrachten zwei Behauptungen, die von zwei Leuten, *A* bzw. *B*, gemacht werden.

A sagt: ›Was *B* sagt, ist wahr.‹

B sagt: ›Was *A* sagt, ist falsch.‹

Die obenbeschriebene Methode anwendend, kommen wir leicht zur Einsicht, daß jeder dieser beiden Sätze paradox ist. Betrachten wir nun die folgenden beiden Sätze, deren erster das Prinzip ist, daß der Weiseste herrschen solle.

(*A*) Das Prinzip sagt: Was der Weiseste unter (*B*) sagt, soll Gesetz sein.

(*B*) Der Weiseste sagt: Was das Prinzip unter (*A*) sagt, soll nicht Gesetz sein.

14:4. (*1*) Daß das Prinzip, alle Voraussetzungen zu vermeiden, eine ›Form des Lügnerparadoxons‹ ist (im Sinne der vorhergehenden Anmerkung) und daher sich selbst widerspricht, sieht man leicht, wenn man es auf die folgende Weise formuliert: Ein Philosoph beginnt seine Untersuchung, indem er ohne Argument das folgende Prinzip einführt: ›Alle Prinzipien, die ohne Argument angenommen werden, sind unzulässig.‹ Wenn wir nun annehmen, daß das Prinzip wahr ist, so folgt offenkundig im Hinblick auf das, was er sagt, daß es nicht zulässig sein kann. (Die entgegengesetzte Annahme hat keine Schwierigkeiten.) Die Bemerkung ›ideale Forderung‹ bezieht sich auf die gewöhnliche Kritik dieses Prinzips, das z.B. von Husserl aufgestellt worden ist. J. Laird (*Recent Philosophy,* 1936, *S.* 121) schreibt über das Prinzip, es sei ein »Hauptzug der Philosophie Husserls. Aber sein Erfolg dürfte weniger sicher sein, denn Voraussetzungen haben so ihre Art, sich einzuschleichen.«

Soweit stimme ich völlig zu; die nächste Bemerkung scheint mir jedoch nicht mehr annehmbar zu sein: »... das Vermeiden aller Voraussetzungen mag wohl eine ideale Forderung sein, die sich aber in einer unachtsamen Welt als unpraktisch erweist.«

(2) Wir betrachten hier einige weitere ›Prinzipien‹, die ›Formen des Lügnerparadoxons‹ sind und die sich daher selbst widersprechen.

(a) Vom Standpunkt der Sozialphilosophie aus gesehen ist das folgende ›Prinzip des Soziologismus‹ (und das analoge ›Prinzip des Historismus‹) von Interesse. Sie können auf die folgende Weise formuliert werden: ›Kein Satz ist absolut wahr, und alle Sätze sind unvermeidlich auf den sozialen (oder historischen) Standort ihrer Urheber bezogen.‹ Offenkundig gelten die obigen Überlegungen praktisch ohne Änderung. Wenn wir nämlich annehmen, daß ein solches Prinzip wahr ist, dann folgt daraus, daß es nicht wahr, sondern nur ›auf den sozialen und historischen Standort seines Urhebers bezogen‹ ist. Vgl. auch Anm. 53 zu Kapitel *24* von *Die offene Gesellschaft* sowie den Text.

(b) Einige Beispiele dieser Art finden sich in WITTGENSTEINS *Tractatus.* Eines davon ist Wittgensteins Satz (vgl. Anm. 13 zu Text *6*): »Die Gesamtheit der wahren Sätze ist die gesamte Naturwissenschaft.« Da dieser Satz nicht der Naturwissenschaft angehört (er gehört zu einer Meta-Wissenschaft, d.h. zu einer Theorie, die über die Wissenschaft spricht), so folgt, daß er seine eigene Unwahrheit behauptet und damit sich selbst widerspricht.

Es ist außerdem klar, daß dieser Satz WITTGENSTEINS eigenes Prinzip verletzt (*Tractatus* 3, 332): »Kein Satz kann etwas über sich selbst aussagen.«

Aber sogar das zuletzt zitierte Prinzip – ich werde es ›*W*‹ nennen – erweist sich als eine Form des Lügnerparadoxons und behauptet seine eigene Falschheit. (Es kann daher kaum – wie Wittgenstein glaubt- eine Zusammenfassung oder ein Ersatz für ›die gesamte Typentheorie‹ sein, d.h. für die Theorie, die Russell aufgestellt hat, um die von ihm entdeckten Paradoxien zu vermeiden, und nach welcher wir alle satzartigen Ausdrücke in drei Klassen einzuteilen haben, nämlich in wahre Sätze, in falsche Sätze und in sinnlose Ausdrücke oder Pseudosätze.) Denn Wittgensteins Prinzip *W* läßt sich auf die folgende Weise reformulieren:

(W^+) Jeder Ausdruck (insbesondere jeder Ausdruck, der wie ein Satz aussieht), der auf sich selbst Bezug nimmt – entweder dadurch, daß er seinen eigenen Namen enthält, oder dadurch, daß in ihm eine individuelle Variable vorkommt, die sich über einen Bereich erstreckt, dem er selbst angehört –, ist kein Satz (sondern ein sinnloser Pseudosatz).

Nehmen wir nun an, daß W^+ wahr ist. Dann folgt aus dem Umstand, daß W^+ ein Ausdruck ist und sich auf alle Ausdrücke bezieht, daß W^+ kein Satz sein kann – also ist W^+ *afortiori* nicht wahr.

Die Annahme, daß W^+ wahr ist, ist also unhaltbar; W^+ kann nicht wahr sein. Das zeigt aber nicht, daß dieser Satz falsch sein muß; denn weder die Annahme seiner Falschheit noch die Annahme seiner Sinnlosigkeit (oder Unsinnigkeit) verwickeln uns unmittelbar in Schwierigkeiten.

WITTGENSTEIN könnte vielleicht entgegnen, er hätte dies gesehen, als er schrieb (6.54 [siehe Anm. 17 zu Text 6]): »Meine Sätze erläutern dadurch, daß sie der, welcher mich versteht, am Ende als unsinnig erkennt«; auf jeden Fall dürfen wir vermuten, daß er geneigt wäre, W^+ sinnlos und nicht falsch zu nennen. Ich halte aber W^+ nicht für sinnlos, sondern einfach für falsch. Genauer: Ich glaube, daß *die Formalisierung eines Satzes, der wie W^+ seine eigene Sinnlosigkeit behauptet,* in jeder formalisierten Sprache (z.B. in jeder Sprache, in der sich Gödels unentscheidbare Sätze ausdrücken lassen) die Mittel enthält, um über ihre eigenen Ausdrücke zu sprechen, und in der Namen von Klassen von Ausdrücken wie ›Satz‹ und ›Nicht-Satz‹ vorkommen, *selbstkontradiktorisch und weder sinnlos noch paradox im eigentlichen Sinn sein wird;* sie wird ein sinnvoller Satz sein, da sie von jedem Ausdruck einer bestimmten Art aussagt, daß er kein Satz ist (daß er keine wohlgebildete Formel ist); und eine solche Behauptung wird wahr oder falsch, aber nicht sinnlos sein, und das einfach aus dem Grunde, weil ›eine wohlgebildete Formel zu sein‹ (oder nicht zu sein) eine Eigenschaft von Ausdrücken ist. Z.B. wird sich der Satz ›Alle Ausdrücke sind sinnlos‹ als kontradiktorisch, aber nicht als paradox im eigentlichen Sinn erweisen, und dasselbe gilt für den Satz ›Der Ausdruck x ist sinnlos‹, wenn wir für ›x‹ einen Namen eben dieses Ausdrucks einsetzen. Eine Idee von J. N. Findlay modifizierend, können wir schreiben: *Der Ausdruck, der aus ›der Ausdruck, den man erhält, wenn man für die Variable in dem folgenden Ausdruck x einen seiner Anführungsnamen einsetzt, ist nicht ein Satz‹ entsteht, wenn man für die Variable des vorhergehenden Ausdrucks einen seiner Anführungsnamen einsetzt, ist kein Satz.*

Und was wir eben geschrieben haben, erweist sich als ein selbstwidersprechender Satz. (Wenn wir zweimal ›ist ein falscher Satz‹ statt ›ist kein Satz‹ schreiben, dann erhalten wir das Lügnerparadoxon; schreiben wir ›ist ein nicht-beweisbarer Satz‹, so erhalten wir einen Gödelschen Satz in J. N. Findlays Schreibweise.)

Wir fassen zusammen: Im Gegensatz zum ersten Eindruck finden wir, daß eine Theorie, die ihre eigene Sinnlosigkeit zur Folge hat, nicht sinnlos ist, sondern falsch, da das Prädikat ›sinnlos‹ im Gegensatz zum Prädikat ›falsch‹ nicht zu Paradoxien Anlaß gibt. Und die Theorie Wittgensteins ist daher nicht sinnlos, wie er glaubt, sondern einfach falsch (oder, genauer, sie widerspricht sich selbst).

(*3*) Einige Positivisten haben behauptet, daß die Einteilung der Ausdrücke einer Sprache in (i) wahre Sätze, (ii) falsche Sätze und (iii) sinnlose Ausdrükke (oder, besser ausgedrückt, Ausdrücke, die keine wohlgebildeten Sätze sind) mehr oder weniger ›natürlich‹ sei und daß sie – wegen der Sinnlosigkeit der letzteren – die Paradoxien und zur gleichen Zeit die metaphysischen Systeme beseitige. Das folgende Beispiel soll zeigen, daß diese Dreiteilung nicht genügt. [siehe auch *Vermutungen und Widerlegungen,* Kap. *14*]

Der Stabsoffizier der Abwehr des Generals verfügt über drei Kisten, die die folgenden Aufschriften tragen: (i) ›Kiste des Generals‹, (ii) ›Feindliche Kiste‹ (sie ist den Spionen des Feindes zugänglich zu machen) und (iii) ›Abfall‹ – und es wird ihm aufgetragen, die gesamte Information, die vor 12 Uhr eintrifft, auf diese drei Kisten zu verteilen, je nachdem sie (i) wahr, (ii) falsch, (iii) sinnlos ist.

Eine Zeitlang erhält er Informationen, die sich leicht aufteilen lassen (darunter wahre Sätze der Theorie der natürlichen Zahlen usw. und vielleicht Sätze der Logik, wie Satz *L:* ›Aus einer Reihe wahrer Sätze läßt sich kein falscher Satz unter Verwendung gültiger Schlußregeln herleiten‹). Die letzte Botschaft *M,* die knapp vor 12 Uhr mit der letzten Post eintrifft, verwirrt ihn ein wenig, denn *M* lautet: ›Aus der Gesamtheit aller Sätze, die sich in der Kiste des Generals befinden oder ihr zuzuteilen sind, läßt sich mit Hilfe gültiger Schlußregeln der Satz »0 = 1« nicht herleiten.‹ Der Stabsoffizier wird zuerst zögern, ob er nicht *M* in (ii) stecken sollte. Da er aber einsieht, daß *M* den Feind mit wertvoller wahrer Information versehen würde, entscheidet er sich schließlich, *M* in (i) zu stecken.

Aber das erweist sich als ein großer Fehler. Denn nachdem die symbolischen Logiker im Stab des Generals den Inhalt der Generalskiste formalisiert und ›arithmetisiert‹ haben, machen sie die folgende Entdeckung: Unter den Sätzen, die sie so erhalten, befindet sich die Behauptung der Widerspruchlosigkeit dieser Sätze; dies aber führt nach Gödels zweitem Entscheidbarkeitstheorem zu einem Widerspruch, so daß ›0 = 1‹ tatsächlich aus der angeblich wahren Information hergeleitet werden kann, die dem General überreicht wurde.

Die Lösung dieser Schwierigkeit besteht in folgendem: Man hat einzusehen, daß die Forderung der Dreiteilung ungerechtfertigt ist – zumindest im Fall natürlicher Sprachen; und aus Tarskis Theorie der Wahrheit können wir ersehen, daß keine bestimmte Zahl von Kisten ausreichen wird. Zur gleichen Zeit ergibt sich, daß ›Sinnlosigkeit‹ im Sinne von ›Nichtzugehörigkeit zur Klasse der wohlgebildeten Formeln‹ keinesfalls gleichbedeutend ist mit ›sinnloses Gerede‹ im Sinn von ›Worte, die einfach nichts bedeuten, obgleich sie etwas tief Bedeutungsvolles vorspiegeln können‹; die Positivisten aber glaubten gerade dies entdeckt zu haben, nämlich daß die Sätze der Metaphysik ›sinnlos‹ seien, in dem eben abgelehnten Sinn.

15:5. Es scheint, daß es die Schwierigkeiten des ›Induktionsproblems‹ waren, die WHITEHEAD zur Geringschätzung von Argumenten führte, die für *Process and Reality* so charakteristisch ist. (Im Zusammenhang mit diesem ganzen Text und der Möglichkeit eines *umfassenden kritischen* Rationalismus wird der Leser auf die Arbeiten von W. W. BARTLEY aufmerksam gemacht, insbesondere *The Retreat of Commitment,* (1962). Siehe auch *Die Offene Gesellschaft und ihre Feinde,* Band II, Anhang I.)

15:6. Es handelt sich hier um eine moralische Entscheidung, nicht einfach um eine ›Geschmacksfrage‹; denn keine Privatangelegenheit liegt vor, sondern eine Angelegenheit, die andere Menschen und ihr Leben berührt. Die Entscheidung, der wir hier gegenüberstehen, ist höchst wichtig, weil die

›Gebildeten‹, die mit ihr konfrontiert werden, als intellektuelle Sachwalter für alle jene Menschen handeln müssen, die ihr noch nicht begegnet sind.

17:7. Die größte Stärke des Christentums liegt, wie ich glaube, darin, daß es sich im Grunde nicht an die abstrakte Spekulation, sondern an die Vorstellungskraft wendet, wenn es die Leiden der Menschen in sehr konkreter Weise beschreibt.

18:8. Kant, der große Vorkämpfer der Idee der Gleichheit in moralischen Entscheidungen, hat die segensvollen Auswirkungen der Tatsache der menschlichen Ungleichheit betont. In der Verschiedenheit und Individualität menschlicher Charaktere und Meinungen sah er eine der wichtigsten Bedingungen des moralischen wie auch des materiellen Fortschritts.

18:9. Angespielt wird hier auf A. HUXLEYS *Brave New World.*

19:10. Zur Unterscheidung zwischen Tatsachen und Entscheidungen oder Forderungen vgl. Kap. 5 von *Die offene Gesellschaft.* Die ›Sprache politischer Forderungen‹ (oder ›Vorschläge im Sinn von L. J. Russell‹) wird in *op. cit.,* Kapitel 6, Abschnitt *II* diskutiert.

Ich neige zur Ansicht, daß die Theorie der angeborenen intellektuellen Gleichheit aller Menschen falsch ist; da aber Männer wie Niels Bohr behaupten, daß allein der Einfluß der Umgebung für die individuellen Unterschiede verantwortlich zu machen sei, und da es nicht genügend experimentelle Daten zur Entscheidung dieser Frage gibt, so sollte man vielleicht nicht mehr sagen als ›wahrscheinlich falsch‹.

21:11. Siehe z.B. Platons *Staatsmann,* 293 c – e. Eine andere Stelle dieser Art ist *Staat* 409e bis 410a. Nachdem (409 b/c) vom *»guten Richter«* die Rede war, der *»wegen der Vortrefflichkeit seiner Seele gut ist«,* setzt Platon (409 e f) auf die folgende Weise fort: ›Und werdet ihr nicht Ärzte und Richter einsetzen, um nach denjenigen Bürgern zu sehen, deren physische und geistige Konstitution gesund und gut ist? Die von schlechter Gesundheit werden sie sterben lassen. Und jene, deren Natur entartet und deren Seele unheilbar ist, werden sie töten.‹ – ›Ja‹, sagte er, ›da du bewiesen hast, daß dies das beste ist – sowohl für sie als auch für den Staat.‹

21:12. Siehe *Phaidon*, 89 c/d.

23:13. Ein Beispiel ist H. G. WELLS, der dem ersten Kapitel seines Buchs *The Commonsense of* War *and Peace* 1940 den folgenden, vortrefflichen Titel gab: *Grown Men do not Need Leaders* (Erwachsene brauchen keine Führer).

23:14. Das Problem und das Paradoxon der Toleranz wird in Anm. 4 zu Text 25 behandelt.

23:15. Die ›Welt‹ ist nicht rational. Es ist aber die Aufgabe der Wissenschaft, sie zu rationalisieren. ›Die Gesellschaft‹ ist nicht rational, aber es ist die Aufgabe des Sozialtechnikers, sie zu rationalisieren. (Das heißt natürlich nicht, daß er sie ›lenken‹ soll oder daß zentralisiertes oder kollektivistisches ›Planen‹ erwünscht ist.) Die gewöhnliche Sprache (Alltagssprache) ist nicht rational, aber es ist unsere Aufgabe, sie zu rationalisieren oder zumindest ihren Maßstab der Klarheit aufrechtzuerhalten. Die eben charakterisierte Einstellung könnte man einen *›pragmatischen Rationalismus‹* nennen. Der pragmatische Rationalismus verhält sich zu einem unkritischen Rationalismus und zum Irrationalismus ähnlich wie der kritische Rationalismus. Denn ein unkritischer Rationalist wird behaupten, daß die Welt rational sei und daß es die Aufgabe der Wissenschaft sei, diese Rationalität zu entdecken, während ein Irrationalist geltend machen wird, daß die im Grunde irrationale Welt erfahren und ausgeschöpft werden sollte durch Gefühle und Leidenschaften (oder durch unsere intellektuelle Intuition), nicht aber durch wissenschaftliche Methoden. Im Gegensatz dazu wird der pragmatische Rationalist anerkennen, daß die Welt nicht rational ist, er wird aber verlangen, *daß wir sie* so weit wie möglich *der Vernunft unterwerfen.* Der praktische Rationalismus läßt sich mit CARNAPS Worten *(Der logische Aufbau der Welt* (1928), S. VI) etwa so beschreiben: »Es ist die Gesinnung, die überall auf Klarheit geht und doch dabei die nie durchschaubare Verflechtung des Lebens anerkennt.«

24:16. [Siehe auch Anm. 16 zu Text *6*.]

zu Text *3:* Erkenntnis ohne Autorität

26:1. Siehe HUME, *An Enquiry Concerning Human Understanding* (1748), V. Abschnitt, 1. Teil, Ausg. Selby-Bigge (1888/1975), S. 46; deutsche Ausg. Richter/Kulenkampff (1907/1984), S. 58f. Vgl. auch Humes Behauptung, »daß es uns unmöglich ist, ein Ding zu *denken,* das wir nicht zuvor entweder durch unsere äußeren oder inneren Sinne *empfunden* haben.« (Abschnitt VII, 1. Teil; Selby-Bigge, S. 62.)

29:2. Siehe meine *Logik der Forschung,* Neuer Anhang **X*, (2).

30:3. HUME, *A Treatise of Human Nature,* Buch I (1739), Teil III, Abschnitt 4; Ausg. Selby-Bigge (1888/1978), S. 83; vgl. auch die deutsche Ausg. Lipps/Brandt (1904/1989), S. 111. Siehe auch HUMES *Enquiry* ..., X. Abschnitt, Ausg. Selby-Bigge, S. 111 ff.; deutsche Ausg. Richter/Kulenkampf, S. 130 ff.

34:4. Siehe IMMANUEL KANT, *Die Religion innerhalb der Grenzen der bloßen Vernunft,* (2. Aufl. 1794), Viertes Stück, 2. Teil, § 1, erste Anmerkung.

zu Text *4:* Subjektive oder objektive Erkenntnis?

41:1. Das Argument ist aus *Die offene Gesellschaft und ihre Feinde*, Kapitel *15*, Abschnitt *III*.

42:2. Siehe S. 32 in G. FREGE, Über Sinn und Bedeutung, *Zeitschrift für Philosophie und philosophische Kritik* 100 (1892), S. 25–50; (Hervorhebungen von mir.)

43:3. Siehe A. HEYTING, ›After Thirty Years‹, S. 194–197 in E. NAGEL, P. SUPPES und A. TARSKI, hrsg., *Logic, Methodology and Philosophy of Science* (1962).

47:4. Über diese ›Artefakte‹ vgl. F. A. VON HAYEK, *Studies in Philosophy, Politics and Economics* (1967), S. 111.

51:5. Siehe HAYEK, *op. cit.* Kapitel *6*, insbes. S. 96, 100, Anm. 12; DESCARTES, *Discours de la méthode* (1637), [Text *24*, Abschnitt *II* unten]; vgl. auch meine *Objektive Erkenntnis*, S. 280–281.

52:6. Ein Beispiel für letztere ist die ›begriffs-dehnende Widerlegung‹ von Lakatos; siehe I. LAKATOS, *Proofs and Refutations* (1976), insbes. S. 83–99.

52:7. Siehe auch *Objektive Erkenntnis*, S. 269.

53:8. Siehe *Vermutungen und Widerlegungen*, Kapitel *4* und *12* und die Hinweise auf K. BÜHLER, *Sprachtheorie* (1934), auf S. 196 deutsche Ausg., 293 und 295 engl. Ausg. Bühler wandte sich als erster dem entscheidenden Unterschied zwischen den niedrigeren Funktionen und der deskriptiven Funktion zu. Ich kam später als Folge meiner Theorie der Kritik auf den entscheidenden Unterschied zwischen der deskriptiven und der argumentativen Funktion. Siehe auch *Objektive Erkenntnis*, S. 260–264 [und Abschnitt *II*, Text *21*, unten].

53:9. Eine der großen Errungenschaften der modernen Logik war Alfred Tarskis Wiederrichtung der (objektiven) Übereinstimmungstheorie der Wahrheit (Wahrheit = Übereinstimmung mit den Tatsachen). Diese Theorie sowie die regulativen Ideen des Wahrheitsgehalts und der Wahrheitsähnlichkeit, werden in Text *14* unten diskutiert.

54:10. Siehe *Vermutungen und Widerlegungen*, S. 94.

55:11. Die Theorie, daß der Glaube durch die Bereitschaft zum Wetten gemessen werden könne, galt 1781 als bekannt; siehe KANT, *Kritik der reinen Vernunft* (1787), S. 852.

57:12 Vgl. J. W. N. WATKINS, *Hobbes' System of Ideas* (1965), Kapitel VIII, insbes. S. 145 f., und meine *Logik der Forschung*, S. 374–376; und *Vermutungen und Widerlegungen*, S. 26, und englische Ausgabe S. 262, 297 f.

57:13. Der – traditionelle – Fehler ist als ›das Universalienproblem‹ bekannt. Dieses sollte durch ›das Problem der Theorien‹ ersetzt werden oder ›das Problem des theoretischen Gehalts aller menschlichen Sprache‹. Siehe *Logik der Forschung*, Abschnitt *4* Anm. *1 und [Abschnitt *I* von Text *11*]. Übrigens ist offensichtlich, daß die letzte der drei berühmten Positionen (*universale ante rem, in re* und *post rem*) in ihrer üblichen Bedeutung gegen die Welt 3 ist und die Sprache im Sinne ihrer Ausdrucksfunktion zu erklären versucht, während die erste (Platonische) für die Welt 3 ist. Interessanterweise kann man von der (Aristotelischen) mittleren Position (*in re*) sagen, sie sei entweder gegen die Welt 3 oder sie ignoriere das Problem der Welt 3. Sie zeugt also von dem verwirrenden Einfluß des Konzeptualismus.

58:14. Vgl. ARISTOTELES, *Metaphysik* XII (Λ), 7: 1072 b 21 f., und 9: 1074 b 15 bis 1075 a 4. Diese Passage (die ROSS so zusammenfaßt: »Das göttliche Denken muß sich mit dem göttlichsten Gegenstand beschäftigen: mit sich selbst«) enthält eine indirekte Kritik an Platon. Ihre Beziehung auf Platonische Ideen ist besonders deutlich in den Zeilen 25 f.; »[Die Vernunft] denkt das Göttlichste und Würdigste, und zwar ohne Veränderung; denn die Veränderung würde zum Schlechteren gehen ...« (Übers. v. Hermann Bonitz.) (Siehe auch ARISTOTELES, *De anima*, 429 b 27 ff., insbes. 430 a 4.).

58:15. Vgl. PLOTIN, *Enneades*, II.4.4. (R. Volkmann, 1883, S. 153, 3); III.8.11 (R. Volkmann, 1883, S. 346, 6); V.3.2–5; V.9.5–8; VI.5.2; VI.6.6–7.

59:16. Siehe G. W. F. HEGEL, *Enzyklopädie der philosophischen Wissenschaften*, 3. Aufl (1830), Absatz *551.*

59:17. Siehe *Vermutungen*, Kapitel *15*; *Die offene Gesellschaft*, Anhang *I* zu Band *II* ›Tatsachen, Maßstäbe und Wahrheit: eine weitere Kritik des Relativismus‹ (1961), ab der 7. Aufl. S. 460–493.

59:18. Seihe LAKATOS, *op. cit.*, Anm. 2, S. 54

zu Text *5:* Evolutionäre Erkenntnistheorie

60:1. Die Entwicklung von Membranproteinen, der ersten Viren und von Zellen haben vielleicht zu den ersten Erfindungen neuer Umweltnischen gehört; obschon es möglich ist, daß andere Umweltnischen (vielleicht Netze von Enzymen, die von sonst nackten Genen erfunden wurden) noch früher erfunden wurden.

61:2. Es ist ein offenes Problem, ob man in diesem Sinne (›als Reaktion‹) über die genetische Ebene sprechen kann (vergleiche meine Vermutung über reagierende Mutone in Abschnitt *V*). Und doch, wenn es keine Variationen gäbe, könnte es keine Adaption oder Evolution geben; und so können wir sagen, daß das Auftreten von Mutationen entweder teilweise durch ihre Notwendigkeit kontrolliert wird oder so funktioniert, als ob es durch diese Notwendigkeit kontrolliert würde.

64:3. Für die Verwendung des Ausdrucks ›blind‹ (besonders in der zweiten Bedeutung) siehe D. T. CAMPBELL, ›Methodological Suggestions for a Comparative Psychology of Knowledge Processes‹, *Inquiry* 2 (1959), S. 152–182; ›Blind Variation and Selective Retention in Creative Thought as in Other Knowledge Processes‹, *Psychological Review* 67 (1960), S. 380–400; und ›Evolutionary Epistemology‹, S. 413–463 in *The Philosophy of Karl Popper,* hrsg. von P. A. SCHILPP (1974).

Während die ›Blindheit‹ von Versuchen relativ ist zu dem, was wir in der Vergangenheit herausgefunden haben, ist Zufälligkeit relativ zu einer Menge von Elementen (die den ›Beispielsraum‹ bilden). Auf der genetischen Ebene sind diese ›Elemente‹ die vier Grundlagen des Nukleotids; auf der Verhaltensebene sind es die Bestandteile des Verhaltensrepertoires des Organismus. Diese Bestandteile können in Hinsicht auf verschiedene Ziele oder Bedürfnisse verschiedene Gewichte annehmen, und die Gewichte können sich durch die Erfahrung verändern (und den Grad der ›Blindheit‹ *verringern*).

64:4. Über die Bedeutung aktiver Teilnahme, siehe R. HELD und A. HEIN, ›Movement-produced Stimulation in the Development of Visually Guided Behaviour‹, *Journal of Comparative and Physiological Psychology* 56, (1963), S. 872–876; siehe auch J. C. ECCLES, *Facing Reality* (1963), S. 66 f. Die Aktivität ist zumindest teilweise eine der Hypothesenherstellung: siehe J. KRECHEVSKY, ›»Hypothesis« versus »Chance« in the Pre-solution Period in Sensory Discrimination-learning‹, *University of California Publications in Psychology* 6, (1932), S. 27–44 (Wieder abgedruckt in *Animal Problem Solving,* hrsg. von A. J. RIOPELLE (1967), S. 183–197.)

64:5. Ich kann hier vielleicht einige der Unterschiede zwischen meinen Ansichten und denjenigen der *Gestalt*schule erwähnen. (Selbstverständlich akzeptiere ich die Tatsache der *Gestalt*-Wahrnehmung; ich zweifle nur an dem, was man als *Gestalt*-Philosophie bezeichnen kann.)

Ich vermute, daß die Einheit, oder die Artikulation der Wahrnehmung mehr abhängig ist von den motorischen Kontrollsystemen und den efferenten neuralen Systemen des Gehirns als von den afferenten Systemen: daß sie stark abhängig ist von dem Verhaltensrepertoire des Organismus. Ich vermute, daß eine Spinne oder eine Maus nie (wie KÖHLERS Affen) erkennen werden, daß sich die zwei Stäbe zusammenfügen lassen, denn Stäbe von solcher Größe zu handhaben, gehört nicht in ihr Verhaltensrepertoire. All das kann als eine Art Verallgemeinerung der JAMES/LANGE-*Theorie der Emotionen* ausgelegt werden ([1884]; siehe S. 449 ff. in W. JAMES, *The Principles of Psychology* , Band II, [1890]), wobei die Theorie von unseren Gefühlen auf unsere Wahrnehmungen ausgedehnt wird (besonders auf *Gestalt*-Wahrnehmungen), die uns also nicht ›gegeben‹ wären (wie in der *Gestalt*-Theorie), sondern die von uns ›gemacht‹ würden, indem wir (verhältnismäßig ›gegebene‹) Anhaltspunkte entschlüsseln. Die Tatsache, daß die Anhaltspunkte irreführen können (optische Täuschungen beim Menschen; Täuschungen durch Attrappen bei Tieren, und ähnliches), kann durch das biologische Bedürfnis erklärt werden, höchst vereinfachten Anhaltspunkten unsere Verhaltensdeutungen aufzuzwingen. Die Vermutung, daß unsere Entschlüsselung dessen, was die Sinne uns mitteilen, von unserem Verhaltensrepertoire abhängt, erklärt vielleicht einen Teil der Kluft, die zwischen Tier und Mensch liegt; denn durch die Evolution der menschlichen Sprache ist unser Repertoire unbegrenzt geworden.

64:6. Siehe S. 99 ff. in W. H. THORPE, *Learning and Instinct in Animals*, (1956); Neuausgabe (1963), S. 100–147; W. KÖHLER, *The Mentality of Apes*, (1925); Penguin-Ausgabe (1957), S. 166 ff.

65:7. Siehe I. P. PAVLOV, *Conditioned Reflexes* (1927,) besonders S. 11 f. Angesichts dessen, was er als ›Forschungsverhalten‹ und als das eng damit zusammenhängende ›Freiheitsverhalten‹ bezeichnet – beide offensichtlich auf der Genetik beruhend – und ihrer Bedeutung für die wissenschaftliche Betätigung, scheint mir, daß das Verhalten der Behavioristen, die den Wert der Freiheit durch das ersetzen wollen, was sie ›positives Re-Inforcement‹ nennen, vielleicht ein Symptom einer unbewußten Feindseligkeit gegenüber der Wissenschaft ist. Übrigens hat sich das, was B. F. SKINNER in *Beyond Freedom and Dignity* (1972), als ›die Literatur der Freiheit‹ bezeichnet, nicht als ein Resultat negativen Re-Inforcements ergeben, wie er meint. Vielmehr ergab es sich mit Aischylos und Pindar als ein Resultat der Siege von Marathon und Salamis.

65:8. Forschungsverhalten und das Lösen von Problemen schaffen also neue Bedingungen für die Evolution genetischer Systeme; Bedingungen, die die natürliche Auslese dieser Systeme tief beeinflussen. Man kann sagen, daß, wenn eine bestimmte Verhaltensbreite einmal erreicht ist – wie sie selbst von einzelligen Organismen erreicht worden ist (siehe besonders das klassische Werk von H. S. JENNINGS, *The Behaviour of the Lower Organisms* [1906]), – die Initiative des Organismus die Führung in der Auslese seiner Ökologie oder seines Lebensraumes übernimmt und daß die natürliche Auslese innerhalb des neuen Lebensraumes der Führung folgt. Auf diese Weise kann der Darwinismus den Lamarckismus und selbst Bergsons ›schöpferische Entwicklung‹ vortäuschen. Das haben strenge Darwinisten erkannt. Für eine brillante Präsentation und Übersicht über die Geschichte, siehe Sir ALISTER HARDY, *The Living Stream* (1965), besonders Vorlesungen VI, VII und VIII, wo viele Verweise auf frühere Literatur zu finden sind, angefangen mit James Hutton (der 1797 starb, siehe S. 178 ff.). Siehe auch ERNST MAYR, *Animal Species and Evolution* (1963), S. 604 ff. und 611; ERWIN SCHRÖDINGER, *Geist und Materie* (1958), Kapitel 2; F. W. BRAESTRUP, ›The Evolutionary Significance of Learning‹, *Videnskabelige Meddelelser Naturhistorisk Forening i Kjobenhavn* 134 (1971), S. 89–102 (mit einer Bibliographie); und meine *Objektive Erkenntnis*, Kapitel 7.

66:9. Zitiert in JACQUES HADAMARD, *The Psychology of Invention in the Mathematical Field* (1945); Dover Ausgabe (1954), S. 48.

67:10. Behavioristische Psychologen, die die ›Voreingenommenheit des Experimentators‹ untersuchen, haben herausgefunden, daß einige Albinoratten eindeutig bessere Resultate erzielen als andere, wenn man den Experimentator (fälschlicherweise) glauben macht, daß erstere einer Rasse angehören, die wegen hoher Intelligenz ausgewählt wurde; siehe R. ROSENTHAL und K. L. FODE, ›The Effect of Experimenter Bias on the Performance of the Albino Rat‹, *Behavioural Science* 8 (1963), S. 183–189. Die Autoren dieses Aufsatzes schließen daraus, daß Experimente von ›wissenschaftlichen Assistenten‹ gemacht werden sollten, ›die nicht wissen, was für ein Resultat erwünscht ist‹ (S. 188). Wie Bacon setzen diese Autoren ihre Hoffnungen auf einen ›leeren Geist‹ und vergessen, daß die Erwartungen des Forschungsleiters sich auch ohne explizite Mitteilung seinen wissenschaftlichen Assistenten vermitteln können, genauso, wie sich die Erwartungen des wissenschaftlichen Assistenten seinen Ratten vermittelten.

67:11. Es ist interessant, daß CHARLES DARWIN in seinen späteren Jahren davon überzeugt war, daß selbst Verstümmelungen gelegentlich vererbbar sind. Siehe sein *The Variation of Animals and Plants under Domestication*, Band I, 2. Auflage (1875), S. 466–470.

68:12. Spezifische Mutagene (die selektiv wirken: auf bestimmte Teile des genetischen Codes vielleicht und auf andere nicht) sind, wie ich höre, unbekannt. Doch wäre ihre Existenz kaum überraschend auf diesem Gebiet der Überraschungen; und sie könnten erklären, daß es besonders ›heiße Bereiche‹ der Mutation gibt. Auf alle Fälle erscheint es mir problematisch, aus der Abwesenheit bekannter spezifischer Mutagene zu schließen, daß spezifische Mutagene nicht existieren. Das Problem, das im Text angesprochen wird (die Möglichkeit einer Reaktion auf bestimmte Belastungen in Form des Produzierens von Mutagenen), scheint mir also immer noch offen zu sein.

68:13. Siehe ERNST GOMBRICH, *Kunst und Illusion* (1960).

69:14. N. K. JERNE, ›The Natural Selection Theory of Antibody Formation; Ten Years Later‹ in *Phage and the Origins of Molecular Biology*, hrsg. von

J. Cairns *et al.* (1966), S. 301–312; auch ›The Natural Selection Theory of Antibody Formation‹, *Proceedings of the National Academy of Sciences* 41 (1955), S. 849–857; ›Immunological Speculations‹, *Annual Review of Microbiology* 14 (1960), S. 341–358; ›The Immune System‹, *Scientific American* 229, 1 (1973), S. 52–60. Siehe auch Macfarlane Burnet, ›A Modification of Jerne's Theory of Anti-body Production, using the Concept of Clonal Selection‹, *Australian Journal of Science* 20 (1957), S. 67–69; *The Clonal Selection Theory of Acquired Immunity* (1959).

zu Text 6: Zwei Arten von Definitionen

70:1. Das Motte ist aus *The Foundations of Mathematics* (1931), S. 269. (Im Zusammenhang mit diesem Text sei besonders auf Abschnitte 6 und 7 in meinem *Ausgangspunkte* verwiesen.)

70:2. Zu Platons (oder vielmehr Parmenides') Unterscheidung zwischen Wissen und Meinung (eine Unterscheidung, deren Popularität auch noch bei modernen Autoren andauert, z.B. bei Locke und Hobbes) vgl. *Die offene Gesellschaft und ihre Feinde,* Anm. 22 und 26 zu Kapitel 3 und Text; weiterhin Anm. 19 zu Kapitel 5 sowie 25–27 zu Kapitel 8. Zur analogen Unterscheidung bei Aristoteles vgl. z.B. *Metaphysik* 1039 b 31 und *Anal. Post., I,* 33 (88 b 30 ff.); *II*, 19 (100 b 5).

Zu Aristoteles' Unterscheidung zwischen *demonstrativem* und *intuitivem* Wissen vgl. das letzte Kapitel *der Anal. Post.* (II, 19, insbesondere 100 b 5–17; vgl. auch 72 b 18–24, 75 b 31, 84 a 31, 90 a 6–91 a 11). Zur Verbindung zwischen dem demonstrativen Wissen und den ›Ursachen‹ eines Dinges, die »von seiner wesentlichen Natur verschieden sind« und daher einen *Terminus medius* erfordern, vgl. *op. cit.*, II, 8 (insbesondere 93 a 5, 93 b 26). Zur analogen Verbindung zwischen der intellektuellen Intuition und der ›unteilbaren Form‹, die sie erfaßt – dem unteilbaren Wesen, der unteilbaren individuellen Natur, die mit ihrer Ursache identisch ist – siehe *op. cit.*, 72b24, 77a4, 85a1, 88b35. Vgl. auch *op. cit.* › 90a31: »Die Natur eines Dinges kennen heißt den Grund kennen, warum es ist« (d.h. seine Ursache); und 93b21: »Es gibt wesentliche Naturen, die unmittelbare, d.h. grundlegende Prämissen sind.«

Zur Einsicht des Aristoteles, daß wir irgendwo im Regreß der Beweise oder Demonstrationen halten und gewisse *Prinzipien* ohne Beweis annehmen müssen, vgl. z.B. *Metaphysik* 1006a 7: »Es ist unmöglich, alles zu beweisen, denn es würde zu einem unendlichen Regreß führen ...« Vgl. auch *Anal. Post.*, II, 3 (90b,18–27).

71:3. Vgl. Aristoteles, *Metaphysik*, 1031b7 und 1031b20. Vgl. auch 996b20 »Eine Definition ist ein Satz, der das Wesen eines Dinges beschreibt« (Aristoteles, *Topica,* I, 5, 101b36; VII, 3, 153a, 153a15 usw. Siehe auch *Met.*, 1042a17). – »Die Definition ... enthüllt die wesentliche Natur« *(Anal. Post.*, II, 3,91a1). – »Die Definition ... ist eine Erklärung der Natur des Dinges« (93b29). – »Nur solche Dinge haben Wesenheiten, deren Formeln Definitionen sind« *(Met.*, 1030a5f.) – »Die Wesenheit, deren Formel eine Definition ist, wird auch die Substanz des Dinges genannt« *(Met.*, 1017b21). – »Selbstverständlich ist dann die Definition die Formel des Wesens…« (*Met.*, 1031a13).

Was die Prinzipien, d.h. die Ausgangspunkte oder Grundprämissen von Beweisen angeht, so müssen wir zwischen zwei Arten unterscheiden: (1) den logischen Prinzipien (vgl. *Met.* 996b 25ff.) und (2) den Prämissen, aus denen sich Beweise ableiten lassen und die ihrerseits nicht bewiesen werden können, wenn ein unendlicher Regreß vermieden werden soll. (*Vgl. Anm. 2 zum vorliegenden Kapitel.*) Die letzteren sind die Definitionen: »Die Grundprämissen von Beweisen sind Definitionen« *(Anal. Post.* II 3, 90b23; vgl. 89a17, 90a35, 90b23). Siehe auch ROSS, *Aristotle, S.* 45/46, Bemerkung zu *Anal. Post.*, I, 4, 20–74a4: »Die Prämissen der Wissenschaft«, so schreibt ROSS (46), »werden, so wird uns gesagt, *per se* sein entweder im Sinn *(a)* oder im Sinn *(b).«* Auf der vorhergehenden Seite lernen wir, daß eine Prämisse notwendig *per se* ist (oder wesentlich notwendig) im Sinn *(a)* oder *(b), wenn sie auf einer Definition beruht.*

72:4. »Wenn es einen Namen hat, dann wird es eine Formel für seine Bedeutung geben«, sagt ARISTOTELES, *(Met.*, 1030a14; siehe auch 1030b24); und er erklärt, daß nicht jede Formel der Bedeutung eines Namens eine Definition ist. Wenn aber dieser Name der einer Spezies eines Genus ist, dann ist die Formel eine Definition.

Die Feststellung ist wichtig, daß sich das Wort ›Definition‹ (ich folge hier dem modernen Gebrauch des Wortes) so, wie ich es verwende, immer auf den ganzen Definitionssatz bezieht, während es Aristoteles (und andere, die ihm darin folgen, z.B. Hobbes) manchmal als ein Synonym für ›Definiens‹ gebrauchen.

Definitionen betreffen (nach Aristoteles) nicht Partikularien, sondern nur Universalien (vgl. *Met.* 1036 a 28) und nur Wesenheiten, d.h. etwas, was die Spezies eines Genus ist (d.h. eine *letzte Differenz;* vgl. *Met.* 1038 a 19) und eine unteilbare Form; siehe auch *Anal. Post.*, II, 13, 97 b 6 f.

72:5. Zur Lehre Platons vgl. *Die offene Gesellschaft,* Kapitel 8, Abschnitt *IV.* GROTE schreibt *(Aristotle,* 2. Aufl., S. 260): »Aristoteles hatte von Platon dessen Lehre von einem unfehlbaren Nous (d.h. der intellektuellen Intuition) geerbt, der jeden Irrtum ausschließt.« Er hebt des weiteren hervor, daß Aristoteles im Gegensatz zu Platon das durch Beobachtung und Erfahrung erworbene Wissen nicht verachtet, sondern vielmehr seinem Nous »eine Stellung als Terminus und Korrelat zum Prozeß der Induktion zuschreibt«. *(loc. cit.*, vgl. auch *op. cit.*, S. 577.) Das trifft zu. Aber die durch Beobachtung gewonnene Erfahrung hat offensichtlich nur die Funktion, unsere intellektuelle Intuition auf ihre Aufgabe, d.h. auf das intuitive Erfassen der universellen Wesenheiten vorzubereiten und sie dafür richtig zu entwickeln. In der Tat hat noch niemand gezeigt, wie man Definitionen, *die jeden Irrtum ausschließen,* durch Induktion erreichen kann.

72:6. Die Ansicht des Aristoteles läuft insofern auf dasselbe hinaus, wie die Platons, als es für beide in letzter Instanz keine Möglichkeit der Argumentation gibt. Alles, was zu tun übrigbleibt, ist, daß man von einer bestimmten Definition *dogmatisch* behauptet, sie sei eine richtige Beschreibung der ihr zugeordneten Wesenheit; und wenn sich die Frage erhebt, warum nun diese und keine andere Beschreibung die richtige ist, dann bleibt einzig ein Hinweis auf die ›unfehlbare Wesensschau‹. Es scheint, daß das Wort ›Induktion‹ für Aristoteles zumindest einen doppelten Sinn hat, und zwar wird es einmal in einem eher empirischen Sinn (vgl. *Anal. Prior.*, 68b15–37, 69a16 und *Anal. Post.*, 78a35, 91b35, 92a35) und ein andermal in einem eher heuristischen Sinn verwendet, in dem sie zur Vorbereitung unserer intellektuellen Intuition dient (vgl. 27b25–33, 81a38–b9, 100b4f.). Zum ›gesamten Bereich der Tatsachen‹, der im nächsten Absatz erwähnt wird, vgl. Ende der *Anal. Post.* (100b 15f.).

Es ist bemerkenswert, wie nahe sich die Ansichten Hobbes' (der ein Nominalist, aber *nicht* ein methodologischer Nominalist gewesen ist) und der methodologische Essentialismus des Aristoteles stehen. Auch Hobbes glaubte, daß die Grundprämissen allen Wissens (im Gegensatz zur Meinung) Definitionen sind.

75:7. Das Zitat stammt aus meiner Bemerkung in *Erkenntnis* 3 (1933), S. 427, jetzt abgedruckt als Neuer Anhang *I, 1. Abschnitt zu meiner *Logik*, ab 2. Aufl. S. 254 f.; es ist eine Variation und Verallgemeinerung einer Behauptung, die Einstein in seiner Vorlesung *Geometrie und Erfahrung* über die Geometrie gemacht hat.

75:8. Vgl. z.B. *Metaphysik* 1030a,6 und 14 (siehe Anm. 4, oben).

76:9. Ich möchte betonen, daß ich hierbei den Gegensatz zwischen dem *Nominalismus und dem Essentialismus* rein methodologisch verstehe. Zum *metaphysischen* Universalienproblem, d.h. zum metaphysischen Problem des Gegensatzes von Nominalismus und Essentialismus (dieser Ausdruck sollte meiner Ansicht nach anstelle des traditionellen Ausdrucks ›Realismus‹ verwendet werden) nehme ich überhaupt nicht Stellung; und obgleich ich mich für den methodologischen Nominalismus einsetze, befürworte ich doch gewiß keinen metaphysischen Nominalismus. (Vgl. auch Anm. 13 zum Text *4*, oben.)

Der im Text gezogene Unterschied zwischen *nominalistischen und essentialistischen Definitionen* ist ein Versuch, die traditionelle Unterscheidung zwischen ›verbalen‹ und ›realen‹ Definitionen zu rekonstruieren. *Ich lege aber mein Hauptaugenmerk auf die Frage, ob die Definition von rechts nach links oder von links nach rechts gelesen wird; oder, mit anderen Worten, ob sie eine lange Darstellung durch eine kurze oder eine kurze Darstellung durch eine lange ersetzt.*

76:10. Meine Behauptung, daß in der modernen Wissenschaft *nur* nominalistische Definitionen auftreten (ich spreche hier nur von expliziten Definitionen, nicht aber von impliziten oder rekursiven Definitionen), bedarf der Verteidigung. Sicher folgt aus ihr nicht, daß Ausdrücke in der Wissenschaft nicht mehr oder weniger ›intuitiv‹ verwendet werden; dies ist klar, wenn wir nur in Betracht ziehen, daß alle Definitionsketten von bestimmten *undefinierten* Ausdrücken ausgehen müssen, deren Sinn sich durch Beispiele darlegen, aber nicht definieren läßt. Es scheint weiterhin klar zu sein, daß wir in der Wissenschaft, insbesondere in der Mathematik einen Ausdruck (z.B. ›Dimension‹ oder ›Wahrheit‹) zunächst oft intuitiv verwenden und daß wir erst später dazu übergehen, ihn zu definieren. Aber das ist eine ziemlich grobe Beschreibung der Situation. Eine genauere Beschreibung würde so lauten: Einige der intuitiv verwendeten undefinierten Ausdrücke lassen sich manchmal durch definierte Ausdrücke ersetzen, von denen sich zeigen läßt, daß sie die Intentionen erfüllen, mit denen die undefinierten Ausdrücke gebraucht wurden; d.h. zu jedem Satz, in dem die undefinierten Ausdrücke vorkamen (und der z.B. als analytisch interpretiert wurde), gibt es einen entsprechenden Satz, in dem der neu definierte Ausdruck auftritt (und der aus der Definition folgt).

Es ist sicher erlaubt zu sagen, daß K. Menger ›Dimension‹ rekursiv definiert hat oder daß A. Tarski den Ausdruck ›Wahrheit‹ definiert; aber diese Art der Darstellung kann zu Mißverständnissen führen. Was sich ereignete, war folgendes: Menger gab für gewisse Klassen von Punktmengen eine reine Nominaldefinition (er nannte sie ›*n*-dimensional‹). Und er verwendete gerade diesen Ausdruck, weil es möglich war, den intuitiven mathematischen Begriff ›*n*-dimensional‹ durch den neuen Begriff in allen wichtigen Zusammenhängen zu ersetzen; dasselbe gilt von Tarskis Begriff der ›Wahrheit‹. Tarski gab eine Nominaldefinition (oder vielmehr eine Methode zur Herstellung von Nominaldefinitionen), die er ›Wahrheit‹ nannte, eben weil sich aus ihr eine Reihe von Sätzen herleiten ließ, die diesen Sätzen entsprechen, welche von vielen Logikern und Philosophen in Verbindung mit dem geläufigen Begriff der Wahrheit verwendet wurden (wie z.B. der Satz vom ausgeschlossenen Dritten).

78:11. Der Umstand, daß ein Satz wahr ist, kann uns manchmal zur Erklärung der Tatsache dienen, warum er uns als selbstevident erscheint. Dies trifft zu auf ›2 + 2 = 4‹ und ebenso auf den Satz ›Die Sonne strahlt Licht und Wärme aus‹. Aber das Umgekehrte ist sicher nicht der Fall. Der Umstand, daß ein Satz einigen oder sogar allen Menschen ›selbstevident‹ zu sein scheint, d.h. der Umstand, daß einige Menschen oder alle Menschen fest an seine Wahrheit glauben und seine Falschheit undenkbar finden, dieser Umstand ist kein Grund für die *Wahrheit* des Satzes. (Wenn uns die Falschheit eines Satzes undenkbar zu sein scheint, so ist das oft nur ein Grund für den Verdacht, daß unsere Vorstellungskraft mangelhaft oder unentwickelt ist.) Es ist einer der schwersten Irrtümer, wenn eine Philosophie die Selbstevidenz eines Satzes als ein Argument zugunsten seiner Wahrheit anführt; aber so gehen fast alle idealistischen Philosophen vor. Was zeigt, daß idealistische Philosophien oft Apologien sind für gewisse Glaubensdogmen.

Der Hinweis, daß wir uns oft in einer Lage befinden, wo wir keinen besseren Grund für die Annahme eines Satzes besitzen als seine Selbstevidenz, kann als Entschuldigung nicht akzeptiert werden. Es ist üblich, die Prinzipien der Logik und der wissenschaftlichen Methodologie (insbesondere das ›Induktionsprinzip‹ oder das ›Gesetz der Einförmigkeit des Naturverlaufs‹) als Sätze hinzustellen, die wir annehmen müssen und die wir nicht anders rechtfertigen können, als durch einen Hinweis auf ihre Selbstevidenz. Selbst wenn dies der Fall wäre, so wäre man doch ehrlicher, wenn man zugibt, daß wir sie nicht rechtfertigen können, und wenn man es dabei bewenden läßt. Aber in Wirklichkeit besteht für uns gar kein Bedürfnis, ein ›Induktionsprinzip‹ anzunehmen (vgl. den nächsten Text). Und was die Prinzipien der Logik betrifft, so haben zahlreiche Untersuchungen der letzten Jahre gezeigt, daß die Evidenzlehre überholt ist. (Vgl. insbesondere CARNAPS *Logische Syntax der Sprache* (1937) sowie seine *Introduction to Semantics* [1942]).

78:12. »Die Wissenschaft nimmt die Definitionen aller ihrer Ausdrücke an ...« (ROSS, *Aristotle,* 44; vgl. *Anal. Post.*, 76a 32–36); siehe auch Anm. 4 oben.

79:13. Das folgende Zitat ist R. H. S. CROSSMANS *Plato To-Day* (1937), S.71 f. entnommen .

Eine sehr ähnliche Lehre vertreten M. R. COHEN und E. NAGEL in ihrem Buch *An Introduction to Logic and Scientific Method* (1936), S. 232: »Sicher würden viele Dispute über die wahre Natur des Eigentums, der Religion, des Rechts ... verschwinden, wenn man sich der präzis definierten Äquivalente für diese Worte bediente.« (Vgl. auch Anm. 15, unten.)

Die Ideen zu diesem Problem, die WITTGENSTEIN in seinem *Tractatus Logico-Philosophicus* (1921/22) vertreten hat und die seine Anhänger wiederholen, sind nicht so bestimmt wie die Crossmans, Cohens und Nagels. Wittgenstein ist ein Antimetaphysiker. »Das Buch«, so schreibt er in der Vorrede, »behandelt die philosophischen Probleme und zeigt – wie ich glaube –, daß die Fragestellung dieser Probleme auf dem Mißverständnis der Logik unserer Sprache beruht.« Er versucht zu zeigen, daß die Metaphysik ›einfach Unsinn‹ ist und will in unserer Sprache eine Grenze zwischen Sinn und Unsinn ziehen. »Die Grenze wird ... in der Sprache gezogen werden müssen, und was jenseits der Grenze liegt, wird einfach Unsinn sein«. Nach WITTGENSTEINS Buch haben Sätze Sinn. Sie sind wahr oder falsch. Philosophische Sätze gibt es nicht; sie sehen nur wie Sätze aus, sind aber in Wirklichkeit Nonsens. Die Grenze zwischen Sinn und Unsinn fällt mit der Grenze zwischen den Naturwissenschaften und der Philosophie zusammen: »Die Gesamtheit der wahren Sätze ist die gesamte Naturwissenschaft (oder die Gesamtheit der Naturwissenschaften). – Die Philosophie ist keine der Naturwissenschaften.« *Die wahre Aufgabe der Philosophie besteht daher nicht in der Formulierung von Sätzen, sondern vielmehr in der Klärung von Sätzen:* »Das

Resultat der Philosophie sind nicht ›philosophische Sätze‹, sondern das Klarwerden von Sätzen.« Wer das nicht sieht und philosophische Sätze äußert, der spricht metaphysischen Unsinn.

79:14. Es ist wichtig, daß man zwischen einer logischen Ableitung im allgemeinen und einem Beweis oder einer Demonstration im besonderen unterscheidet. Ein *Beweis* oder eine *Demonstration* ist ein deduktives Argument, in dem die Wahrheit des Schlußsatzes ein für allemal begründet wird; so verwendet Aristoteles diesen Ausdruck, und er verlangt (z.B. in der *Anal. Post.*, I, 4, 73a ff.), die ›notwendige‹ Wahrheit der Konklusion solle begründet werden; so verwendet auch CARNAP den Ausdruck (vgl. insbesondere *Logische Syntax*, § 10, 26; § 47, 123 ff.), und er zeigt, daß Konklusionen, die in diesem Sinn ›beweisbar‹ sind, auch ›analytisch‹ wahr sind. (Auf die Probleme, die mit den Ausdrücken ›analytisch‹ und ›synthetisch‹ verbunden sind, gehe ich hier nicht ein.)

Seit Aristoteles war man sich darüber im klaren, daß nicht alle logischen Deduktionen Beweise (d.h. Demonstrationen) sind; es gibt auch logische Deduktionen, die keine Beweise sind; wir können Schlüsse auch aus zugestandenermaßen falschen Prämissen ziehen, und solche Deduktionen aus wahren oder aus falschen Prämissen, werden nicht Beweise genannt. Die nicht-demonstrativen Deduktionen nennt CARNAP ›Ableitungen‹ *(loc. cit.).* Es ist von Interesse, daß für sie vorher kein Name existierte; dies zeigt, wie sehr man sich vorwiegend mit Beweisen beschäftigte, was dem aristotelischen Vorurteil zuzuschreiben ist, daß ›die Wissenschaft‹ oder ›das Wissen‹ alle seine Sätze begründen muß, d.h. es muß sie entweder als selbstevidente Prämissen hinnehmen, oder es muß sie beweisen. Aber die Lage ist die folgende: *Außerhalb der reinen Logik und der reinen Mathematik läßt sich nichts beweisen.* Alle Argumente, die in einer anderen Wissenschaft (und einige sogar in der Mathematik, wie I. Lakatos gezeigt hat) eine Rolle spielen, sind nicht Beweise, sondern bloß *Ableitungen.*

Es sei bemerkt, daß ein weitreichender Parallelismus besteht zwischen den Problemen der *Ableitung* auf der einen Seite und den Problemen der *Definition* auf der anderen sowie zwischen den Problemen der *Wahrheit von Sätzen* und den Problemen des *Sinnes von Ausdrücken.* [s. besonders die Tabelle auf S. 57]

80:15. Die Beispiele sind dieselben, die COHEN und NAGEL, *op. cit.*, 232 f. zur Definition empfehlen. (Vgl. Anm. 13, oben.)

Einige allgemeine Bemerkungen über die Nutzlosigkeit essentialistischer Definitionen seien hier angefügt.

(1) Der Versuch, ein Tatsachenproblem durch Hinweis auf Definitionen zu lösen, bedeutet gewöhnlich seine Ersetzung durch ein reines Wortproblem. (Ein ausgezeichnetes Beispiel für diese Methode findet sich in Aristoteles, *Physik*, 197b 6–32.) Dies sei für die folgenden Beispiele gezeigt. (*a*) Es gibt ein Tatsachenproblem: Können wir in die Gefangenschaft des Stammes

zurückkehren? Und auf welche Weise? *(b)* Es gibt ein moralisches Problem: Sollen wir dahin zurückkehren?

Der Philosoph des Sinnes wird angesichts von *(a)* und *(b)* sagen: Es hängt alles davon ab, was du mit deinen vagen Ausdrücken meinst; sag mir, wie du ›zurückkehren‹, ›Käfig‹, ›Stamm‹ definierst – *und ich werde dein Problem mit Hilfe dieser Definitionen vielleicht einer Lösung zuführen können.* Im Gegensatz dazu behaupte ich: Wenn sich das Problem mit Hilfe von Definitionen lösen läßt, dann folgt die Lösung aus den Definitionen, und das so gelöste Problem war rein verbal; denn es wurde unabhängig von Tatsachen oder moralischen Entscheidungen gelöst.

(2) Ein Philosoph des Sinnes, der zugleich ein *Essentialist* ist, kann es aber noch schlimmer treiben, insbesondere in Verbindung mit Problem *(b)*; er kann zum Beispiel erklären, daß es vom ›Wesen‹ oder dem ›wesentlichen Charakter‹ oder vom ›Schicksal‹ unserer Zivilisation abhänge, ob wir die Rückkehr versuchen sollen oder nicht.

(3) Der Essentialismus und die Definitionstheorie haben im Gebiet der Ethik zu einer erstaunlichen Entwicklung geführt – zu zunehmender Abstraktion und zum Verlust des Kontaktes mit der *Grundlage aller Ethik,* das heißt mit den praktischen moralischen Problemen, die von uns jetzt und hier entschieden werden müssen. Diese Entwicklung führt zuerst zur allgemeinen Frage ›Was ist gut?‹ oder ›Was ist das Gute?‹; hierauf zur Frage ›Was bedeutet *gut?*‹ und schließlich zu ›Läßt sich das Problem »Was bedeutet *gut?*« beantworten?‹ oder ›Läßt sich *gut* definieren?‹. G. E. Moore, der in seinem Werk *Principia Ethica* (1903) diese letzte Frage stellte, hatte mit der Behauptung sicher recht, daß sich ›gut‹ im sittlichen Sinn nicht aufgrund ›naturalistischer‹ Ausdrücke definieren läßt. Denn in der Tat – wenn wir dies könnten, dann würde das Wort ›gut‹ etwas Ähnliches bedeuten wie ›bitter‹, ›grün‹ oder ›rot‹, und es wäre dann, vom Standpunkt der Sittlichkeit aus betrachtet, höchst irrelevant. Ebensowenig wie wir nach dem Bitteren oder dem Süßen zu trachten brauchen, ebensowenig gäbe es dann einen Grund, an einem naturalistischen ›Guten‹ irgendein sittliches Interesse zu nehmen. Aber obgleich Moore die Frage, die man nicht zu Unrecht als sein Hauptanliegen bezeichnet hat, richtig beantwortet, bleibt doch die Tatsache bestehen, daß eine Analyse des Guten oder irgendeines anderen Begriffs oder einer anderen Wesenheit keinen Beitrag leisten kann zu einer ethischen Theorie, die in Beziehung steht mit der einzig relevanten Basis aller Ethik, mit den unmittelbaren, jetzt und hier zu lösenden sittlichen Problemen. Eine solche Analyse kann nur dazu führen, daß ein moralisches Problem durch ein rein verbales Problem ersetzt wird. (Vgl. auch Anm. 18 (1) zu Kapitel 5 in Band I meiner *Offenen Gesellschaft*, insbesondere zur Irrelevanz moralischer Beurteilungen.)

81:16. Ich denke an die Methoden der ›Konstitution‹ der ›impliziten Definition‹, der ›Zuordnungsdefinition‹, der ›operationalen Definition‹. Die Argumente der ›Operationalisten‹ scheinen der Hauptsache nach völlig richtig zu sein; aber sie kommen nicht über die Tatsache hinweg, daß für operationale Definitionen oder Beschreibungen allgemeine Ausdrücke nötig sind, die als undefiniert hingenommen werden müssen; und diese Ausdrücke führen dann wieder zum selben Problem.

Trotzdem können wir mit diesen Ausdrücken operieren, deren Sinn wir ›operational‹ gelernt haben. Wir verwenden sie gewissermaßen so, daß gar nichts oder sowenig wie nur möglich von ihrem Sinn abhängt. Unsere ›operationalen Definitionen‹ haben den Vorteil, daß sie uns helfen, das Problem auf ein Gebiet zu verschieben, in dem nichts oder nur wenig von Worten abhängt. *Klar sprechen heißt so sprechen, daß es auf die Worte nicht ankommt.*

83:17. WITTGENSTEIN lehrt im *Tractatus* (vgl. auch Anm. 13), daß die Philosophie keine Sätze aufstellen könne und daß alle philosophischen Sätze in Wirklichkeit sinnlose Pseudosätze seien. Eng damit verbunden ist seine Lehre, daß die wahre Aufgabe der Philosophie nicht in der Aufstellung von Sätzen, sondern in ihrer Klärung bestehe. »Der Zweck der Philosophie ist die logische Klärung der Gedanken. – Die Philosophie ist keine Lehre, sondern eine Tätigkeit. Ein philosophisches Werk besteht wesentlich aus Erläuterungen« (4.112).

Es erhebt sich die Frage, ob diese Ansicht mit Wittgensteins Grundziel übereinstimmt, mit dem Ziel, die Metaphysik durch den Nachweis zu zerstören, daß sie Nonsens ist. In meiner *Logik der Forschung* (insbesondere S. 254 ff.), habe ich zu zeigen versucht, daß die Methode Wittgensteins zu einer rein verbalen Lösung führt und daß sie, trotz ihres scheinbaren Radikalismus, nicht zur Zerstörung oder zur Ausschließung oder gar zur klaren Abgrenzung der Metaphysik, sondern zu deren Eindringen in das Gebiet der Wissenschaft und zu ihrer Vermengung mit der Wissenschaft führen muß. Die Gründe dafür sind sehr einfach.

Betrachten wir einen der Sätze WITTGENSTEINS, z.B. »Die Philosophie ist keine Lehre, sondern eine Tätigkeit«. Das ist sicher kein Satz, der der ›gesamten Naturwissenschaft (oder der Gesamtheit aller Naturwissenschaften)‹ angehört. Er kann daher nach Wittgenstein nicht der ›Gesamtheit der wahren Sätze‹ angehören. (Vgl. Anm. 13, oben) Andrerseits kann der Satz auch nicht falsch sein (denn in diesem Fall müßte seine Negation wahr sein und den Naturwissenschaften angehören). *Daraus folgt, daß er ›sinnlos‹ oder ›unsinnig‹ oder ›Nonsens‹ sein muß; und dasselbe gilt für die meisten Sätze Wittgensteins.* WITTGENSTEIN hat diese Konsequenz seiner Lehre selbst erkannt, denn er schreibt (6.54): »Meine Sätze erläutern dadurch, daß sie der, welcher mich versteht, am Ende als unsinnig erkennt, wenn er durch sie – auf ihnen – über sie hinaus gestiegen ist. (Er muß sozusagen die Leiter wegwerfen, nachdem er auf ihr hinaufgestiegen ist.)« Das Ergebnis ist wichtig. Wittgensteins eigene Philosophie ist unsinnig, und das zugestandenermaßen. »Dagegen«, sagt WITTGENSTEIN in seiner Vorrede, »scheint mir die Wahrheit der hier mitgeteilten Gedanken unantastbar und definitiv. Ich bin also der Meinung, die Probleme im wesentlichen endgültig gelöst zu haben.« Was zeigt, daß wir ›*unantastbar und definitiv*‹ *wahre Gedanken* mit Hilfe von Sätzen mitteilen können, die zugestandenermaßen unsinnig sind, und daß wir Probleme ›endgültig‹ lösen können, indem wir Unsinn schreiben. [Vgl. auch Anm. 4 (2, *b*) zu Text 2].

Überlegen wir, was das heißt. Es heißt, daß sich all der metaphysische Unsinn, gegen den Bacon, Hume, Kant und Russell seit Jahrhunderten gekämpft haben, nunmehr bequem etablieren und sich sogar offen als Unsinn vorstellen kann. (Heidegger geht so vor.) Denn es gibt jetzt eine neue Art von Unsinn, nämlich Unsinn, der unantastbar und definitiv wahre Gedanken mitteilt; mit anderen Worten – es gibt *Unsinn von tiefer Bedeutung.*

Ich bestreite nicht, daß Wittgensteins Gedanken unantastbar und definitiv sind. Denn wie könnte man sie antasten? Offenkundig ist alles, was man gegen sie vorbringen kann, philosophisch und daher unsinnig. Und es kann als unsinnig übergangen werden. Das ist die Position, die ich an anderer Stelle, im Zusammenhang mit Hegel (*Vermutungen und Widerlegungen,* englische Ausgabe S. 327) [und S. 363, oben] einen *verschärften Dogmatismus* genannt habe. [Siehe auch S. 123, oben.]

Ich fasse zusammen. Die antimetaphysische Sinntheorie in Wittgensteins *Tractatus,* weit davon entfernt, bei der Bekämpfung von metaphysischem Dogmatismus und orakelnder Philosophie hilfreich zu sein, ist ein verschärfter Dogmatismus, der dem Feind, dem tief bedeutungsvollen metaphysischen Unsinn, Tür und Tor öffnet und der zugleich den besten Freund, die wissenschaftliche Hypothese, durch diese geöffnete Türe abschiebt. [Siehe auch Text *8* zum *Abgrenzungsproblem*]

83:18. Es scheint, daß der Irrationalismus im Sinne einer Lehre oder eines Glaubensbekenntnisses, das nicht zusammenhängende und diskutierbare Argumente vorbringt, sondern Aphorismen und dogmatische Behauptungen, die man ›verstehen‹ oder bleiben lassen muß, im allgemeinen die Tendenz hat, das Eigentum eines esoterischen Kreises von Eingeweihten zu werden. Und diese Prognose scheint in der Tat durch einige der Veröffentlichungen der Wittgensteinschen Schule bestätigt zu werden. (Ich möchte nicht verallgemeinern; z.B. sind alle Schriften Waismanns, die ich gelesen habe, in der Form von Ketten rationaler und äußerst klarer Argumente dargestellt und völlig frei von der Einstellung des ›Nimm's, oder laß es bleiben‹.)

Einige dieser esoterischen Publikationen scheinen sich mit keinem ernsthaften Problem zu befassen; sie scheinen mir spitzfindig zu sein, rein um der Spitzfindigkeit willen. Es ist nicht ohne jede Bedeutung, daß diese Publikationen von einer Schule herkommen, die damit begann, daß sie der Philosophie vorwarf, sie versuche Pseudoprobleme mit fruchtlosen Spitzfindigkeiten zu lösen.

Am Ende dieser Kritik möchte ich kurz feststellen, daß mir ein Kampf gegen die Metaphysik im allgemeinen nicht sehr am Platze zu sein scheint; ich glaube auch nicht, daß ein solcher Kampf bemerkenswerte Ergebnisse zeitigen könnte, die der aufgewandten Mühe wert sind. Es ist notwendig, daß wir das Problem der Abgrenzung zwischen der Wissenschaft und der Metaphysik lösen. Wir sollten aber erkennen, daß viele metaphysische Systeme zu wichtigen wissenschaftlichen Ergebnissen geführt haben. Ich erwähne nur das System Demokrits; und das System Schopenhauers, das dem Freuds sehr ähnlich ist. Und einige dieser Systeme, wie z.B. das System Platons, Malebranches, Schopenhauers, sind schöne Gedankengebäude. Zur selben Zeit sollten wir jene metaphysischen Systeme bekämpfen, die die Tendenz haben, uns zu betören und zu verwirren. Aber offenkundig gilt dasselbe auch für unmetaphysische und antimetaphysische Systeme, die diese gefährliche Tendenz aufweisen. Und ich glaube, daß wir dies nicht auf einen Schlag tun können. Wir müssen uns vielmehr die Mühe nehmen, die Systeme eingehender zu analysieren; wir müssen zeigen, daß wir verstehen, was ihre Verfasser meinen, und daß das, was sie meinen, nicht wert ist, verstanden zu werden. Es ist ein Charakteristikum all dieser dogmatischen Systeme, insbesondere aber der esoterischen Systeme, daß ihre Bewunderer allen Kritikern Mangel an Verstehen vorwerfen; aber sie vergessen dabei, daß das Verstehen nur im Fall von Sätzen trivialen Inhalts zur Übereinstimmung führen muß. In allen anderen Fällen kann man verstehen *und dennoch* anderer Meinung sein.

84:19. Vgl. SCHOPENHAUER, *Grundprobleme der Ethik,* Ausgabe Reclam, II, 528.

84:20. Simplicius, eine der besten Quellen in diesen sehr zweifelhaften Dingen, führt Antisthenes *(ad. Arist. Categ.* 66b, 67b) als einen Gegner der Ideenlehre Platons und, darüber hinaus, als einen Gegner der Lehre des Essentialismus und der intellektuellen Intuition überhaupt an. »Ich kann ein Pferd sehen, mein Platon«, sagt ANTISTHENES nach dem Bericht, »aber ich kann nicht seine Pferdheit sehen.« (Ein sehr ähnliches Argument wird von einer weniger verläßlichen Quelle, DIOGENES LAËRTIOS, VI, 53, Diogenes, dem Zyniker, zugeschrieben, und es besteht kein Grund, warum es nicht auch dieser hätte verwenden sollen.) Ich glaube, daß wir uns auf Simplicius verlassen können (dem Theophrast zugänglich gewesen zu sein scheint), und das in Anbetracht der Tatsache, daß die Zeugenschaft des Aristoteles selbst *(Metaphysik,* insbesondere 1043b24) mit diesem Anti-Essentialismus des Antisthenes gut übereinstimmt.

Ich möchte hinzufügen, daß ich trotz meiner Kritik sehr bereit bin, die Verdienste des Aristoteles zuzugeben. Er ist der Begründer der Logik; bis zu den *Principia Mathematica* läßt sich die Logik als eine Vertiefung und Erweiterung der aristotelischen Anfänge auffassen. (Eine neue Epoche der Logik hat inzwischen tatsächlich begonnen – nicht mit den ›nichtaristokratischen‹ oder ›mehrwertigen‹ Systemen, sondern vielmehr mit der klaren Unterscheidung zwischen ›Objektsprache‹ und ›Metasprache‹.) Außerdem hat Aristoteles das große Verdienst, daß er den Idealismus mit seinem *›common sense‹* (gesundem Menschenverstand) zu zähmen versuchte, indem er nämlich immer wieder behauptete, daß nur die individuellen Dinge ›wirklich‹ sind (und daß ihre ›Formen‹ und ihre ›Materie‹ nichts anderes sind als Aspekte oder Abstraktionen). Und doch ist dieses ehrliche Bemühen dafür verantwortlich, daß Aristoteles nicht einmal versuchte, das Problem des Universalismus Platons zu lösen (vgl. S. 148 f., oben), d.h. zu erklären, warum gewisse Dinge einander ähnlich sehen und andere nicht. Denn warum sollten nicht so viele aristotelische Wesenheiten in Dingen existieren, als es Dinge gibt?

zu Text *7:* Das Problem der Induktion

85:1. Siehe M. Born, *Natural Philosophy of Cause and Chance* (1949), S. 6.

87:2. Siehe zum Beispiel die Abschnitte *10* und *11* meines Kommentars zu Carnaps Aufsatz in *The Problem of Inductive Logic*, hrsg. von I. Lakatos (1968), S. 285-303; sowie Abschnitt *32* meiner *Ausgangspunkte* .

89:3. Siehe auch Anhang *1* und Kapitel *2* in meiner *Objektiven Erkenntnis.*

91:4. D. Hume, *A Treatise on Human Nature*, Buch I, Teil IV, letzter Absatz von Abschnitt II; Ausgabe von L. Selby-Bigge, S. 218; deutsche (Meiner) Ausgabe, S. 287. David Miller machte mich darauf aufmerksam, daß Hume, indem er den Kontrast zwischen dem, wovon er überzeugt war (dem Realismus), und dem, was er für wahr hielt (den Idealismus) nachwies und erlebte, sich hier – ohne Zweifel unbewußt – einen ersten Schritt weg bewegte von seiner eigenen (Alltags-)Charakterisierung der Erkenntis als einer Form der Überzeugung; und zwar einen Schritt in Richtung eines Erkennens der tiefen Kluft zwischen Welt 2 und Welt 3. Leider blieb diese Entdeckung Humes als ein Ärgernis innerhalb von Welt 2, und gelang es ihr nicht, zu einem objektiven Problem in Welt 3 zu werden.

93:5. Die drei Zitate sind aus Bertrand Russell, *A History of Western Philosophy* (1946), S. 698 f.; neue Ausgabe (1961), S. 645–647. (Hervorhebungen von mir.)

94:6. Siehe S. 21 in P. F. Strawson, ›On Justifying Induction‹, *Philosophical Studies* 9 (1958), S. 20 f. Siehe auch Hume, *op.cit.*, Buch II, Teil III, Abschnitt III; »Die Vernunft ist nur der Sklave der Affekte und soll es sein ...«; deutsche (Meiner) Ausgabe S. 153.

101:7. Siehe meine *Logik der Forschung*, S. 200.

zu Text *8:* Das Abgrenzungsproblem

104:1. Siehe meine *Vermutungen und Widerlegungen*, S. 160: »Vom Standpunkt der allgemeinen Relativitätstheorie aus ... dreht sich die Erde ... *in genau demselben Sinn, in dem das Rad an einem Fahrrad sich dreht.*«

107:2. Siehe meine *Vermutungen und Widerlegungen*, Kapitel *3*, Anm. 20–22 auf S. 155 f.

107:3. Siehe auch meinen Aufsatz ›The Present Significance of Two Arguments of Henri Poincaré‹, *Methodology and Science* 14 (1981), S. 260–264.

107:4. Siehe den Namenindex meiner *Vermutungen und Widerlegungen*, sowie mein Buch *Quantum Theory and the Schism in Physics*, Abschnitt *20*.

107:5. Ich muß diesen Punkt betonen, denn Ayer behauptete auf S. 538 f. in »Philosophy and Scientific Method«, *Proceedings of the XIVth International Congress of Philosophy* (Wien: 2. bis 9. September 1968), Band I, S. 536–542: »In der modernen Zeit beherrschen zwei Thesen das Feld. Gemäß der einen ist, was verlangt wird, daß die Hypothese verifizierbar ist: gemäß der anderen, daß sie falsifizierbar ist.« Und nachdem er sehr knapp das Verifizierbarkeitskriterium umrissen hat, schreibt er: »In seiner gegenwärtigen Form ist alles, was es von einer wissenschaftlichen Hypothese verlangt, daß sie nicht-trivial in einer Theorie vorkommen sollte, die als ganzes für die Bestätigung offen ist.«

»Im Falle des Prinzips der Falsifizierbarkeit«, fährt Ayer fort, »war der Prozeß der Anpassung weniger deutlich. Einige seiner Anhänger reden immer noch so, als ob die Formulierung, die ihm Professor Popper in den Anfangskapiteln seiner *Logik der Forschung* gab, weiterhin gelten würde. Tatsache ist jedoch, daß es Professor Popper selbst für notwendig hielt, es im Laufe desselben Buches zu modifizieren.« Darauf kann ich nur antworten, daß es mir (1) besser scheint, die notwendigen Modifikationen ›in demselben Buch‹ einzuführen, in dem der Vorschlag gemacht wurde; (2) führe ich die Falsifizierbarkeit als ein Abgrenzungskriterium ein auf S. 14 meiner *Logik der Forschung*, und ich ›hielt es für notwendig‹, all die verschiedenen Einwände auf der nächsten Seite im selben Abschnitt zu skizzieren, indem ich meine Absicht kundtue, jeden einzelnen später ausführlicher zu diskutieren; (3) verschob ich eine einzige Schwierigkeit auf später – die formale Nichtfalsifizierbarkeit von Wahrscheinlichkeitssätzen – und löste sie durch einen methodologischen Vorschlag.

111:6. Der Ausdruck ist von Hans Albert.

113:7. Für eine ausführlichere Diskussion siehe *Die Offene Gesellschaft und ihre Feinde*, Band II, S. 127 f. [sowie Text *26*].

114:8. Siehe *Vermutungen und Widerlegungen*, Kapitel *1*, besonders S. 49–54.

zu Text *9:* Die wissenschaftliche Methode

118:1. Als erster dürfte wohl LIEBIG *Induktion und Deduktion* (1865) im Namen der Naturforschung die induktive Methode abgelehnt haben; er wendet sich gegen Bacon. Ausgeprägt ›*deduktivistische*‹ Gedankengänge vertreten DUHEM *Ziel und Struktur der physikalischen Theorien,* deutsch von Adler (1908) [es finden sich aber in Duhems Buch auch induktivistische Ansichten, z.B. im dritten Kapitel des ersten Teiles, wo wir erfahren, daß Descartes nur durch Experimente, Induktion und Verallgemeinerung zu seinem Brechungsgesetz geführt wurde; und in V. KRAFT *Die Grundformen der wissenschaftlichen Methoden* (1925); vgl. auch CARNAP *Erkenntnis* 2 (1932, S. 440).

119:2. Ansprache zu Max Plancks 60. Geburtstag. Die zitierten Sätze beginnen mit den Worten: »Höchste Aufgabe des Physikers ist also das Aufsuchen …« usw. (zitiert nach: EINSTEIN, *Mein Weltbild* (1934), S. 168). Ähnliche Gedanken zuerst wohl bei LIEBIG, *op. cit.* vgl. auch MACH, *Prinzipien der Wärmelehre* (1896), S. 443 ff.

121:3. Zu diesem Terminus vgl. Kapitel X meiner *Logik der Forschung* sowie *Realism and the Aim of Science,* Teil *I,* Kapitel *IV.*

122:4. In den zwei Jahren, bevor die Erstauflage meiner *Logik der Forschung* (1934) erschien, lautete der ständige Einwand, den Mitglieder des Wiener Kreises gegen meine Ideen erhoben, daß eine Methodenlehre, die weder eine empirische Wissenschaft noch reine Logik ist, unmöglich sei, da alles, was außerhalb dieser beiden Gebiete liegt, bloßer Unsinn sein müsse. (Noch 1946 vertrat Wittgenstein die gleiche Ansicht, vgl. dazu Anmerkung 8 auf S. 101 in *Vermutungen und Widerlegungen* und Abschnitt *26* in *Ausgangspunkte.*) Später ging dieser immer wieder vorgebrachte Einwand in die Legende ein, daß ich das Verifizierbarkeitskriterium durch ein auf die Frage nach dem *Sinn* anwendbares Falsifizierbarkeitskriterium ersetzen wolle. Siehe mein *Realism and the Aim of Science,* Teil *I,* Abschnitte *19–22* und *Replies to my Critics,* Abschnitte *1–4.*

123:5. [Siehe Anmerkung 17 zu Text *6* oben.]

123:6. So schreibt H. GOMPERZ (*Weltanschauungslehre,* Bd. I (1905), S. 35): »Wenn man bedenkt, wie unendlich problematisch der Begriff der *Erfahrung* ist, … so wird man kaum umhin können zu glauben, daß ihm gegenüber weit weniger … enthusiastische Bejahung … als vielmehr sorgfältigste und zurückhaltendste Kritik am Platze … wäre … «

123:7. So DINGLER, *Physik und Hypothese, Versuch einer induktiven Wis-*

senschaftslehre (1921); ähnlich V. KRAFT, *Die Grundformen der wissenschaftlichen Methoden* (1925).

124:8. Die hier nur kurz entwickelte Auffassung, daß es Sache der Festsetzung ist, was man einen ›echten Satz‹ und was man einen ›sinnlosen Scheinsatz‹ nennen will (und daß daher auch die Ausschaltung der Metaphysik Sache der Festsetzung ist), vertrete ich seit Jahren. Meine [hier skizzierte] Kritik des Positivismus (und der ›naturalistischen‹ Auffassung) trifft, soviel ich sehe, nicht mehr CARNAPS *Logische Syntax der Sprache* (1934), in der auch Carnap den Standpunkt vertritt (›Toleranzprinzip‹), daß alle derartigen Fragen auf Festsetzungen zurückgehen. Aus dem Vorwort Carnaps entnehme ich, daß auch Wittgenstein in unveröffentlichten Arbeiten seit Jahren einen ähnlichen Standpunkt vertritt. CARNAPS *Logische Syntax* erschien, als meine *Logik der Forschung* im Korrekturstadium war. Leider konnte ich dieses Werk in meiner *Logik* nicht mehr berücksichtigen.

125:9. ›Bewähren‹ wurde von mir ins Englische zuerst mit ›confirm‹ übersetzt und daher ›bewährt‹ und ›Bewährung‹ mit ›confirmed‹ und ›confirmation‹. Da das aber zu Mißverständnissen führte, verwende ich jetzt fast immer die Ausdrücke ›corroborate‹, ›corroborated‹ und ›corroboration‹. Siehe auch die erste Anmerkung zu Kapitel *X* meiner *Logik;* für ›besser nachprüfbar‹ siehe *op. cit.*, Kapitel *VI*.

125:10. Vgl. K. MENGER, *Moral, Wille und Weltgestaltung* (1934), S. 58 ff.

125:11. Ich neige noch immer dieser Auffassung zu, obwohl die Tatsache, daß wir Theoreme wie ›Bewährungsgrad ≠ Wahrscheinlichkeit‹ *beweisen* können (siehe S. 343–353 in *Mind, Matter, and Method*, hrsg. von P. K. Feyerabend und G. Maxwell (1966), unerwartet und daher von *relativ* tiefergehender Bedeutung sein mag.

125:12. Siehe meine *Logik der Forschung*, Kapitel *VIII*, insbes. Abschnitt *68* [sowie Text *15*, unten].

126:13. K. MENGER, *Dimensionstheorie* (1928), S. 76.

126:14. In meiner *Logik* tritt diese kritische oder, wenn man will, ›*dialektische Methode*‹ der Auflösung von Widersprüchen stark zurück gegenüber dem Versuch, die Auffassung in ihren methodologischen Konsequenzen zu entwickeln. In meiner Arbeit *Die beiden Grundprobleme der Erkenntnistheorie* habe ich jedoch versucht, diesen kritischen Weg einzuschlagen und zu zeigen, daß die Probleme der klassischen und modernen Erkenntnistheorie (von Hume über Kant bis zu Russell und Wittgenstein) auf das ›*Abgrenzungsproblem*‹, auf die Frage nach dem Kriterium der empirischen Wissenschaft, zurückgeführt werden können.

126:15. Siehe meine *Logik der Forschung,* Abschnitte *12* und *79.*

zu Text *10:* Falsifikationismus oder Konventionalismus

127:1. Hauptvertreter: Poincaré und DUHEM, (*Ziel und Struktur der physikalischen Theorien* (deutsch 1908)), in der Gegenwart: DINGLER (von dessen zahlreichen Schriften wir nennen: *Das Experiment; Der Zusammenbruch der Wissenschaft und das Primat der Philosophie* (1926)). Der Deutsche Hugo Dingler darf nicht mit dem Engländer Herbert Dingler verwechselt werden. Der Hauptvertreter des Konventionalismus in der angelsächsischen Welt ist Eddington. Hier kann man auch noch erwähnen, daß Duhem die Möglichkeit entscheidender Experimente leugnet, da er sie als Verifikation auffaßt, während ich die Möglichkeit entscheidender *falsifizierender* Experimente behaupte. Siehe *Vermutungen und Widerlegungen,* Kapitel *3,* besonders Abschnitt *V.*

128:2. Diese Auffassung kann auch als ein Lösungsversuch des Induktionsproblems aufgefaßt werden; denn dieses verschwindet, wenn die Naturgesetze Definitionen (also tautologisch) sind. So wäre z.B. nach der Auffassung von CORNELIUS (vgl. ›Zur Kritik der wissenschaftlichen Grundbegriffe‹, *Erkenntnis* 2 (1931), Heft 4) der Satz: ›Der Schmelzpunkt von Blei liegt bei 335 °C‹ eine (durch induktive Erfahrungen angeregte) *Definition* des Begriffes Blei, und daher unwiderleglich; ein im übrigen bleiartiger Stoff mit anderem Schmelzpunkt wäre eben kein ›Blei‹. Nach unserer Auffassung ist aber jener Satz, wenn er ›wissenschaftlich verwendet‹ wird, synthetisch und besagt u.a., daß ein Element mit der und der Atomstruktur (Ordnungszahl 82) immer diesen Schmelzpunkt hat – gleichgültig, welchen Namen wir ihm geben.

Einen ähnlichen Standpunkt wie Cornelius scheint AJDUKIEWICZ zu vertreten (vgl. *Erkenntnis* 4 (1934), Seite 100f. sowie die dort angekündigte Arbeit ›Das Weltbild und die Begriffsapparatur‹); er bezeichnet ihn als ›radikalen Konventionalismus‹.

129:3. Zum Problem der Einfachheit siehe meine *Logik,* Kapitel *VII,* besonders Abschnitt *46.*

129:4. CARNAP, ›Über die Aufgabe der Physik und die Anwendung des Grundsatzes der Einfachheit‹, *Kantstudien* 28 (1923), S. 90–107, besonders 100.

130:5. J. BLACK, *Vorlesungen über Chemie,* I. (deutsch von Crell, 1804), S. 243.

130:6. Wie Falsifizierbarkeitsgrade zu beurteilen sind, untersuchen wir in der *Logik der Forschung,* Kapitel *VI.*

131:7. *Das ist falsch:* die Kontraktionshypothese *hat* falsifizierbare Konsequenzen, wie A. GRÜNBAUM in *British Journal for the Philosophy of Science* 10, (1959), S. 48–50, ausführt. (Sie ist aber natürlich in geringerem Maße nachprüfbar als die spezielle Relativitätstheorie und ist daher ein Beispiel für die Tatsache, daß es *Grade der Ad-hoc-heit* gibt.)

131:8. Vgl. z.B. HAHN, Logik, ›Mathematik und Naturerkennen‹, *Einheitswissenschaft* 2 (1933), S. 22ff.; zu dieser Stelle hätten wir nur zu bemerken, daß es nach unserer Meinung ›konstituierbare‹ (d.h. empirisch definierbare) Terme gar nicht gibt. An deren Stelle treten bei uns die undefinierbaren, nur durch den Sprachgebrauch festgelegten Universalien. [Siehe auch S. 81 oben, sowie Schluß von Abschnitt *I* von Text *11*.]

132:9. Formulierungen, die der hier gegebenen äquivalent sind, wurden nach Veröffentlichung meines Buches immer wieder als Kriterien für den Sinn von Sätzen (anstatt als *Abgrenzungs*kriterien für theoretische *Systeme*) propagiert, auch von Kritikern, die mein Falsifizierbarkeitskriterium sehr von oben herab behandelten. Es ist jedoch klar, daß die vorliegende Formulierung der Forderung nach Falsifizierbarkeit äquivalent ist, wenn sie als *Abgrenzungs*kriterium verwendet wird. Denn wenn der Basissatz b_2 nicht aus b_1 allein, wohl aber aus der Konjunktion von b_1 und der Theorie t folgt (dies ist die Formulierung im Text), dann ist damit gesagt, daß die Konjunktion von b_1 mit der Negation von b_2 der Theorie t widerspricht. Die Konjunktion von b_1 mit der Negation von b_2 ist aber ein Basissatz [siehe Abschnitt *III* des nächsten Textes]. Daher verlangt unser Kriterium die Existenz eines falsifizierenden Basissatzes, d.h., es fordert die Falsifizierbarkeit genau in meinem Sinn.

Als Kriterium des *Sinnes* (oder der ›schwachen Verifizierbarkeit‹) versagt diese Forderung jedoch aus verschiedenen Gründen. Erstens, weil die Negationen mancher sinnvoller Sätze nach diesem Kriterium sinnlos wären. Zweitens, weil die Konjunktion eines sinnvollen Satzes mit einem ›sinnlosen Scheinsatz‹ sinnvoll wäre – was ebenso absurd ist.

Wenn wir nun diese kritischen Einwände gegen unser *Abgrengungs*kriterium richten, ergibt sich, daß beide ihm nichts anhaben können. Zu dem ersten Einwand vgl. meine *Logik,* Abschnitt *15,* oben, besonders Anm. *2 (und auch Abschnitt *22 meines *Realism and the Aim of Science,* I). Was den zweiten Einwand betrifft, so können empirische Theorien (wie etwa die Newtons) ›metaphysische‹ Elemente enthalten. Aber diese können nicht durch eine exakte Regel eliminiert werden; wenn es uns allerdings gelingt, die Theorie als Konjunktion eines nachprüfbaren und eines nichtnachprüfbaren Teiles darzustellen, dann wissen wir natürlich, daß wir nunmehr eine der metaphysischen Komponenten aus der Theorie eliminieren können.

Der vorangehende Absatz dieser Anmerkung kann als ein praktisches Beispiel für eine *methodologische Regel* dienen: nachdem wir eine konkurrierende Theorie der Kritik unterworfen haben, sollen wir stets alles unternehmen, um dieselben oder ähnliche kritische Einwände auf unsere eigene Theorie anzuwenden.

133:10. Tatsächlich werden einander viele der ›erlaubten‹ Basissätze im Rahmen der Theorie widersprechen. So ›instantiiert‹ beispielsweise selbstverständlich jede Menge von genau drei Positionen eines Planeten das allgemeine Gesetz ›Alle Planeten bewegen sich in Kreisen‹ (das heißt ›Jede Menge von Positionen irgendeines Planeten liegt auf demselben Kreis‹), aber zwei solche ›Instanzen‹ werden zusammen zumeist dem Gesetz widersprechen.

133:11. Die falsifizierende Hypothese kann von sehr niedriger Allgemeinheitsstufe sein (sozusagen dadurch gewonnen, daß man die individuellen Koordinaten eines Beobachtungsergebnisses ›laufend macht‹). Sie muß, wenn auch intersubjektiv nachprüfbar, nicht einmal ein streng allgemeiner Satz sein; so wird zur Falsifikation des Satzes: ›Alle Raben sind schwarz‹ der intersubjektiv nachprüfbare Satz hinreichen, daß im Tiergarten zu N. eine Familie von weißen Raben lebt. All dies zeigt, wie dringend notwendig die Ersetzung einer falsifizierten Hypothese durch eine bessere ist. In den meisten Fällen hat man, bevor eine Hypothese falsifiziert wird, schon eine andere auf Lager; denn das falsifizierende Experiment ist gewöhnlich ein *experimentum crucis,* das zwischen den beiden Hypothesen entscheiden soll. Das heißt, dieses Experiment ist durch die Tatsache angeregt, daß sich die zwei Hypothesen in irgendeiner Hinsicht unterscheiden, und macht sich diese Gegebenheit zunutze, um (mindestens) eine von ihnen zu widerlegen.

Es könnte scheinen, als enthielte diese Bezugnahme auf anerkannte Basissätze den Keim eines unendlichen Regresses. Denn unser Problem ist hier folgendes. Da eine Hypothese durch *Anerkennung* eines Basissatzes falsifiziert wird, brauchen wir *methodologische Regeln für die Anerkennung von Basissätzen.* Wenn sich nun diese Regeln ihrerseits auf anerkannte Basissätze berufen, können wir in einen unendlichen Regreß geraten. Darauf erwidere ich, daß die Regeln, die wir brauchen, nur Regeln für die Anerkennung derjenigen Basissätze sind, die eine bestimmte gut geprüfte und bisher erfolgreiche Hypothese falsifizieren; und daß die anerkannten Basissätze, auf die sich die Regel selbst stützt, diese Eigenschaft nicht zu haben brauchen. Außerdem ist die im Text formulierte Regel keineswegs erschöpfend; sie erwähnt nur einen wichtigen Aspekt der Anerkennung von Basissätzen, die eine sonst erfolgreiche Hypothese falsifizieren, und wird [im nächsten Text (besonders Abschnitt *IV*)] erweitert.

In einer persönlichen Mitteilung stellt Professor J. H. Woodger die Frage: Wie oft muß ein Effekt tatsächlich reproduziert werden, um als *›reproduzierbarer Effekt‹* (als *›Entdeckung‹*) zu gelten? Die Antwort ist: In manchen Fällen ist *nicht einmal eine Wiederholung nötig.* Wenn ich behaupte, daß im Tiergarten zu N. eine Familie von weißen Raben lebt, dann behaupte ich damit etwas *prinzipiell Nachprüfbares.* Wenn jemand diese Behauptung nachprüfen will und bei seiner Ankunft in N. erfährt, daß die weißen Raben tot sind oder daß niemand jemals von ihnen gehört hat, dann bleibt es ihm überlassen, ob er meinen falsifizierenden Basissatz annimmt oder verwirft. In der Regel stehen ihm Mittel zur Verfügung, mit deren Hilfe er sich eine Meinung bilden kann, etwa Zeugen, Dokumente usw., d.h. der Rückgriff auf andere intersubjektiv nachprüfbare und reproduzierbare Tatsachen.

zu Text *11:* Die empirische Basis

135:1. FRIES, *Neue oder anthropologische Kritik der Vernunft* (1828 bis 1831).

136:2. Vgl. z.B. J. KRAFT, *Von Husserl zu Heidegger* (1932), S. 120 f. (*Zweite Auflage (1957), S. 108 f.)

136:3. Wir folgen fast wörtlich Ausführungen von P. FRANK und H. HAHN (vgl. Anm. 7 und 5 unten).

136:4. [Vgl. Anm. 8 des vorhergehenden Textes.] ›Konstituierbar‹ ist Carnaps Ausdruck.

137:5. Die ersten zwei Zitate sind aus H. HAHN, ›Logik, Mathematik und Naturerkennen‹ (*Einheitswissenschaft* 2, 1933) S. 19, S. 24. Das dritte Zitat ist aus R. CARNAP, *Scheinprobleme in der Philosophie* (1928), S. 15 (im Original kein Kursivdruck).

139:6. Ein Ausdruck von Böhm-Bawerk.

139:7. FRANK, *Das Kausalgesetz und seine Grenzen* (1932), S. 1. *Zum Instrumentalismus siehe *Vermutungen und Widerlegungen,* Kapitel *3* und *Realism and the Aim of Science,* Abschnitte *12* bis *14.*

139:8. Als ich diesen Satz schrieb, hielt ich es für hinreichend klar und selbstverständlich, daß aus Newtons Theorie allein, ohne Randbedingungen, keinerlei Beobachtungssätze ableitbar sein können (und daher ganz bestimmt keine Basissätze). Leider stellte sich heraus, daß diese Tatsache und die daraus für das Problem der Beobachtungssätze oder Basissätze entstehenden Konsequenzen von manchen Kritikern meiner *Logik* nicht genügend beachtet wurden. Ich möchte deshalb hier ein paar Bemerkungen zu diesem Thema einschieben.

Zunächst: Nichts Beobachtbares folgt aus einem reinen Allsatz – ›Alle Schwäne sind weiß‹ zum Beispiel. Dies sieht man leicht ein, wenn man bedenkt, daß ›Alle Schwäne sind weiß‹ und ›Alle Schwäne sind schwarz‹ einander natürlich nicht widersprechen, sondern zusammen nur implizieren, daß es keine Schwäne gibt, was offensichtlich kein Beobachtungssatz ist, nicht einmal einer, der ›verifiziert‹ werden kann. (Ein einseitig falsifizierbarer Satz wie ›Alle Schwäne sind weiß‹ hat übrigens dieselbe logische Form wie ›Es gibt keine Schwäne‹, denn er ist dem Satz ›Es gibt keine nichtweißen Schwäne‹ äquivalent.)

Gibt man dies zu, dann sieht man sofort, daß diejenigen singulären Sätze, die tatsächlich aus reinen Allsätzen ableitbar sind, keine Basissätze sein können. Ich denke an Sätze der Form: ›Wenn ein Schwan am Ort k ist, dann ist ein weißer Schwan am Ort k.‹ (Oder: ›In *k* ist entweder kein Schwan oder ein weißer Schwan.‹) Wir sehen nun sofort, warum diese ›Instantialsätze‹ (wie man sie nennen kann) keine Basissätze sind. Der Grund dafür ist, daß diese Instantialsätze *nicht die Rolle von Prüfsätzen (Falsifikationsmöglichkeiten) spielen können,* und das ist gerade die Funktion, die Basissätze erfüllen sollen. Wenn wir Instantialsätze als Prüfsätze annehmen wollten, würden wir für jede beliebige Theorie (und daher *sowohl* für ›Alle Schwäne sind weiß‹ als *auch* für ›Alle Schwäne sind schwarz‹) eine überwältigend große Zahl von Verifikationen erhalten – ja sogar eine unendlich große Zahl, da ja der überwiegende Teil der Welt keine Schwäne enthält.

Da ›Instantialsätze‹ aus allgemeinen Sätzen ableitbar sind, müssen ihre Negationen Falsifikationsmöglichkeiten sein und *können* daher Basissätze sein (wenn die weiter unten im Text angegebenen Bedingungen erfüllt sind). Umgekehrt werden dann Instantialsätze die Form von negierten Basissätzen haben. Es ist interessant, daß Basissätze (die zu stark sind, um aus allgemeinen Gesetzen allein ableitbar zu sein) im allgemeinen einen größeren informativen Gehalt haben als die Instantialsätze, die aus ihnen durch Negation entstehen. Also wird im allgemeinen *das Maß des Gehalts von Basissätzen größer* sein als 1/2 und daher größer als *ihre logische Wahrscheinlichkeit.*

Dies sind einige der Überlegungen, auf denen meine Theorie der logischen Form der Basissätze beruht. (Siehe *Vermutungen und Widerlegungen,* Anhang 1.)

141:9. Carnap, ›Die physikalische Sprache als Universalsprache der Wissenschaft‹, *Erkenntnis* 2 (1932), S. 445.

142:10. Vgl. Carnap, ›Über Protokollsätze‹, *Erkenntnis* 3 (1932) S. 215–228. Diese Arbeit Carnaps enthielt den ersten veröffentlichten Bericht über meine Theorie der Nachprüfung, und die hier zitierte Ansicht wurde von ihm in irriger Weise mir zugeschrieben.

143:11. Es scheint mir, daß die hier vertretene Auffassung der ›kritizistischen‹ (oder Kantischen – etwa in der Friesschen Form) nähersteht als dem Positivismus. Denn während Fries durch seine Lehre vom ›Vorurteil des Beweises‹ betont, daß das (logische) Verhältnis der Sätze untereinander ein ganz anderes ist als das zwischen den Sätzen und den Erlebnissen (der ›Anschauung‹), versucht der Positivismus immer wieder, diesen Gegensatz aufzuheben: Entweder wird alle Wissenschaft zum Wissen, zu *›meinem‹ Erlebnis* (›Empfindungsmonismus‹), oder die ›Erlebnisse‹ werden in Form von

›Protokollsätzen‹ in den objektiven wissenschaftlichen *Begründungszusammenhang* einbezogen (›Satzmonismus‹).

zu Text *12:* Die Zielsetzung der Erfahrungswissenschaft

144:1. Siehe *Vermutungen und Widerlegungen*, S. 255.

145:2. Diese Schlußweise gibt es noch bei THALES (D-K, Bd. I, S. 456, Zeile 35), ANAXIMANDER (D-K, A 11, A 28); ANAXIMENES (D-K, A 17, B I); ALKMAION (D-K, A 5).

147:3. Meine Interpretation dieser Stelle wird unterstützt durch Newtons Briefe an Richard Bentley vom 17. Januar und besonders vom 25. Februar 1693. Ein Zitat aus diesem Brief wird in Kapitel *3*, S. 154 meiner *Vermutungen* besprochen, wo der Essentialismus etwas ausführlicher diskutiert und kritisiert wird.

147:4. Der Ausdruck ›modifizierter Essentialismus‹ wurde zur Beschreibung meiner eigenen ›dritten Auffassung‹ gebraucht von einem Rezensenten meiner Abhandlung ›Drei Ansichten über die menschliche Erkennntnis‹ (Kapitel *3* meiner *Vermutungen*). Um Mißverständnisse zu vermeiden, möchte ich hier sagen, daß ich diesen Ausdruck übernehme, ohne damit ein Zugeständnis an die Lehre von einer ›letzten oder essentiellen Wirklichkeit‹ zu machen, und noch weniger ein Zugeständnis an die Lehre von den wesentlichen Definitionen. Ich halte voll und ganz an der Kritik dieser Lehre fest [in: Text *6*, oben].

149:5. Was Platons Theorie der Formen oder Ideen betrifft, so ist es »eine ihrer wichtigsten Funktionen, die Ähnlichkeit durch die Sinne wahrnehmbarer Dinge zu erklären …«, vgl. meine *Offene Gesellschaft*, Kapitel *3* (in Band I), Abschnitt *V*; siehe auch Anm. 19 und 20 und Text. Daß es Aristoteles' Theorie nicht gelingt, diese Funktion zu erfüllen, wird [in Anm. 20 zu Text *6*] erwähnt.

150:6. Was von Keplers Gesetzen abgeleitet werden kann (siehe MAX BORN, *Natural Philosophy of Cause and Chance* (1949), S. 129–133), ist, daß für alle Planeten die Beschleunigung gegen die Sonne hin in jedem Augenblick gleich k/r^2 ist, wobei r die Entfernung zwischen dem Planeten und der Sonne im gegebenen Augenblick ist und k eine Konstante, dieselbe für alle Planeten. Doch gerade dieses Resultat widerspricht formal Newtons Theorie (außer unter der Voraussetzung, daß die Massen der Planeten alle gleich oder, wenn ungleich, dann unendlich klein sind, verglichen mit denen der Sonne). Aber außerdem sollte man sich daran erinnern, daß weder Keplers noch Galileis Theorien Newtons Begriff der *Kraft* enthalten, der herkömmlicherweise in diesen Deduktionen ohne weiteres Aufheben eingeführt wird – als ob dieser (in Berkeleys Sinn ›okkulte‹) Begriff von den Tatsachen abgelesen werden könnte, anstatt das Resultat einer neuen Interpretation der Tatsachen (das heißt der durch Keplers und Galileis Gesetze beschriebenen ›Phänomene‹) im Licht einer völlig neuen Theorie zu sein. Erst *nachdem* der Begriff der Kraft (und selbst die Proportionalität von schwerer und träger Masse) eingeführt worden ist, ist es überhaupt möglich, die oben angeführte Formel für die Beschleunigung mit Newtons Gesetz der Anziehung im umgekehrten Verhältnis des Quadrates der Entfernung zu verbinden (durch die Annahme, daß die Massen der Planeten außer acht gelassen werden können).

152:7. A. EINSTEIN, ›Über die Entwicklung unserer Anschauungen über das Wesen und die Konstitution der Strahlung‹, *Physikalische Zeitschrift* 10 (1909), S. 817 f. Die Verwerfung der Theorie eines materiellen Äthers (implizite in Maxwells Fehlschlag der Konstruktion eines zufriedenstellenden mechanischen Modells des Äthers) gibt Maxwells Theorie Tiefe (im ersten, weiter oben analysierten Sinn), im Vergleich zu der Fresnels; und dies scheint mir in dem Zitat aus Einsteins Abhandlung implizite zu sein. Daher ist Einsteins Form der Theorie vielleicht nicht wirklich ein Beispiel für *andere* Bedeutung von ›Tiefe‹. Aber Maxwells Originalform ist, wie ich glaube, ein solches Beispiel.

zu Text *13:* Das Wachstum der wissenschaftlichen Erkenntnis

154:1 Siehe das Vorwort zur ersten englischen Ausgabe (1958) meiner *Logik der Forschung;* siehe auch ab der 2. deutschen Aufl. (1966), S. XIV ff.

156:2. Siehe die Diskussion über Grade der Prüfbarkeit, empirischen Gehalt, Bewährbarkeit und Bewährung in meiner *Logik der Forschung,* vor allem die Abschnitte *31* bis *46; 82* bis *85;* den Neuen Anhang **IX;* siehe dort auch die Diskussion über Grade der Erklärungskraft und vor allem den Vergleich von Einsteins und Newtons Theorien (Fußnote 7 auf S. 354). Im folgenden werde ich mich manchmal auf die Prüfbarkeit usw. beziehen als das ›Fortschrittskriterium‹, ohne auf die detaillierteren Unterscheidungen einzugehen, die in meinem Buch diskutiert werden.

158:3. Siehe zum Beispiel J. C. HARSANYI, ›Popper's Improbability Criterion for the Choice of Scientific Hypotheses‹, *Philosophy* 35 (1960), S. 332 ff. Nebenbei bemerkt schlage ich keineswegs ein ›Kriterium‹ für die Wahl wissenschaftlicher Hypothesen vor: Jede Wahl bleibt ein riskantes Raten. Außerdem fällt die Wahl des Theoretikers auf die Hypothese, die am ehesten einer *weiteren kritischen Diskussion* wert ist (und nicht auf die, die am *akzeptabelsten* erscheint). [siehe auch Abschnitt *VIII* von Text *7,* oben.]

159:4. Siehe meine *Logik,* insbesondere die Anhänge **IV* und **V.*

159:5. *Op. cit.*, Anhang **IX*.

161:6. Zu dieser Ansicht kam ich aufgrund einer Diskussion mit J. Agassi im Jahre 1956, der mich davon überzeugte, daß die Neigung, die fertigen deduktiven Systeme als Endzweck anzusehen, ein Relikt der langen Vorherrschaft Newtonischen Gedankengutes ist (und damit, so möchte ich hinzufügen, der Platonischen und Euklidischen Tradition).

zu Text *14:* Wahrheit und Annäherung an die Wahrheit

164:1. Siehe meine *Logik der Forschung,* vor allem Abschnitt *84,* und meine *Offene Gesellschaft,* vor allem im Anhang *I* zu Band II, ab der 7. Aufl. (1992) S. 461–466.

164:2. Vgl. WITTGENSTEINS *Tractatus,* besonders 4.0141; auch 2.161; 2.17; 2.223; 3.11.

164:3. Siehe vor allem S. 56–57 in SCHLICKS bemerkenswerter *Erkenntnislehre* (2. Aufl. 1925).

166:4. Vgl. FRANK P. RAMSAY, *The Foundations of Mathematics* (1931).

169:5. Siehe die Diskussion der ›zweiten Ansicht‹ (genannt ›Instrumentalismus‹) in Kapitel *3* meiner *Vermutungen.*

170:6. Siehe ALFRED TARSKIS Artikel ›The Semantic Conception of Truth‹ in *Philosophy and Phenomenological Research* 4 (1943/1944), S. 341–376; deutsche Übersetzung: ›Die semantische Konzeption der Wahrheit und die Grundlagen der Semantik‹, in: *Wahrheitstheorien,* hrsg. von G. Skirbekk (1977). (Vgl. besonders Abschnitt 21.)

170:7. Siehe den in der vorigen Anmerkung erwähnten Band, vor allem S. 279 und 336.

171:8. Vgl. CARNAP, *Logical Foundations of Probability* (1950), S. 177, und meine *Logik der Forschung,* besonders Abschnitt *84.*

175:9. Aus WILHELM BUSCH, *Schein und Sein* (erstmals postum 1909 veröffentlicht; S. 28 der Insel-Ausgabe, 1952). Ich verdanke den Hinweis auf diesen Vers meinem verstorbenem Freund JULIUS KRAFT; siehe seinen Beitrag zu dem Band *Erziehung und Politik* (Aufsätze für Minna Specht, 1960); siehe S. 262.

178:10. Ähnliche Zweifel äußert Quine, wenn er Peirce kritisiert, weil dieser mit dem Gedanken der Annäherung an die Wahrheit operiert. Siehe W. V. Quine, *Word and Object* (1960), S. 23.

179:11. Diese Definition ist logisch gerechtfertigt durch das Theorem, das behauptet, daß im Hinblick auf den ›empirischen Teil‹ des logischen Gehalts Vergleiche der Größe des empirischen und des logischen Gehalts zweier Aussagen oder Sätze immer dieselben Resultate liefern; und sie ist intuitiv gerechtfertigt durch die Überlegung, daß ein Satz *a* um so mehr über die Welt unserer Erfahrung mitteilt, je mehr mögliche Erfahrungen er ausschließt (oder verbietet). [Über Basissätze siehe auch Abschnitt *III* von Text *11*, oben.]

181:12. Siehe den Anhang zu meinen *Vermutungen.* Meine Theorie der Wahrheitsähnlichkeit ist in den letzten Jahren einer strengen und ausführlichen Kritik unterzogen worden. Für eine Diskussion der Hauptpunkte siehe meine *Objektive Erkenntnis,* Anhang *II,* (4). Ich möchte hier betonen, was ich im Effekt [auf S. 182] bemerkt habe: daß der Mißerfolg meiner *formalen* Theorie der Wahrheitsähnlichkeit die ursprünglichen methodologischen Vorschläge des Falsifikationalismus in keiner Weise beeinträchtigt.

zu Text *15:* Propensitäten, Wahrscheinlichkeiten und die Quantentheorie

185:1. Eine ausführliche Behandlung der Propensitätsinterpretation der Wahrscheinlichkeit und ihrer Auswirkungen auf die Quantentheorie kann in den drei Bänden meines *Postskripts zur Logik der Forschung* gefunden werden. Siehe besonders *Realism and the Aim of Science,* Teil *II*, Kapitel *III*; *The Open Universe,* Abschnitte *27–30*; und *Quantum Theory and the Schism in Physics,* Kapitel *II*.

186:2. Siehe meine *Logik der Forschung,* Kapitel *VIII*, und mein *Realism and the Aim of Science,* Abschnitte *21–23*.

187:3. Siehe *Realism and the Aim of Science,* Teil *II*, Kapitel *I*. Die subjektivistische Interpretation der Wahrscheinlichkeit ist eine notwendige Konsequenz des Determinismus. Ihre Beibehaltung in der Quantentheorie ist ein Überbleibsel einer noch nicht völlig ausgemerzten deterministischen Position. Siehe *The Open Universe,* Abschnitt *29*, sowie *Quantum Theory and the Schism in Physics,* Abschnitte *5* und *6*.

188:4. Was wir deuten, ist nicht ein Wort ›Wahrscheinlichkeit‹ und seine ›Bedeutung‹, sondern formale Systeme – den Wahrscheinlichkeitskalkül (besonders in seiner maßtheoretischen Form) und den Formalismus der Quantentheorie. Zur formalen Behandlung der Wahrscheinlichkeit siehe meine *Logik der Forschung,* Anhänge **IV* und **V*.

zu Text *16:* Metaphysik und Kritisierbarkeit

194:1. Kant, *Kritik der praktischen Vernunft,* 4. bis 6. Aufl., S. 172; *Werke,* hrsg. von Cassirer, Bd. V, S. 108.

195:2. Vgl. Julius Kraft, *Von Husserl zu Heidegger,* 2. Aufl., 1957, z.B. S. 103 f., 136 f. und vor allem S. 130, wo Kraft schreibt: »Es ist daher schwer verständlich, wie der Existentialismus jemals epistemologisch als ein philosophisches Novum erscheinen konnte.« Vgl. auch die anregende Arbeit von H. Tint, *Proceedings of the Aristotelian Society* (1956–57), S. 253 ff.

202:3. Vgl. auch Humes aufrichtiges Eingeständnis, daß »jeder meiner Leser, was immer seine Anschauung in diesem gegenwärtigen Augenblick sein mag, nach einer Stunde überzeugt sein wird, es gebe eine äußere und innere Welt« *(Ein Traktat über die menschliche Natur,* Erstes Buch, Teil IV, Ende von Abschnitt 2, Meiner-Ausgabe, S. 287). [Für einen Kommentar siehe Anm. 4 zu Text *7,* oben.]

zu Text *17:* Der Realismus

206:1. Der Positivismus, der Phänomenalismus und auch die Phänomenologie sind natürlich alle von dem Subjektivismus des Kartesischen Ausgangspunktes infiziert.

206:2. Man könnte die Unwiderlegbarkeit des Realismus (die ich zuzugeben bereit bin) in Frage stellen. Die große österreichische Schriftstellerin Marie Ebner von Eschenbach (1830–1916) erzählt in ihren Kindheitserinnerungen, es sei ihr der Verdacht gekommen, daß der Realismus falsch sei. Vielleicht verschwinden die Dinge, wenn wir nicht hinsehen? Sie versuchte, die Welt bei ihrem Verschwinden zu ertappen, indem sie sich plötzlich herumdrehte und dabei halb und halb hoffte, zu sehen, wie sich die Dinge aus dem Nichts rasch wieder zusammenzufinden suchten, und jedesmal, wenn es nicht so war, war sie enttäuscht und zugleich erleichtert. Man kann zu dieser Geschichte verschiedene Kommentare geben. Zunächst könnte es sein, daß dieser Bericht über kindliches Experimentieren etwas durchaus Normales und Häufiges berichtet, das eine Rolle bei der Entwicklung der Unterscheidung des Alltagsverstands zwischen Erscheinung und Wirklichkeit spielt. Zweitens (zu dieser Betrachtungsweise neige ich etwas stärker) könnte es sein, daß der Bericht untypisch ist, daß die meisten Kinder naive Realisten sind oder es so früh werden, daß sie sich später an nichts anderes mehr erinnern, und daß Marie von Ebner ein ungewöhnliches Kind war. Drittens habe ich selbst – nicht nur als Kind, sondern auch als Erwachsener – nicht ganz unähnliche Erlebnisse gehabt: wenn ich zum Beispiel etwas wiederfand, was ich völlig vergessen hatte, dachte ich manchmal: hätte die Natur dieses Ding verschwinden lassen, so hätte es niemand gemerkt. (Die Wirklichkeit brauchte hier nicht zu zeigen, daß sie ›wirklich‹ vorhanden war; niemand hätte etwas gemerkt, wenn sie es unterlassen hätte.) Es erhebt sich nun die Frage, ob, wenn Marie Erfolg gehabt hätte, der Realismus widerlegt gewesen wäre oder nur eine ganz spezielle Form des Realismus. Ich sehe keinen Anlaß, mich mit dieser Frage auseinanderzusetzen, sondern *gebe* meinen Gegnern *zu*, daß der Realismus nicht widerlegbar ist. Sollte das nicht richtig sein, so käme der Realismus einer prüfbaren wissenschaftlichen Theorie noch näher, als ich zunächst behaupten wollte.

207:3. Von WIGNER siehe besonders seinen Beitrag zu *The Scientist Speculates*, Hrsg. I. J. Good (London, 1962), S. 284–302. Eine Kritik lieferte besonders EDWARD NELSON, *Dynamical Theories of Brownian Motion*, Princeton University Press, 1967, §§ 14–16. Siehe auch die Einleitung zu meinem *Quantum Theory and the Schism in Physics* und meinen Aufsatz ›Particle Annihilation and the Experiment of Einstein, Podolsky and Rosen‹, in *Perspectives in Quantum Theory: Essays in Honour of Alfred Landé*, hrsg. von W. Yourgrau und A. van der Merwe, Cambridge, Mass. (1971), S. 182–198.

207:4. Siehe meine *Logik der Forschung* (1934), wo ich mich in Abschnitt *79* als metaphysischen Realisten bezeichne. Zu dieser Zeit setzte ich fälschlich die Grenzen der Wissenschaft mit den Grenzen der Diskutierbarkeit gleich. [siehe vorhergehenden Text]

207:5. Bühler (und vor ihm teilweise W. von Humboldt) zeigte deutlich die deskriptive Funktion der Sprache auf. [Siehe besonders Abschnitt *II* von Text *21*.]

209:6. Siehe ALBERT EINSTEIN, ›Remarks on Bertrand Russell's Theory of Knowledge‹, in P. A. Schilpp (Hrsg.), *The Philosophy of Bertrand Russell*, S. 290 f. Schilpps Übersetzung auf S. 291 ist viel wörtlicher als die meinige, aber ich habe den Eindruck, daß die Bedeutung von Einsteins Gedanken den Versuch einer *sehr* freien Übersetzung rechtfertigt, die, wie ich hoffe, immer noch das trifft, was Einstein sagen wollte.

209:7. Siehe WINSTON S. CHURCHILL, *My Early Life – A Roving Commission*, zuerst veröffentlicht im Oktober 1930; zitiert mit Genehmigung der Hamlyn Publishing Group aus der Odhams-Press-Ausgabe, London, 1947, Kapitel IX, S. 115 f. (Hervorhebungen nicht im Original.) Siehe auch die Macmillan-Ausgabe, London, 1944, S. 131 f.

zu Text *18:* Kosmologie und Veränderung

211:1. Ich freue mich, hier nachtragen zu können, daß Professor G. S. Kirk mir tatsächlich geantwortet hat. Siehe sein ›Popper on Science and the Presocratics‹ in *Mind* 69 (1960), S. 318–339 und meine Antwort in meinen *Vermutungen,* S. 224–242.

213:2. ARISTOTELES selbst verstand Anaximander in diesem Sinn; er karikierte nämlich dessen »›gescheite, aber unwahre Theorie«, indem er die Situation einer solchen Erde verglich mit der Situation eines von Hunger und Durst geplagten Mannes, der gleich weit entfernt ist von Speise und Trank, und sich nicht für eine Richtung entscheiden kann. *(De Caelo,* 295b32. Das Dilemma ist ansonsten bekanntgeworden als die Geschichte von ›Buridans Esel‹.) Aristoteles stellt sich diesen Mann offensichtlich vor als im Gleichgewicht gehalten von nicht materiellen und nicht sichtbaren Anziehungskräften (ähnlich den Newtonischen Kräften), erstaunlicherweise hat nicht nur Newton selbst (und zwar irrtümlich) diese ›animistischen‹ oder ›okkulten‹ Eigenschaften seiner Kräfte zutiefst als einen Makel empfunden, sondern auch seine Gegner, wie z.B. Berkeley. Weitere Kommentare zu Anaximander, siehe meine *Vermutungen,* Anhang 9.

216:3. Siehe Aristoteles, *De Caelo,* 289b10–290b7.

218:4. Ich will eben nicht darauf hinaus, daß das Ersticken eine Folge des Verstopfens der Atemlöcher ist: beispielsweise behauptet die Phlogiston-Theorie, daß Feuer durch Verstopfen der Atemlöcher erstickt wird. Doch will ich Anaximander weder die Phlogiston-Theorie der Verbrennung zuschreiben, noch eine Vorwegnahme von Lavoisier.

221:5. Die in diesem und im übernächsten Abschnitt zitierten Fragmente sind: Heraklit, A 4 und B 50, 30 [siehe auch Anmerkung 1 zu Text *1,* oben.]

221:6. Ich spreche hier insbesondere von G. S. KIRK u. J. E. RAVEN, *The Presocratic Philosophers* (1975), die ich in meinen *Vermutungen,* S. 214–218 bespreche. Siehe auch meine *Offene Gesellschaft,* Kapitel 2.

222:7. Die hier zitierten Zitate sind: Heraklit B 123, B 54, B 88, B 60, B 58, B102, B 78.

223:8. Dieses Zitat sind die Xenophanes Fragmente D-K B 23, 26, 25, 24. Siehe auch Parmenides B 7 und 8.

zu Text *19:*
Die natürliche Selektion und ihr wissenschaftlicher Status

225:1. Die hier verwendeten Zitate sind aus *The Life and Letters of Charles Darwin,* hrsg. von F. Darwin (1887); siehe Band II, S. 219 und Band I, S. 47.

226:2. *Op.cit.*, Band II, S. 353 und 382.

226:3. Siehe zum Beispiel K. G. DENBIGH, *The Inventive Universe* (1975).

228:4. Siehe C. H. WADDINGTON, ›Evolutionary Adaptation‹ in *Evolution after Darwin*, hrsg. von S. Tax, Band I, (1960) S. 381–402 .

229:5. Siehe meine *Objektive Erkenntnis*, S. 268 und meine *Ausgangspunkte*, Abschnitte *33* und *37*.

229:6. DARWIN, *op.cit.*, Band III, S. 158f.

232:7. Siehe D. T. CAMPBELL, ›»Downward Causation« in Hierarchically Organized Biological Systems‹, in *Studies in the Philosophy of Biology*, hrsg. von F. J. AYALA und T. DOBZHANSKY (1974) S. 179–186; R. W. SPERRY, ›A Modified Concept of Consciousness‹, *Psychological Review* 76 (1969), S. 532–536, sowie ›Lateral Specialization in the Surgically Separated Hemispheres‹, in *The Neurosciences: Third Study Programme*, hrsg. von F. O. SCHMITT und F. G. WORDEN (1973) S. 5–19.

233:8. Siehe auch POPPER/ECCLES, *Das Ich und sein Gehirn*, S. 637.

zu Text *20:* Indeterminismus und menschliche Freiheit

234:1. Wegen der Unvollkommenheiten des Sonnensystems siehe die Anm. 11 und 16, unten.

236:2. Siehe Abschnitt *23* meines Buches *Das Elend des Historizismus*, wo ich das ›holistische‹ Kriterium der ›Ganzheit‹ (oder ›Gestalt‹) kritisiere, indem ich zeige, daß dieses Kriterium (›das Ganze ist mehr als die bloße Summe seiner Teile‹) auch von den holistischen Standardbeispielen für Nicht-Ganzheiten wie einem ›bloßen Haufen‹ von Steinen erfüllt wird. (Man beachte, daß ich nicht die Existenz von Ganzheiten leugne; ich wende mich nur gegen die Oberflächlichkeit der meisten ›holistischen‹ Theorien.)

237:3. Newton selbst zog diese ›deterministischen‹ Folgerungen aus seiner Theorie nicht; siehe Anm. 5, unten.

238:4. Die Überzeugung, der Determinismus sei ein wesentlicher Teil jeder rationalen oder wissenschaftlichen Einstellung, war allgemein verbreitet, selbst bei einigen führenden Gegnern des ›Materialismus‹ (wie Spinoza, Leibniz, Kant und Schopenhauer). Der Determinismus und der Indeterminismus werden viel ausführlicher behandelt in meinem *The Open Universe.*

238:5. Newton selbst kann zu den wenigen Abweichlern gerechnet werden, denn er betrachtete selbst das Sonnensystem als *unvollkommen* und daher wahrscheinlich vergänglich. Wegen dieser Ansichten wurde er der Gotteslästerung beschuldigt: er habe ›die Weisheit des Schöpfers der Natur in Zweifel gezogen‹ (wie HENRY PEMBERTON berichtet: *A View of Sir Isaac Newton's Philosophy* (1728), S. 180).

239:6. *Collected Papers of Charles Sanders Peirce*, Bd. 6 (1935), 6.44, S. 35. Es kann natürlich andere Physiker gegeben haben, die ähnliche Auffassungen entwickelten, doch ich kenne neben Newton und Peirce nur einen: Professor Franz Exner aus Wien. SCHRÖDINGER, der sein Schüler war, äußerte sich über Exners Ansichten in seinem Buch *Science, Theory and Man* (1957), S. 71, 133, 142 f. (Dieses Buch erschien vorher unter dem Titel *Science and the Human Temperament* (1935), und COMPTON erwähnt es in *The Freedom of Man*, S. 29.) Vgl. auch Anm. 11, unten.

239:7. PEIRCE, *op. cit.*, 6.47, S. 37 (Erstveröffentlichung 1892). Die Passage ist trotz ihrer Kürze höchst interessant, weil sie (man beachte die Bemerkung über Fluktuationen in explosiven Gemischen) zum Teil die Diskussion über Makro-Effekte vorwegnimmt, die sich als Verstärkungen von Heisenbergschen Unbestimmtheiten ergeben. Diese Diskussion beginnt anscheinend mit einer Arbeit von Ralph Lillie ›Physical Indeterminism and Vital Action‹ in *Science*, 66, 1927, S. 139 ff., die COMPTON in *The Freedom of Man*, S. 50 erwähnt. Sie spielt in Comptons Buch S. 48 ff. eine erhebliche Rolle. (Man beachte, daß Compton die Terry-Vorlesungen 1931 hielt.) COMPTON, *op. cit.*, Anm. 3, S. 51 f. bringt einen interessanten quantitativen Vergleich der Zufallseffekte aufgrund der Wärmebewegung (der Unbestimmtheit, von der Peirce handelt) und der Heisenbergschen Unbestimmtheit. Die Diskussion wurde von Bohr, Pascual Jordan, Fritz Medicus, Ludwig von Bertalanffy und vielen anderen weitergeführt, in letzter Zeit besonders auch von WALTER ELSASSER, *The Physical Foundations of Biology* (1958).

239:8. Ich spreche von PAUL CARUS, *The Monist* 2 (1892), S. 560 ff., und 3 (1892), S. 68 ff.; PEIRCE antwortete in *The Monist* 3 (1893), S. 526 ff. (siehe seine *Collected Papers*, Bd. 6, Appendix A, S. 390 ff.).

239:9. Die plötzliche und vollständige Veränderung der Problemsituation läßt sich daran ermessen, daß es vielen von uns altmodischen Figuren noch gar nicht so lange her erscheint, daß empiristische Philosophen (siehe etwa MORITZ SCHLICK, *Allgemeine Erkenntnislehre*, 2. Aufl. (1925), S. 277) physikalische Deterministen waren, während heute der physikalische Determinismus von P. H. NOWELL-SMITH, einem begabten und geistvollen Verteidiger Schlicks als *›Popanz aus dem 18. Jahrhundert‹* abgetan wird (*Mind*, 63 (1954), S. 331; siehe auch Anm. 21, unten). Die Zeit schreitet fort und wird ohne Zweifel einmal alle unsere Probleme lösen, Popanze und andere. Doch merkwürdigerweise scheinen wir altmodischen Figuren uns an die Tage von Planck, Einstein und Schlick zu erinnern und große Schwierigkeiten bei dem Versuch zu haben, unseren verworrenen Sinn davon zu überzeugen, daß diese großen deterministischen Denker ihre Popanze im 18. Jahrhundert aufstellten, zusammen mit LAPLACE, der den allerberühmtesten Popanz schuf (die ›übermenschliche Intelligenz‹ seines *Essay* von 1819, die oft ›Laplacescher Dämon‹ genannt wird; vgl. Anm. 17, unten und mein *The Open Universe*, Abschn. *10*). Eine noch größere Anstrengung würde vielleicht auch in unser schlechtes Gedächtnis einen ähnlichen Popanz aus dem 18. Jahrhundert zurückrufen, den ein gewisser Carus erfand (nicht der in der vorhergehenden Anm. zitierte P. Carus aus dem 19. Jahrhundert, sondern T. L. CARUS, der Verfasser von *Lucretius de rerum natura*, II.251–260).

240:10. Siehe besonders die Passagen über ›emergente Entwicklung‹ in *The Freedom of Man*, S. 90 ff.; vgl. *The Human Meaning of Science*, S. 73. [Es sollte erwähnt werden, daß dieser Text einen Teil der Second Arthur Holly Compton Memorial Lecture bildet, die am 21. April 1965 an der Washington University, St. Louis, gehalten wurde.]

241:11. Die Zitate in diesen drei Abschnitten sind aus *The Freedom of Man*, S. 26 f.; siehe auch S. 27 f.; *The Human Meaning of Science*, S. IX und 42; *The Freedom of Man*, S. 27. Ich darf vielleicht den Leser daran erinnern, daß meine Ansicht etwas von der zitierten Passage abweicht: ich halte es mit Peirce für logisch möglich, daß die *Gesetze* eines Systems Newtonisch sein können (und damit auf den ersten Blick deterministisch), das System aber trotzdem indeterministisch, da es selbst ungenau sein kann, etwa in dem Sinne, daß es keinen Sinn hätte, zu sagen, seine Koordinaten oder Geschwindigkeiten seien rationale (nicht irrationale) Zahlen. Folgende Bemerkung von Schrödinger (*op. cit.*, S. 143) ist ebenfalls sehr wichtig: »… der Energie-Impuls-Satz liefert uns nur *vier* Gleichungen und läßt damit den Elementarvorgang in großem Umfang unbestimmt, auch wenn er sie erfüllt.« Siehe auch mein *The Open Universe*, Abschn. *13*.

241:12. Angenommen, unsere physikalische Welt sei ein *physikalisch abgeschlossenes* System mit Zufallselementen. Offenbar wäre es nicht deterministisch; doch Ziele, Gedanken, Hoffnungen und Wünsche könnten in einer solchen Welt keinen Einfluß auf die physikalischen Ereignisse haben; wenn es sie gibt, so wären sie völlig überflüssig: sie wären ›Epiphänomene‹ [siehe auch Text *21*, Abschnitt *III*, unten]. (Man beachte, daß ein deterministisches physikalisches System abgeschlossen ist, daß aber ein abgeschlossenes System indeterministisch sein kann. Also ›genügt der Indeterminismus nicht‹, wie in Abschnitt *VII* unten erläutert wird; siehe auch *The Open Universe*, Anhang 1.)

241:13. Kant litt stark unter diesem Alptraum und konnte ihn mit allen seinen Versuchen nicht aus der Welt schaffen; siehe COMPTONS ausgezeichnete Bemerkungen über ›Kants Ausweg‹ in *The Freedom of Man*, S. 67 f.

242:14. DAVID HUME, *A Treatise of Human Nature* (1739), Selby-Bigge (1888 und später), S. 174; siehe auch z.B. S. 183 und S. 87 und S. 408 f.

244:15. Hume, *op. cit.*, S. 403 f. Interessant ist ein Vergleich mit S. 409 f. (wo Hume sagt: »Ich definiere die Notwendigkeit auf zwei Arten«) und damit, daß er der ›Materie‹ »jene intelligible Eigenschaft, man nenne sie Notwendigkeit oder anders« zuschreibt, die, wie er sagt, jeder »dem Willen zuordnen muß« (oder ›der Tätigkeit des Geistes‹). Mit anderen Worten, Hume versucht hier seine Lehre von der Gewohnheit und seine Assoziationspsychologie auf die ›Materie‹, also die Physik anzuwenden.

244:16. Siehe besonders B. F. SKINNER, *Walden Two* (1948), ein einnehmender und wohlwollender, aber höchst naiver Allmachtstraum (siehe besonders S. 246–250 sowie S. 214 f.). ALDOUS HUXLEY, *Brave New World* (1932) (siehe auch *Brave New World Revisited* (1959)), und GEORGE ORWELL, *1984* (1948), sind bekannte Gegengifte.

245:17. Mein tauber Physiker ähnelt natürlich stark dem Laplaceschen Dämon (siehe Anm. 9); ich halte seine Leistungen für absurd, weil eben nichtphysikalische Aspekte (Ziele, Zwecke, Traditionen, Geschmäcker, Erfindungsgeist) bei der Entwicklung der physikalischen Welt eine Rolle spielen; oder, mit anderen Worten, ich glaube an den *Interaktionismus* (siehe den nächsten Text). SAMUEL ALEXANDER, *Space, Time and Deity* (1920), Band II, S. 328, sagt über den von ihm so genannten ›Laplaceschen Rechner‹: »Außer in dem beschriebenen eingeschränkten Sinne ist die Hypothese vom Rechner absurd«. Doch der ›eingeschränkte Sinn‹ *umfaßt* die Voraussage *aller* rein physikalischen Ereignisse, also *auch* die Voraussage der von Mozart und Beethoven geschriebenen Zeichen. *Ausgenommen* ist lediglich die Voraussage von Erlebnissen (was ziemlich genau meiner Annahme der Taubheit des Physikers entspricht). Alexander ist also bereit, zuzugestehen, was ich für absurd halte. (Ich darf hier vielleicht sagen, daß ich es für besser halte, das Freiheitsproblem im Zusammenhang mit der Schaffung von Musik oder neuen wissenschaftlichen Theorien oder technischen Erfindungen zu diskutieren als im Zusammenhang mit der Ethik und der ethischen Verantwortlichkeit.)

246:18. Hume, *op. cit.*, S. 609 (Hervorhebungen von mir).

246:19. Siehe Anm. 9, oben, und GILBERT RYLE, *The Concept of Mind* (1949), S. 76 ff. (›der Popanz des Mechanismus‹).

246:20. Vgl. N. W. PIRIE, ›The Meaninglessness of the Terms Life and Living‹, in: *Perspektives in Biochemistry*, hrsg. von J. Needham und D. E. Green (1937), S. 11 ff.

246:21. Siehe z.B. A. M. TURING, ›Computing Machinery and Intelligence‹, *Mind*, 59 (1950), S. 433–460. Turing behauptete, Menschen und Rechenmaschinen seien an Hand ihrer beobachtbaren (verhaltensmäßigen) Leistungen grundsätzlich nicht unterscheidbar, und er forderte seine Gegner auf, ein beobachtbares menschliches Verhalten oder eine solche Leistung *anzugeben*, zu der eine informationsverarbeitende Maschine grundsätzlich unfähig wäre. Doch diese Aufforderung ist eine Falle: wenn man ein Verhalten *angibt*, so hat man eine Anweisung für den Bau einer Rechenmaschine niedergelegt. Außerdem bauen und benutzen wir Rechenmaschinen, weil sie vieles können, was wir nicht können; ganz wie man eine Feder oder einen Bleistift benutzt, wenn man eine Summe bilden möchte, die man nicht im Kopf ausrechnen kann. »Mein Bleistift ist klüger als ich«, pflegte Einstein zu sagen. Aber das beweist nicht, daß er von seinem Bleistift nicht unterscheidbar wäre. Vgl. Kapitel *12*, Abschnitt *5* meines Buches *Vermutungen und Widerlegungen* und *The Open Universe*, Abschnitt *22*.

248:22. Siehe M. SCHLICK, ›Ergänzende Bemerkungen über P. Jordans Versuch einer quantentheoretischen Deutung der Lebenserscheinungen‹ *Erkenntnis* 5 (1935), S. 183.

249:23. HUME, *op. cit.*, S. 171. Siehe auch z.B. S. 407: »… Freiheit ist genau dasselbe wie Zufall.«

251:24. Vgl. *The Freedom of Man*, S. 53 f.

251:25. Dieses Problem wird in den Abschnitten *XII–XIV* von Kapitel *6* meines Buches *Objektive Erkenntnis* erörtert, sowie natürlich in vielen meiner Arbeiten über die Welt 3 [insbesondere Text *4*, oben, und Text *21*, unten].

zu Text *21:* Das Leib-Seele-Problem

253:1. HUXLEY, *Evolution, the Modern Synthesis* (1942); MEDAWAR, *The Future of Man* (1960); DOBZHANSKY, *Mankind Evolving* (1962).

255:2. Siehe I. KANT, *Kritik der Reinen Vernunft*, 2. Auflage (1787) [Zur Wahrnehmung, siehe auch Anm. 5 zu Text *5* oben.].

256:3. In *Das Ich und sein Gehirn*, Abschnitt *21*, wird dies ausführlicher diskutiert.

257:4. Siehe *Vermutungen und Widerlegungen*, Kapitel *12*.

257:5. Siehe J. L. AUSTIN, *How to do Things with Words* (1962).

258:6. Tanzende Bienen übermitteln *vielleicht* sachhaltige oder deskriptive Information. Ein Thermograph oder ein Barograph tut das durch Schreiben. Es ist interessant, daß sich in beiden Fällen das Problem des Lügens anscheinend nicht stellt – obwohl der Hersteller eines Thermographen denselben auch zu falscher Information mißbrauchen kann. (Zu den tanzenden Bienen siehe K. VON FRISCH, *Bees: their Vision, Chemical Senses, and Language* (1950); *The Dancing Bees* (1955); und M. LINDAUER, *Communication among Social Bees* (1961).)

259:7. Siehe Anm. 4.

260:8. Siehe die Diskussion der organischen Evolution in *Das Ich und sein Gehirn*, Teil *I*, Abschnitt *6*.

zu Text *22:* Das Ich

263:1. Siehe Kap. *1* meiner *Vermutungen*, insbesondere S. 68.

263:2. Siehe D. HUME, *A Treatise of Human Nature* (1739), Buch I, Teil IV, Abschnitt VI, Ausgabe Selby-Bigge, S. 251. In Buch III, Anhang, S. 634, mildert Hume seinen Ton leicht; doch er scheint in diesem Anhang seine eigenen ›positiven Behauptungen‹ vollkommen vergessen zu haben, etwa die in Buch II, auf die in der nächsten Anmerkung verwiesen wird.

264:3. *Op. cit.*, Buch II, Teil I, Abschnitt XI (Selby-Bigge, S. 317). Eine ähnliche Stelle ist Buch II, Teil II, Abschnitt II, S. 339, wo HUME schreibt: »Es ist evident, daß ... wir uns unmittelbar unseres Ich bewußt sind und auch unserer Gefühle und Leidenschaften ...«.

264:4. *Op. cit.*, Buch II, Teil III, Abschnitt I (Selby-Bigge, S. 403; siehe auch S. 411). An anderer Stelle schreibt uns HUME als Handelnden »Motive und Charakter« zu, von denen »ein Zuschauer gewöhnlich auf unsere Handlungen schließen kann«. Siehe z.B. (1739), Buch II, Teil III, Abschn. II (S. 408). Siehe auch im Anhang (S. 633 ff.).

265:5. Siehe z.B. E. RUBIN, ›Visual Figures Apparently Incompatible with Geometry‹, *Acta Psychologica* VII (1950), S. 365–387.

266:6. Siehe J. B. DEREGOWSKI, ›Illusion and Culture‹, *Illusion in Nature and Art* (1973), R. L. Gregory & Gombrich (Hrsg.), S. 161–191.

266:7. Siehe Kapitel VI (7): ›Die systematische Flüchtigkeit des »Ich«‹, in G. Ryle, *The Concept of Mind* (1949).

266:8. Siehe R. L. Fanz, ›The Origin of Form Perception‹, *Scientific American* 204, 5 (1961), S. 66–72.

267:9. Mir scheint, Peter Strawson (*Individuals* (1959), S. 136) hat recht, daß die Erwerbung einer allgemeinen Idee der Person dem Erlernen des Wortgebrauchs von ›Ich‹ vorausgehen muß. (Ich bezweifle allerdings, ob man diese Priorität als eine ›logische‹ bezeichnen kann.) Er hat auch recht, glaube ich, wenn er sagt, daß das zur Lösung des sogenannten ›Problems des Fremdpsychischen‹ [siehe auch Anmerkung 5 zu Text *30*] wichtig ist. Man sollte jedoch nicht vergessen, daß die sich frühzeitig entwickelnde Tendenz, alle Dinge als Personen zu deuten (die man Animismus oder Hylozoismus nennt), von einem realistischen Gesichtspunkt aus der Korrektur bedarf: Eine dualistische Haltung kommt der Wahrheit näher. Siehe William Kneales ausgezeichnete Vorlesung *On Having a Mind* (1962), und auch meine Diskussion der Ideen Strawsons in Abschnitt *33* meines *Das Ich und sein Gehirn.*

267:10. Siehe Anm. 1.

267:11. Der Säugling lächelt, zweifellos unbewußt. Doch das ist eine Art (psychischer?) *Tätigkeit:* Sie ist quasi-teleologisch und läßt erkennen, daß der Säugling die psychologische *a priorische* Erwartung hegt, von *Personen* umgeben zu sein; Personen, die die Macht besitzen, freundlich oder feindlich zu sein – Freunde oder Fremde. Das, meine ich, geht dem Selbstbewußtsein voraus. Ich würde das Folgende als ein mutmaßliches Entwicklungsschema vorschlagen: erstens die Kategorie der Personen; dann die Unterscheidung zwischen Personen und Dingen; dann die Entdeckung des eigenen Körpers, das Lernen, daß es der eigene ist; und dann erst das Gewahrwerden der Tatsache, ein Ich zu sein.

268:12. Siehe den Fall von Genie in Kapitel *4*, Teil *II,* S. 375 f. meines *Das Ich und sein Gehirn.* Als ich diesen Abschnitt schrieb, hat Jeremy Shearmur mich darauf aufmerksam gemacht, daß Adam Smith in *The Theory of the Moral Sentiments* (1759) die Idee aufbrachte, die Gesellschaft sei ein ›Spiegel‹, durch den das Individuum »seinen eigenen Charakter, die Richtigkeit oder die Falschheit seiner eigenen Gefühle und seines Benehmens, die Schönheit oder Häßlichkeit seiner Seele denken« und sehen kann, was besagt, daß, falls es »möglich wäre, daß ein menschliches Geschöpf in Einsamkeit zum Menschsein heranreifen könnte, ohne irgendeine Kommunikation mit seiner eigenen Art«, es kein Ich entwickeln würde. (Siehe Smith (1759), Teil III, Abschn. II; Teil III, Kapitel I in der sechsten und in späteren Ausgaben.) Shearmur meint auch, daß gewisse Ähnlichkeiten zwischen den hier von mir entwickelten Gedanken und der ›Sozial-Theorie des Ich‹ bei Hegel, Marx und Engels, Bradley und dem amerikanischen Pragmatiker G. H. Mead bestehen. [Siehe Anmerkung 1 zu Text *28*, unten.]

268:13. Ich habe die Worte »oder etwas Entsprechendes« angesichts dessen hinzugefügt, was WHORF in *Language, Thought and Reality* (1956) über Zeit und über Hopi-Indianer sagt.

268:14. J. C. ECCLES, S. 66 f. *Facing Reality* (1970).

268:15. Siehe M. R. ROSENZWEIG und andere. ›Brain Changes in Response to Experience‹, *Scientific American* 226, 2 (1972), S. 22–29; P. A. FERCHMIN und andere, ›Direct Contact with Enriched Environment Is Required to Alter Cerebral Weight Rats‹, *Journal of Comparative and Physiological Psychology* 88 (1975), S. 360–367; und Abschnitt *41* in Teil I meines *Das Ich und sein Gehirn.*

269:16. So sagt JOHN BELOFF, *The Existence of Mind* (1962): »... alle Reflexabläufe, von denen gelungenes Sehen abhängt: Linsenakkomodation, Pupillenkontraktion, binokuläre Konvergenz, Augenbewegung etc., laufen auf unbewußtem Niveau ab.«

269:17. Siehe E. SCHRÖDINGER, *Geist und Materie* (1959), S. 4 f. Schrödinger ging tatsächlich noch weiter: Er meinte, daß jedesmal, wenn irgendein Organismus auf ein neues Problem stößt, ein bewußter Lösungsversuch folgt. Diese Theorie geht zu weit, wie von PETER MEDAWAR in *Science Progress,* 47 (1959), S. 398 f. in einer Besprechung von Schrödingers Buch (1958) gezeigt wurde. Medawar weist darauf hin, daß das Immunsystem fortgesetzt neuen Problemen gegenübersteht; aber es löst sie unbewußt. Medawar hat mir einen Briefwechsel zwischen Schrödinger und ihm selbst gezeigt, in dem Schrödinger zugibt, daß Medawar ein Gegenbeispiel zu Schrödingers Theorie gebracht hat.

270:18. C. SHERRINGTON, *The Integrative Action of the Nervous System* (1906), (1947).

271:19. K. LORENZ, ›Die Vorstellung einer zweckgerichteten Weltordnung‹: *Österreichische Akademie der Wissenschaften, phil.-historische Klasse,* 113 (1976), S. 46 f.

272:20. Siehe W. PENFIELD, ›The Permanent Record of the Stream of Consciousness‹, *Acta Psychologica* XI, (1955), S. 47–69. Siehe auch sein *The Mystery of the Mind* (1975).

273:21 Siehe Kapitel 2, Teil II in *Das Ich und sein Gehirn.*

zu Text *23:* Der Historizismus

277:1. Siehe besonders meine *Logik der Forschung,* Abschnitte *12–18* [sowie Text *9* bis *11,* oben].

278:2. [Siehe jedoch Abschnitt 1 von A. DONAGAN, ›Popper's Examination of Historicism‹, S. 905–924 in *The Philosophy of Karl Popper,* hrsg. von P. A. Schilpp (1974). Auf S. 905 schreibt Donogan: »Popper wurde in seiner Hoffnung, Wortklaubereien zu vermeiden, enttäuscht« und er fährt fort, indem er ihn gegen diese Art von Kritik verteidigt.]

285:3. Siehe mein *Elend des Historizismus,* Abschnitt *3.*

286:4. Ich stimme RAVEN zu, der in seinem Buch *Science, Religion and the Future* (1943) diesen Konflikt einen »Sturm in einem viktorianischen Wasserglas« nennt, wenngleich diese Bemerkung doch wohl etwas abgeschwächt wird durch die Beachtung, die Raven den Dünsten schenkt, die noch immer aus jenem Wasserglas aufsteigen – den großen Systemen der evolutionistischen Philosophie, die Bergson, Whitehead, Smuts und andere produzierten.

287:5. Etwas eingeschüchtert durch die Tendenz der Evolutionisten, jeden des Obskurantismus zu verdächtigen, der ihre emotionelle Haltung zur Evolution als einer ›kühnen und revolutionären Herausforderung an das traditionelle Denken‹ nicht teilt, möchte ich hier gleich sagen, daß ich im modernen Darwinismus die erfolgreichste Erklärung der relevanten Tatsachen sehe. [siehe auch Text *5* und *19,* oben.] Ein gutes Beispiel für die gefühlsbeladene Haltung der Evolutionisten ist C. H. WADDINGTONS Meinung (*Science and Ethics* (1942), S. 17), daß »wir die Richtung der Evolution als gut anerkennen müssen, einfach weil sie gut *ist«.* Dieser Ausspruch zeigt auch, daß der folgende bezeichnende Kommentar BERNALS zur Kontroverse um Darwin noch immer zutrifft (*op. cit.,* S. 115): »Es war nicht so . . ., daß die Wissenschaft gegen einen Feind von außen, die Kirche, kämpfen mußte; es war so, daß die Kirche … in den Wissenschaftlern selbst war.«

287:6. Siehe T. H. HUXLEY, *Lay Sermons* (1880), S. 214. Huxleys Glaube an ein Evolutionsgesetz überrascht, wenn man bedenkt, daß er der Idee eines Gesetzes des (unvermeidlichen) Fortschritts äußerst kritisch gegenüberstand. Die Erklärung für seine Haltung liegt anscheinend darin, daß er nicht nur zwischen natürlicher Entwicklung und Fortschritt scharf unterschied, sondern auch (wie ich glaube, mit Recht) meinte, daß diese beiden Vorgänge wenig miteinander zu tun haben. JULIAN HUXLEYS interessante Analyse des Prozesses, den er als ›evolutionären Fortschritt‹ bezeichnet (*Evolution* (1942), S. 559 ff.), bringt hier wohl wenig Neues, obwohl sie anscheinend eine Verbindung zwischen Evolution und Fortschritt herstellen soll. Denn Huxley gibt zu, daß die Evolution zwar manchmal ›fortschrittlich‹ ist, häufiger aber nicht. Die Tatsache aber, daß jede ›fortschrittliche‹ Entwicklung als evolutionär betrachtet werden kann, ist kaum mehr als eine Selbstverständlichkeit. (Daß die Reihe der dominanten Typen fortschrittlich im Sinne Huxleys ist, bedeutet vielleicht nur, daß wir gewohnheitsmäßig jene unter den erfolgreichsten Typen als ›dominante Typen‹ bezeichnen, die die ›fortschrittlichsten‹ sind.)

288:7. Siehe H. A. L. FISHER, *History of Europe,* Bd. I, S. VII (Hervorhebung von mir). Vgl. auch F. A. VON HAYEK, *op. cit., Economica,* Bd. X, S. 58, der den Versuch kritisiert, »dort Gesetze zu finden, wo dem Wesen der Dinge nach keine zu finden sind, in der Abfolge der einzigartigen und singulären historischen Phänomene«.

289:8. Von fast jeder Theorie kann man sagen, daß sie mit vielen Tatsachen übereinstimmt: dies ist einer der Gründe dafür, daß eine Theorie nur dann als bewährt bezeichnet werden kann, wenn man keine sie widerlegenden Tatsachen finden kann, nicht aber, wenn man Tatsachen findet, die sie stützen (vgl. meine *Logik der Forschung,* besonders Kapitel *X*). Ein Beispiel für das hier kritisierte Verfahren ist m. E. TOYNBEEs angeblich empirische Untersuchung des Lebenszyklus seiner ›Spezies Kultur‹. Er scheint die Tatsache zu übersehen, daß er nur das unter Kulturen einstuft, was seiner apriorischen Überzeugung von Lebenszyklen entspricht. TOYNBEE stellt z.B. (in *A Study of History,* Bd. I, S. 147–149) seinen ›Kulturen‹ die ›primitiven Gesellschaften‹ gegenüber, um seine Theorie zu beweisen, daß diese beiden Typen nicht zur selben ›Spezies‹ gehören können, wohl aber vielleicht zur selben ›Gattung‹. Die einzige Grundlage für diese Klassifikation ist jedoch eine apriorische intuitive Einsicht in die Natur der Kulturen. Dies ersieht man aus seinem Argument, daß die beiden offensichtlich so verschieden seien wie Elefanten und Kaninchen – ein intuitives Argument, dessen Schwäche klar zutage tritt, wenn wir an einen Bernhardiner und einen Pekinesen denken. Aber die Frage (ob sie zu derselben Art gehören oder nicht) ist überhaupt unzulässig, denn sie beruht auf der szientistischen Methode, Kollektive so zu behandeln, als ob sie physikalische oder biologische Körper wären. Obwohl diese Methode häufig kritisiert wurde (siehe z.B. F. A. VON HAYEK, in *Economica,* Bd. X, S. 41 ff.), hat diese Kritik nie eine adäquate Erwiderung gefunden.

289:9. Die Verwirrung, die durch das Gerede über ›Bewegung‹, ›Kraft‹, ›Richtung‹ usw. angerichtet wird, ermißt man, wenn man daran denkt, daß der berühmte amerikanische Historiker Henry Adams allen Ernstes hoffte, den Verlauf der Geschichte durch Fixierung zweier Punkte auf ihrer Bahn bestimmen zu können – der eine von diesen Punkten sollte im 13. Jahrhundert liegen, der andere innerhalb seines eigenen Lebens. ADAMS sagt selbst von diesem Projekt: »Mit Hilfe dieser beiden Punkte … hoffte er, seine Linien unbegrenzt vorwärts und rückwärts projizieren zu können …«, denn, meinte er, »jeder Schüler sieht ein, daß der Mensch als Kraft durch Bewegung von einem bestimmten Punkt aus gemessen werden muß« (*The Education of Henry Adams* (1918) S. 434 f.).

289:10. Siehe meine *Logik der Forschung,* Abschnitt *15,* wo die Annahme, daß Es-gibt-Sätze *metaphysisch* (genauer: nicht empirisch-wissenschaftlich) sind, begründet wird.

290:11. Es ist vielleicht erwähnenswert, daß die Gleichgewichtstheorie in der Wirtschaftswissenschaft zweifellos *dynamisch* ist (im ›vernünftigen‹, nicht im Comteschen Sinn dieses Terminus), obwohl die Zeit in ihrer Gleichung nicht vorkommt. Denn diese Theorie behauptet nicht, daß das Gleichgewicht irgendwo verwirklicht ist, sondern nur, daß jeder Störung (und Störungen treten dauernd auf) eine Anpassung erfolgt – durch eine ›Bewegung‹ auf das Gleichgewicht zu. In der Physik ist die Statik die Theorie der Gleichgewichtszustände und *nicht* der Bewegungen auf das Gleichgewicht zu. Ein statisches System *bewegt sich nicht.*

291:12. MILL, *Logic,* Buch VI, Kap. X, Abschn. 3. Zu Mills Theorie der ›progressiven Effekte‹ im allgemeinen siehe auch Buch III, Kap. XV, Abschn. 2 f.

Anscheinend übersieht Mill die Tatsache, daß nur die allereinfachsten arithmetischen und geometrischen Folgen so geartet sind, daß ›einige Glieder‹ zur Entdeckung ihres ›Prinzips‹ genügen. Es lassen sich leicht kompliziertere mathematische Folgen konstruieren, in denen Tausende von Gliedern zur Entdeckung ihres Konstruktionsgesetzes nicht ausreichen würden — *selbst wenn bekannt ist, daß es ein solches Gesetz gibt.*

291:13. Aussagen, die solchen Gesetzen noch am ehesten nahekommen, siehe mein *Das Elend des Historizismus,* Abschnitt 28, besonders Anm. 88.

292:14. Siehe MILL, *op. cit.* Mill unterscheidet zwei Bedeutungen des Wortes ›Fortschritt‹. Im weiteren Sinne deutet dieses Wort einen Gegensatz zu einer zyklischen Veränderung an, impliziert aber keine Verbesserung. (Mill diskutiert die ›progressive Veränderung‹ in diesem Sinne ausführlicher *op. cit.,* Buch III, Kap. XV.) Im engeren Sinne schließt das Wort eine Verbesserung ein. Mill lehrt, daß das Andauern des Fortschritts im weiteren Sinne eine Frage der *Methode* ist (ich verstehe diese These nicht) und das des Fortschritts im engeren Sinne ein Lehrsatz der Soziologie.

zu Text *24:* Stückwerk-Sozialtechnik

293:1. Vgl. F. A. VON HAYEK in: *Economica,* Bd. XIII (1933), S. 123: »... die Wirtschaftswissenschaft hat sich hauptsächlich aus der Untersuchung und Widerlegung einer Abfolge utopischer Vorschläge entwickelt ...«

294:2. Siehe M. GINSBERG in: *Human Affairs* (1937), hrsg. v. R. B. Cattell u.a., S. 180. Es ist jedoch zuzugeben, daß der Erfolg der mathematischen Wirtschaftswissenschaft zeigt, daß zumindest eine Sozialwissenschaft ihre Newtonische Revolution durchgemacht hat.

295:3. *Logik der Forschung* (1934) s. Abschn. *15* (verneinte Es-gibt-Sätze). Vgl. MILL, *Logik,* (1872) Buch V, Kap. 2, Abschn. 2.

296:4. Siehe z.B. M. R. COHEN, *Reason and Nature,* (1931) S. 356 ff. Wie es scheint, widerlegen die im Text angegebenen Beispiele diese antinaturalistische Auffassung.

297:5. Eine ähnliche Formulierung dieses ›Korruptionsgesetzes‹ bespricht C. J. FRIEDRICH in seinem sehr interessanten und teilweise technologischen Werk *Constitutional Government and Politics* (1937). Zu diesem Gesetz sagt er: »… keine der Naturwissenschaften kann sich rühmen, auch nur eine einzige ›Hypothese‹ zu besitzen, die von gleicher Wichtigkeit für die Menschheit wäre« (S. 7). Ich bezweifle die Bedeutung dieser Hypothese nicht, glaube aber, daß wir in den Naturwissenschaften zahllose Gesetze von gleicher Wichtigkeit finden können, wenn wir sie nur unter den trivialeren und nicht unter den abstrakteren Gesetzen suchen. (Man denke an Gesetze wie das, nach dem der Mensch nicht ohne Nahrung leben kann, oder das Gesetz, daß es bei den Wirbeltieren zwei Geschlechter gibt.) Friedrich vertritt mit Nachdruck die antinaturalistische These, daß es für »die Sozialwissenschaften nicht von Vorteil sein kann, wenn man die Methoden der Naturwissenschaften auf sie anwendet« (*op. cit.,* S. 4). Andererseits versucht er, seine Theorie der Politik auf einer Anzahl von Hypothesen aufzubauen, von deren Charakter die folgenden Zitate vielleicht einen gewissen Eindruck vermitteln (*op. cit.,* S. 14 ff.): »Sowohl die Zustimmung als auch der Zwang sind lebendige Kräfte«; zusammen bestimmen sie »die Intensität einer politischen Situation«; und da »diese Intensität durch den absoluten Betrag der Zustimmung oder des Zwanges oder beider bestimmt ist, läßt sie sich vielleicht am besten als Diagonale des Parallelogramms dieser beiden Kräfte, der Zustimmung und des Zwanges, darstellen. In diesem Falle wäre ihr numerischer Wert gleich der Quadratwurzel aus der Summe der Quadrate der numerischen Werte der Zustimmung und des Zwanges.« Dieser Versuch einer Anwendung des pythagoräischen Lehrsatzes auf ein ›Parallelogramm‹ – wir erfahren nicht, warum es rechtwinkelig sein sollte – aus ›Kräften‹, die zu vage sind, um meßbar zu sein, scheint mir nicht ein Beispiel für den Antinaturalismus zu sein, sondern für gerade jene Art von Naturalismus oder ›Szientismus‹, die für ›die Sozialwissenschaften nicht von Vorteil sein kann‹. Man beachte, daß sich diese ›Hypothesen‹ kaum in technologischer Form ausdrükken lassen, während man z.B. das ›Korruptionsgesetz‹, dessen Bedeutung Friedrich mit Recht hervorhebt, sehr wohl so formulieren kann.

Zum historischen Hintergrund der ›szientistischen‹ Auffassung, daß die

Probleme der politischen Theorie auf Grund des ›Kräfteparallelogramms‹ verständlich werden, siehe mein Buch *Die offene Gesellschaft und ihre Feinde,* Anm. 2 zu Kapitel *7*.

297:6. Gegen den Gebrauch des Ausdrucks ›Sozialtechnik‹ (im Sinne einer ›Stückwerk-Sozialtechnik‹) wendet Hayek ein, daß bei einer typisch technischen Aufgabe alles relevante Wissen in einem Kopf zentralisiert sein muß, während es für alle echten sozialen Probleme typisch ist, daß man Wissen verwenden muß, welches nicht auf diese Weise zentralisiert werden kann. (Vgl. HAYEK, *Collectivist Economic Planning* (1935), S. 210.) Ich gebe die grundsätzliche Bedeutung dieser Tatsache zu. Sie kann in folgender technologischer Hypothese formuliert werden: »Man kann bei einer Planungsbehörde nicht jenes Wissen zentralisieren, das für Aufgaben wie die Erfüllung persönlicher Bedürfnisse oder die Nutzbarmachung spezialisierter Fertigkeiten und Fähigkeiten bedeutsam ist.« (Eine ähnliche Hypothese kann man über die Unmöglichkeit der Zentralisierung der Initiative im Zusammenhang mit ähnlichen Aufgaben aufstellen.) Man kann nun den Gebrauch des Terminus ›Sozialtechnik‹ durch den Hinweis auf die Tatsache verteidigen, daß der Techniker das in diesen Hypothesen enthaltene technologische Wissen verwerten muß – und diese Hypothesen zeigen ihm die Begrenztheit seiner eigenen Initiative und seines eigenen Wissens.

298:7. Die beiden Ansichten – einerseits, daß soziale Institutionen ›bewußt geplant‹ sind, andererseits, daß sie einfach ›wachsen‹ – entsprechen denen der Theoretiker des Gesellschaftsvertrages und ihrer Kritiker, zu denen z.B. Hume gehört. Aber auch Hume lehnt die ›funktionale‹ oder ›instrumentalistische‹ Auffassung der sozialen Institutionen nicht vollkommen ab, denn er sagt, daß die Menschen ohne diese Institutionen nicht leben könnten. Dieser Standpunkt ließe sich zu einer darwinistischen Erklärung des Werkzeugcharakters ungeplanter Institutionen (z.B. der Sprache) entwickeln: wenn sie keine nützliche Funktion haben, dann haben sie keine Chance zu überleben. Nach dieser Auffassung können ungeplante soziale Institutionen als *unbeabsichtigte Folgeerscheinungen rationaler Handlungen* entstehen, so wie – nach der Bemerkung von Descartes – Leute, die aus Bequemlichkeit einen schon existierenden Weg benützen, daraus ohne ihre Absicht eine Straße machen können. Es braucht aber wohl nicht besonders betont zu werden, daß die technologische Einstellung von allen Fragen nach dem ›Ursprung‹ völlig unabhängig ist.

298:8. Zur ›funktionalen‹ Einstellung siehe z.B. von B. MALINOWSKI, ›Anthropology as the Basis of Social Science‹, in: *Human Affairs,* hrsg. von R. B. Cattell (1937), besonders S. 206 f. und S. 239 ff.

298:9. Dieses Beispiel, welches behauptet, daß die Wirksamkeit institutioneller ›Maschinen‹ begrenzt ist und daß das Funktionieren von Institutionen vom Vorhandensein eines geeigneten Personals abhängt, läßt sich vielleicht mit den Prinzipien der Thermodynamik vergleichen, etwa mit dem Gesetz von der Erhaltung der Energie (in der Form, in der es die Möglichkeit eines Perpetuum mobile ausschließt). So betrachtet, kann man unser Beispiel anderen ›szientistischen‹ Versuchen gegenüberstellen, die sich um die Herausarbeitung einer Analogie zwischen dem physikalischen Begriff der Energie und einigen soziologischen Begriffen wie dem der Macht bemühen: siehe z.B. BERTRAND RUSSELL, *Power* (1938), S. 10 f., wo ein solcher szientistischer Versuch gemacht wird. Russells Hauptthese – daß die verschiedenen ›Formen der Macht‹ wie Reichtum, propagandistische Macht, nackte Gewalt manchmal ineinander ›konvertiert‹ werden können – scheint sich kaum technologisch formulieren zu lassen.

298:10. W. LIPPMANN, *The Good Society* (1937), Kapitel XI, S. 203 ff. Siehe auch W. H. HUTT, *Plan for Reconstruction* (1943).

299:11. Den Ausdruck verwendet häufig K. MANNHEIM in seinem Buch *Man and Society in an Age of Reconstruction* (1940): vgl. das Sachregister und etwa die Seiten 269, 295, 320, 381. Dieses Werk ist die ausführlichste Darstellung eines holistischen und historizistischen Programms, die ich kenne, und wird daher hier besonders kritisiert. Zur unmittelbar folgenden Stelle, siehe *op. cit.*, S. 337. Die Stelle wird in Abschnitt *23* meines *Das Elend des Historizismus* ausführlicher zitiert und auch kritisiert.

301:12. ›Das Problem der Umgestaltung des Menschen‹ ist der Titel eines Kapitels in MANNHEIMS *Man and Society.* Das im Text folgende Zitat stammt aus diesem Kapitel (S. 199 f.).

303:13. So denkt auch MILL, wenn er von sozialen Experimenten sagt, daß »wir ganz offensichtlich niemals in der Lage sind, solche Experimente zu versuchen. Wir können nur jene beobachten, die die Natur hervorbringt, ... die Abfolgen von Phänomenen, über welche die Geschichte berichtet ...« (siehe *Logic,* Buch VI, Kapitel VII, Abschnitt 2).

304:14. SIDNEY und BEATRICE WEBB, *Methods of Social Study* (1932), S. 221 ff., geben ähnliche Beispiele für Sozialexperimente. Sie unterscheiden jedoch nicht zwischen den beiden Arten von Experimenten, die hier ›Stückwerk-Experimente‹ und ›holistische Experimente‹ genannt werden, obwohl die Kritik dieser Autoren an der experimentellen Methode (vgl. S. 226: ›Mischung von Effekten‹) auf holistische Experimente (die sie anscheinend bewundern) besonders zutrifft. Außerdem verbinden sie ihre Kritik mit dem Gedanken, daß die Variabilität der Versuchsbedingungen die sozialen Experimente beeinträchtigt. Diesen Einwand halte ich für falsch – siehe Abschnitt *25* meines *Elend des Historizismus.*

304:15. Siehe Text *9* bis *12*, oben; vgl. auch meine *Vermutungen und Widerlegungen*, Kapitel *15* sowie etwa J. TINBERGEN, *Statistical Testing of Business Cycle Theories*, Bd. II, S. 21: »Die Konstruktion eines Modells ... ist ... eine Sache von Versuch und Irrtum.«

306:16. Eine der entscheidendsten Thesen der politischen Theorie Spinozas besagt, daß es unmöglich ist, zu wissen, was andere Menschen denken, und ihr Denken zu beherrschen. Er definiert ›Tyrannei‹ als den Versuch, das Unmögliche zu erreichen und Macht dort auszuüben, wo sie nicht ausgeübt werden kann. Man darf nicht vergessen, daß Spinoza nicht das war, was man einen Liberalen nennt: er war nicht für eine Kontrolle und Beschränkung der Macht durch Institutionen, sondern meinte, der Fürst habe das Recht, seine Macht bis zu ihrer tatsächlichen Grenze auszuüben. Was aber Spinoza trotzdem ›Tyrannei‹ nennt und als vernunftwidrig bezeichnet, das behandeln die holistischen Planer ganz unschuldig als ›wissenschaftliches‹ Problem, als das ›Problem der Umgestaltung des Menschen‹.

307:17. Niels Bohr nennt zwei Einstellungen komplementär, wenn sie (*a*) im gewöhnlichen Sinne komplementär sind und (*b*) einander insofern ausschließen, als man, je mehr man von der einen ausgeht, desto weniger von der anderen ausgehen kann. Obwohl ich mich im Text hauptsächlich auf das *soziale* Wissen beziehe, kann man behaupten, daß die Akkumulation (und Konzentration) der politischen Macht zum Fortschritt der wissenschaftlichen Erkenntnis überhaupt ›komplementär‹ ist. Denn der Fortschritt der Wissenschaft hängt von der freien Konkurrenz des Denkens ab, also von der Gedankenfreiheit, also letztlich von der politischen Freiheit.

307:18. R. H. TAWNEY, *Religion and the Rise of Capitalism* (1926), Kap. II, Ende von Abschnitt II.

zu Text *25:* Die Paradoxien der Souveränität

309:1. Das Motto zu diesem Kapitel stammt aus *Gesetze* 690b.

310:2. Ähnliche Ideen finden sich bei J. ST. MILL; er schreibt in seiner *Logik* (1. engl. Aufl., S. 557 f.): »Obgleich die Handlungen der Herrscher durch ihre selbstsüchtigen Interessen keinesfalls zur Gänze bestimmt sind, so werden doch konstitutionelle Kontrollmittel zur Sicherung gegenüber gerade diesen Interessen benötigt.« In ähnlicher Weise heißt es in MILLS *The Subjection of Women* (S. 251 der Everyman-Ausgabe; Hervorhebungen von mir): »Wer zweifelt wohl daran, daß es unter der absoluten Herrschaft eines guten Menschen viel Tugend, viel Glück und viel Zuneigung geben kann? *Inzwischen aber ist es notwendig, daß unsere Gesetze und Institutionen nicht mit guten, sondern mit schlechten Menschen«* (als möglichen Herrschern) *»rechnen.«* Sosehr ich auch mit dem kursiv gedruckten Satze übereinstimme, so wenig halte ich das im ersten Satz ausgedrückte Zugeständnis für begründet. Ein ähnliches Zugeständnis findet sich an einer hervorragenden Stelle seines *Representative Government* (1861); vgl. insbesondere S. 49, wo Mill das platonische Ideal des königlichen Philosophen bekämpft, weil seine Herrschaft, *insbesondere wenn sie wohlwollend ist,* die ›Abdankung‹ des Willens und der Fähigkeit des gewöhnlichen Bürgers bedeutet, die Politik zu beurteilen.

Es sei bemerkt, daß dieses Zugeständnis J. ST. MILLS der Teil eines Versuches war, den Konflikt zwischen JAMES MILLS *Essay on Government* und »Macaulays berühmtem Angriff«, wie ihn J. ST. MILL nennt, auf diese Weise zu lösen. (Vgl. seine *Autobiography,* Kapitel V: ›One Stage Onward‹; 1. engl. Aufl. 1873, S. 157–161. MACAULAYS Kritik wurde zuerst im *Edinburgh Review,* März 1829, Juni 1829, Oktober 1829 publiziert.) Dieser Konflikt spielte in der Entwicklung J. ST. MILLS eine große Rolle; denn der Versuch, ihn zu lösen, bestimmte das Ziel und den Charakter seiner *Logik,* wie wir in seiner Autobiographie lesen (»die Hauptkapitel der Abhandlung, die ich später über die Logik der Moralwissenschaft publizierte«).

Die Lösung, die J. ST. MILL für den Konflikt zwischen seinem Vater und Macaulay vorschlägt, ist die folgende: Sein Vater befand sich im Recht, als er glaubte, daß die Politik eine deduktive Wissenschaft sei, er befand sich im Unrecht, als er annahm, die »Art der Deduktion sei die der reinen Geometrie«; Macaulay befand sich im Recht mit der Annahme, die Methode der Politik sei in höherem Grade experimentell; er befand sich im Unrecht, als er meinte, sie sei »wie die rein experimentelle Methode der Chemie« beschaffen. Die wahre Lösung besteht nach J. St. Mill darin (*Autobiography,* S. 159 f.), daß die geeignete Methode der Politik deduktiv ist wie die Dynamik; und deren Methode ist nach Ansicht J. St. Mills durch die Summation von Wirkungen nach Art des Prinzips des Parallelogramms der Kräfte gekennzeichnet. (Daß dieser Gedanke Mills jedenfalls bis 1937 überlebte, ist aus [Anmerkung 5 zu Text *24,* oben] ersichtlich.)

Ich glaube nicht, daß diese Analyse (die u. a. auf einer Mißdeutung der Dynamik und der Chemie beruht) viel Aufschlußreiches enthält. Was mir daran haltbar zu sein scheint, ist folgendes:

James Mill versuchte, wie viele vor ihm, die »Wissenschaft von der Regierung aus den Prinzipien der menschlichen Natur zu deduzieren«, wie sich MACAULAY (gegen Ende seines ersten Aufsatzes) ausdrückt ; für Macaulay war dieser Versuch ›völlig unmöglich‹ – und ich glaube, daß ihm hierin recht zu geben ist. Seine eigene Methode hatte einen mehr empirischen Charakter, insofern sie sich die historischen Tatsachen zum Zwecke der Widerlegung der dogmatischen Lehren J. Mills voll zunutze machte. Aber mit der Methode der Chemie oder mit jenen Regeln, die J. St. Mill für die Regeln der Chemie hielt (aber auch mit der induktiven Methode Bacons, die Macaulay, durch die Syllogismen Mills verwirrt, mit Lob überschüttete), hatte sie nicht das geringste zu tun. Sie bestand einfach darin, daß er ungültige logische Beweisverfahren in einem Gebiet, in dem sich nichts Interessantes logisch beweisen läßt, ablehnte und daß er Theorien und mögliche Situationen im

Lichte alternativer Theorien, alternativer Möglichkeiten und tatsächlich vorhandener historischer Zeugnisse diskutierte. Eine der wichtigsten Streitfragen war die folgende: J. Mill glaubte bewiesen zu haben, daß die Monarchie und die Aristokratie *mit Notwendigkeit* zu einer Schreckensherrschaft führen müßten. Aber das ließ sich durch historische Beispiele leicht widerlegen. Die beiden Stellen aus den Schriften J. St. Mills, die wir zu Beginn dieser Anmerkung zitiert haben, zeigen den Einfluß dieser Widerlegung.

Macaulay hat stets hervorgehoben, daß er nur die *Beweise* Mills *widerlegen,* nicht aber sich über die Wahrheit oder Falschheit seiner Konklusionen aussprechen wollte. Dies allein schon hätte es klarmachen sollen, daß er in Wirklichkeit gar nicht versuchte, die von ihm so sehr gelobte induktive Methode auf diesen Fall anzuwenden.

312:3. Vgl. z. B. die Bemerkung E. MEYERS *(Geschichte des Altertums* (1902), V, S. 4), nach der »die Macht ihrem Wesen nach unteilbar ist« .

313:4. Vgl. *Staat* 562 b–565 e. Im Text beziehe ich mich insbesondere auf 562c: »Bringt nicht ein Übermaß (an Freiheit) die Menschen in einen solchen Zustand, daß sie nach einer Tyrannei verlangen?« Vgl. weiterhin 563d/e: »Und am Ende nehmen sie, wie du ja weißt, von den (geschriebenen und ungeschriebenen) Gesetzen überhaupt keine Notiz, da sie keinen Despoten irgendwelcher Art über sich sehen wollen. Dies ist dann der Ursprung der Tyrannei.«

Weitere Bemerkungen Platons zum *Paradoxon der Freiheit und der Demokratie* lauten, *Staat* 564a: »Daher zeigt die allzu große Freiheit die Tendenz, sich in nichts anderes als in allzu große Sklaverei zu verwandeln, und das sowohl im Individuum als auch im Staate ... Es ist daher vernünftig, wenn wir annehmen, daß die Tyrannei durch keine andere Regierungsform als durch die Demokratie in ihre Macht eingesetzt wird. Aus dem größtmöglichen Überschuß an Freiheit entspringt so die härteste und furchtbarste Form der Sklaverei« Vgl. auch *Staat* 565c/d: »Und ernennt nicht in der Regel das gemeine Volk einen Menschen zu seinem Verteidiger und Parteiführer, dessen Position sie dann in jeder Weise stärken und ihn groß machen?« »Das pflegen sie zu tun.« »Dann scheint es doch klar zu sein, daß wir überall dort, wo eine Tyrannei groß wird, diese demokratische Parteiführerschaft für die Quelle halten müssen, aus der sie entspringt.« Das sogenannte Paradoxon der Freiheit besteht aus dem Argument, daß die Freiheit im Sinne der Abwesenheit jeder einschränkenden Kontrolle zu sehr großer Unterdrückung führen muß, weil sie dem Tyrannen die Freiheit läßt, die Sanftmütigen zu versklaven. In etwas anderer Form und in ganz anderer Absicht gibt Platon diesem Gedanken klar Ausdruck.

Weniger bekannt ist das *Paradoxon der Toleranz:* Uneingeschränkte Toleranz führt mit Notwendigkeit zum Verschwinden der Toleranz. Denn wenn wir die unbeschränkte Toleranz sogar auf die Intoleranten ausdehnen, wenn wir nicht bereit sind, eine tolerante Gesellschaftsordnung gegen die Angriffe der Intoleranz zu verteidigen, dann werden die Toleranten vernichtet werden und die Toleranz mit ihnen. – Damit möchte ich nicht sagen, daß wir beispielsweise intolerante Philosophien auf jeden Fall gewaltsam unterdrücken sollten; solange wir ihnen durch rationale Argumente beikommen können und solange wir sie durch die öffentliche Meinung in Schranken halten können, wäre ihre Unterdrückung sicher höchst unvernünftig. Aber wir sollten für uns das *Recht* in Anspruch nehmen, sie, wenn nötig, mit Gewalt zu unterdrücken; denn es kann sich leicht herausstellen, daß ihre Vertreter nicht bereit sind, mit uns auf der Ebene rationaler Diskussion zusammenzutreffen, und beginnen, das Argumentieren als solches zu verwerfen; sie können ihren Anhängern verbieten, auf rationale Argumente – die sie ein Täuschungsmanöver nennen – zu hören, und sie werden ihnen vielleicht den Rat geben, Argumente mit Fäusten und Pistolen zu beantworten. Wir sollten daher im Namen der Toleranz das Recht für uns in Anspruch nehmen, die Unduldsamen nicht zu dulden. Wir sollten geltend machen, daß sich jede Bewegung, die die Intoleranz predigt, außerhalb des Gesetzes stellt, und wir sollten eine Aufforderung zur Intoleranz und Verfolgung als ebenso verbrecherisch behandeln wie eine Aufforderung zum Mord, zum Raub oder zur Wiedereinführung des Sklavenhandels.

Ein weiteres, weniger bekanntes Paradoxon ist das *Paradoxon der Demokratie,* genauer, der Herrschaft der Mehrheit, d.h. die Möglichkeit, daß sich die Mehrheit zur Herrschaft eines Tyrannen entschließen kann. Daß sich die Kritik Platons an der Demokratie in der hier gegebenen Weise deuten läßt und daß das Prinzip der Herrschaft der Majorität zu einem Selbstwiderspruch führen kann, wurde meines Wissens nach zuerst von Leonard Nelson bemerkt. Ich glaube jedoch nicht, daß Nelson, der trotz seiner leidenschaftlich humanitären Gesinnung und trotz seines glühenden Kampfes für die Freiheit vieles aus den politischen Theorien Platons übernommen hat (vor allem übernahm er das platonische Prinzip des Führertums), den Umstand bemerkte, daß sich genau analoge Einwände gegen alle besonderen Formen der *Theorie der Souveränität oder des Führertums* erheben lassen.

Alle diese Paradoxien lassen sich leicht vermeiden, wenn wir unsere politischen Forderungen so oder ähnlich ausbilden, wie es in Abschnitt *II* [dieses Textes] vorgeschlagen worden ist; wir fordern eine Regierung, die nach den Prinzipien der Gleichberechtigung und des Protektionismus regiert; die alle Menschen, die zur Zusammenarbeit bereit sind, das heißt alle toleranten Menschen, toleriert; die durch die Öffentlichkeit kontrolliert wird und die ihr gegenüber verantwortlich ist. Und wir können hinzufügen, daß eine Art Majoritätsvotum mit Institutionen zur Information der Öffentlichkeit das beste, wenn auch keineswegs ein unfehlbares Mittel zur Kontrolle einer solchen Regierung ist. (Unfehlbare Mittel gibt es nicht.) [Vgl. auch Anmerkung 3 (*4*) zu Text *2* und Anmerkung 6, unten.]

313:5. Weitere Ausführungen zu diesem Punkt finden sich in Kapitel *19* meiner *Offenen Gesellschaft.*

313:6. Das Fragment ist von Heraklit, D-K B33 [siehe auch Anm. 1 zu Text *1*]. Die folgenden Bemerkungen zum *Paradoxon der Freiheit* und zum *Paradoxon der Souveränität* werden vielleicht den Eindruck erwecken, daß wir unser Argument zu weit treiben; da aber die im Text diskutierten Argumente einen einigermaßen formalen Charakter besitzen, so können wir sie ebensogut etwas stichfester machen, obgleich wir uns dabei der Haarspalterei zu nähern scheinen. Außerdem läßt mich meine Erfahrung in Debatten der angegebenen Art erwarten, daß die Verteidiger des Führerprinzips, das heißt die Verteidiger des Prinzips der Herrschaft des Besten oder Weisesten, das folgende Gegenargument verwenden: (*a*) wenn der ›Weiseste‹ entscheidet, daß die Majorität herrschen solle, dann war er nicht wirklich weise. Dieses Argument kann durch die Behauptung (*b*) unterstützt werden, daß ein weiser Herrscher niemals einen Grundsatz aufstellen würde, der, wie das Prinzip der Herrschaft der Majorität, zu einem Widerspruch führen kann. Meine Antwort auf (*b*) lautet, daß wir diese Entscheidung des ›Weisesten‹ nur so abzuändern brauchen, daß der Widerspruch verschwindet. (So könnte sich z.B. der ›Weiseste‹ zugunsten einer Regierungsform entscheiden, die nach dem Prinzip der Gleichberechtigung und des Protektionismus herrschen muß und die durch Mehrheitsbeschluß kontrolliert wird. Diese Entscheidung des Weisen würde das Prinzip der Souveränität aufgeben. Und da sie von Widersprüchen frei ist, so könnte sie von einem ›Weisen‹ gefällt werden. Aber dieses Vorgehen würde natürlich das Prinzip, daß der Weiseste regieren solle, nicht von *seinem* Widerspruch befreien!) Das erste Argument, nämlich (*a*), ist eine andere Sache. Dieser Ausweg kommt dem Wunsch gefährlich nahe, die ›Weisheit‹ oder die ›Güte‹ eines Politikers so zu definieren, daß er nur dann ›weise‹ oder ›gut‹ ist, wenn er entschlossen ist, seine Macht nicht aufzugeben. Und tatsächlich ist die einzige von Widersprüchen freie Form der Theorie der Souveränität eine Form, die verlangt, daß *nur derjenige regieren solle, der entschlossen ist, seine Macht unter keinen Umständen aufzugeben.* Die Anhänger des Prinzips von Führertum sollten dieser logischen Konsequenz ihres Bekenntnisses offen ins Auge sehen: Von seinen Widersprüchen befreit, verlangt es nicht die Herrschaft des Besten oder des Weisesten, sondern die Herrschaft des Machthungrigen.

314:7. Vgl. meinen Vortrag ›Versuch einer rationalen Theorie der Tradition‹, jetzt Kapitel *4* meiner *Vermutungen und Widerlegungen.* Dort versuche ich zu zeigen, daß Traditionen eine Art Zwischenrolle zwischen *Personen* (persönlichen Entscheidungen) und *Institutionen* spielen.

zu Text *26:* Marxens Theorie des Staates

316:1. Vgl. das Vorwort zur *Kritik der politischen Ökonomie,* S. LV (*Kapital,* 720).

316:2. Zu Platons Empfehlung von ›Überredung und Gewalt‹ vgl. z.B. Abschnitt *VII* in Kapitel *5* sowie Anm. 5 und 8 zu Kapitel *8* meiner *Offenen Gesellschaft.*

316:3. Vgl. LENIN, *Staat und Revolution,* 19.

316:4. Die beiden Zitate stammen aus MARX/ENGELS, *Das Kommunistische Manifest,* 25.

316:5. Vgl. LENIN, *Staat und Revolution,* 7.

318:6. Dieses Zitat stammt aus dem *Kommunistischen Manifest,* 16. – Der Text ist ENGELS' Vorwort zur ersten englischen Übersetzung des *Kapitals* entnommen. Ich zitiere nachfolgend den ganzen Schluß dieses Vorworts. Engels spricht über Marxens Schlußfolgerung, nach der »zumindest in Europa England das einzige Land ist, wo die unvermeidliche soziale Revolution gänzlich durch friedliche und legale Mittel durchgeführt werden könnte. Gewiß hat er nie vergessen hinzuzufügen, daß er kaum erwarte, die englische herrschende Klasse werde sich ohne ›proslavery rebellion‹ dieser friedlichen und legalen Revolution unterwerfen«. (Vgl. *Kapital,* Ausgabe des Marx-Lenin-Instituts, 28.) Diese Stelle zeigt klar, daß die Revolution nach der Theorie des Marxismus mit oder ohne Gewaltanwendung verlaufen wird, je nachdem ob die alte herrschende Klasse Widerstand leistet oder nicht. Vgl. auch Kapitel *19* Abschnitt *I,* meiner *Offenen Gesellschaft.*

319:7. Vgl. ENGELS, *Anti-Dühring,* 234. – Siehe auch die in Anm. 5 zu diesem Text erwähnten Stellen.

Der Widerstand der Bourgeoisie ist in Rußland schon seit Jahren gebrochen. Es gibt aber kein Anzeichen dafür, daß der russische Staat oder gar seine innere Organisation ›abstirbt‹.

Die Lehre vom Absterben des Staates ist im höchsten Grade unrealistisch; ich glaube, daß sie von Marx und Engels angenommen wurde, vor allem um den Rivalen den Wind aus den Segeln zu nehmen. Die Rivalen, an die ich hier denke, sind Bakunin und die Anarchisten; Marx sah es nicht gerne, wenn der Radikalismus anderer seinen eigenen übertraf. Wie Marx setzten sich auch die Anarchisten den Sturz der bestehenden sozialen Ordnung zum Ziel, richteten aber ihren Angriff auf das politische und das juridische, nicht auf das wirtschaftliche System. Für sie war der Staat der Böse, der zerstört werden mußte. Marx hätte aber seinen anarchistischen Konkurrenten aufgrund seiner eigenen Prämissen leicht die Möglichkeit zugestehen können, daß die Institution des Staates im Sozialismus andere und unentbehrliche Funktionen zu erfüllen habe: Nämlich die Funktionen der Sicherung der Gerechtigkeit und der Freiheit, die ihm von den großen Theoretikern der Demokratie zugeschrieben wurden.

319:8. Marx definiert den ›Wert‹ einer Ware als die Durchschnittszahl der Arbeitsstunden, die für ihre Herstellung notwendig sind. Diese Definition ist ein gutes Beispiel seines *Essentialismus.* Denn er führt den *Wert* ein, um zur wesentlichen Wirklichkeit zu gelangen, die dem entspricht, was in der Form des *Preises* einer Ware erscheint. Der Preis ist eine trügerische Erscheinungsform. »Ein Ding kann ... einen Preis haben, ohne einen Wert zu haben«, schreibt MARX *(Kapital,* 110; siehe auch COLEs ausgezeichnete Bemerkungen in seiner Einführung zum *Kapital,* insbesondere S. XXVIIff.).

319:9. Zum Problem der ›Lohnsklaven‹ und zur Analyse, die MARX zu den hier kurz angedeuteten Resultaten führte, vgl. insbesondere *Kapital,* 167 ff. und Fußnoten.

Meine Darstellung von Marx' Analyse findet Unterstützung in Engels' Zusammenfassung des *Kapitals* in seinem *Anti-Dühring.* ENGELS schreibt hier u.a. das folgende *(Anti-Dühring,* 137): »Mit anderen Worten: Selbst wenn wir die Möglichkeit alles Raubs, aller Gewalttat und aller Prellerei ausschließen, wenn wir annehmen, daß alles Privateigentum ursprünglich auf eigner Arbeit des Besitzers beruhte und daß im ganzen ferneren Verlauf nur gleiche Werte gegen gleiche Werte ausgetauscht werden, so kommen wir dennoch bei der Fortentwicklung der Produktion und des Austausches mit Notwendigkeit auf die gegenwärtige kapitalistische Produktionsweise, auf die Monopolisierung der Produktions- und Lebensmittel in den Händen der einen, wenig zahlreichen Klasse, auf die Herabdrückung der anderen, die ungeheure Mehrzahl bildenden Klasse zu besitzlosen Proletariern, auf den periodischen Wechsel von Schwindelproduktion und Handelskrise und auf die ganze gegenwärtige Anarchie der Produktion. Der ganze Hergang ist aus rein ökonomischen Ursachen erklärt, ohne daß auch nur ein einziges Mal der Raub, die Gewalt, der Staat oder irgendeine politische Einmischung nötig gewesen wäre.«

Vielleicht wird dieses Stelle eines Tages die Vulgärmarxisten überzeugen, daß der Marxismus wirtschaftliche Depressionen nicht durch die Verschwörung der ›Großindustriellen‹ erklärt. MARX selbst sagte *(Kapital,* Bd. II, S. 406 f., Hervorhebungen von mir): »Es scheint mir also, daß die kapitalistische Produktion vom *guten und bösen Willen unabhängige* Bedingungen einschließt, die jene relative Prosperität der Arbeiterklasse nur momentan zulassen, und zwar immer nur als Sturmvogel einer Krise.«

319:10. Zur Lehre ›Eigentum ist Diebstahl‹ oder ›Eigentum ist Raub‹ vgl. auch die Bemerkung MARX' über John Watts, *Kapital* (Ausg. d. Marx-Lenin-Instituts), S. 577, Fn. 45.

320:11. Zum Hegelschen Charakter der Unterscheidung zwischen bloß ›formaler‹ und ›aktualer‹ oder ›wirklicher‹ Freiheit oder Demokratie vgl. Anm. 62 zu Kapitel *12* meiner *Offenen Gesellschaft.* Hegel greift gerne die britische Verfassung wegen ihres Kults rein ›formaler‹ Freiheit an und stellt ihr den preußischen Staat gegenüber, in dem die ›reale‹ Freiheit ›aktualisiert‹ sei. Zum Zitat am Ende dieses Absatzes vgl. die im Text zu Anm. 7 von Kapitel *15* zitierte Stelle. Siehe auch Anm. 14 und 15 zu Kapitel *20* sowie die dazugehörigen Textstellen.

321:12. Gegen diese Analyse ließe sich folgendes einwenden: Nehmen wir an, daß zwischen den Unternehmern als Produzenten und insbesondere als Käufer der Arbeit auf den Arbeitsmärkten vollkommene und uneingeschränkte Konkurrenz besteht (und nehmen wir weiterhin an, daß es keine ›industrielle Reservearmee‹ von Arbeitslosen gibt, die auf diesen Markt einen Druck ausübt), dann kann man doch nicht von einer Ausbeutung der ökonomisch Schwachen durch die wirtschaftlich Starken, das heißt der Arbeiter durch die Unternehmer, sprechen. Aber ist die Annahme vollkommener und uneingeschränkter Konkurrenz zwischen den Käufern auf den Arbeitsmärkten überhaupt realistisch? Ist es nicht so, daß es beispielsweise auf vielen lokalen Arbeitsmärkten nur einen wirklich bedeutungsvollen Käufer gibt? Außerdem können wir nicht annehmen, daß eine perfekte Konkurrenz das Problem der Arbeitslosigkeit automatisch beseitigen wird, wenn auch vielleicht aus keinem anderen Grunde als dem, daß sich Arbeit nicht leicht von einem Ort zum anderen bewegen läßt.

321:13. Zum Problem der wirtschaftlichen Intervention des Staates sowie zur Charakterisierung unseres gegenwärtigen ökonomischen Systems als *Interventionismus* siehe Kapitel *18* bis *20* in meiner *Offenen Gesellschaft*, insbesondere Anm. 9 zu Kapitel *18* und Text. Es sei bemerkt, daß der *Interventionismus* in dem Sinne, in dem das Wort hier verwendet wird, die wirtschaftliche Seite des politischen *Protektionismus* ist, von dem in *op. cit.*, Kapitel *6*, Text zu Anm. 24–44 die Rede war. (Es ist verständlich, warum der Ausdruck ›Protektionismus‹ nicht anstelle von ›Interventionismus‹ verwendet werden kann.)

322:14. *Das Kapital*, S. 36.

327:15. Vgl. auch *Die offene Gesellschaft und ihre Feinde,* Kapitel *9*.

328:16. Die im *Europäischen Boten* von St. Petersburg veröffentlichte Besprechung wird von MARX im Vorwort zur 2. Auflage des *Kapitals* zitiert. (Siehe *Kapital,* 43.)

Um Marx Gerechtigkeit widerfahren zu lassen, müssen wir sagen, daß er sein eigenes System nicht immer allzu ernst genommen hat und daß er sehr wohl bereit war, von seinem Grundschema ein wenig abzuweichen; er betrachtete es als einen möglichen Standpunkt (und als ein solcher war es sicher von größter Bedeutung) und weniger als ein System von Dogmen.

So treffen wir unmittelbar hintereinander auf eine Feststellung *(Kapital,* 694), die die übliche marxistische Theorie vom sekundären Charakter des legalen Systems betont (es ist ein Mantel, eine ›Erscheinungsweise‹), und eine zweite Behauptung, die der politischen Macht des Staates eine sehr wichtige Rolle zuschreibt und sie explizite zu einer *ökonomischen Macht* im vollen Sinn des Wortes erhebt. Die erste dieser Behauptungen, »Der Verfasser hätte sich sagen sollen, daß Revolutionen nicht durch Gesetze gemacht werden«, bezieht sich auf die industrielle Revolution und auf einen Autor, der nach den Verfügungen fragte, die sie herbeigeführt hätten. Die zweite Behauptung ist ein Kommentar (und ein vom marxistischen Standpunkt aus betrachtet höchst unorthodoxer Kommentar) zu den Methoden der Akkumulation von Kapital; alle diese Methoden, so sagt MARX, »benutzen die Staatsmacht, die konzentrierte und organisierte Gewalt der Gesellschaft ... Die Gewalt ist der Geburtshelfer jeder alten Gesellschaft, die mit einer neuen schwanger geht. *Sie selbst ist eine ökonomische Potenz«*. Bis zum letzten Satz, den ich hervorgehoben habe, ist die Stelle klar orthodox. Aber der letzte Satz durchbricht diese Orthodoxie.

ENGELS war dogmatischer. Man sollte insbesondere eine seiner Behauptungen im *Anti-Dühring* heranziehen (155f.), wo er schreibt: »Hiernach ist es klar, welche Rolle die Gewalt in der Geschichte gegenüber der ökonomischen Entwicklung spielt.« Wenn die politische Macht der ökonomischen Entwicklung entgegenwirkt, »dann erliegt sie, mit wenigen Ausnahmen, der ökonomischen Entwicklung regelmäßig. Diese wenigen Ausnahmen sind einzelne Fälle von Eroberung, wo die rohen Eroberer ... die Produktivkräfte, mit denen sie nichts anzufangen wußten, verwüsteten oder verkommen ließen.«

Der Dogmatismus und die autoritäre Einstellung der meisten Marxisten ist wirklich ein erstaunliches Phänomen. Dieses Phänomen zeigt, daß sie den Marxismus irrational, als ein metaphysisches System verwenden. Es findet sich bei Radikalen und Gemäßigten in gleicher Weise. E. BURNS z.B. macht (A *Handbook of Marxism* (1935), S. 374) die erstaunlich naive Bemerkung, daß »Widerlegungen ... die Theorien Marx' unvermeidlich verdrehen«; woraus zu folgen scheint, daß Marx' Theorien unwiderlegbar, d.h. unwissenschaftlich sind; denn jede wissenschaftliche Theorie ist widerlegbar und kann überholt werden. Andrerseits sagt L. LAURAT in *Marxism and Democracy*, S. 226: »Wenn wir die Welt betrachten, in der wir leben, dann sind wir überrascht über die fast mathematische Präzision, mit der sich die wesentlichen Vorhersagen von Marx verwirklichen.«

MARX selbst scheint anderer Ansicht gewesen zu sein. Ich mag mich darin irren, aber ich glaube an die Ernsthaftigkeit seiner Behauptung (Ende des Vorworts zur ersten Auflage des *Kapitals;* siehe S. 38): »Jedes Urteil wissenschaftlicher Kritik ist mir willkommen. Gegenüber den Vorurteilen der sogenannten öffentlichen Meinung ... gilt mir nach wie vor der Wahlspruch ...: ›Geh deinen Weg und laß die Leute reden!‹«

zu Text *27:* Individualismus oder Kollektivismus

329:1. Eine terminologische Bemerkung zum Ausdruck ›Kollektivismus‹ ist hier am Platze. Was H. G. WELLS ›Kollektivismus‹ nennt, hat nichts mit der Sache zu tun, die ich so nenne. Wells ist ein Individualist (in meinem Sinn des Wortes); das zeigt sich insbesondere in seinen *Rights of Men* und *The Common Sense of War and Peace;* beide Werke enthalten sehr annehmbare Formulierungen der Forderungen, die ein die Gleichheit der Menschen vor dem Gesetz anerkennender Individualismus zu stellen hätte; aber er glaubt auch völlig richtig an das rationale Planen politischer Institutionen mit dem Ziel, die Freiheit und die Wohlfahrt menschlicher Individuen zu fördern. Das nennt er ›Kollektivismus‹; zur Bezeichnung dessen, was ihm meiner Ansicht nach vorschwebt, würde ich einen Ausdruck verwenden, wie ›rationales institutionelles Planen für die Freiheit‹. Dieser Ausdruck ist vielleicht lang und schwerfällig, aber er vermeidet eine Gefahr; denn das Wort ›Kollektivismus‹ könnte in dem antiindividualistischen Sinne interpretiert werden, in dem es oft und nicht nur in diesem Buche verwendet wird.

329:2. *Gesetze* 903c.

330:3. Im *Staat* und in den *Gesetzen* gibt es zahllose Stellen, an denen PLATON vor einem ungezügelten Gruppenegoismus warnt; vgl. z.B. *Staat* 519 e, 466b/c sowie Gesetze 715b/c.

Bezüglich der so oft behaupteten Identität zwischen Kollektivismus und Altruismus sei in diesem Zusammenhang auf die sehr treffende Frage SHERRINGTONS verwiesen *(Man on His Nature* (1951), S. 388): »Besitzt der Schwarm oder die Herde Altruismus? Ist der Schwarm oder die Herde selbstlos?«

331:4. ARISTOTELES, *Politik*, III, 12, 1 (1282 b). Vgl. auch Aristoteles' Bemerkung in *Pol.*, III, 9, 3, 1280a, aus der folgt, daß sich die Gerechtigkeit auf Personen wie auch auf Dinge bezieht.

331:5. Diese Bemerkung ist aus dem *Staat* 519ef.

332:6. Die erste Stelle ist aus den *Gesetzen* 730cff. PLATON nimmt hier auf den *Staat* Bezug und anscheinend insbesondere auf *Staat* 462aff., 424a und 449e. (Eine Liste von Stellen zum Kollektivismus und Holismus findet sich in Anm. 35 zu Kapitel 5 meiner *Offenen Gesellschaft.*) Die hier zitierte Stelle beginnt charakteristischerweise mit der Pythagoreischen Maxime ›Freunde haben alles gemeinsam, was sie besitzen‹. Vgl. Anm. 10 und Text, sowie die ›gemeinsamen Mahlzeiten‹, die in Anm. 8 erwähnt werden.

333:7. Das im vorliegenden Absatz folgende Zitat ist *Gesetze* 942 af. entnommen. Diese Stelle und die vorhergehende werden von GOMPERZ (*Grie-*

chische Denker, II, 406) als antiindividualistisch beschrieben; vgl. auch *Gesetze* 807 d/e.

Wir dürfen nicht vergessen, daß die militärische Erziehung in den *Gesetzen* wie auch im *Staat* Pflicht ist für alle, denen das Tragen von Waffen erlaubt ist, das heißt für alle Bürger – für alle Menschen, die so etwas wie bürgerliche Rechte besitzen (vgl. *Gesetze* 753 b). Die übrigen Mitglieder des Staates sind ›banausisch‹ – oder Sklaven (vgl. *Gesetze* 741 e und 743 d).

Interessanterweise hält BARKER, der den Militarismus verabscheut, Platon für einen Vertreter ähnlicher antimilitaristischer Ansichten (*Greek Political Theory,* 298–301). Es ist wahr, daß Platon den Krieg nicht verherrlicht hat und daß er sich sogar gegen ihn wandte. Aber viele Militaristen haben Frieden gepredigt und Krieg geführt; und der Staat Platons wird von der militärischen Kaste, also von weisen Ex-Soldaten, regiert. Das gilt für *Gesetze* ebenso wie für *Staat.* (Vgl. *Gesetze* 753 b.)

333:8. Strengste Gesetzgebung über Mahlzeiten – insbesondere ›*gemeinsame Mahlzeiten*‹ – und auch für das Verhalten beim Trinken spielt bei Platon eine bedeutende Rolle; vgl. *z.B. Staat* 416e, 458c, 547d/e; *Gesetze* 625e, 633a (wo bemerkt wird, daß die obligatorischen gemeinsamen Mahlzeiten im Hinblick auf Kriege eingerichtet wurden), 762b, 780–783, 806c, f., 839c, 842b. Platon hebt stets die Bedeutung gemeinsamer Mahlzeiten hervor, ganz in Übereinstimmung mit kretischen und spartanischen Gebräuchen. Es ist auch interessant, daß sich Platons Onkel Kritias mit diesen Dingen besonders ausführlich beschäftigt hat. (Vgl. D-K II, S. 391, *Kritias* Fragm. 3.)

Zur Anspielung auf die Anarchie der ›Tiere‹ am Ende des vorliegenden Zitats vgl. auch *Staat* 563 c.

333:9. Vgl. ENGLANDS Ausgabe der *Gesetze,* Bd. I, S.514, Anm. zu 739b 8ff. Die Zitate aus BARKER sind: *op. cit.,* S. 149 und 148. In den Schriften der meisten Platoniker finden sich zahllose ähnliche Stellen. Siehe jedoch SHERRINGTONS Bemerkung (vgl. Anm. 3), daß man kaum einem Schwarm oder einer Herde altruistische Gesinnung zuschreiben kann. Herdeninstinkte, Stammesegoismus sowie der Appell an diese Instinkte sollten nicht mit Selbstlosigkeit verwechselt werden.

334:10. Vgl. PLATONS *Staat* 424a, 449c; *Phaidros* 279c; *Gesetze* 739c; vgl. auch *Lysis* 207c, und *Euripides, Orest.* 725.

Zur individualistischen Theorie der Gerechtigkeit und der Ungerechtigkeit des *Gorgias* vgl. z.B. die in *Gorgias* 468bff., 508d/e gegebenen Beispiele. Diese Stellen zeigen aller Wahrscheinlichkeit nach noch immer sokratischen Einfluß. Der Individualismus des Sokrates ist überaus klar in seiner berühmten Lehre von der Selbstgenügsamkeit des guten Menschen ausgedrückt; diese Lehre wird von Platon im *Staat* (387d/e) erwähnt, obgleich sie einer der Hauptthesen des Staates glatt widerspricht – der Annahme nämlich, daß der Staat allein selbstgenügsam sein kann. Vgl. auch *Die offene Gesellschaft und ihre Feinde,* Anm. 5 ff., zu Kapitel *5* und Anm. 56 zu Kapitel *10.*

335:11. *Staat* 368b/c.

335:12. Vgl. insbesondere *Staat* 344aff.

336:13. Vgl. *Gesetze* 923b.

zu Text *28:* Die Autonomie der Soziologie

337:1. Vgl. MARX' Vorwort zur *Kritik der politischen Ökonomie,* (1859). Vgl. auch MARX und ENGELS, *Deutscbe Ideologie* (1847): »Es ist nicht das Bewußtsein der Menschen, das ihr Leben, sondern umgekehrt ihr Leben, das ihr Bewußtsein bestimmt.«

337:2. Vgl. M. GINSBERG, *Sociology* (Home University Library), S. 130 ff., der das Problem in einem ähnlichen Zusammenhang diskutiert, ohne jedoch auf Marx Bezug zu nehmen. Zum Kontrast zwischen Natur und Konvention siehe besonders Kapitel *5* meiner *Offenen Gesellschaft.*

338:3. Vgl. z.B. *Zoology Leaflet* 10, publiziert vom *Field Museum of Natural History,* Chicago 1929.

338:4. Zum Institutionalismus vgl. insbesondere Kapitel *3* meiner *Offenen Gesellschaft.* (Text zu Anm. 9 und 10) und Kapitel *9* (beide in Band I).

340:5. Vgl. MILL, *A System of Logic,* VI; IX, § 3, *op. cit.,* VI; VI, § 2, *op. cit.,* VI; VII, § 1.

340:6. Zum Gegensatz zwischen dem ›methodologischen Individualismus‹ und dem ›methodologischen Kollektivismus‹ vgl. F. A. v. HAYEKS Aufsatz ›*Scientism and the Study of Society*‹, Teil II in *Economica,* N. S. 10 (1943), besonders Abschnitt VII, S. 41 ff.

341:7. Zu diesem und dem vorhergehenden Zitat vgl. MILL, *op. cit.,* VI; X, § 4.

342:8. Ich verwende den Ausdruck ›soziologische Gesetze‹ zur Bezeichnung der Naturgesetze des Soziallebens (im Gegensatz zu seinen normativen Gesetzen).

342:9. Die Bemerkung, daß es Marx war, der als erster die Sozialtheorie als das Studium der *unerwünschten sozialen Rückwirkungen fast aller unserer*

Handlungen aufgefaßt hat, verdanke ich K. Polanyi, der diesen Aspekt des Marxismus in privaten Diskussionen hervorhob (1924).

Es muß jedoch festgehalten werden, daß trotz des eben erwähnten Aspekts des Marxismus, der einen wichtigen Berührungspunkt zwischen den methodischen Ansichten Marxens und meinen eigenen Ansichten darstellt, doch ein beträchtlicher Unterschied besteht hinsichtlich der Art, in der Marx und ich diese unerwünschten und unbeabsichtigten Rückwirkungen analysieren würden. Denn Marx ist ein *methodologischer Kollektivist.* Er glaubt, daß es das ›System ökonomischer Bedingungen‹ als solches ist, das die unerwünschten Konsequenzen herbeiführt – ein System von Institutionen, das nur durch seine Abhängigkeit von den Produktionsmitteln erklärt werden, aber nicht auf die einzelnen Individuen, ihre Beziehungen und Handlungen zurückgeführt werden kann. Im Gegensatz dazu bin ich der Auffassung, daß man Institutionen (und Traditionen) auf Individuen zurückführen muß – das heißt auf die Beziehung von Individuen, die in gewissen Situationen handeln, und auf die unbeabsichtigten Konsequenzen ihrer Handlungen.

Zu der Bemerkung im Text (und zwar in dem Absatz, dem diese Fußnote beigefügt ist, sowie in einigen der folgenden Absätze) über die unbeabsichtigten sozialen Rückwirkungen unserer Handlungen möchte ich darauf hinweisen, daß die Situation in den physikalischen Wissenschaften (und in den Ingenieurwissenschaften sowie der Technologie) eine ähnliche ist. Die Aufgabe der Technologie besteht auch hier zum Großteil darin, uns über die unbeabsichtigten Konsequenzen unserer Handlungen zu informieren (z.B. darüber, daß eine Brücke zu schwer werden kann, wenn wir gewisse ihrer Bestandteile verstärken). Aber die Analogie geht sogar noch weiter. Unsere mechanischen Erfindungen führen selten zu dem Ergebnis, das wir nach unseren Plänen hätten erwarten sollen. Die Erfinder des Automobils haben sehr wahrscheinlich die sozialen Rückwirkungen ihrer Handlungen nicht vorhergesehen; aber es ist ganz sicher, daß sie die mechanischen Rückwirkungen ihrer Erzeugnisse nicht vorhergesehen haben – d.h. die vielen verschiedenen Fehler, die zum Zusammenbrechen ihrer Fahrzeuge führten. Und die Änderungen, die eingeführt wurden, um dieses Zusammenbrechen zu verhindern, änderten die Fahrzeuge bis zur Unkenntlichkeit. (Und mit ihnen änderten sich auch die Beweggründe und die Ansprüche gewisser Menschen.)

343:10. Siehe meine *Offene Gesellschaft,* Kapitel *9.*

344:11. Zu meiner Kritik der Verschwörungstheorie vgl. Kapitel *4* und *16* meines Buches *Vermutungen und Widerlegungen.*

346:12. Siehe die Stelle aus MILLS *Logic,* die im Text zu Anm. 7 dieses Textes zitiert wird.

347:13. Wichtige Beiträge zur Logik der Macht leisteten Platon (in den Büchern VIII, IX des *Staats* und in den *Gesetzen),* Aristoteles, Machiavelli, Pareto und viele andere.

347:14. Vgl. MAX WEBERS ›Kategorienaufsatz‹ (1913), auch in *Ges. Aufs. z. Wissenschaftslehre* (1922), dort insbesondere S. 408 ff.

Noch eine Bemerkung zur oft wiederholten Behauptung, daß die Sozialwissenschaften eine Methode verwenden, die von der Methode der Naturwissenschaften verschieden ist: Die sozialen Atome, nämlich uns selbst, so wird behauptet, kennen wir auf unmittelbare Weise, während unser Wissen von den physikalischen Atomen bloß hypothetisch ist. Daraus wird dann oft geschlossen (z.B. von Karl Menger), daß die Methode der Sozialwissenschaften im Gegensatz zu den ›objektiven‹ Methoden der Naturwissenschaften psychologisch oder subjektiv sei, da sie von unserer Selbstkenntnis Gebrauch mache. Darauf ist das folgende zu entgegnen: Es gibt sicher keinen Grund, warum wir nicht ›direktes‹ Wissen über uns selbst verwenden sollten, sofern wir es besitzen. Aber ein derartiges Wissen ist in den Sozialwissenschaften nur dann von Nutzen, wenn wir generalisieren, das heißt wenn wir annehmen, daß das, was wir von uns selbst wissen, auch für andere Menschen Geltung besitzt. Eine solche Verallgemeinerung ist jedoch hypothetischer Natur, und sie muß durch Erfahrung ›objektiver‹ Art überprüft und korrigiert werden. (Es ist leicht möglich, daß einige Menschen der Ansicht sind, jedermann esse gerne Schokolade, bis sie dann jemand treffen, der Schokolade nicht ausstehen kann.) Den ›sozialen Atomen‹ gegenüber befinden wir uns zweifellos in mancher Hinsicht in einer besseren Lage, als den physikalischen Atomen gegenüber, nicht nur wegen unseres Wissens von uns selbst, sondern auch wegen des Gebrauchs der Sprache. Aber vom Standpunkt wissenschaftlicher Methode aus betrachtet, ist eine soziale Hypothese, die durch Selbstintuition nahegelegt wird, in nichts verschieden von einer physikalischen Hypothese über Atome. Auch diese kann sich dem Physiker durch eine Art Intuition über die Natur der Atome aufgedrängt haben. In beiden Fällen ist diese Intuition eine Privatangelegenheit dessen, der die Hypothese aufstellt. Von allgemeinem Interesse und für die Wissenschaft von Bedeutung ist einzig die Frage, ob sich diese Hypothesen wohl durch die Erfahrung überprüfen lassen und ob sie den Überprüfungen standhalten. So gesehen sind soziale Theorien durchaus nicht in höherem Grade ›subjektiv‹ als physikalische Theorien. (Und es wäre richtiger, wenn wir z.B. von der ›Theorie der subjektiven Werte‹ oder der ›Theorie der Wahlhandlungen‹ sprechen, statt von der ›subjektiven Werttheorie‹.)

348:15. *Die offene Gesellschaft,* Kapitel *10.*

349:16. Hegel behauptete, daß seine ›Idee‹ ›absolut‹, d.h. unabhängig vom Denken irgendeines Menschen existiere. Man könnte also der Auffassung sein, daß er kein Psychologist war. Jedoch nahm Marx vernünftigerweise diesen ›absoluten Idealismus‹ Hegels nicht ernst; er deutete ihn vielmehr als einen verborgenen *Psychologismus* und bekämpfte ihn als solchen. Vgl. *Kapital*, 46 (Hervorhebungen von mir): »Für Hegel ist der *Denkprozeß*, den er sogar unter dem Namen Idee in ein selbständiges Subjekt verwandelt, der Demiurg des Wirklichen.« MARX beschränkt seinen Angriff auf die Lehre, daß der Denkprozeß (oder das Bewußtsein, oder der Geist) das Wirkliche erschaffe; und er zeigt, daß er nicht einmal die soziale Wirklichkeit schafft (ganz zu schweigen vom materiellen Universum).

Zur Hegelschen Theorie der Abhängigkeit des Individuums von der Gesellschaft vgl. die Diskussion des sozialen, oder genauer, des interpersonellen Elements in der wissenschaftlichen Methode [in Text *30*] sowie auch die entsprechende Diskussion des interpersonellen Elements der Rationalität [in Text 2].

zu Text *30:* Gegen die Wissenssoziologie

360:1. Das Motto von BERTRAND RUSSELL wurde den abschließenden Sätzen von ›The Ancestry of Fascism‹ entnommen. (*In Praise of Idleness* (1935), S. 107 f.) [Diesen Verweis verdanke ich Dr. Kenneth Blackwell, Archivist to the Bertrand Russell Archives, Mills Memorial Library, Mc Master University.]

361:2. Zu MANNHEIM siehe insbesondere sein Buch *Ideologie und Utopie* (1929). Die Ausdrücke ›sozialer Standort‹ und ›Totalideologie‹ gehen beide auf Mannheim zurück. Die Idee des ›sozialen Standorts‹ ist platonisch.

362:3. Eine Kritik von MANNHEIMS *Man and Society in an Age of Reconstruction* (1941), ein Werk, welches historizistische Tendenzen mit einem romantischen und sogar mystischen Utopismus oder Holismus verbindet, findet sich in Text *24*, Abschnitt *II*.

362:4. Vgl. meine Interpretation in meinen *Vermutungen und Widerlegungen*, englische Ausgabe, S. 325. Dieser Ausdruck stammt von MANNHEIM (vgl. *Ideologie und Utopie*, S. 35). Zur ›freischwebenden Intelligenz‹ siehe *op. cit., S.* 123, wo dieser Ausdruck Alfred Weber zugeschrieben wird. Zur Theorie der nur lose in der Tradition verankerten Intelligenz siehe *op cit.*, S. 121 – 134, insbesondere S. 122.

364:5. Die Analogie zwischen der psychoanalytischen Methode und der Methode Wittgensteins wird von WISDOM, ›Other Minds‹ *(Mind*, Bd. 49, S. 370, Anm.) erwähnt: »Ein Zweifel wie ›ich kann niemals wirklich wissen, was ein anderer Mensch fühlt‹ kann aus mehr als einer dieser Quellen entspringen. Diese Überbestimmtheit skeptischer Symptome kompliziert ihre Kur. Die Behandlung ist einer psychoanalytischen Behandlung vergleichbar (um die Analogie Wittgensteins zu erweitern) insofern, als die Behandlung in der Diagnose und die Diagnose in der Beschreibung, der möglichst vollständigen Beschreibung der Symptome besteht.« Und so weiter. (Es sei bemerkt, daß wir, wenn wir das Wort ›wissen‹ in seinem üblichen Sinn verwenden, natürlich niemals wissen können, was ein anderer Mensch fühlt. Wir können darüber nur Hypothesen machen. Das löst das sogenannte Problem. Es ist ein Irrtum, wenn hier von einem Zweifel gesprochen wird, und ein noch größerer Irrtum, wenn man versucht, den Zweifel durch eine semioticoanalytische Behandlung zu beseitigen.)

364:6. Das ist, was die Psychoanalytiker von den Individualpsychologen zu denken scheinen, und sie haben damit wahrscheinlich auch recht. Vgl. FREUD, *Zur Geschichte der psychoanalytischen Bewegung,* in *Gesammelte Schriften,* Bd. IV, S. 461, wo Freud mitteilt, daß ADLER die folgende Bemerkung gemacht habe (die genau in Adlers individualpsychologisches Schema paßt, in dem Minderwertigkeitsgefühle eine Hauptrolle spielen): »Glauben Sie denn, daß es ein so großes Vergnügen für mich ist, mein ganzes Leben lang in Ihrem Schatten zu stehen?« Was nahezulegen scheint, daß Adler, zumindest zu dieser Zeit, seine Theorien nicht mit Erfolg auf sich selbst angewendet hatte. Aber dasselbe scheint auf Freud zuzutreffen: Keiner der Gründer der Psychoanalyse ist psychoanalysiert worden. Auf diesen Einwand antworteten sie gewöhnlich, sie hätten sich selbst psychoanalysiert. Aber eine solche Entschuldigung hätten sie von niemand sonst akzeptiert – und das mit vollem Recht.

366:7. Zur folgenden Analyse wissenschaftlicher Objektivität vgl. meine *Logik der Forschung,* Abschnitt *8*, ab 2. Aufl. S. 18 ff.

369:8. Bei den Kantianern möchte ich mich an dieser Stelle dafür entschuldigen, daß ich sie mit den Anhängern Hegels zusammen in einem Atem genannt habe.

372:9. Vgl. MANNHEIM, *Ideologie und Utopie,* S. 167.

373:10. Zum ersten Zitat vgl. *op. cit.,* 167, zum zweiten *op. cit.,* 166.

373:11. Vgl. ENGELS, *Anti-Dühring,* 91: »Hegel war der erste, der das Verhältnis von Freiheit und Notwendigkeit richtig darstellte. Für ihn ist die Freiheit die Einsicht in die Notwendigkeit.« HEGELS eigene Formulierung seiner Lieblingsidee findet sich in der *Logik (Werke* 1832–1887, Bd. VI, S. 310): »Die Wahrheit der Notwendigkeit ist somit die Freiheit.« In der *Philosophie der Geschichte,* S. 53 spricht er vom *»christlichen* Prinzip des Selbstbewußtseins, der Freiheit«. Kurz darauf *(op. cit.,* 54) lesen wir dann: »Zugleich ist es die Freiheit in ihr selbst, welche die unendliche Notwendigkeit in sich schließt, eben sich zum Bewußtsein – denn sie ist ihrem Begriff nach Wissen von sich – und damit zur Wirklichkeit zu bringen.« Und so weiter.

Textnachweis

Da fast alle Bücher, denen diese Textauswahl entnommen wurde, leicht erhältlich sind, fand ich es unnötig, auf die vielen kleinen redaktionellen Änderungen an Karl Poppers Text hinzuweisen, die vorzunehmen er mir speziell für dieses Buch die Erlaubnis erteilte. Dazu gehören Neuformulierungen von Sätzen, um den Anschluß verschiedener Abschnitte zu verbessern; einige Kürzungen in den Anmerkungen; Änderungen der Rechtschreibung, Satzzeichen und ähnlichem, um die Einheitlichkeit innerhalb des Bandes zu gewährleisten; wenige stilistische und grammatische Verbesserungen; und die Korrektur geringfügiger Fehler. Querverweise wurden angepaßt, so daß der Leser, wo immer möglich, auf einen anderen Teil des vorliegenden Buches verwiesen wird. Solche Verweise wurden in eckige Klammern gesetzt und meistens in den Text integriert, während Verweise auf andere Werke in den Anmerkungen stehen. Wo Popper auf fremde Werke verweist, wird im allgemeinen die Ausgabe nachgewiesen, die er selber benutzt hat, also bei ursprünglich deutschen Büchern die deutsche, bei ursprünglich englischen Büchern die englische Ausgabe. Die Vorsokratiker-Textfragmente sind alle von Popper selbst übersetzt (auch ins Deutsche).

In den meisten Texten habe ich davon abgesehen, große innere Kürzungen vorzunehmen, jedenfalls habe ich ganze Abschnitte der Originalfassungen wiedergegeben habe. Das hat unvermeidlicherweise zu gelegentlichen Wiederholungen geführt. Die Ausnahmen davon halte ich hier fest: In den Anmerkungen zu Text *6* habe ich erhebliche Kürzungen vorgenommen und in den Texten *12, 23,* und *26* habe ich beträchtliche Streichungen am Originalmaterial vorgenommen. Zu einem geringeren Grad trifft das für andere Texte zu, wie unten vermerkt wird.

Das jedem Text beigefügte Datum ist dasjenige seines ersten Erscheinens in irgendeiner Form: Für Vorlesungen ist es das Jahr der Vorlesung; für Aufsätze und Auszüge aus Büchern ist es das Jahr der ersten Veröffentlichung. In einigen Fällen wurde später neues Material hinzugefügt, aber ich habe ausdrückliche Angaben dieser Hinzufügungen unterlassen. Insbesondere erscheinen mit einem Sternchen versehene Anmerkungen aus *Logik der Forschung* und aus *Die offene Gesellschaft und ihre Feinde* hier ohne Sternchen. Wer sich für die Entwicklung von Poppers Denken interessiert, wird ihr ohne große Schwierigkeiten in den Originalveröffentlichungen auf die Spur kommen.

Die Quellen der Texte sind die folgenden.

1. Die Anfänge des Rationalismus – Dieser Text besteht aus den Abschnitten *I, XI,* und *XII* von ›Zurück zu den Vorsokratikern‹; er war die Ansprache des Präsidenten an die *Aristotelian Society* im Jahre 1958 und ist jetzt das Kapitel *5* von *Vermutungen und Widerlegungen.*

2. Die Verteidigung des Rationalismus – Dieser Text besteht aus Abschnitt *II* und *III* des Kapitels *24* von *Die offene Gesellschaft und ihre Feinde.*

3. Erkenntnis ohne Autorität – Dieser Text besteht aus den Abschnitten *XIII* bis *XVII* von ›Von den Quellen unseres Wissens und unserer Unwissenheit‹; er war die *Annual Philosophical Lecture,* die im Jahre 1960 vor der *British Academy* gelesen wurde und ist jetzt die Einleitung zu *Vermutungen und Widerlegungen.*

4. Subjektive oder objektive Erkenntnis? – Dieser Text besteht aus den Abschnitten *1* bis *4, 5.1* und *5.2* von ›Erkenntnistheorie ohne erkennendes Subjekt‹; er war eine Ansprache, die im Jahre 1967 am Dritten Internationalen Kongreß für Logik, Methodologie und Wissenschaftstheorie gehalten wurde und ist jetzt Kapitel *3* von *Objektive Erkenntnis.*

5. Evolutionäre Erkenntnistheorie – Dieser Text besteht aus den Abschnitten *I* bis *VI* von ›The Rationality of Scientific Revolutions‹; er war eine *Herbert Spencer Lecture,* die im Jahre 1973 an der Universität Oxford gehalten wurde. Erstveröffentlichung als Kapitel *6* von *Problems of Scientific Revolution,* hrsg. von R Harré, (Oxford 1975). Deutsche Erstveröffentlichung hier, übersetzt von Eva Schiffer.

6. Zwei Arten von Definitionen – Dieser Text besteht aus Abschnitt *II* des Kapitels *11* von *Die offene Gesellschaft und ihre Feinde.* Die Anmerkungen sind erheblich gekürzt.

7. Das Problem der Induktion – Dieser Text beginnt mit Abschnitt *IX* von ›Philosophy of Science: A Personal Report‹; er war eine Vorlesung, die im Jahre 1953 im Peterhouse, Cambridge, gehalten wurde, und er ist jetzt (unter anderem Titel) Kapitel *1* von *Vermutungen und Widerlegungen.*

Der Rest des Textes besteht aus den Abschnitten *13* und *14* von ›Replies to My Critics‹ in *The Philosophy of Karl Popper,* hrsg. von P. A. Schilpp (La-Salle, Illinois 1974). Am Anfang und Schluß einzelner Abschnitte wurden einige Kürzungen vorgenommen. Deutsche Erstveröffentlichung hier, übersetzt von Eva Schiffer.

8. Das Abgrenzungsproblem – Dieser Text besteht aus den Abschnitten *5* bis *8* von ›Replies to My Critics‹, vgl. Nachweis zu Text *7.* Am Anfang und Schluß der einzelnen Abschnitte wurden einige Kürzungen vorgenommen. Deutsche Erstveröffentlichung hier, übersetzt von Eva Schiffer.

9. Die wissenschaftliche Methode – Dieser Text besteht aus dem Schluß von Abschnitt *1,* aus Abschnitt *2* und *3,* sowie aus Kapitel *II* von *Logik der Forschung.*

10. Falsifikationismus oder Konventionalismus? – Dieser Text besteht aus den einleitenden Abschnitten zu Kapitel *IV* sowie den Abschnitten *19* bis *22* von *Logik der Forschung.*

11. Die Empirische Basis – Dieser Text besteht aus den einführenden Abschnitten zu Kapitel *V* sowie den Abschnitten *25* und *27* bis *29* von *Logik der Forschung.*

12. Die Zielsetzung der Erfahrungswissenschaft – Dieser Aufsatz wurde zum ersten Mal im Jahre 1957 in *Ratio,* Band 1, veröffentlicht und ist jetzt

Kapitel *5* von *Objektive Erkenntnis.* Er ist auch Abschnitt *15* von *Der Realismus und das Ziel der Wissenschaft.* Eine Kürzung von ungefähr vier Seiten wurde vorgenommen.

13. Das Wachstum der wissenschaftlichen Erkenntnis – Dieser Text besteht aus einem Teil des Abschnittes *I,* sowie aus den Abschnitten *II* bis *VI* von ›Wahrheit, Rationalität und das Wachstum der wissenschaftlichen Erkenntnis‹; er wurde für den Ersten Internationalen Kongreß für Logik, Methodologie und Wissenschaftstheorie, 1960, vorbereitet und bildet jetzt Kapitel *10* von *Vermutungen und Widerlegungen.*

14. Wahrheit und Annäherung an die Wahrheit – Dieser Text besteht aus den Abschnitten *VII* bis *XIII* von ›Wahrheit, Rationalität und das Wachstum der wissenschaftlichen Erkenntnis‹, vgl. Nachweis zu Text *13.*

15. Propensitäten, Wahrscheinlichkeiten und die Quantentheorie – Es handelt sich um den Aufsatz ›The Propensity Interpretation of the Calculus of Probability, and the Quantum Theory‹; er wurde im Jahre 1957 einem von der *Colston Research Society* in Bristol organisierten Symposium vorgelegt, und er wurde in *Observation and Interpretation,* hrsg. von S. Körner (London 1957) veröffentlicht. Eine sehr spezielle Anmerkung ist weggelassen worden. Deutsche Erstveröffentlichung hier, übersetzt von Eva Schiffer.

16. Metaphysik und Kritisierbarkeit – Der Text besteht aus Abschnitt 2 von ›Über die Stellung der Erfahrungswissenschaft und der Metaphysik‹; er wurde erstmals in *Ratio,* Band 1 (1958) veröffentlicht und ist jetzt Kapitel *8* von *Vermutungen und Widerlegungen.*

17. Der Realismus – Es handelt sich um die Abschnitte *4* und *5* von ›Zwei Seiten des Alltagsverstands‹; der Text war eine Vorlesung, die im Jahre 1970 an der *London School of Economics* gehalten wurde und die jetzt Kapitel *2* von *Objektive Erkenntnis* ist. Eine Anmerkung ist weggelassen worden.

18. Kosmologie und Veränderung – Der Text besteht aus den Abschnitten *II* bis *IX* von ›Zurück zu den Vorsokratikern‹, vgl. Nachweis zu Text *1.* Eine kleine Kürzung ist vorgenommen worden.

19. Die natürliche Selektion und ihr wissenschaftlicher Status – Der Text besteht aus den Abschnitten *1* und *2* von ›Natural Selection and the Emergence of Mind‹; er war die *First Darwin Lecture,* gehalten am *Darwin College* in Cambridge im Jahre 1977 und wurde in *Dialectica,* Band 32 (1978) veröffentlicht, wo er der Erinnerung an Professor Paul Bernays gewidmet war. Einige Kürzungen sind vorgenommen worden. Deutsche Erstveröffentlichung hier, übersetzt von Eva Schiffer.

20. Indeterminismus und menschliche Freiheit – Der Text besteht aus den Abschnitten *II* bis *IV* und *VI* bis *XI* von ›Über Wolken und Uhren‹; er war die *Second Arthur Holly Compton Memorial Lecture,* die an der *Washington University,* St. Louis, im Jahre 1965 gehalten wurde und ist jetzt Kapitel *6* von *Objektive Erkenntnis.* Ein Teil des Abschnitts *VI* ist weggelassen worden.

21. Das Leib-Seele-Problem – Dieser Text besteht aus den Abschnitten *15,*

17 und *20* von *Das Ich und sein Gehirn.* Am Anfang und Schluß der Abschnitte sind einige Kürzungen vorgenommen worden.

22. Das Ich – Der Text besteht aus den Abschnitten *29, 31, 36* und *37* von *Das Ich und sein Gehirn.* Der Schluß von Abschnitt *29* ist weggelassen worden.

23. Der Historizismus – Dieser Text besteht aus der Einleitung, sowie den Abschnitten *12, 14* bis *16* und *27* von *Das Elend des Historizismus;* er wurde erstmals im Jahre 1936 einer privaten Versammlung in Brüssel vorgelesen. Zwei größere Kürzungen sind in Abschnitt *27* vorgenommen worden.

24. Die Stückwerk-Sozialtechnik – Der Text besteht aus den Abschnitten *20, 21* und *24* von *Das Elend des Historizismus;* er wurde erstmals in *Economica,* Band XI (1944) und Band XII (1945) veröffentlicht. Am Anfang und Schluß einzelner Abschnitte sind einige Kürzungen vorgenommen worden.

25. Die Paradoxien der Souveränität – Dieser Text besteht aus Teilen des einleitenden Abschnitts, sowie den Abschnitten *I* und *II* von Kapitel *7* von *Die offene Gesellschaft und ihre Feinde.*

26. Marxens Theorie des Staates – Es handelt sich um Kapitel *17* von *Die offene Gesellschaft und ihre Feinde.* Einige Kürzungen am Text sind vorgenommen worden.

27. Individualismus oder Kollektivismus? – Es handelt sich um Abschnitt *V* von Kapitel *6* von *Die offene Gesellschaft und ihre Feinde.*

28. Die Autonomie der Soziologie – Es handelt sich um das Kapitel *14* von *Die offene Gesellschaft und ihre Feinde.*

29. Das Rationalitätsprinzip – Dieser Aufsatz wurde zuerst in französischer Übersetzung veröffentlicht in *Les Fondements Philosophiques des Systèmes économiques* (Festschrift für Professor Jacques Rueff), hrsg. von E. M. Claassen (Paris 1967). Die englische Fassung erschien erstmals in den *Popper Selections.* Deutsche Erstveröffentlichung hier, übersetzt von Eva Schiffer.

30. Gegen die Wissenssoziologie – Bei diesem Text handelt es sich um Kapitel *23* von *Die offene Gesellschaft und ihre Feinde.*

Bibliographische Hinweise

I. Werke von Karl Popper in deutscher Sprache oder ins Deutsche übersetzt

Die beiden Grundprobleme der Erkenntnistheorie, aufgrund von Manuskripten aus den Jahren 1930–1933 herausgegeben von Troels Eggers Hansen, Tübingen 1979: J. C. B. Mohr (Paul Siebeck); 2. verbesserte Auflage 1994.

Logik der Forschung, Wien 1935 [erschienen bereits 1934]: Julius Springer Verlag; 2., erweiterte Auflage [Neuer Anhang übersetzt von Leonhard Walentik], Tübingen 1966: J. C. B. Mohr (Paul Siebeck); 10., verbesserte und vermehrte Auflage 1994.

Das Elend des Historizismus [Originaltitel: *The Poverty of Historicism*, Erstveröffentlichung in *Economica* 1944/1945; als Buch London 1957: Routledge & Kegan Paul], übersetzt von Leonhard Walentik, Tübingen 1965: J. C. B. Mohr (Paul Siebeck); 6., durchgesehene Auflage 1987.

Die offene Gesellschaft und ihre Feinde [Originaltitel: *The Open Society and Its Enemies*, London 1945: Routledge & Kegan Paul], 2 Bände, Band I: *Der Zauber Platons,* Bern 1957: Francke Verlag; Band II: *Falsche Propheten: Hegel, Marx und die Folgen,* Bern 1958: Francke Verlag [beide Bände übersetzt von Paul K. Feyerabend]; 7. Auflage, mit weitgehenden Verbesserungen und neuen Anhängen: Tübingen 1992: J. C. B. Mohr (Paul Siebeck).

Vermutungen und Widerlegungen: Das Wachstum der wissenschaftlichen Erkenntnis [Originaltitel: *Conjectures and Refutations: The Growth of Scientific Knowledge,* London 1963: Routledge & Kegan Paul], 2 Teilbände, Teilband I: *Vermutungen.* Übersetzt von Gretl Albert, Melitta Mew, Karl Popper, Georg Siebeck. Tübingen 1994: J. C. B. Mohr (Paul Siebeck).

Objektive Erkenntnis. Ein evolutionärer Entwurf [Originaltitel: *Objective Knowledge. An Evolutionary Approach.* Oxford 1972: Oxford University Press]. Übersetzt von Hermann Vetter. Hamburg 1973: Hoffmann und Campe Verlag; 4., verbesserte und ergänzte Auflage 1984.

Ausgangspunkte. Meine intellektuelle Entwicklung. [Originaltitel: *Unended Quest. An Intellectual Autobiography*, Erstveröffentlichung in *The Philosophy of Karl Popper*; als eigenes Buch: London und Glasgow 1976: Fontana/Collins]. Übersetzt von Friedrich Griese und Karl Popper. Hamburg 1979: Hoffmann und Campe Verlag.

Das Ich und sein Gehirn (Mit John C. Eccles) [Originaltitel: *The Self and Its Brain. An Argument for Interactionism*, New York etc. 1977: Springer-

Verlag]. Popper-Teile übersetzt von Willy Hochkeppel. München 1982: Piper Verlag.

Auf der Suche nach einer besseren Welt. Vorträge und Aufsätze aus dreißig Jahren. München 1984: Piper Verlag; 6. Auflage 1991.

Alles Leben ist Problemlösen. Über Erkenntnis, Geschichte und Politik. München 1994: Piper Verlag.

II. Werke von Karl Popper, die bislang nur in englischer Sprache vorliegen

The Philosophy of Karl Popper [Darin von Karl Popper: *Intellectual Autobiography*, S. 3–181, jetzt: *Ausgangspunkte*; und außerdem: *Replies to my Critics,* S. 961–1197], herausgegeben von Paul Arthur Schilpp, La Salle, Illinois 1974: Open Court, 2 Bände.

Realism and the Aim of Science (From the Postscript to the Logic of Scientific Discovery) [Manuskripte aus den 50er Jahren, Band I], herausgegeben von William W. Bartley III, London 1983: Hutchinson; Neuausgabe London 1992: Routledge.

The Open Universe: An Argument for Indeterminism (From the Postscript to the Logic of Scientific Discovery), [Band II], herausgegeben von William W. Bartley III, London 1982: Hutchinson; Neuausgabe London 1991: Routledge.

Quantum Theory and the Schism in Physics (From the Postscript to the Logic of Scientific Discovery) [Band III], herausgegeben von William W. Bartley III, London 1982: Hutchinson; Neuausgabe London 1992: Routledge.

A World of Propensities [Zwei Vorträge aus den Jahren 1988 und 1989], Bristol 1990: Thoemmes.

Knowledge and the Body-Mind Problem: In Defence of Interaction [Vorlesungen an der Emory University im Jahre 1969], herausgegeben von Mark A. Notturno, London 1994: Routledge.

The Myth of the Framework: In Defence of Science and Rationality [Vorlesungen und Aufsätze aus den Jahren 1958–1976], herausgegeben von Mark A. Notturno, London 1994: Routledge.

Personenregister

Sachregister

Hans Albert

Kritik der reinen Hermeneutik
1994. XIV, 272 Seiten (Die Einheit der Gesellschaftswissenschaften 85). ISBN 3-16-945226-6 Broschur; ISBN 3-16-945229-0 Leinen

Traktat über kritische Vernunft
5. Auflage 1991. 284 Seiten (Die Einheit der Gesellschaftswissenschaften 9). ISBN 3-16-145721-8 Leinen; auch als UTB 1609: ISBN 3-8252-1609-8 Broschur

Kritik der reinen Erkenntnislehre
Das Erkenntnisproblem in realistischer Perspektive
1987. IX, 183 Seiten.
ISBN 3-16-945226-6 Broschur;
ISBN 3-16-945229-0 Leinen

Traktat über rationale Praxis
1978. XI, 193 Seiten.
ISBN 3-16-840841-7 Broschur;
ISBN 3-16-840842-5 Leinen

Die Wissenschaft und die Fehlbarkeit der Vernunft
1982. X, 190 Seiten
ISBN 3-16-244506-X Broschur;
ISBN 3-16-244507-8 Leinen

Theologische Holzwege
1973. IX, 107 Seiten.
ISBN 3-16-534911-8 Broschur

Freiheit und Ordnung
Zwei Abhandlungen zum Problem einer offenen Gesellschaft
1986. 105 Seiten (Walter Eucken Institut. Vorträge und Aufsätze 109). ISBN 3-16-345123-3 Broschur

Wege der Vernunft
Festschrift zum 70. Geburtstag von Hans Albert
Herausgegeben von Alfred Bohnen und Alan Musgrave
1991. IV, 319 Seiten.
ISBN 3-16-145712-9 Leinen

J.C.B. Mohr (Paul Siebeck)
Tübingen

1466 Moessner, Mittelenglisch (Francke) 2.A.87 DM 26,80

1388 Pfister, Wilde: Dorian Gray (W.Fink) 1986 DM 18,80

382 Rojahn, Engl. Literatur (Quelle&Meyer) 5.A.95 ca.DM 24,80

1881 Schwanitz, Engl. Kulturgesch. 1 (Francke) 1995 ca. DM 29,80

1882 Schwanitz, Engl. Kulturgesch. 2 (Francke) 1995 ca. DM 29,80

1210 Weimann, Einf. ins Altenglische (Quelle&Meyer) 3.A.95 DM 29,80

1629 Zapf, Literaturtheorie (W.Fink) 1991 DM 26,80

Biologie

210 Apfelbach, Verhaltensforschung (G.Fischer) 3.A.80 DM 14,80

1502 Ax, Systematik in der Biologie (G.Fischer) 1988 DM 26,80

1501 Bach, Math. f. Biowissenschaftler (G.Fischer) 1989 DM 34,80

1838 Berndt, Umweltbiochemie (G.Fischer) 1995 ca. DM 36,80

1473 Bischof, Neuroethologie (Ulmer) 1989 DM 28,80

1643 Brand, Lexikon der Biochemie (Quelle&Meyer) 1992 DM 29,80

1597 Chmiel, Bioprozeßtechnik 1 (G.Fischer) 1991 DM 39,80

1634 Chmiel, Bioprozeßtechnik 2 (G.Fischer) 1991 DM 39,80

GR 8104 Ellenberg, Vegetation Mitteleuropas (Ulmer) 5.A.95 ca.DM 120,-

110 Faber, Endokrinologie (Ulmer) 5.A.95 DM 27,80

1334 Falconer, Quantitative Genetik (Ulmer) 1984 DM 36,80

1722 Feustel, Abstammungsgesch. Mensch (G.Fischer) 6.A.92 DM 26,80

1561 Fritsche, Mikrobiologie (G.Fischer) 1990 DM 38,80

1290 Gassen, Gentechnik (G.Fischer) 4.A.95 ca.DM 34,80

1729 Gattermann, WB Verhaltensbiol. (G.Fischer) 1993 DM 36,80

1350 Glaser, Biophysik (G.Fischer) 4.A.96 ca.DM 34,80

1292 Hagemann, Allg. Genetik (G.Fischer) 4.A.96 ca.DM 39,80

1650 Hampicke, Naturschutz (Ulmer) 1991 DM 36,80

GR 8060 Heß, Biotechnologie der Pflanzen (Ulmer) 1992 DM 78,-

1534 Jahn, Biologie-Geschichte (G.Fischer) 1990 DM 39,80

1691 Kämpfe, Evolution (G.Fischer) 3.A.92 DM 48,80

1015 Kaudewitz, Genetik (Ulmer) 2.A.92 DM 48,-

GR 8028 Kaule, Arten- u. Biotopschutz (Ulmer) 2.A.91 DM 98,-

GR 8040 Kinzel, Stoffwechsel (Ulmer) 2.A.89 DM 36,-

1479 Klötzli, Ökosysteme (G.Fischer) 3.A.93 DM 44,80

1410 Kleber/Schlee, Biochemie I (G.Fischer) 2.A.91 DM 44,80

1460 Kleber/Schlee, Biochemie II (G.Fischer) 2.A.92 DM 44,80

1880 Kleber/Schlee, Biochemie I/II (G.Fischer) 2.A.91/92 2 Bd. zusammen ca.DM 68,-

729 Kloft, Ökologie der Tiere (Ulmer) 2.A.88 DM 34,80

GR 8031 Kühn/Hess, Vererbungslehre (Quelle&Meyer) 9.A.86 DM 44,-

GR 8105 Launert, Biolog. WB, Dt.-Engl./Engl.-Dt. (Ulmer) 1995 ca.DM 120,-

1197 Libbert, Allg. Biologie (G.Fischer) 7.A.91 DM 39,80

1075 Mehlhorn, Parasitenkunde (G.Fischer) 4.A.94 DM 39,80

595 Mühlenberg, Freilandökologie (Quelle&Meyer) 3.A.93 DM 44,-

1780 Müller, Entwicklungsbiologie (G.Fischer) 1995 DM 39,80

1318 Müller, Ökologie (G.Fischer) 2.A.91 DM 34,80

1459 Müller, Toxikologie (G.Fischer) 2.A.92 DM 22,80

1522 Natho, WB Systematik der Pflanzen (G.Fischer) 1990 DM 44,80

1869 Neumann, Gewebekulturen (Ulmer) 1995 DM 36,80

1361 Nienhaus, Viren (Ulmer) 1985 DM 26,80

1450 Ott, Meereskunde (Ulmer) 2.A. ca.DM 39,80

1563 Plachter, Naturschutz (G.Fischer) 1992 DM 44,80

417 Rensing, Allg. Biologie (Ulmer) 2.A.84 DM 32,80

1472 Rensing, Zellbiologie (Ulmer) 1988 DM 42,80

430 Schäfer, WB Ökologie (G.Fischer) 3.A.92 DM 38,80

1871 Schwantes, Biologie der Pilze (Ulmer) 1995 ca.DM 39,80

979 Schwoerbel, Hydrobiologie (G.Fischer) 4.A.94 DM 36,80

31 Schwoerbel, Limnologie (Ulmer) 7.A.93 DM 29,80

1817 Singleton, Bakteriologie (Quelle&Meyer) 1995 DM 39,80

1664 Tembrock, Verhaltensbiologie (G.Fischer) 1992 DM 48,80

1535 Tischler, Ökologie der Lebensräume (G.Fischer) 1990 DM 34,80

1101 Topp, Bodenorganismen (Quelle&Meyer) 1981 DM 23,80

GR 8072 Usher, Naturschutz (Quelle&Meyer) 1994 DM 89,-

1730 Voland, Soziobiologie (G.Fischer) 1993 DM 34,-

GR 8004 Walter, Ökologie d. Erde 1 (G.Fischer) 2.A.91 DM 48,-

GR 8013 Walter, Ökologie d. Erde 2 (G.Fischer) 3.A.95 ca.DM 48,-

GR 8022 Walter, Ökologie d. Erde 3 (G.Fischer) 2.A.94 DM 78,-

GR 8047 Walter, Ökologie d. Erde 4 (G.Fischer) 1991 DM 58,-

1520 Wartenberg, Biotechnologie (G.Fischer) 1989 DM 34,80

Botanik

GR 8089 Bell, Blütenpflanzen (Ulmer) 1995 DM 78,-

1787 Böhlmann, Botan. Grundpraktikum (Quelle&Meyer) 1994 DM 29,80

114 Bornkamm, Pflanze (Ulmer) 3.A.90 DM 19,80

1344 Borriss, WB Pflanzenphysiologie (G.Fischer) 1985 DM 36,80

GR 8078 Dierschke, Pflanzensoziologie (Ulmer) 1994 DM 98,-

1250 Frahm, Moosflora (Ulmer) 3.A.92 DM 39,80

867 Fröhlich, WB Phytopathologie (G.Fischer) 2.A.91 DM 44,80

1533 Hemleben, Molekularbiologie (G.Fischer) 1990 DM 32,80

15 Heß, Pflanzenphysiologie (Ulmer) 9.A.91 DM 39,80

233 Hubbard, Gräser (Ulmer) 2.A.85 DM 36,80

1431 Jacob, Botanik (G.Fischer) 4.A.94 DM 39,80

941 Knauer, Vegetationskunde (Quelle&Meyer) 1981 DM 29,80

GR 8002 Kreeb, Vegetationskunde (Ulmer) 1983 DM 64,-

1861 Kutschera, Pflanzenphysiologie (Quelle&Meyer) 1995 DM 49,80

GR 8074 Larcher, Ökophysiologie d. Pflanzen (Ulmer) 5.A.94 DM 78,-

1546 Masuch, Flechten (Quelle&Meyer) 1993 DM 48,-

1828 Oberdorfer, Exkursionsflora (Ulmer) 7.A.94 DM 38,-

GR 8067 Pott, Pflanzengesellschaften Deutschlands (Ulmer) 1992 DM 58,-

1418 Probst, Moos-u. Farnpflanzen (Quelle&Meyer) 2.A.87 DM 34,80

GR 8088 Rabotnov, Phytozönologie (Ulmer) 1995 ca.DM 98,-

1476 Schubert, Bot. Wörterbuch (Ulmer) 11.A.93 DM 39,80

888 Steubing, Ökolog. Botanik (Quelle&Meyer) 3.A.92 DM 34,80

GR 8062 Steubing, Pflanzenökol. Praktikum (Ulmer) 1992 DM 58,-

1741 Throm, Botanik (Quelle&Meyer) 1993 DM 29,80

1631 Urbanska, Populationsbiologie (G.Fischer) 1992 DM 39,80

1266 Vogellehner, Bot. Terminologie (G.Fischer) 3.A.95 ca.DM 18,80

284 Walter, Geobotanik (Ulmer) 3.A.86 DM 29,80

14 Walter, Vegetation (Ulmer) 6.A.90 DM 32,80

62 Weberling, Pflanzensystematik (Ulmer) 6.A.92 DM 34,80

269 Wilmanns, Pflanzensoziologie (Quelle&Meyer) 5.A.93 DM 44,-

169 Winkler, Pflanzenökologie (G.Fischer) 2.A.80 DM 17,80

1062 Wirth, Flechtenflora (Ulmer) 2.A.95 ca.DM 29,80

1587 Wittig, Ökologie der Großstadtflora (G.Fischer) 1991 DM 29,80

Chemie

1712 Blaschette, Allg. Chemie 1 (Quelle&Meyer) 2.A.93 DM 29,80

1713 Blaschette, Allg. Chemie 2 (Quelle&Meyer) 3.A.93 DM 29,80

1342 Fittkau, Organische Chemie (G.Fischer) 7.A.94 DM 29,80

53 Fluck, Allg. und Anorgan. Chemie (Quelle&Meyer) 6.A.89 DM 32,80

1503 Hermann, Allg. und Anorgan. Chemie (G.Fischer) 5.A.88 DM 29,80

Elektrotechnik

536 Mäusl, Modulationsverfahren (Hüthig) 2.A.81 DM 24,80

Forstwissenschaft

1720 Bartels, Gehölzkunde (Ulmer) 1993 DM 32,80

GR 8077 Otto, Waldökologie (Ulmer) 1994 DM 78,-

1557 Zundel, Forstwiss. (Ulmer) 1990 DM 39,80

Geographie

1249 Bähr, Bevölkerungsgeogr. (Ulmer) 2.A.92 DM 39,80

1686 Blotevogel, Geographie 1 (Schöningh) 2.A.94 DM 39,80

1676 Blotevogel, Geographie 2 (Schöningh) 2.A.92 DM 39,80

1677 Blotevogel, Geographie 3 (Schöningh) 2.A.92 DM 19,80

1408 Cox/Moore, Biogeographie (G.Fischer) 1987 DM 32,80

GR 8009 Dicken, Westl. Gesellschaft (Harper & Row) 1984 DM 52,-

1126 Downs, Kognitive Karten (Harper & Row) 1982 DM 29,80

GR 8001 Haggett, Geographie (Ulmer) 2.A.91 ca.DM 88,-

521 Leser, Landschaftsökologie (Ulmer) 3.A.91 DM 39,80

1802 Mikus, Wirtschaftsgeogr. Entwicklungsländer (G.Fischer) 1994 DM 39,80

731 Müller, Biogeographie (Ulmer) 1980 DM 26,80

1767 Schätzl, Wirtschaftsgeogr. EG (Schöningh) 1993 DM 26,80

782 Schätzl, Wirtschaftsgeogr. 1 (Schöningh) 5.A.93 DM 26,80

1052 Schätzl, Wirtschaftsgeogr. 2 (Schöningh) 2.A.94 DM 28,80

1383 Schätzl, Wirtschaftsgeogr. 3 (Schöningh) 3.A.94 DM 27,80

1514 Schultz, Ökozonen der Erde (Ulmer) 2.A.95 DM 39,80

GR 8059 Spitzer, Raumnutzungslehre (Ulmer) 1991 DM 98,-

GR 8106 Spitzer, Räumliche Planung (Ulmer) 1996 ca.DM 68,-

1381 Wolf, Geogr. Freizeit u. Tourismus (Ulmer) 1986 DM 24,80

Geowissenschaften

8103 Ahnert, Geomorphologie (Ulmer) 1995 ca.DM 78,-

1338 Häckel, Meteorologie (Ulmer) 3.A.93 DM 39,80

777 Hesemann, Geologie (Schöningh) 1978 DM 19,80

1793 Schönwiese, Klimatologie (Ulmer) 1994 DM 36,80

Germanistik

1781 Alt, Tragödie (Francke) 1994 32,80

1463 Bahr, Geschichte der deutschen Literatur 1 (Francke) 1987 DM 36,80

1464 Bahr, Geschichte der deutschen Literatur 2 (Francke) 2.A.95 ca.DM 36,80

1465 Bahr, Geschichte der deutschen Literatur 3 (Francke) 2.A.95 ca.DM 36,80

1433 Bauer, Lessing: E.Galotti (W.Fink) 1987 DM 17,80

1027 Bogdal, v.Kleist: Kohlhaas (W.Fink) 1981 DM 15,80

1635 Braunmüller, Skandinav. Sprachen (Francke) 1991 DM 32,80

745 Breuer, Deutsche Metrik (W.Fink) 3.A.94 DM 29,80

1689 Cersowsky, Nestroy (W.Fink) 1992 DM 19,80

1519 Durzak, Kurzgeschichte (W.Fink) 2.A.94 DM 29,80

974 Emmerich, Mann: Untertan (W.Fink) 4.A.93 DM 18,80

1732 Frank, HB Strophenform (Francke) 2.A.93 DM 39,80

1498 Freund, Deutsche Komödien (W.Fink) 2.A.95 DM 32,80

1583 Freund, Deutsche Lyrik (W.Fink) 1990 DM 24,80

1753 Freund, Deutsche Novellen (W.Fink) 1993 DM 39,80

1731 Gaier, Hölderlin (Francke) 1993 DM 34,80

858 Gottfr.v.Straßb., Tristan (W.Fink) 1979 DM 18,80

1368 Götze, Böll: Clown (W.Fink) 1985 DM 18,80

1665 Greiner, Komödie (Francke) 1992 DM 39,80

1835 Hakkarainen, Phonetik des Deutschen(W.Fink) 1995 ca. DM 18,80

484 Kaiser, Aufklärung (Francke) 4.A.91 DM 29,80

1727 Kayser, Kl. deutsche Versschule (Francke) 24.A.92 DM 16,80

4 Kayser, Versgeschichte (Francke) 4.A.91 DM 16,80

1823 Köbler, Althochdeutsch (Schöningh) 1994 DM 39,80

1564 Lubich, Max Frisch (W.Fink) 2.A.92 DM 18,80

1728 Luserke, J.M.R. Lenz (W.Fink) 1993 DM 16,80

1085 Lüthi, M. Frisch (Francke) 1981 DM 22,80

363 Mahal, Naturalismus (W.Fink) 2.A.82 DM 26,80

975 Meier, Büchner: Woyzeck (W.Fink) 2.A.86 DM 16,80

135 Mennemeier, Modernes deutsches Drama 1 (W.Fink) 2.A.79 DM 21,80

425 Mennemeier, Modernes deutsches Drama 2 (W.Fink) 1975 DM 19,80

1414 Meyer, Nietzsche (Francke) 1993 DM 36,80

206 Preisendanz, H.Heine (W.Fink) 2.A.83 DM 14,80

1387 Schütz, Romane Weimarer Rep. (W.Fink) 1986 DM 28,80

1819 Seidel, Mittelhochdeutsch (Quelle&Meyer) 2.A.95 DM 29,80

1499 Stedje, Deutsche Sprache (W.Fink) 2.A.94 DM 25,80

362 Vietta, Expressionismus (W.Fink) 5.A.94 DM 29,80

1074 Vogt, Mann: Buddenbrooks (W.Fink) 2.A.95 DM 19,80

167 Walther v.d.Vogelweide, Lieder (W.Fink) 6.A.95 DM 24,80

1581 Wolff, Deutsche Sprachgesch. (Francke) 3.A.94 DM 29,80

1341 Wührl, Deutsche Kunstmärchen (Quelle&Meyer) 1984 DM 29,80

Geschichte

1330 Bleicken, Athen. Demokratie (Schöningh) 3.A.91 DM 32,80

838 Bleicken, Röm. Kaiserreich 1 (Schöningh) 4.A.95 DM 31,80

839 Bleicken, Röm. Kaiserreich 2 (Schöningh) 3.A.94 DM 29,80

460 Bleicken, Verfassung Röm. Rep. (Schöningh) 6.A.93 DM 28,80

1181 Blickle, Reformation (Ulmer) 2.A.92 DM 24,80

625 Büssem, AB Gesch. Neuzeit 1 (Francke) 1977 DM 26,80

411 Büssem, AB Gesch. Mittelalter (Francke) 10.A.94 DM 36,80

1143 Büssem, AB Gesch. Neuzeit 3/1 (Francke) 3.A.96 ca.DM 24,80

1144 Büssem, AB Gesch. Neuzeit 3/2 (Francke) 3.A.96 ca.DM 24,80

1275 Buszello, Bauernkrieg (Schöningh) 3.A.95 ca.DM 36,80

1646 Dahlheim, Antike 1 (Schöningh) 2.A.94 DM 31,80

1647 Dahlheim, Antike 2 (Schöningh) 2.A.94 DM 31,80

1827 Engelbrecht, Gesch. NRW (Ulmer) 1994 DM 36,80

1170 Faber, Geschichtsstudium (Quelle&Meyer) 2.A.92 DM 32,80

1824 Fenske, Deutsche Parteiengesch. (Schöningh) 1994 DM 29,80

1719 Goetz, Proseminar Geschichte (Ulmer) 1993 DM 29,80

1791 Greyerz, England (Ulmer) 1994 DM 32,80

1332 Gründer, Deutsche Kolonien (Schöningh) 2.A.91 DM 34,80

1551 Habel, Mittellat. Glossar (Schöningh) 2.A.85 DM 27,80

119 Haberkern, WB Historiker 1 (Francke) 8.A.95 DM 29,80

120 Haberkern, WB Historiker 2 (Francke) 8.A.95 DM 29,80

1251 Hoensch, Gesch. Polens (Ulmer) 2.A.90 DM 34,80

GR 8041 Isenmann, Stadt im SpätMA (Ulmer) 1988 DM 78,-

1556 Klueting, Konfess. Zeitalter (Ulmer) 1989 DM 39,80

1426 Kunisch, Absolutismus (Vandenhoeck) 1986 DM 26,80

930 Menger, Deutsche Verfassungsgesch. (Hüthig/J.C.Müller) 8.A.93 DM 26,80

1398 Müller, Deutscher Widerstand (Schöningh) 2.A.90 DM 27,80

1790 Münch, NS-Gesetze (Schöningh) 3.A.94 DM 29,80

1552 Niedhart, Internat. Beziehungen (Schöningh) 1989 DM 28,80

1553 Opgenoorth, Studium Gesch. (Schöningh) 4.A.93 DM 29,80

1742 Peter, Studium Zeitgesch. (Schöningh) 1994 DM 29,80

1752 Pfetsch, Außenpolitik der Bundesrep. 1949-1992 (W.Fink) 2.A.93 DM 36,80

1674 Rusinek, Histor. Quellen Neuzeit(Schöningh) 1992 DM 29,80

1794 Schuller, Altertum (Ulmer) 1994 DM 24,80

1422 Schulze, Neuere Gesch. (Ulmer) 2.A.91 DM 29,80

461 Sprandel, Verfassung MA (Schöningh) 5.A.95 DM 32,80

1554 Theuerkauf,Histor. Quellen MA (Schöningh) 1991 DM 29,80

1898 Vogler, Absolutismus (Ulmer) 1995 ca.DM 29,80

1151 Zimmermann, Papsttum (Ulmer) 1981 DM 22,80

Haushalts- und Ernährungswissenschaften

GR 8036 Elmadfa, Ernährung (Ulmer) 2.A.90 DM 98,-

1515 Fülgraff, Lebensmittel-Toxikologie (Ulmer) 1989 DM 28,80

1421 Krämer, Lebensmittel-Mikrobiologie (Ulmer) 2.A.92 DM 32,80

1868 Leitzmann, Vegetarische Ernährung (Ulmer) 1995 ca.DM 32,80

679 Pichert, Haushalttechnik (Ulmer) 2.A. ca.DM 28,80

1679 Rughöft, Wohnökologie (Ulmer) 1992 DM 36,80

1595 Schweitzer, Wirtschaftslehre d. priv. Haushalts (Ulmer) 1991 DM 39,80

1621 Seel, Ökonomik priv. Haushalt (Ulmer) 1991 DM 39,80

1795 Wildbrett, Betriebsstoffe (Ulmer) 1995 DM 39,80

117 Wirths, Lebensmittel (Schöningh) 3.A.85 DM 29,80

Ingenieurwissenschaften

1449 Moll, TB f. Umweltschutz 4 (E.Reinhardt) 1987 DM 34,80

Interdisziplinär

1738 Brauchlin, Problemlösung (P.Haupt) 4.A.94 DM 32,80

1818 Jerrard, WB wiss.Einheiten (Quelle&Meyer) 1994 DM 36,80

1389 Theimer, HB Naturwiss. (Francke) 2.A.86 DM 36,80

Kulturwissenschaft

1846 Hansen, Kultur (Francke) 1995 DM 24,80

Linguistik

1487 Albrecht, Europ. Strukturalismus (Francke) 1988 DM 29,80

GR 8042 Bausch, Fremdsprachenunterricht (Francke) 3.A.94 gb. DM 96,-

GR 8043 Bausch, Fremdsprachenunterricht (Francke) 3.A.94 kt. DM 68,-

102 Brekle, Semantik (W.Fink) 3.A.82 DM 16,80

1159 Bühler, Sprachtheorie (G.Fischer) 1993 DM 36,80

1505 Butzkamm, Psycholinguistik (Francke) 2.A.93 DM 34,80

1372 Coseriu, Allg. Sprachwiss. (Francke) 2.A.92 DM 32,80

1481 Coseriu, Sprachkompetenz (Francke) 1988 DM 34,80

1808 Coseriu, Textlinguistik (Francke) 1994 DM 32,80

105 Eco, Semiotik (W.Fink) 8.A.94 DM 32,80

1697 Edmondson, Sprachlehrforschung (Francke) 1993 DM 34,80

1441 Felix, Sprachtheorie 1 (Francke) 3.A.93 DM 29,80

1442 Felix, Sprachtheorie 2 (Francke) 3.A.93 DM 29,80

483 Fluck, Fachsprachen (Francke) 4.A.91 DM 26,80

1411 Gadler, Linguistik (Francke) 2.A.92 DM 22,80

1783 v.Humboldt, Sprache (Francke) 1994 DM 32,80

1567 Keller, Sprachwandel (Francke) 2.A.94 DM 26,80

1849 Keller, Zeichentheorie (Francke) 1995 DM 29,80

1525 König, PROLOG f. Linguisten (Francke) 1989 DM 24,80

1526 Kürschner, Grammat. Kompendium (Francke) 1989 DM 26,80

80 Kutschera, Sprachphilosophie (W.Fink) 2.A.75 DM 29,80

824 Leisi, Paar u. Sprache (Quelle&Meyer) 4.A.93 DM 24,80

1877 Lenke, Sprachl. Kommunikation (W.Fink) 1995 ca.DM 22,80

1518 Lewandowski, Linguist. WB 1-3 (Quelle&Meyer) 6.A.94 DM 98,-

1349 Lühr, Neuhochdeutsch (W.Fink) 4.A.93 DM 29,80

32 Porzig, Sprache (Francke) 9.A.93 DM 29,80

1735 Rickheit, Sprachverarbeitung (Francke) 1993 DM 32,80

1506 Schmitt-Brandt, Indogermanistik (Francke) 1.A.96 ca.DM 29,80

1636 Schwarz, Kognit. Linguistik (Francke) 1992 DM 26,80

1799 Vater, Sprachwiss. (W.Fink) 1994 DM 26,80

1660 Vater, Textlinguistik (W.Fink) 2.A.94 DM 22,80

1879 Volmert, Sprachwissenschaft (W.Fink) 1995 ca.DM 16,80

Literaturwissenschaft

1127 Andreotti,Mod. Literatur (P.Haupt) 2.A.90 DM 28,80

1690 Bauer, Literaturwiss. (W.Fink) 2.A.95 DM 19,80

GR 8034 Daemmrich, Motive (Francke) 2.A.95 ca.DM 48,-

1798 Degering, Novelle (W.Fink) 1994 DM 16,80

73 Dithmar, Fabel (Schöningh) 7.A.88 DM 28,80

1892 Dithmar, Gleichnisse (Schöningh) 1995 ca.DM 34,80

1630 Elm, Parabel (W.Fink) 2.A.91 DM 32,80

1565 Fischer-Lichte, Geschichte des Dramas 1 (Francke) 1990 DM 36,80

1566 Fischer-Lichte, Geschichte des Dramas 2 (Francke) 1990 DM 36,80

1874 Fohrmann, Literaturwiss.(W.Fink) 1995 ca.DM 34,80

1639 Frank, Gedichtinterpret. (Francke) 2.A.93 DM 16,80

1616 Fricke, Literaturwiss. (Schöningh) 2.A.93 DM 29,80

GR 8083 Genette, Erzählung (W.Fink) 1994 DM 58,-

1599 Göttert, Rhetorik (W.Fink) 2.A.94 DM 26,80

1640 Griesheimer, Wozu Literaturwiss. (Francke) 1991 DM 39,80

800 Hannappel, Alltagssprache (W.Fink) 2.A.84 DM 32,80

1756 Hawthorn, Grundbegr. Lit.theorie (Francke) 1994 DM 39,80

163 Iser, Implizite Leser (W.Fink) 3.A.94 DM 24,80

636 Iser, Akt des Lesens (W.Fink) 4.A.94 DM 25,80

1407 Keller, Textanalyse (W.Fink) 3.A.95 DM 29,80

643 Kohl, Realismus (W.Fink) 1977 DM 19,80

305 Link, Lit. Grundbegriffe (W.Fink) 5.A.93 DM 28,80

1482 Linke, Alte Texte (P.Haupt) 1988 DM 26,80

1662 Lorenz, Lexikon lit. Grundbegr. (W.Fink) 1992 DM 16,80

103 Lotman, Struktur lit. Texte (W.Fink) 4.A.93 DM 32,80

312 Lüthi, Volksmärchen (Francke) 9.A.92 DM 16,80

121 Maren-Grisebach, Methoden Lit.wiss. (Francke) 10.A.92 DM 16,80

1582 Meyer-Krentler, Literaturwiss. (W.Fink) 4.A.94 DM 16,80

GR 8003 Muschg, Tragische Lit.gesch. (Francke) 5.A.83 DM 56,-

580 Pfister, Drama (W.Fink) 8.A.94 DM 32,80

640 Schulte-Sasse, Lit.wiss. (W.Fink) 8.A.94 DM 24,80

904 Stanzel, Theorie des Erzählens (Vandenhoeck) 6.A.95 DM 32,80

1508 Strelka, Literar. Textanalyse (Francke) 1989 DM 22,80

40 Striedter, Russ. Formalismus (W.Fink) 5.A.94 DM 26,80

582 Titzmann, Textanalyse (W.Fink) 3.A.93 DM 28,80

81 Vogt, Kriminalrom. 1 (W.Fink) 1971 DM 22,80

82 Vogt, Kriminalrom. 2 (W.Fink) 1971 DM 22,80

1804 Wägenbaur, Lit.theorie (Francke) 1995 ca. DM 29,80

303 Warning, Rezeptionsästhetik (W.Fink) 4.A.94 DM 29,80

1034 Weimar, Enzyklopädie d. Literaturwiss. (Francke) 2.A.93 DM 24,80

1805 Zima, Dekonstruktion (Francke) 1994 DM 32,80

1705 Zima, Komparatistik (Francke) 1992 DM 36,80

1590 Zima, Lit. Ästhetik (Francke) 2.A.95 ca.DM 36,80

Mathematik

817 Barner, Geometrie (Quelle&Meyer) 12.A.91 DM 34,80

GR 8056 Dallmann, Mathematik 1 (G.Fischer) 3.A.91 DM 68,-

GR 8061 Dallmann, Mathematik 2 (G.Fischer) 2.A.91 DM 58,-

GR 8065 Dallmann, Mathematik 3 (G.Fischer) 2.A.92 DM 62,-

1816 Hüttenhofer, Mathematik mit C++ (Quelle&Meyer) 1994 DM 34,80

Medienwissenschaft

1773 Faulstich, Grundwissen Medien (W.Fink) 1994 DM 34,80

Medizin

1687 Adam, Med. Biometrie (G.Fischer) 1992 DM 34,80

1659 Berger, Klin. Untersuchung (Schattauer) 1992 DM 19,80

1614 Bohnsack, Psychiatrie (Schattauer) 1991 DM 28,80

1627 Burchard, Psychopathologie 1-3 (Schattauer) 1980/80/87 DM 34,80

1624 Durst, Chirurgie 1 (Schattauer) 1986 DM 9,80

1625 Durst, Chirurgie 2 (Schattauer) 1986 DM 9,80

1820 Fischer, Psychotraumatologie (E.Reinhardt) 1995 ca.DM 39,80

771 Franke, Logopäd. Handlexikon (E.Reinhardt) 4.A.94 DM 29,80

457 Frankl, Neurosen (E.Reinhardt) 7.A.93 DM 29,80

1528 Gebhart, Tumorzytogenetik (Schattauer) 1989 DM 19,80

1120 Golenhofen, Kl. Physiologie 1 (G.Fischer) 1981 DM 29,80

552 Gross, 1000 Merksätze Medizin (Schattauer) 4.A.89 DM 24,80

1409 Hänsch, Immunbiologie (G.Fischer) 1986 DM 26,80

GR 8069 Heigl-Evers, Lehrb. Psychotherapie (G.Fischer) 2.A.94 DM 98,-

1549 Heister, Lex. med.-wiss. Abkürzungen (Schattauer) 3.A.93 DM 44,80

816 Huth, Ernährung (Quelle&Meyer) 2.A.89 DM 34,80

1821 Irrgang, Med. Ethik (E.Reinhardt) 1995 DM 36,-

1580 Kallage, Aids-Kompendium (Schattauer) 1990 DM 29,80

GR 8058 Koslowski, Chirurgie (Schattauer) 3.A.88 DM 69,-

GR 8096 Krauß, Frauenheilkunde (G.Fischer) 1995 ca.DM 98,-

GR 8019 Krüger, Zahnheilkunde (G.Fischer) 1986 DM 58,-

632 Marxkors, Prothetik (Hüthig) 5.A.96 ca.DM 26,80

1075 Mehlhorn, Parasitenkunde (G.Fischer) 4.A.94 DM 39,80

1673 Millner, Neuropädiatrie (Schattauer) 1992 DM 38,80

1843 Parsi, Student am Krankenbett (G.Fischer) 1995 ca.DM 48,80

991 Petzold, Psychosomatik (Quelle&Meyer) 1980 DM 25,80

531 Prokop, Sportmedizin (G.Fischer) 3.A.83 DM 19,80

502 Rotter, Pathologie 1 (Schattauer) 3.A.85 DM 14,80

503 Rotter, Pathologie 2 (Schattauer) 3.A.85 DM 14,80

1002 Rotter, Pathologie 3 (Schattauer) 3.A.90 DM 14,80

1050 Rotter, Pathologie 4 (Schattauer) 3.A.90 DM 14,80

1626 Rubenstein, Klin. Medizin 1-3 (Schattauer) 1986 DM 29,80

75 Schug-Kösters, Pulpa (Hüthig) 5.A.81 DM 26,80

629 Schumacher, Anatomie (G.Fischer) 6.A.94 DM 39,80

1611 Soyka, Neurologie (Schattauer) 5.A.91 DM 29,80

GR 8030 Spiel/Spiel, Psychiatrie (E.Reinhardt) 1987 DM 78,-

1439 Staines, Immunolog. Grundwissen (G.Fischer) 2.A.94 DM 28,-

1162 Strubelt, Pharmakologie (G.Fischer) 4.A.91 DM 24,80

1612 Südbeck, Arbeitsmedizin (Schattauer) 1991 DM 9,80

91 Trieb, Herzrhythmusstörungen (Schattauer) 3.A.90 DM 29,80

GR 8066 Vogl, Differentialdiagnose (E.Reinhardt) 3.A.94 DM 128,-

1529 Werner, Med. Mikrobiologie (Schattauer) 1991 DM 39,80

GR 8097 Wokalek, Männerheilkunde (G.Fischer) 1995 ca.DM 68,-

Pädagogik

1300 Achtenhagen, Didaktik (Leske+Budrich) 1984 DM 24,80

1714 Baumgartner, Sprachtherapie (E.Reinhardt) 2.A.94 DM 39,80

1617 Bönsch, Lernwege (Schöningh) 1991 DM 29,80

999 Bundschuh, Sonderpäd. Diagnostik (E.Reinhardt) 4.A.95 ca.DM 29,80

1645 Bundschuh, Heilpäd. Psychologie (E.Reinhardt) 2.A.95 DM 36,-

947 Danner, Method. Pädagogik (E.Reinhardt) 3.A.94 DM 32,80

1051 Eid, Kunstunterricht (Schöningh) 3.A.94 DM 29,80

1548 Gröschke, Heilpäd. (E.Reinhardt) 1989 DM 26,80

GR 8010 Hilligen, Didaktik des polit. Unterrichts (Leske+Budrich) 4.A.85 DM 33,-

1100 Knoop, Gesch. der Pädagogik (Quelle&Meyer) 3.A.94 DM 34,80

GR 8073 Kron, Didaktik (E.Reinhardt) 2.A.94 DM 59,80

GR 8038 Kron, Pädagogik (E.Reinhardt) 4.A.94 DM 49,80

GR 8092 Krüger, Erziehungswiss. 1 (Leske+Budrich) 1995 ca.DM 29,80

GR 8093 Krüger, Erziehungswiss. 4 (Leske+Budrich) 1995 ca.DM 29,80

710 Lassahn, Allg. Pädagogik (Quelle&Meyer) 3.A.93 DM 24,80

178 Lassahn, Pädagogik (Quelle&Meyer) 8.A.95 DM 23,80

612 Makarenko, Päd. Texte (Schöningh) 1976 DM 10,80

1684 Nezel, Allg. Didaktik (P.Haupt) 1992 DM 24,80

1644 Pflüger, Entwicklungsstörungen (E.Reinhardt) 1991 DM 32,80

115 Rousseau, Emil (Schöningh) 11.A.93 DM 25,80

995 Schelten, Testbeurteilung (Quelle&Meyer) 1980 DM 16,80

1855 Schlag, Leistungsmotivation (Leske+Budrich) 1995 DM 19,80

Philosophie

1833 Beck, Kant: Vernunft (W.Fink) 3.A.95 DM 29,80

6 Bochenski, Denkmethoden (Francke) 10.A.93 DM 16,80

1743 Gabriel, Erkenntnistheorie (Schöningh) 1993 DM 19,80

1875 Gethmann-Siefert, Ästhetik (W.Fink) 1995 ca.DM 34,80

1675 Gräfrath, Mill: Freiheit (Schöningh) 1992 DM 17,80

1307 Gripp, J.Habermas (Schöningh) 1984 DM 19,80

1826 Hansen, Hegel: Phänomenologie (Schöningh) 1994 DM 19,80

1258 Henckmann, Hegel (W.Fink) 2.A.85 DM 16,80

1683 Höffe, Utilitarist. Ethik (Francke) 2.A.92 DM 32,80

1652 Hofmeister, Philosophisch denken (Vandenhoeck) 1991 DM 39,80

1822 Honnefelder, Philosoph. Propädeutik 1 (Schöningh) 1994 DM 29,80

1895 Honnefelder, Philosoph. Propädeutik 2 (Schöningh) 1995 ca.DM 29,80

1765 Irrgang, Erkenntnistheorie (E.Reinhardt) 1993 DM 36,80

1054 Kittler, Geisteswissensch. (Schöningh) 1980 DM 20,80

1608 Koslowski, Philosophie (J.C.B.Mohr) 1991 DM 39,80

1775 Lüdeking, Kunstphilosophie (W.Fink) 2.A.94 ca. DM 24,80

1434 Marx, E.Husserl (W.Fink) 2.A.89 DM 19,80

34 Menne, Logik (Francke) 5.A.93 DM 16,80

1740 Musgrave, Alltagswissen (J.C.B.Mohr) 1993 DM 29,80

1878 Newen, Analyt. Philosophie (W.Fink) 1995 ca.DM 19,80

723 Oelmüller, Philos. Arbeitsbücher 1 (Schöningh) 4.A.91 DM 32,80

778 Oelmüller, Philos. Arbeitsbücher 2 (Schöningh) 4.A.91 DM 31,80

895 Oelmüller, Philos. Arbeitsbücher 3 (Schöningh) 2.A.82 DM 22,80

1007 Oelmüller, Philos. Arbeitsbücher 4 (Schöningh) 3.A.95 DM 31,80

1104 Oelmüller, Philos. Arbeitsbücher 5 (Schöningh) 2.A.93 DM 32,80

1277 Oelmüller, Philos. Arbeitsbücher 6 (Schöningh) 2.A.95 DM 32,80

1379 Oelmüller, Philos. Arbeitsbücher 7 (Schöningh) 3.A.94 DM 36,80

1615 Oelmüller, Philos. Arbeitsbücher 8 (Schöningh) 1991 DM 34,80

1555 Oelmüller, Weisheit (Schöningh) 1989 DM 42,80

1637 Pieper, Ethik (Francke) 3.A.94 DM 32,80

1701 Pieper, Neuere Ethik 1 (Francke) 1992 DM 32,80

1702 Pieper, Neuere Ethik 2 (Francke) 1992 DM 32,80

2000 Popper Lesebuch (J.C.B.Mohr) 1995
bis 31.12.1995 DM 10,-, danach DM 19,80

1138 Rehfus, Studium Philosophie (Quelle&Meyer) 2.A.92 DM 34,80

725 Rousseau, Ungleichheit (Schöningh) 3.A.93 DM 39,80

1000 Salamun, Philosophie (J.C.B.Mohr) 3.A.92 DM 25,80

1866 Schubert, Platon: Staat (Schöningh) 1995 DM 19,80

1666 Seiffert, Hermeneutik (Francke) 1992 DM 32,80

146 Speck, Philos. Altertum (Vandenhoeck) 4.A.90 DM 24,80

147 Speck, Philos. Gegenwart 1 (Vandenhoeck) 3.A.85 DM 26,80

183 Speck, Philos. Gegenwart 2 (Vandenhoeck) 3.A.91 DM 25,80

463 Speck, Philos. Gegenwart 3 (Vandenhoeck) 2.A.84 DM 24,80

1108 Speck, Philos. Gegenwart 4 (Vandenhoeck) 2.A.91 DM 24,80

1183 Speck, Philos. Gegenwart 5 (Vandenhoeck) 2.A.92 DM 25,80

1308 Speck, Philos. Gegenwart 6 (Vandenhoeck) 2.A.92 DM 26,80

903 Speck, Philos. Neuzeit 1 (Vandenhoeck) 2.A.86 DM 25,80

464 Speck, Philos. Neuzeit 2 (Vandenhoeck) 3.A.88 DM 25,80

1252 Speck, Philos. Neuzeit 3 (Vandenhoeck) 1983 DM 26,80

1401 Speck, Philos. Neuzeit 4 (Vandenhoeck) 1986 DM 26,80

1623 Speck, Philos. Neuzeit 5 (Vandenhoeck) 1991 DM 26,80

1654 Speck, Philos. Neuzeit 6 (Vandenhoeck) 1992 DM 25,80

966 Speck, Wiss.theor. Begriffe 1 (Vandenhoeck) 1980 DM 24,80

967 Speck, Wiss.theor. Begriffe 2 (Vandenhoeck) 1980 DM 24,80

968 Speck, Wiss.theor. Begriffe 3 (Vandenhoeck) 1980 DM 24,80

1825 Streminger, D.Hume: Verstand (Schöningh) 1994 DM 25,80

1897 Streminger, D.Hume - Leben (Schöningh) 1995 ca.DM 39,80

1661 Strombach, Systemat. Philosophie (Schöningh) 1992 DM 26,80

1716 Teichert, Kant: Kritik (Schöningh) 1992 DM 17,80

258 Theimer, Marxismus (Francke) 8.A.85 DM 24,80

1600 Visker, M.Foucault (W.Fink) 1991 DM 26,80

1688 Waldenfels, Phänomenologie (W.Fink) 1992 DM 19,80

646 Wuchterl, Gegenwartsphilosophie (P.Haupt) 2.A.87 DM 29,80

1199 Wuchterl, Philosophie und Religion (P.Haupt) 1982 DM 19,80

1320 Wuchterl, Lehrbuch d. Philosophie (P.Haupt) 4.A.92 DM 25,80

1390 Wuchterl, Geschichte der Philosophie (P.Haupt) 2.A.90 DM 28,80

8095 Wuchterl, Gesch. der Philosophie des 20. Jahrh. (P.Haupt) 1995 ca.DM 42,-

Physik

109 Flügge, Techn. Optik (Vandenhoeck) 2.A.85 DM 28,80

1558 Locqueneux, Geschichte der Physik (Vandenhoeck) 1989 DM 19,80

Politische Wissenschaft

35 Abendroth, Polit. Wiss. (Francke) 6.A.82 DM 29,80

1391 Berg-Schlosser, Vergleichende Politikwiss. (Leske+Budrich) 2.A.92 DM 22,80

956 Brunner, Vergl. Regierungslehre 1 (Schöningh) 1979 DM 24,80

1788 Hamilton, Federalist-Artikel (Schöningh) 1994 DM 39,80

58 Hildebrandt, Deutsche Verfassungen (Schöningh) 14.A.92 DM 26,80

GR 8099 Ismayr, Polit. Systeme Westeuropas (Leske+Budrich) 1995 ca.DM 48,-

1853 Jachtenfuchs,Europ. Integration (Leske+Budrich) 1995 ca.DM 26,80

1205 Mewes, Polit. System USA (Hüthig/C.F.Müller) 2.A.90 DM 32,80

1789 Mols, Einf. Politikwissenschaft (Schöningh) 1994 DM 32,80

1810 Neumann, HWB Polit. Theorien 1 (Leske+Budrich) 1995 DM 26,80

1854 Neumann, HWB Polit. Theorien 2 (Leske+Budrich) 1995 ca.DM 26,80

1896 Niclauß, Parteiensystem BRD (Schöningh) 1995 ca.DM 28,80

1527 Nohlen, Wahlrecht (Leske+Budrich) 2.A.90 DM 24,80

1707 Prittwitz, Politikanalyse (Leske+Budrich) 1994 DM 24,80

1280 Rudzio, Polit. System der BRD (Leske+Budrich) 3.A.91 DM 24,80

1887 Schmidt, Demokratietheorien (Leske+Budrich) 1995 ca.DM 26,80

1032 Schoeps, Konservativismus (W.Fink) 1981 DM 24,80

1784 Simonis, Politikwiss. (Leske+Budrich) 1995 ca.DM 16,80

1856 Sturm, Polit. Wirtschaftslehre (Leske+Budrich) 1995 DM 24,80

431 Theimer, Lexikon Politik (Francke) 9.A.81 DM 32,80

1889 Walk, Sonderrecht der Juden (Hüthig/C.F.Müller) 1995 ca.DM 39,80

1704 Wenturis, Sozialwiss. (Francke) 1992 DM 39,80

1354 Woyke, Analyse Intern. Beziehungen (Leske+Budrich) 1989 DM 22,80

1299 Woyke, Int. Organisationen (Leske+Budrich) 2.A.95 ca.DM 22,80

702 Woyke, HWB Internat. Politik (Leske+Budrich) 6.A.95 DM 26,80

1785 Woyke, Intern. Beziehungen (Leske+Budrich) 1995 ca.DM 26,80

Psychologie

1305 Angermeier, Lernpsychologie (E.Reinhardt) 2.A.91 DM 29,80

GR 8057 Angermeier, Operantes Lernen (E.Reinhardt) 1994 DM 148,-

GR 8086 Banyard, Kognitionspsychologie (E.Reinhardt) 1995 DM 46,-

1045 Becker-Carus, Physiolog. Psychologie (Quelle&Meyer) 1981 DM 29,80

1523 Bühler, Seelenleben des Jugendlichen (G.Fischer) 7.A.91 DM 34,80

GR 8079 Fassnacht, Verhaltensbeobachtung (E.Reinhardt) 2.A.95 DM 68,-

936 Hensle, Arbeit mit Behinderten (Quelle&Meyer) 5.A.94 DM 36,80

935 Hetzer, Entwicklungspsychologie (Quelle&Meyer) 3.A.95 DM 39,80

1592 Holm, Religionspsychologie (E.Reinhardt) 1990 DM 22,80

55 Lehr, Psychologie des Alterns (Quelle&Meyer) 7.A.91 DM 36,80

GR 8087 Lückert, Kogn. Verhaltenstherapie (E.Reinhardt) 1994 DM 49,80

GR 8033 Lüer, Experimentelle Psychologie (G.Fischer) 1987 DM 78,-

1234 Maier, Kindheitsentwicklung (Harper&Row) 1983 DM 29,80

GR 8080 Mönks, Entwicklungspsychologie (E.Reinhardt) 1995 ca.DM 49,80

GR 8035 Pervin, Persönlichkeitstheorien (E.Reinhardt) 3.A.93 DM 78,-

GR 8011 Pongratz, Problemgesch. der Psychologie (Francke) 2.A.84 DM 58,-

499 Popp, Allg. Psychologie (E.Reinhardt) 5.A.95 DM 29,80

1063 Rauchfleisch, Testpsychologie (Vandenhoeck) 3.A.94 DM 29,80

GR 8091 Reinelt, Kinderpsychotherapie (E.Reinhardt) 1995 ca.DM 59,80

GR 8049 Sarris, Experimentalpsychologie 1 (E.Reinhardt) 1990 DM 44,80

GR 8054 Sarris, Experimentalpsychologie 2 (E.Reinhardt) 1992 DM 59,80

216 Schlegel, Tiefenpsychologie 4 (Francke) 2.A. ca.DM 18,80

118 Schlegel, Tiefenpsychologie 1 (Francke) 2.A.85 DM 26,80

GR 8007 Schlegel, Transaktionale Analyse (Francke) 4.A.95 ca.DM 64,-

GR 8015 Wessells, Kognitive Psychologie (E.Reinhardt) 3.A.94 DM 49,80

766 Wittkowski, Tod und Sterben (Quelle&Meyer) 1978 DM 16,80

Rechtswissenschaft

883 Adomeit, Rechtstheorie (Hüthig/R.v.Decker) 3.A.90 DM 22,80

1136 Adomeit, Rechts- u. Staatsphilos. 1 (Hüthig/R.v.Decker) 2.A.92 DM 26,80

1670 Adomeit, Rechts- u. Staatsphilos. 2 (Hüthig/C.F.Müller) 1995 DM 24,80

1642 Battis, Staatsrecht (Hüthig/C.F.Müller) 3.A.91 DM 39,80

880 Baur, Insolvenzrecht (Hüthig/C.F.Müller) 3.A.91 DM 36,80

1764 Behrends, Corpus Iuris Civilis (Hüthig/C.F.Müller) 1993 DM 29,80

1813 Brand, Europ. Rechtsstaat (Hüthig/C.F.Müller) 1994 DM 26,80

1511 Buergenthal, Völkerrecht (Hüthig/C.F.Müller) 1988 DM 26,80

988 Dölle, Internat. Privatrecht (Hüthig/C.F.Müller) 3.A.96 ca.DM 19,80

1850 Dörr, Sozialverwaltungsrecht (P.Haupt) 1.A. ca.DM 29,80

1545 Eisenhardt, Allg. Teil des BGB (Hüthig/C.F.Müller) 3.A.89 DM 29,80

1271 Eisenmann, Rechtsfälle (Hüthig/C.F.Müller) 4.A.95 DM 29,80

1356 Eisenmann, Rechtsschutz (Hüthig/C.F.Müller) 3.A.95 ca.DM 34,80

1417 Gössel, Strafrecht 1 (Hüthig/C.F.Müller) 1987 DM 39,80

1573 Gössel, Strafrecht 2 (Hüthig/C.F.Müller) 1.A. ca.DM 32,80

1669 Grabitz, Europarecht (Hüthig/C.F.Müller) 1995 ca.DM 34,80

1362 Grimm, Einf. in das Recht (Hüthig/C.F.Müller) 3.A.96 ca.DM 29,80

1708 Grimm, Entsch. des Bundesverf.gerichts 1 (J.C.B.Mohr) 1993 DM 29,80

1709 Grimm, Entsch. des Bundesverf.gerichts 2 (J.C.B.Mohr) 1993 DM 29,80

1363 Grimm, Öffentl. Recht (Hüthig/C.F.Müller) 1985 DM 29,80

1042 Hattenhauer, Recht (Hüthig/C.F.Müller) 3.A.83 DM 32,80

123 Heidelmeyer, Menschenrechte (Schöningh) 3.A.82 DM 15,80

1274 Kaiser, Kriminolog. Wörterbuch (Hüthig/C.F.Müller) 3.A.93 DM 46,80

594 Kaiser, Kriminologie (Hüthig/C.F.Müller) 9.A.93 DM 46,80

706 Kaiser, Strafvollzug (Hüthig/C.F.Müller) 4.A.91 DM 39,80

593 Kaufmann, Rechtsphilosophie (Hüthig/C.F.Müller) 6.A.94 DM 46,80

469 Kimminich, Völkerrecht (Francke) 5.A.93 DM 36,80

578 Kleinheyer, Deutsche Juristen (Hüthig/C.F.Müller) 3.A.89 DM 36,80

1888 Köbler, Rechtswörterbuch (J.C.B.Mohr) 1995 ca.DM 24,80

1574 Köndgen, Schuldrecht 1 (Hüthig/C.F.Müller) 1.A. ca.DM 29,80

1575 Köndgen, Schuldrecht 2 (Hüthig/C.F.Müller) 1.A. ca.DM 29,80

1376 Kornblum, Privatrecht (Hüthig/C.F.Müller) 5.A.93 DM 26,80

1681 Kroeschell, Rechtsgesch. Deutschlands im 20. Jahrh. (Vandenhoeck) 1992 DM 26,80

1093 Kübler, Gesellschaftsrecht (Hüthig/C.F.Müller) 4.A.94 DM 39,80

1737 Küng, Völkerrecht (P.Haupt) 1993 DM 36,80

1758 Kunz, Kriminologie (P.Haupt) 1994 DM 27,80

465 Liebs, Röm. Recht (Vandenhoeck) 4.A.93 DM 32,80

1710 Montesquieu, Geist der Gesetze 1 (J.C.B.Mohr) 2.A.92 DM 36,80

1711 Montesquieu, Geist der Gesetze 2 (J.C.B.Mohr) 2.A.92 DM 36,80

1394 Mußgnug, Verfassungsgesch. (Hüthig/C.F.Müller) 1.A. ca.DM 29,80

1395 Puza, Kirchenrecht (Hüthig/C.F.Müller) 2.A.93 DM 39,80

932 Richardi, Mitbestimmung (Hüthig/C.F.Müller) 3.A.96 ca.DM 18,80

1095 Rittner, Wettbewerbsrecht (Hüthig/C.F.Müller) 4.A.93 DM 44,80

1279 Roxin, Strafrecht (Hüthig/C.F.Müller) 3.A.94 DM 34,80

1685 Schanze, Ökonom. Analyse d. Rechts (J.C.B.Mohr) 1993. DM 34,80

882 Schlosser,Privatrechtsgesch. (Hüthig/C.F.Müller) 7.A.93 DM 32,80

881 Scholler, Kommunalrecht (Hüthig/C.F.Müller) 4.A.90 DM 32,80

764 Scholler, Polizeirecht (Hüthig/C.F.Müller) 4.A.93 DM 36,80

1135 Schulte, Grundkurs im BGB 1 (Hüthig/C.F.Müller) 4.A.92 DM 29,80

1365 Schulte, Grundkurs im BGB 2 (Hüthig/C.F.Müller) 3.A.92 DM 34,80

1366 Schulte, Grundkurs im BGB 3 (Hüthig/C.F.Müller) 2.A.91 DM 24,80

1584 Schünemann,Wirtschaftsprivatrecht (G.Fischer) 2.A.93 DM 44,80

1653 Strömholm, Rechtsphilosophie (Vandenhoeck) 1991 DM 32,80

1851 Walter, Internat. Zivilprozeßrecht d. Schweiz (P.Haupt) 1995 DM 38,80

Romanistik

1703 Bárdosi, Redewdg. Frz.-dt. (Francke) 1992 DM 29,80

1755 Corbineau-H., Proust: Recherche (Francke) 1993 DM 26,80

1035 Elwert, Ital. Literatur des MA (Francke) 1980 DM 29,80

1757 Engler, Frz. Literatur (Francke) 1994 DM 36,80

1373 Hess, Lit. WB f. Romanisten (Francke) 3.A.89 DM 39,80

1371 Lepschy, Ital. Sprache (Francke) 1986 DM 29,80

767 Lope, Frz. Literaturgesch. (Quelle&Meyer) 3.A.90 DM 39,80

1698 Petronio, Gesch. der ital. Literatur 1 (Francke) 1992 DM 34,80

1699 Petronio, Gesch. der ital. Literatur 2 (Francke) 1992 DM 34,80

1700 Petronio, Gesch. der ital. Literatur 3 (Francke) 1993 DM 34,80

1507 Price, Franz. Sprache (Francke) 1988 DM 32,80

1837 Stackelberg, Fabeln La Fontaines (W.Fink) 1995 DM 15,80

725 Rousseau, Ungleichheit (Schöningh) 3.A.93 DM 39,80

823 Wolf, Franz. Sprachgesch. (Quelle&Meyer) 2.A.91 DM 26,80

Slawistik

1440 Birkenmaier, Russ./Dt. Wortschatz (Francke) 1987 DM 19,80

695 Holthusen, Russ. Lit. (Francke) 2.A.92 DM 32,80

1836 Panzer, Das Russische (W.Fink) 1995 DM 29,80

Sozialpädagogik

GR 8068 Gernert, Jugendhilfe (E.Reinhardt) 4.A.93 DM 46,-

657 Kupffer, Heimerziehung (Quelle&Meyer) 5.A.94 DM 26,80

818 Kupffer, Verhaltensgestörte Kinder (Quelle&Meyer) 2.A.92 DM 24,80

1240 Schlüter, Sozialphilosophie (E.Reinhardt) 3.A.95 DM 29,80

656 Schwendtke, WB Sozialarbeit (Quelle&Meyer) 4.A.95 DM 39,80

Soziologie

1609 Albert, Krit. Vernunft (J.C.B.Mohr) 5.A.91 DM 19,80

884 Buß/Schöps, Soziologie (Quelle&Meyer) 4.A.94 DM 32,80

1852 Elias, Figurationen (Leske+Budrich) 1995 DM 22,80

1876 Gripp-Hagelstange, Niklas Luhmann (W.Fink) 1995 ca.DM 17,80

1884 Hamm, Planungssoziologie (Leske+Budrich) 1995 ca.DM 24,80

1323 Henecka, Soziologie (Leske+Budrich) 5.A.94 DM 18,80

1509 Hettlage/Lenz, Goffman (P.Haupt) 1991 DM 39,80

1885 Hitzler, Sozialwiss. Hermeneutik (Leske+Budrich) 1995 ca.DM 24,80

372 Holm, Befragung 1 (Francke) 5.A. ca.DM 24,80

1809 Hradil, Ungleichheit (Leske+Budrich) 7.A.95 ca.DM 24,80

1751 Kneer, Niklas Luhmann (W.Fink) 2.A.94 DM 22,80

GR 8063 Korte/Schäfers, Hauptbegriffe d. Soziologie (Leske+Budrich) 3.A.95 DM 29,80

GR 8064 Korte, Geschichte d. Soziologie (Leske+Budrich) 3.A.95 ca.DM 29,80

GR 8071 Korte/Schäfers, Spez. Soziologien (Leske+Budrich) 1993 DM 29,80

1040 Kromrey, Sozialforschung (Leske+Budrich) 6.A.94 DM 24,80

740 Lamnek, Theorien abweichenden Verhaltens (W.Fink) 5.A.93 DM 26,80

1774 Lamnek, Neue Theorien abweichenden Verhaltens (W.Fink) 1994 DM 36,80

765 Mayntz,Öffentl. Verwaltung (Hüthig/C.F.Müller) 3.A.85 DM 24,80

1607 Peuckert, Familienformen (Leske+Budrich) 2.A.95 ca.DM 22,80

1724 Popper, Offene Gesellsch. 1 (J.C.B.Mohr) 7.A.92 DM 28,80

1725 Popper, Offene Gesellsch. 2 (J.C.B.Mohr) 7.A.92 DM 28,80

221 Prim, Sozialwissenschaft (Quelle&Meyer) 6.A.89 DM 24,80

667 Rousseau, Pol. Schriften 1 (Schöningh) 1977 DM 17,80

1416 Schäfers, Grundbegriffe Soziologie (Leske+Budrich) 4.A.95 DM 26,80

996 Schäfers, Gruppensoziologie (Quelle&Meyer) 2.A.94 DM 34,80

1131 Schäfers, Soziologie des Jugendalters (Leske+Budrich) 5.A.94 DM 19,80

1886 Schimank, Gesellschaftl. Differenzierung (Leske+Budrich) 1995 ca.DM 24,80

1776 Strauss, Sozialforschung (W.Fink) 1994 DM 38,80

GR 8070 Treibel, Soziolog. Theorien d. Gegenwart (Leske+Budrich) 2.A.94 DM 29,80

1496 Weber, Ges.Aufsätze 7 Bd. (J.C.B.Mohr) 1988 DM 198,-

1491 Weber, Polit. Schriften (J.C.B.Mohr) 5.A.88 DM 29,80

1488 Weber, Religionssoziol. 1 (J.C.B.Mohr) 9.A.88 DM 24,80

1489 Weber, Religionssoziol. 2 (J.C.B.Mohr) 7.A.88 DM 29,80

1490 Weber, Religionssoziol. 3 (J.C.B.Mohr) 8.A.88 DM 29,80

1494 Weber, Soziol.u.Sozialpol. (J.C.B.Mohr) 2.A.88 DM 39,80

541 Weber, Soziolog. Grundbegriffe (J.C.B.Mohr) 6.A.84 DM 8,80

1493 Weber, Wirtschaftsgesch. (J.C.B.Mohr) 2.A.88 DM 39,80

1492 Weber, Wissenschaftslehre (J.C.B.Mohr) 7.A.88 DM 29,80

1161 Willke, Systemtheorie (G.Fischer) 4.A.93 DM 24,80

1800 Willke, Systemtheorie 2 (G.Fischer) 1994 DM 29,80

1840 Willke, Systemtheorie 3 (G.Fischer) 1995 DM 36,80

Sportwissenschaft

GR 8098 Badtke, Sportmedizin (Hüthig/Barth) 3.A.95 ca.DM 98,-

1859 Janssen, Sportpsychologie (Limpert) 1995 DM 24,80

1860 Heim, Sportwissenschaft studieren (Limpert) 1995 DM 24,80

Statistik

1777 Bentz, SYSTAT (G.Fischer) 1994 ca.DM 24,80

1692 Engfer, Datenanalyse CSS (G.Fischer) 1993 DM 24,80

GR 8084 Hippmann, Statistik (Schäffer-Poeschel) 1994 DM 48,-

1890 Hippmann,Formelsammlg. Statistik (Schäffer-Poeschel) 1995 ca.DM 24,80

1779 Klemm, Datenerfassung (G.Fischer) 1994 DM 28,80

1585 Krotz, Statistik (G.Fischer) 1991 DM 22,80

1628 Küffner, Datenanalyse 3 (G.Fischer) 1.A. ca.DM 19,80

1601 Küffner, Datenanalyse 4 (G.Fischer) 1.A. ca.DM 19,80

209 Lippe, Wirtschaftsstatistik (G.Fischer) 5.A.95 ca.DM 34,80

1693 Passenberger, Datenstrukturen SIR (G.Fischer) 1995 DM 34,80

1603 Wittenberg, Datenanalyse 1 (G.Fischer) 1991 DM 36,80

1602 Wittenberg, Datenanalyse 2 (G.Fischer) 1992 DM 24,80

1694 Wittenberg, Datenanalyse BMDP (G.Fischer) 1993 DM 26,80

1841 Wittenberg, SPSS 6.0 f.Windows (G.Fischer) 1.A. ca.DM 26,80

1293 Zöfel, Statistik (G.Fischer) 3.A.93 DM 36,80

1663 Zöfel, Varianzanalyse (G.Fischer) 1992 DM 29,80

Theaterwissenschaft

1667 Fischer-Lichte, Gesch. des deutschen Theaters (Francke) 1993 DM 39,80

1807 Fischer-Lichte,TheaterAvantgarde (Francke) 1995 DM 39,80

Theologie

1530 Aland, Lutherlexikon (Vandenhoeck) 4.A.83 DM 32,80

GR 8039 Andresen, Hdb. Dogmen-Theologiegesch. (Vandenhoeck) 1989 3 Bd. zus. DM 228,-

1486 Baldermann, Einf. Bibel (Vandenhoeck) 4.A.93 DM 29,80

1591 Barrett, Umwelt NT (J.C.B.Mohr) 2.A.91 DM 39,80

658 Berger, Exegese NT (Quelle&Meyer) 3.A.91 DM 34,80

1444 Berger, Formgeschichte (Francke) 1987 DM 26,80

GR 8082 Berger, Urchristentum (Francke) 1994 DM 78,-

1759 Bultmann, Glauben 1-4 (J.C.B.Mohr) 1993 DM 98,-

1760 Bultmann, Glauben 1 (J.C.B.Mohr) 8.A.93 DM 32,80

1761 Bultmann, Glauben 2 (J.C.B.Mohr) 6.A.93 DM 27,80

1762 Bultmann, Glauben 3 (J.C.B.Mohr) 4.A.93 DM 24,80

1763 Bultmann, Glauben 4 (J.C.B.Mohr) 5.A.93 DM 29,80

1272 Bultmann, Jesus (J.C.B.Mohr) 1983 DM 13,80

630 Bultmann, Theologie NT (J.C.B.Mohr) 9.A.84 DM 34,80

1446 Conzelmann, Grundriß NT (J.C.B.Mohr) 5.A.92 DM 27,80

52 Conzelmann, Arbeitsbuch NT (J.C.B.Mohr) 11.A.95 DM 27,80

1893 Dohmen, Bibel (Schöningh) 1995 ca.DM 26,80

1090 Ebeling, Luther (J.C.B.Mohr) 4.A.81 DM 24,80

267 Fohrer, Exegese AT (Quelle&Meyer) 6.A.93 DM 29,80

708 Fohrer, Gesch. Israels (Quelle&Meyer) 5.A.90 DM 29,80

885 Fohrer, Judentum (Quelle&Meyer) 3.A.91 DM 24,80

1547 Fohrer, Propheten AT (Quelle&Meyer) 1989DM 29,80

1578 Fraas, Religiosität des Menschen (Vandenhoeck) 2.A.93 DM 36,80

850 Goppelt, Theologie d. NT (Vandenhoeck) 3.A.78 DM 31,80

1400 Grane, Confessio Augustana (Vandenhoeck) 4.A.90 DM 21,80

1425 Grane, Kirche 19. Jhd. (Vandenhoeck) 1987 DM 27,80

1048 Greschat, Buddhisten (E.Reinhardt) 1980 DM 29,80

1873 Hahn, Christolog. Hoheitstitel (Vandenhoeck) 1995 ca.DM 39,80

1641 Harnack, Dogmengesch. (J.C.B.Mohr) 8.A.91 DM 34,80

1343 Harnisch, Gleichniserzählungen (Vandenhoeck) 3.A.95 ca.DM 27,80

1894 Henze, Studium kathol. Theologie (Schöningh) 1995 ca.DM 28,80

1822 Honnefelder, Philosoph. Propädeutik 1 (Schöningh) 1994 DM 29,80

1895 Honnefelder, Philosoph. Propädeutik 2 (Schöningh) 1995 ca.DM 29,80

1671 Irrgang, Umweltethik (E.Reinhardt) 1992 DM 39,80

1336 Joest, Dogmatik 1 (Vandenhoeck) 3.A.89 DM 26,80

1413 Joest, Dogmatik 2 (Vandenhoeck) 3.A.93 DM 32,80

1747 Kaiser, Gott des AT 1 (Vandenhoeck) 1993 DM 39,80

1746 Kelly, Glaubensbekenntnisse (Vandenhoeck) 2.A.93 DM 39,80

1594 Lang, Die Bibel (Schöningh) 2.A.94 DM 29,80

1865 Leinsle, Scholastische Theologie (Schöningh) 1995 DM 32,80

1806 Lesch, Theologische Ethik (Francke) 1995 DM 36,80

1656 Luther, Deutsch 10 Bd. (Vandenhoeck) 4.A.91 DM 198,-

224 Maier, Qumran-Essener (E.Reinhardt) 3.A.92 DM 29,80

829 Maier, Tempelrolle (E.Reinhardt) 2.A.92 DM 19,80

1862 Maier, Qumran-Essener 1 (E.Reinhardt) 1995 DM 49,80

1863 Maier, Qumran-Essener 2 (E.Reinhardt) 1995 DM 49,80

1857 Markschies, Arbeitsbuch Kirchengesch. (J.C.B.Mohr) 1995 DM 19,80

905 Moeller, Gesch. Christentum (Vandenhoeck) 5.A.92 DM 32,80

1046 Mühlenberg, Kirchengesch. (Quelle&Meyer) 2.A.91 DM 29,80

887 Preuß/Berger, Bibelkunde 1 AT (Quelle&Meyer) 5.A.93 DM 29,80

972 Preuß/Berger, Bibelkunde 2 NT (Quelle&Meyer) 4.A.91 DM 29,80

1395 Puza, Kirchenrecht (Hüthig/C.F.Müller) 2.A.93 DM 39,80

GR 8029 Religion in Geschichte u. Gegenwart RGG (J.C.B.Mohr) 1987 DM 550,-

1618 Riedel-Sp., Kirchenrecht (Schöningh) 1992 DM 29,80

1577 Rudolph, Gnosis (Vandenhoeck) 3.A.90 DM 39,80

1382 Scharfenberg, Pastoralpsychologie (Vandenhoeck) 2.A.90 DM 29,80

1655 Schleiermacher, Religion (Vandenhoeck) 7.A.91 DM 22,80

1771 Schmidt, Religionspädagogik (Vandenhoeck) 1993 DM 34,80

1830 Schnelle, Einl. NT (Vandenhoeck) 1994 DM 49,80

1302 Schweitzer, Leben-Jesu (J.C.B.Mohr) 10.A.93 DM 36,80

1091 Schweitzer, Paulus (J.C.B.Mohr) 1981 DM 26,80

1796 Sommer, Kirchengesch. (Vandenhoeck) 1994 DM 20,80

1682 Strecker, Literaturgesch. NT (Vandenhoeck) 1992 DM 34,80

1253 Strecker, NT Exegese (Vandenhoeck) 4.A.94 DM 24,80

1811 Troeltsch, Soziallehren 1 (J.C.B.Mohr) 1994 DM 27,80

1812 Troeltsch, Soziallehren 2 (J.C.B.Mohr) 1994 DM 36,80

1733 Vouga, Gesch. des frühen Christentums (Francke) 1994 DM 32,80

GR 8025 Waldenfels, Fundamentaltheologie (Schöningh) 2.A.88 DM 68,-

1355 Wallmann, Kirchengesch. (J.C.B.Mohr) 4.A.93 DM 12,80

1648 Wils, Christl. Ethik (Schöningh) 1992 DM 30,80

1516 Wolf, Sozialethik (Vandenhoeck) 3.A.88 DM 29,80

Übersetzungswissenschaft

1782 Gerzymisch-A., Übersetzungswiss. (Francke) 1994 DM 26,80

325 Kapp, Übersetzer (Francke) 3.A.91 DM 26,80

819 Koller, Übersetzungswiss. (Quelle&Meyer) 4.A.92 DM 34,80

1734 Nord,Funktionales Übersetzen (Francke) 1993 DM 29,80

1415 Snell-Hornby, Übersetzungswiss. (Francke) 2.A.94 DM 36,80

1588 Wandruszka, Europ. Sprachengemeinschaft (Francke) 1990 DM 24,80

Veterinärmedizin

GR 8055 Bonath, Kleintierkrankh. 2 (Ulmer) 1991 DM 98,-

GR 8008 Dedié, Schafkrankh. (Ulmer) 2.A.95 ca.DM 68,-

GR 8075 Gerber, Pferdekrankh. (Ulmer) 1994 DM 98,-

GR 8027 Gylstorff, Vogelkrankh. (Ulmer) 1987 DM 128,-

GR 8044 Hofmann, Rinderkrankh.1 (Ulmer) 1992 DM 118,-

GR 8016 Isenbügel, Heimtierkr. (Ulmer) 2.A. ca.DM 88,-

GR 8017 Kraft, Kleintierkrankh. 1 (Ulmer) 2.A.90 DM 98,-

1842 Michel, Embryologie d. Haustiere (G.Fischer) 1995 DM 39,80

1870 Rossow, Innere Med. für Tierärzte (Ulmer) 1995 ca.DM 36,80

514 Sommer, Hygiene (Ulmer) 2.A.91 DM 48,-

Wirtschaftswissenschaften

1364 Ahlert, Distributionspolitik (G.Fischer) 2.A.91 DM 29,80

GR 8100 Ahlert, Handelsmanagement (Schäffer-Poeschel) 1995 ca.DM 48,-

1748 Ahrens, Übungsb. Mikro-Makroökonomik (Vandenhoeck) 1993 DM 19,80

GR 8037 Albers, Handwörterbuch der Wirtschaftswiss. HdWW (G.Fischer/J.C.B.Mohr/Vandenhoeck) 1988 DM 780,-

1537 Altmann, Arbeitsb. VWL (G.Fischer) 2.A.93 DM 29,80

1750 Altmann, Außenwirtschaft (G.Fischer) 1993 DM 49,80

1504 Altmann, VWL (G.Fischer) 4.A.94 DM 26,80

1317 Altmann, Wirtschaftspolitik (G.Fischer) 6.A.95 ca.DM 26,80

1081 Bea, Allgem. BWL 1 (G.Fischer) 6.A.92 DM 27,80

1082 Bea, Allgem. BWL 2 (G.Fischer) 6.A.93 DM 29,80

1083 Bea, Allgem. BWL 3 (G.Fischer) 6.A.94 DM 27,80

1458 Bea, Strat. Management (G.Fischer) 1995 ca.DM 29,80

919 Böcker, Marketing (G.Fischer) 5.A.94 DM 39,80

1619 Bokranz, Arbeitswiss. (Ulmer) 1991 DM 44,80

1079 Brockhoff, Produktpolitik (G.Fischer) 3.A.93 DM 39,80

1586 Buchner, Rechnungslegung (G.Fischer) 2.A.93 DM 39,80

1668 Bühlmann, Finanzmath. 1 (P.Haupt) 1992 DM 25,80

917 Büschgen, Bankbetriebslehre (G.Fischer) 3.A.94 DM 36,80

1749 Cansier,Umweltökonomie (G.Fischer) 1993 DM 42,80

1570 Cassen, Entwicklungszusammenarbeit (P.Haupt) 1990 DM 32,80

1267 Cipolla, Europ. Wirtschaftsgesch. 1 (G.Fischer) 1983 DM 28,80

1268 Cipolla, Europ. Wirtschaftsgesch. 2 (G.Fischer) 1983 DM 34,80

1316 Cipolla, Europ. Wirtschaftsgesch. 4 (G.Fischer) 1985 DM 39,80

1369 Cipolla, Europ. Wirtschaftsgesch. 5 (G.Fischer) 1986 DM 39,80

1229 Drukarczyk, Finanzierung (G.Fischer) 6.A.93 DM 34,80

GR 8101 Ebeling,Konzernrechn.legung (Schäffer-Poeschel) 1995 ca.DM 49,80

1864 Eisenführ, BWL (Schäffer-Poeschel) 1995 ca.DM 29,80

1572 Eucken, Wirtschaftspolitik (J.C.B.Mohr) 6.A.90 DM 27,80

486 French, Organisationsentwicklung (P.Haupt) 4.A.94 DM 26,80

1532 Gehrmann, Sozialpolitik (G.Fischer) 1.A. ca.DM 24,80

1801 Gierl, Marketing Arbeitsb. (G.Fischer) 1994 DM 27,80

1424 Glismann, Weltwirtschaftslehre 1 (Vandenhoeck) 4.A.92 DM 26,80

1451 Glismann, Weltwirtschaftslehre 2 (Vandenhoeck) 3.A.87 DM 27,80

1283 Göpfrich, Arbeitsb. Wirtschaftsinf. 2 (G.Fischer) 3.A.88 DM 18,80

803 Göpfrich, Wirtschaftsinformatik 2 (G.Fischer) 4.A.91 DM 22,80

1544 Haedrich,Markenführung (P.Haupt) 1990 DM 22,80

805 Hammann, Marktforschung (G.Fischer) 3.A.94 DM 44,80

802 Hansen, Wirtschaftsinformatik 1 (G.Fischer) 6.A.92 DM 29,80

849 Hansen, Handelsbetriebslehre 2 (Vandenhoeck) 2.A. ca.DM 24,80

1281 Hansen, Arbeitsb. Wirtschaftsinf. 1 (G.Fischer) 4.A.93 DM 26,80

GR 8053 Hansen, Marketing des Einzelhdl. gb. (Vandenhoeck) 2.A.90 DM 84,-

GR 8052 Hansen, Marketing des Einzelhdl. kt. (Vandenhoeck) 2.A.90 DM 68,-

737 Hardes, VWL - problemorientiert (J.C.B.Mohr) 19.A.95 DM 25,80

1568 Hauser, Dritte Welt 1 (P.Haupt) 1990 DM 32,80

1569 Hauser, Dritte Welt 2 (P.Haupt) 1991 DM 39,80

750 Heigl, Controlling (G.Fischer) 2.A.89 DM 29,80

1778 Heilemann, Wirtschaftschronik BRD (G.Fischer) 1995 ca.DM 22,80

337 Henning, Industrialisierg. Dtld. 1914-1992 (Schöningh) 8.A.93 DM 31,80

145 Henning, Industrialisierg. Dtld. 1800-1914 (Schöningh) 8.A.93 DM 29,80

774 Henning, Landwirtschaft 1750-1986 (Schöningh) 2.A.88 DM 29,80

894 Henning, Landwirtschaft 800-1750 (Schöningh) 2.A.85 DM 24,80

398 Henning, Vorindustr. Dtld. 800-1800 (Schöningh) 5.A.94 DM 26,80

680 Henrichsmeyer, VWL (Ulmer) 10.A.93 DM 34,80

1706 Hentze, Personalcontrolling (P.Haupt) 1993 DM 24,80

1374 Hentze, Personalführungslehre (P.Haupt) 3.A.95 ca.DM 25,80

649 Hentze, Personalwirtschaftslehre 1 (P.Haupt) 6.A.94 DM 29,80

650 Hentze, Personalwirtschaftslehre 2 (P.Haupt) 6.A.95 DM 29,80

1321 Hentze, Unternehmensplanung (P.Haupt) 2.A.93 DM 26,80

1792 Henze, Marktforschung (Ulmer) 1994 DM 39,80

1294 Herdzina, Wettbewerbspolitik (G.Fischer) 4.A.93 DM 29,80

GR 8048 Hill, Marketing-Management (P.Haupt) 2.A.93 DM 54,-

259 Hill, Organisationslehre 1 (P.Haupt) 5.A.94 DM 27,80

365 Hill, Organisationslehre 2 (P.Haupt) 4.A.92 DM 24,80

1721 Homann, Wirtschaftsethik (Vandenhoeck) 1992 DM 19,80

1538 Hübler, Ökonometrie (G.Fischer) 1989 DM 39,80

1598 Jarchow, Arbeitsbuch Geld (Vandenhoeck) 1991 DM 19,80

1184 Jarchow, Außenwirtschaft 1 (Vandenhoeck) 4.A.94 DM 34,80

1335 Jarchow, Außenwirtschaft 2 (Vandenhoeck) 3.A.93 DM 33,80

234 Jarchow, Geld 1 (Vandenhoeck) 9.A.93 DM 34,80

346 Jarchow, Geld 2 (Vandenhoeck) 6.A.92 DM 24,80

1839 Klaus, Logistik (G.Fischer) 1.A. ca.DM 34,80

1891 Klein, Mikroökonomik (Schäffer-Poeschel) 1995 ca.DM 29,80

1452 Kromphardt, Arbeitslosigkeit (Vandenhoeck) 1987 DM 27,80

1017 Kromphardt, Kapitalismus (Vandenhoeck) 3.A.91 DM 25,80

308 Külp, Verteilung (G.Fischer) 3.A.94 DM 39,80

1604 Kuß, Käuferverhalten (G.Fischer) 1991 DM 24,80

1632 Lippe, Deskriptive Statistik (G.Fischer) 1993 DM 46,80

1814 Maier, Bildungsökonomie (Schäffer-Poeschel) 1994 DM 29,80

1231 Meyer, Operations Research (G.Fischer) 3.A.90 DM 26,80

449 Musgrave, Öffentl. Finanzen 1 (J.C.B.Mohr) 6.A.94 DM 24,80

519 Musgrave, Öffentl. Finanzen 2 (J.C.B.Mohr) 5.A.93 DM 34,80

542 Musgrave, Öffentl. Finanzen 3 (J.C.B.Mohr) 4.A.92 DM 24,80

1858 Niehans, Außenwirtschaftstheorie (J.C.B.Mohr) 1995 DM 19,80

1353 Pätzold,Stabilisierungspolitik (P.Haupt) 5.A.93 DM 29,80

GR 8102 Pepels, Distributionspolitik (Schäffer-Poeschel) 1995 ca.DM 68,-

GR 8094 Pepels, Käuferverhalten (Schäffer-Poeschel) 1995 DM 68,-

1560 Perlitz, Internat. Management (G.Fischer) 2.A.95 DM 49,80

682 Pfeiffer/Dörrie/Stoll, Menschl. Arbeit (Vandenhoeck) 1977 DM 27,80

1695 Pilz, Vereinte Dtld. (G.Fischer) 1992 DM 26,80

33 Pirenne, Wirtschaftsgesch. Europas im MA (Francke) 7.A.94 DM 24,80

68 Pohmer, Produktion (Vandenhoeck) 3.A.94 DM 31,80

97 Raffée, BWL (Vandenhoeck) 1974 DM 22,80

1786 Richter, Institutionen (J.C.B.Mohr) 1994 DM 12,80

GR 8085 Richter, Personalführung (Schäffer-Poeschel) 1994 DM 74,-

644 Ritter, Wirtschaftswiss. Begriffe Engl.-Dt./Dt.-Engl.(G.Fischer) 5.A.91 DM 24,80

1736 Röpke, Wirtschaft (P.Haupt) 13.A.94 DM 26,80

22 Rose, Wachstumstheorie (Vandenhoeck) 6.A.91 DM 24,80

260 Rühli, Unternehmensführung 1 (P.Haupt) 2.A.85 DM 26,80

645 Rühli, Unternehmensführung 2 (P.Haupt) 2.A.88 DM 26,80

1739 Rühli, Unternehmensführung 3 (P.Haupt) 1993 DM 32,80

1815 Scharf, Marketing (Schäffer-Poeschel) 1994 DM 39,80

1899 Schenk, Handelspsychologie (Vandenhoeck) 1995 ca.DM 32,80

1160 Scherrer, Kostenrechnung (G.Fischer) 2.A.91 DM 46,80

1123 Schmalen, Preispolitik (G.Fischer) 2.A.94 DM 29,80

1559 Schmid, Ökonomik 1 (P.Haupt) 1990 DM 16,80

1579 Schmid, Ökonomik 2 (P.Haupt) 1991 DM 17,80

172 Schumpeter, Kapitalismus (Francke) 7.A.93 DM 39,80

1370 Schweiger, Werbung (G.Fischer) 4.A.95 ca.DM 29,80

GR 8081 Siebert, Außenwirtschaft (G.Fischer) 6.A.94 DM 58,-

1510 Stadermann, Weltwirtschaft (J.C.B.Mohr) 1988 DM 16,80

1254 Staehle, Management (P.Haupt) 3.A.92 DM 17,80

23 Swoboda, Investition (Vandenhoeck) 4.A.92 DM 27,80

375 Ulrich, Management (P.Haupt) 7.A.95 DM 27,80

1576 Vogt, Mathematik (Schöningh) 1991 DM 26,80

1230 Wagner, Entwicklungsländer (G.Fischer) 3.A.95 DM 36,80

1536 Wagner, Makroökonomik (G.Fischer) 1990 DM 39,80

1517 Wagner, Mikroökonomik (P.Haupt) 1990 DM 24,80

1571 Wagner, Unternehmenspolitik (P.Haupt) 1990 DM 24,80

1883 Wagner, Regional-/Außenwirtsch.theorie (Francke) 1995 ca.DM 19,80

1717 Walter, Wirtschaftsgesch. (Schöningh) 1994 DM 29,80

1148 Weinberg, Konsumenten (Schöningh) 1981 DM 19,80

GR 8090 Wiswede, Wirtschaftspsychologie (E.Reinhardt) 2.A.95 DM 56,-

1803 Zahn, Industriebetriebslehre (G.Fischer) 1995 ca.DM 36,80

Wissenschaftliche Arbeitshilfen

1797 Boenke, WORD (W.Fink) 1994 DM 19,80

1512 Eco, Abschlußarbeit (Hüthig/C.F.Müller) 6.A.93 DM 29,80

217 Gerhards, Seminararbeit (P.Haupt) 7.A.91 DM 16,80

1834 Grund, Bibliothek (W.Fink) 1995 DM 26,80

1633 Krämer, Seminararbeit (G.Fischer) 2.A.93 DM 19,80

428 Merten, Fortran 77 (G.Fischer) 3.A.88 DM 29,80

724 Rückriem, Wiss. Arbeit (Schöningh) 8.A.94 DM 29,80

272 Standop, Wiss. Arbeit (Quelle&Meyer) 14.A.94 DM 19,80

Zoologie

GR 8051 Bezzel, Ornithologie (Ulmer) 2.A.90 DM 98,-

791 Cleffmann, Stoffwechselphysiol. der Tiere (Ulmer) 2.A.87 DM 32,80

1657 Freye, Zoologie (G.Fischer) 9.A.91 DM 36,80

1831 Hennig, Wirbellose 1 (G.Fischer) 6.A.94 DM 34,80

1832 Hennig, Wirbellose 2 (G.Fischer) 5.A.94 DM 32,80

367 Hentschel, Zoolog. Wörterbuch (G.Fischer) 5.A.93 DM 39,80

1521 Mehlhorn, Zoologie (G.Fischer) 2.A.95 DM 49,80

GR = Grosse Reihe

Die in Klammern gesetzten Namen verweisen auf den jeweiligen UTB-Gesellschafterverlag

Für die Schweiz gelten die folgenden Preise:

Deutsche Ladenpreise zwischen DM 1,- und DM 40,-, DM = sFr. 1:1

Deutsche Ladenpreise zwischen DM 41,- und DM 80,-, Umrechnungskurs 1 DM = 0,95 sFr.,

Deutsche Ladenpreise ab DM 81,-, Umrechnungskurs 1 DM = 0,90 sFr.

Für Österreich gilt für die angegebenen deutschen Ladenpreise der Umrechnungskurs 1 DM = öS 7.40.